JN012049

JILPT　資料シリーズ　No. 224
2020年3月

パワーハラスメントに関連する主な裁判例の分析

独立行政法人　労働政策研究・研修機構
The Japan Institute for Labour Policy and Training

まえがき

職場における「パワーハラスメント」に関する裁判例は増加の一途を辿っている。また、厚生労働省「平成30年度個別労働紛争解決制度の施行状況（令和元年6月26日）」によれば、平成30年度の(1)民事上の個別労働紛争の相談件数、(2)助言・指導の申出件数、(3)あっせんの申請件数の全てで、「いじめ・嫌がらせ」が首位を占めており、こうした状況は5年以上にわたり続いている。

こうした状況の中、いまや、職場におけるパワーハラスメント問題は、重要な政策課題の一つとして認識されるに至っている。

立法においては、2019年の労働施策の総合的な推進並びに労働者の雇用の安定及び職業生活の充実等に関する法律（労働施策総合推進法）改正により、パワーハラスメントについて事業主に措置義務を課する規定（第30条の2第1項）等が置かれることとなった。また、同法同条3項は、事業主の措置義務に関し、「指針」を策定することとしている。そして、その「指針」の策定にあたっては、労働政策審議会の意見を聴くものとされている。

労働政策研究・研修機構では、労働政策審議会における議論にも帰すべく、緊急調査として、パワーハラスメントに関連する主な裁判例について収集し、その判断傾向につき、一定の分析を加えることとした。

本資料シリーズが、多くの人々に活用され、今後のパワーハラスメントに係る政策論議に役立てば幸いである。

2020年3月

独立行政法人　労働政策研究・研修機構
理事長　樋　口　美　雄

執 筆 担 当 者

氏　名	所　属
滝原（たきはら）　啓允（ひろみつ）	労働政策研究・研修機構　研究員

目　次

第１章　はじめに

第1章　はじめに

1　研究の目的

職場における「パワーハラスメント」に関する紛争は増加の一途を辿っており、パワーハラスメントそれ自体は、重要な政策課題の一つとして認識がなされている[1]。

そうした課題に対処するため、具体的にどのような紛争が存在し、また如何に判断がなされているのかについて、一定の収集と分析を行うことは有用と解される。当該課題に係る具体的な認識なくして適切な対処を導くことはできないからである。網羅的な収集が可能な紛争類型は、法的紛争、とりわけ裁判所により終局的な解決が図られた紛争であると考えられるが、現在のところ、パワーハラスメントに関連する裁判例について一定の基準のもとそれらを収集し分析する研究はほとんど見られない。

そのため、労働政策研究・研修機構では、緊急調査として、パワーハラスメントに関連する主な裁判例について収集し、その判断傾向につき、一定の分析をなすこととした。

2　研究の方法

本稿における分析対象裁判例は、下記の基準（１）および（２）によって、選定したものである。

（１）判例データベース（TKC）を用い、キーワードを「パワーハラスメント」・「パワハラ」・「嫌がらせ」・「いじめ」とし、裁判日を平成15年1月1日[2]から平成31年4月1日とし、掲載誌を労働判例・労働経済判例速報[3]として、書誌検索した結果から、行為者の法的責任そしてその使用者の法的責任が問われるなどパワーハラスメントの存否ないしその評価が主な争点（ないし主な争点の一つ）となった事案であって、評釈がなされた事案もしくは主だった労働法の基本書・体系書において言及がなされた事案、またはパワーハラスメントについて一定の規範が示された事案を選定した。

---

[1] 厚生労働省のとりまとめ（同省「平成30年度個別労働紛争解決制度の施行状況」（令和元年6月26日））によれば、平成30年度の、(1)民事上の個別労働紛争の相談件数、(2)助言・指導の申出件数、(3)あっせんの申請件数の全てで、「いじめ・嫌がらせ」が首位を占めた。(1)については7年連続、(2)については6年連続、(3)については5年連続で「いじめ・嫌がらせ」が首位となっている。なお、それぞれの件数は、(1) 82797件（前年比14.9％増）、(2) 2599件（同15.6％増）、(3) 1808件（同18.2％増）となっており、いずれも過去最高の値となっている。とはいえ、それらが全てパワーハラスメントに係るものかどうかは、必ずしも明らかではない。

[2] パワーハラスメントとの用語が裁判実務で使われるようになったのは平成15年頃である。

[3] これら2誌は労働裁判例のほとんどを網羅している。

また、

（２）上記（１）によって拾われなかった（上記検索から漏れるなどした）事案であっても、パワーハラスメント事案などとして、主だった労働法の基本書・体系書の複数において言及がなされた事案で、上記裁判日の範囲内の事案については本稿の検討対象とした。

3　分析対象裁判例

上記２に記載した方法により、本稿における分析対象となった裁判例は、以下の通りである。なお、本稿における各事件名は、判例データベースまたは判例誌において明示されている事件名をそのまま用いるなどしたものである。

事件番号１　川崎市水道局事件・東京高判平15.3.25労判849号87頁
事件番号２　誠昇会北本共済病院事件・さいたま地判平16.9.24労判883号38頁
事件番号３　三井住友海上火災保険事件・東京高判平17.4.20労判914号82頁
事件番号４　ファーストリテイリングほか（ユニクロ店舗）事件・名古屋高判平20.1.29労判967号62頁
事件番号５　日本土建事件・津地判平21.2.19労判982号66頁
事件番号６　A病院事件・福井地判平21.4.22労判985号23頁
事件番号７　前田道路事件・高松高判平21.4.23労判990号134頁
事件番号８　三洋電機コンシューマエレクトロニクス事件・広島高松江支判平21.5.22労判987号29頁
事件番号９　医療法人財団健和会事件・東京地判平21.10.15労判999号54頁
事件番号10　東京都ほか（警視庁海技職員）事件・東京高判平22.1.21労判1001号5頁
事件番号11　日本ファンド事件・東京地判平22.7.27労判1016号35頁
事件番号12　学校法人兵庫医科大学事件・大阪高判平22.12.17労判1024号37頁
事件番号13　トマト銀行事件・岡山地判平24.4.19労判1051号28頁
事件番号14　ザ・ウィンザー・ホテルズインターナショナル事件・東京高判平25.2.27労判1072号5頁
事件番号15　アークレイファクトリー事件・大阪高判平25.10.9労判1083号24頁
事件番号16　メイコウアドヴァンス事件・名古屋地判平26.1.15労判1096号76頁
事件番号17　鹿児島県・曽於市（市立中学校教諭）事件・鹿児島地判平26.3.12労判1095号29頁
事件番号18　海上自衛隊事件・東京高判平26.4.23労判1096号19頁

事件番号19　岡山県貨物運送事件・仙台高判平26.6.27労判1100号26頁
事件番号20　日本アスペクトコア事件・東京地判平26.8.13労経速2237号24頁
事件番号21　暁産業ほか事件・福井地判平26.11.28労判1110号34頁
事件番号22　サントリーホールディングスほか事件・東京高判
平27.1.28労経速2284号7頁
事件番号23　公立八鹿病院組合ほか事件・広島高松江支判
平27.3.18労判1118号25頁
事件番号24　さいたま市環境局事件・東京高判平29.10.26労判1172号26頁
事件番号25　加野青果事件・名古屋高判平29.11.30労判1175号26頁
事件番号26　関西ケーズデンキ事件・大津地判平30.5.24労経速2354号18頁

第２章　分析対象裁判例の傾向

第２章　分析対象裁判例の傾向

１　原告の請求を認容（一部認容を含む）したもの

分析対象裁判例のうち、原告の請求を認容（一部認容）したもの（以下「認容事案」）は、26 例中 22 例である。すなわち、**1 川崎市水道局事件**、**2 誠昇会北本共済病院事件**、**3 三井住友海上火災保険事件**、**4 ファーストリテイリング事件**、**5 日本土建事件**、**8 三洋電機コンシューマエレクトロニクス事件**、**10 東京都ほか（警視庁海技職員）事件**、**11 日本ファンド事件**、**12 学校法人兵庫医科大学事件**、**13 トマト銀行事件**、**14 ザ・ウィンザー・ホテルズインターナショナル事件**、**15 アークレイファクトリー事件**、**16 メイコウアドヴァンス事件**、**17 鹿児島県・曽於市（市立中学校教諭）事件**、**18 海上自衛隊事件**、**19 岡山県貨物運送事件**、**21 暁産業ほか事件**、**22 サントリーホールディングスほか事件**、**23 公立八鹿病院組合ほか事件**、**24 さいたま市環境局事件**、**25 加野青果事件**、**26 関西ケーズデンキ事件**の 22 例が挙げられる。

２　原告の請求を棄却したもの

分析対象裁判例のうち、原告の請求を棄却したもの（以下「棄却事案」）は、26 例中４例である。すなわち、**6 A病院事件**、**7 前田道路事件**、**9 医療法人財団健和会事件**（パワーハラスメントに係る請求の部分については棄却）、**20 日本アスペクトコア事件**の４例が挙げられる。

３　認容事案及び棄却事案における被告側の法的責任の肯否

（１）認容事案における被告側の法的責任の肯否

原告の請求を認容（一部認容）したもののうち、誰のどのような法的責任が肯定されたか（あるいは否定されたか）についての概要は、以下の通りである（判断の詳細については本稿３章における「整理表」を参照されたい。また、各事件名の後に事案の類型を示したが、これは、原告の主張するところから当該事案が平成 23 年度の職場のいじめ・嫌がらせ問題に関する円卓会議ワーキング・グループ報告書で整理された６つの行為類型[4]

---

[4] 当該６類型については、職場のいじめ・嫌がらせ問題に関する円卓会議ワーキング・グループ「職場のいじめ・嫌がらせ問題に関する円卓会議ワーキング・グループ報告」（平成２４年1月３０日）６頁において、以下で引用するような説明がなされている。すなわち、同頁において「職場のパワーハラスメントの行為類型としては、以下のものが挙げられる。ただし、これらは職場のパワーハラスメントに当たりうる行為のすべてを網羅するものではなく、これ以外の行為は問題ないということではないことに留意する

のいずれの類型に該当しているものと解されるか表示したものである)。

・1　**川崎市水道局事件（身体的な攻撃、精神的な攻撃）**では、被告である市における安全配慮義務違反について**国家賠償法１条１項責任**が肯定されている。

・2　**誠昇会北本共済病院事件（身体的な攻撃、精神的な攻撃、過大な要求、個の侵害）**では、被告行為者の**不法行為責任**と、被告法人の安全配慮義務違反による**債務不履行責任**が肯定されている。

・3　**三井住友海上火災保険事件（精神的な攻撃）**では、被告行為者の名誉毀損行為による**不法行為責任**が肯定されている。

・4　**ファーストリテイリング事件（身体的な攻撃、精神的な攻撃）**では、被告行為者の**不法行為責任**と、被告法人の**不法行為責任（使用者責任）**が肯定されている。

・5　**日本土建事件（身体的な攻撃、精神的な攻撃、過大な要求）**では、被告法人のパワーハラスメント防止義務としての安全配慮義務違反による**債務不履行責任**及び**不法行為責任**が肯定されている。

・8　**三洋電機コンシューマエレクトロニクス事件（精神的な攻撃、過小な要求）**では、被告行為者１名の**不法行為責任**と被告法人の**不法行為責任（使用者責任）**が肯定されているが、もう１名の被告行為者による言動については「指導の一環」であるなどと判示され、その不法行為責任が否定されている。

・10　**東京都ほか（警視庁海技職員）事件（身体的な攻撃、精神的な攻撃、人間関係からの切り離し、個の侵害）**では、被告行為者らの言動につき不法行為が成立するものとされたが、国賠事案であったため個人としての不法行為責任は否定され、被告である都の**国家賠償法１条１項責任**が肯定されている。

・11　**日本ファンド事件（身体的な攻撃、精神的な攻撃）**では、被告行為者の**不法行為責任**と、被告法人の**不法行為責任（使用者責任）**が肯定されている。

・12　**学校法人兵庫医科大学事件（精神的な攻撃、過小な要求、人間関係からの切り離し）**では、被告行為者の**不法行為責任**と、被告法人の**不法行為責任（使用者責任）**が肯定されている。

・13　**トマト銀行事件（精神的な攻撃、過小な要求、身体的な攻撃）**では、被告行為者１名の**不法行為責任**と、被告法人の**不法行為責任（使用者責任）**が肯定されているが、もう２名の被告行為者による言動については「パワーハラスメント」に該当しないなどと

必要がある。
①暴行・傷害（身体的な攻撃）
②脅迫・名誉毀損・侮辱・ひどい暴言（精神的な攻撃）
③隔離・仲間外し・無視（人間関係からの切り離し）
④業務上明らかに不要なことや遂行不可能なことの強制、仕事の妨害（過大な要求）
⑤業務上の合理性なく、能力や経験とかけ離れた程度の低い仕事を命じることや仕事を与えないこと（過小な要求）
⑥私的なことに過度に立ち入ること（個の侵害）」とされている。

判示され、その不法行為責任が否定されている。

・14 **ザ・ウィンザー・ホテルズインターナショナル事件（精神的な攻撃、過大な要求）**では、被告行為者の**不法行為責任**と被告法人の**不法行為責任（使用者責任）**が肯定されている。

・15 **アークレイファクトリー事件（精神的な攻撃、過小な要求）**では、被告法人（被行為者の派遣先）の**不法行為責任（使用者責任）**が肯定されている。

・16 **メイコウアドヴァンス事件（身体的な攻撃、精神的な攻撃）**では、被告行為者１名の**不法行為責任**と、被告法人の**会社法３５０条責任**が肯定されているが、もう１名の被告行為者による言動についてはそれを「認めるに足りる証拠はない」などと判示され、その不法行為責任が否定されている。

・17 **鹿児島県・曽於市（市立中学校教諭）事件（精神的な攻撃、過大な要求）**では、被告である市と県の安全配慮義務違反について**国家賠償法１条１項責任**が肯定されている。

・18 **海上自衛隊事件（身体的な攻撃、精神的な攻撃、過大な要求）**では、被告行為者のなした暴行のうち業務上の指導と称して行われたものについて、また被告行為者に対する上官らの指導監督義務違反について、被告国の**国家賠償法1条１項責任**が肯定され、その職務と無関係に被行為者に対しなした暴行及び恐喝については、被告行為者の個人としての**不法行為責任**が肯定されている。

・19 **岡山県貨物運送事件（身体的な攻撃、精神的な攻撃、過大な要求）**では、被告行為者の**不法行為責任**と被告法人の**不法行為責任（使用者責任）**が肯定されている。

・21 **暁産業ほか事件（精神的な攻撃）**では、被告行為者１名につき**不法行為責任**が肯定され、被告法人の**不法行為責任（使用者責任）**が肯定されているが、もう１名の被告行為者については「いじめないしパワーハラスメントと評される行為をしたことを認めるに足りる証拠はない」と判示され、その不法行為責任が否定されている。

・22 **サントリーホールディングスほか事件（精神的な攻撃）**では、被告行為者１名の**不法行為責任**と被告法人の**不法行為責任（使用者責任）**が肯定されているが、もう１名の被告行為者による言動についてはそれが「適切な」言動であったなどと判示され、その不法行為責任が否定されている。

・23 **公立八鹿病院組合ほか事件（身体的な攻撃、精神的な攻撃、過大な要求）**では、被告である一部事務組合における安全配慮義務違反が肯定され、被告行為者らによる被行為者へのパワーハラスメントによる被告組合の**国家賠償法１条１項責任**が肯定される一方、国賠事案であったために被告行為者らの個人責任は否定されている。

・24 **さいたま市環境局事件（身体的な攻撃、精神的な攻撃）**では、被告である市における「安全配慮義務のひとつである職場環境調整義務」違反ないし安全配慮義務違反について、被告である市の**国家賠償法１条１項責任**が肯定されている。

・25 加野青果事件（精神的な攻撃、過大な要求）では、被告行為者らの**不法行為責任**が肯定され、被告法人の「雇用契約上の安全配慮義務及び不法行為上の注意義務」違反による**不法行為責任**及び**債務不履行責任**が肯定され、被告行為者らの言動につき**不法行為責任（使用者責任）**もまた肯定されている。

・26 関西ケーズデンキ事件（精神的な攻撃、過大な要求）では、被告行為者の**不法行為責任**が肯定され、被告法人の**不法行為責任（使用者責任）**が肯定されているが、被告法人の職場環境配慮義務違反による債務不履行責任は、被告法人においてパワーハラスメントの防止施策が講じられ相談対応体制が整っていたことから否定されている。

（2）棄却事案における被告側の法的責任の肯否

原告の（パワーハラスメントに係る）請求を棄却したもののうち、誰のどのような法的責任が否定されたかについての概要は、以下の通りである（判断の詳細については本稿３章における「整理表」を参照されたい。また、事案の類型については、本節（1）における表示方法と同様である）。

・６ Ａ病院事件（精神的な攻撃、過小な要求、個の侵害）では、被行為者における問題行動の存在などから被行為者に対してなされた解雇は有効とされた上で、原告（被行為者）が縷々主張した言動については、当該言動の態様や目的などに照らしパワーハラスメントにはあたらないなどして、被告法人の**不法行為責任**ないし**債務不履行責任**が否定されている。

・７ 前田道路事件（精神的な攻撃、過大な要求）では、被行為者における問題行動につき考慮がなされた上で、行為者らによる叱責等につき、「上司らのなすべき正当な業務の範囲内にあるものというべきであり、社会通念上許容される業務上の指導の範囲を超えるものと評価することはできない」などとして不法行為にあたらないとされ、また、被告法人における**不法行為責任（使用者責任）**又は**債務不履行責任**（安全配慮義務違反）も否定されている。

・９ 医療法人財団健和会事件（精神的な攻撃、人間関係からの切り離し）では、原告（被行為者）による地位確認請求は認容されているが、パワーハラスメントについては、被行為者における問題行動に対する行為者らの「都度の注意・指導は、必要かつ的確なものというほかな」いなどと判断（業種や業務の内容・性質などが重視されている）されるなどして、被告法人の**債務不履行責任**（安全配慮義務違反）又は**不法行為責任**は否定されている。

・20 日本アスペクトコア事件（精神的な攻撃、過大な要求）では、パワーハラスメントが「不法行為を構成するためには、質的にも量的にも一定の違法性を具備していることが必要である」とされ若干の規範（**14 ザ・ウィンザー・ホテルズインターナショナル事件**の一審判決が示した規範と同一）が示された上で、原告（被行為者）の供述以外に原告の主張を「裏付ける客観的な証拠もない」などとされ、被告法人に不法行為責任を生じさせるような行為者による「パワハラの存在を認めることはできない」とされて、被告法人の**不法行為責任（使用者責任）**は否定されている。

（3）若干の傾向

ア　分析対象裁判例においては、行為者の不法行為責任を問うもの、使用者の不法行為責任（一般不法行為責任もしくは使用者責任、またはその双方）を問うもの、使用者の債務不履行責任を問うもののほか、会社法３５０条責任を問うものが見られ、公務事案では国家賠償法１条１項責任が問われるなどしている。また、債務不履行が問われる場合、安全配慮義務や職場環境配慮義務といった付随義務違反が問われている。

イ　分析対象裁判例の全てが、「精神的な攻撃」がなされたと解される（あるいは少なくとも原告がそのように主張している）事案である。

ウ　「精神的な攻撃」のみがなされたと解される事案であっても、認容事案が複数見られる（**例：事件番号３・21・22**）。

エ　認容事案において「身体的な攻撃」がなされたと解される事案が相当数見られる（**例：事件番号１・２・４・５・10・11・13・16・18・19・23・24**）一方で、棄却事案において「身体的な攻撃」がなされたと解される事案は見当たらない。

オ　棄却事案のうち、**事件番号６・７・９**はいずれも被行為者（原告側）に一定の問題行動があったと解される事案である（**事件番号20**では、客観的な証拠がなかったことから、そもそもパワーハラスメントの存在が否定されている）。とはいえ、以下の４で紹介する通り、認容事案においても被行為者（原告側）に一定の問題行動があったと解される事案が相当数見られる（**例：事件番号３・４・８・10・11・12・13・14・15・16・17・19・22・25・26**）。

４　分析対象裁判例における考慮要素

本稿で分析対象とした26例においては、それぞれの事案に即し、様々な要素が考慮され（かかる要素を本稿では「考慮要素」などと呼称）、その判断に、一定の影響を与えるなどしている。そうした考慮要素については、本稿３章における個々の事案についての「整理表」で、【判断にあたっての主な考慮要素】として示した。とはいえ、そこで示したのは、当該判断に一定の影響を与えたと解される主な要素につき、一定程度抽象化し列挙したものにとどまる。また、考慮要素はそれぞれ相互密接に関連しているところ、その点留意されたい。

以下では、一定数の事案に見られた考慮要素につき若干ながら論じるが、それぞれにおいて言及する裁判例は、あくまで例示に過ぎないことを、念のため注記する。

（1）「言動の内容・態様」

当該言動の内容や態様については、すべての事案で考慮要素となっている。どのように考慮がなされているかは、事案により様々ではあるものの、まさに当該言動の内容やその態様が問われるところとなっている。

たとえば、行為者が被行為者に対し、「意欲がない、やる気がないなら、会社を辞めるべきだと思います」などと記載された電子メールを被行為者とその職場の同僚に送信した事案の3 **三井住友海上火災保険事件**では、メールにおける表現や内容、送信範囲に着目がなされ判断がなされている。また、**15 アークレイファクトリー事件**では、行為者らの「殺すぞ」といった発言内容につき、「いかにも粗雑で、極端な表現」との評価がなされ、あるいは、「『殺すぞ』という言葉は、仮に『いい加減にしろ』という意味で叱責するためのものであったとしても、指導・監督を行う者が被監督者に対し、労務遂行上の指導を行う際に用いる言葉としては、いかにも唐突で逸脱した言辞というほかはな」いといった判示がなされている。さらに、新人であった被行為者が自殺した事案の**19 岡山県貨物運送事件**では、「叱責の態様（言葉使い、口調、叱責の時間、場所）や頻度」、被行為者の「叱責中又は叱責後の様子」といった点に着目がなされており、同じく新人の自殺事案の 25 **加野青果事件**でも当該言動の態様のみならず「頻度」にも着目がなされている。あるいは、被行為者が新人医師であり自殺結果を生じさせた事案の**23 公立八鹿病院組合ほか事件**では、被行為者に対し行為者らが「患者や看護師らの面前で罵倒ないし侮蔑的な言動を含んで注意を受けていたこと」が容易に推測されるなどとされ、それが判断に一定の影響を与えている。

事案によっては、言動の内容・態様のみならず、継続性や時期、あるいはその言動がなされた時間帯に着目するものもみられる。たとえば、被行為者が自殺した事案の1 **川崎市水道局事件**では継続性や時期についても考慮がなされ、前者については「執拗に繰り返し」といった評価が当該言動に対しなされており、後者については「配転されてから1か月しか経過せず、仕事にも慣れていない時期」といった評価が加えられている。また、継続性に関しては、**11 日本ファンド事件**においても当該言動について「長期間にわたり執拗に」といった評価がなされ、あるいは、2 **誠昇会北本共済病院事件**においては被行為者への当該言動が「3年近くに及んでいる」とされており、それが判断に影響を与えている。さらに、**14 ザ・ウィンザー・ホテルズインターナショナル事件**では、言動の内容・態様はもとより、行為者が被行為者に叱責のメールを送信ないし留守電を残したのが「深夜の時間帯」であったことが判断に一定の影響を与えている。

（2）「被行為者の属性・心身の状況」

多くの事案で、被行為者の属性や心身の状況について考慮がなされている。疾病への罹患などに着目するものが少なくないが、新人であることに着目するものも比較的多くみられるところとなっている。また、当考慮要素は、ときとして当該言動の「時期」という要素とも重畳し得る。

たとえば、**4 ファーストリテイリング事件**では、行為者による発言は「声を荒げながら」被行為者の「生命、身体に対して害悪を加える趣旨を含む」ものであったところ、行為者自身、被行為者が「ＰＴＳＤないし神経症である旨の診断を受け」ていたことを認識していたことなどからすれば、「本件発言は違法であって、不法行為を構成する」と判示されている。また、**10 東京都ほか（警視庁海技職員）事件**では被行為者の「体質」に着目がなされ、**13 トマト銀行事件**では当該言動が「脊髄空洞症による療養復帰直後であり、かつ、同症状の後遺症等が存する」被行為者に対しなされた点につき一定の考慮がなされ（当該言動の「時期」と重畳）、**14 ザ・ウィンザー・ホテルズインターナショナル事件**では、行為者において被行為者が「アルコールに弱いことに容易に気付いたはずであるにもかかわらず、『酒は吐けば飲めるんだ』などと言い」、被行為者の「体調の悪化を気に掛けることなく、再び…コップに酒を注ぐなどしており、これは、単なる迷惑行為にとどまらず、不法行為法上も違法というべきであ」るなどと判示されている。さらに、**22 サントリーホールディングスほか事件**では被行為者が鬱病に罹患したことを行為者が認識していたことにつき一定の考慮がなされている。そのほか、被行為者が自殺した事案の**17 鹿児島県・曽於市（市立中学校教諭）事件**では当該言動が被行為者の精神疾患による病気休暇取得直後になされた点につき着目がなされており（当該言動の「時期」と重畳）、同じく自殺事案の**24 さいたま市環境局事件**では被行為者の上司にあたる者が被行為者から「自殺念慮までも訴えられ…精神状態が非常に危険な状況にあることを十分認識できた」にも関わらず適切な対処をなさなかった点において安全配慮義務違反があるなどとされている。

ところで、被行為者が新人であることに着目するものとして、**5 日本土建事件**、**19 岡山県貨物運送事件**、**21 暁産業ほか事件**、**23 公立八鹿病院組合ほか事件**、**25 加野青果事件**が挙げられる。このうち、19では被行為者が「大学を卒業したばかりの新入社員であり、それまでアルバイト以外に就労経験がなく…営業所における勤務を開始したばかりであったのだから、上司からの叱責を受け流したり、これに柔軟に対処する術を身につけていないとしても無理からぬところであ」るなどと判示がなされ、また、21では当該言動が「経験豊かな上司から入社後１年にも満たない社員に対してなされたことを考えると典型的なパワーハラスメントといわざるを得ず、不法行為に当たる」などと判示がなされ、23では「経験の乏しい新人医師に対し通常期待される以上の要求をした」ことにつき一定の考慮がなされるなどしている。

当考慮要素につき、やや特徴的な判断をしたものとして、**15 アークレイファクトリー事件**と**17 鹿児島県・曽於市（市立中学校教諭）事件**が挙げられる。15では被行為者が派遣社員であったこと、17では被行為者が音楽科教諭であったところ免許外科目である国語科を担当させたことにつき、それぞれ一定の考慮がなされている。

（3）「被行為者の問題行動の有無とその内容・程度」

被行為者における何らかの問題行動（何らかの不正行為や仕事上のミスなど）が契機となって、行為者による言動を生じさせた事案が多くみられる。とはいえ、軽微な問題行動から一定の危険を伴う問題行動まで、事案によってその事情は様々である。

たとえば、8 **三洋電機コンシューマエレクトロニクス事件**は、被行為者における同僚を中傷する発言、役員への脅迫的な言辞といった問題行動を背景とした事案であった。そこでは、行為者が被行為者に対し注意・指導の面談をなした際、「感情的になって大きな声」を出し叱責することがあり、「従業員に対する注意、指導としてはいささか行き過ぎであったことは否定し難」く、行為者が大きな声を出し、被行為者の「人間性を否定するかのような不相当な表現を用い」叱責した点は不法行為を構成するなどと判断がなされている。その一方で、本件面談の際に、行為者が感情的になって大きな声を出したのは、被行為者が、人事担当者である行為者に対し、「ふて腐れ、横を向くなどの不遜な態度を取り続けたことが多分に起因していると考えられ」、被行為者はやり取りを行為者に秘して録音しており録音を意識して会話に臨んでいるのに対し、被行為者は「録音されていることに気付かず」、被行為者の「対応に発言内容をエスカレートさせていったと見られ」、被行為者の言動に「誘発された面があるとはいっても、やはり、会社の人事担当者が面談に際して取る行動としては不適切」としながらも、その経緯等からすれば被行為者への慰謝料額は「相当低額で足りる」などとしている。

また、被行為者が自殺した事案の 16 **メイコウアドヴァンス事件**は、被行為者において設備や機械を損傷するという事故を含むミスをしばしば起こしていたところ、行為者が「てめえ、何やってんだ」、「どうしてくれるんだ」、「ばかやろう」など怒鳴り、ときとして被行為者の頭を叩き、あるいは殴ることや蹴ることも複数回あり、ミスによって会社に与えた損害について弁償するように求め、「会社を辞めたければ７０００万円払え」などと述べるなどした事案であったが、それら暴言及び暴行は、「仕事上のミスに対する叱責の域を超え」、被行為者を「威迫し、激しい不安に陥れるものと認められ、不法行為に当たると評価するのが相当であ」るなどと判断されている。

同じく自殺事案ではあるものの遺族による請求が棄却された 7 **前田道路事件**は、被行為者が、営業所長に就任した１か月後頃から部下に命じ架空出来高の計上等の不正経理を開始し、是正指示を受けた後も、これを是正することなく１年以上も不正経理を続けるなどしたため、行為者らが一定の言動に及んだといった事案であったが、上司らが被行為者に対して「不正経理の解消…についてある程度の厳しい改善指導をすることは…上司らのなすべき正当な業務の範囲内にあるものというべきであり、社会通念上許容される業務上の指導の範囲を超えるものと評価することはできないから…上司らの叱責等が違法なものということはできない」などと判断されている。

さらに、**9 医療法人財団健和会事件**では、病院の事務職員（新入職員）であった被行為者において、健康診断問診票の入力ミス、計測結果の入力ミス、受診者の住所入力不備などといった問題行動を背景として叱責などの当該言動がなされたという事案であったが、被行為者の「事務処理上のミスや事務の不手際は、いずれも、正確性を要請される医療機関においては見過ごせないものであり」、これに対する行為者による「都度の注意・指導は、必要かつ的確なものというほかな」く、「一般に医療事故は単純ミスがその原因の大きな部分を占めることは顕著な事実であり」、そのため、行為者が、被行為者を責任ある常勤スタッフとして育てるため、単純ミスを繰り返す被行為者に対し、「時には厳しい指摘・指導や物言いをしたことが窺われるが、それは生命・健康を預かる職場の管理職が医療現場において当然になすべき業務上の指示の範囲内にとどまるものであり、到底違法ということはできない」などと判断されている。

ところで、**26 関西ケーズデンキ事件**は、販売やレジ業務に従事していた被行為者において、許容されない値引きなど複数の不適正行為や禁止された行為をなすといった問題行動が見られたとの事案であったが、行為者による被行為者への大声での叱責については、「何度も不適切な処理を繰り返した」被行為者に「十分な反省が見られず」、被行為者から反論されたために「一時的に感情を抑制できずにされた叱責」であり、「叱責の内容自体が根拠のない不合理なもの」であったわけではなく、「それ以外に、大声での叱責が反復継続して繰り返し行われていたとか、他の従業員の面前で見せしめとして行われていたなど、業務の適正な範囲を超えた叱責があったことを窺わせる事情を認めるに足りる証拠」もないということを踏まえ、被行為者において「叱責を受けてもやむを得ない部分があったことは否定できない」としてパワハラとは評価できないなどと判断されている。しかし、行為者が被行為者に対し、価格調査業務への配置換え指示を出したことについては、価格調査の業務内容が、親会社における「マーケットリサーチプロジェクトチームの業務内容に匹敵する業務量である」などとして、当該配置換え指示は、被行為者に対し、「業務の適正な範囲を超えた過重なものであって、強い精神的苦痛を与える業務に従事することを求める行為であるという意味で、不法行為に該当すると評価するのが相当である」などと判断され、遺族による請求は一部認容されているが、当該指示と被行為者の自殺との相当因果関係は否定されている。

第３章　分析対象裁判例の整理表

第３章　分析対象裁判例の整理表

整理表　凡例

本稿の整理表において各欄に記載する内容は下記の通りである。

【請求】 本欄では、当該事案における原告の主な請求の内容につき表示。
【類型】 本欄では、当該事案が平成23年度の職場のいじめ・嫌がらせ問題に関する円卓会議ワーキング・グループ報告書で整理された６つの行為類型のいずれの類型に該当しているものと解されるか表示。
【業種・職種等】 本欄では、当該事案が生じた業種・職種等、ないし当事者の属する業種・職種等につき表示。
【当事者の関係性】 本欄では、当該事案における当事者の関係性（上司・部下、先輩・後輩等）につき表示。
【言動に至る背景】 本欄では、当該言動の背景となる事情（事案によっては当該言動が生じた理由）につき表示。
【言動の具体的内容】 本欄では、当該事案において争点となるなどした主な言動につき具体的に表示。
【当該言動に対する判断枠組と法的評価】 本欄では、当該言動について、どのように判断がなされ、あるいはいかなる法的評価が加えられたかにつき表示（なお、その際には、判決文をなるべく多く引用することとした）。
【行為者・使用者の法的責任】 本欄では、当該言動をなした行為者、そして使用者の法的責任につき表示（なお、その際には、判決文をなるべく多く引用することとした）。
【判断にあたっての主な考慮要素】 本欄では、当該判断がなされるにあたり主な考慮要素となったと解されるものにつき表示。
【その他特記事項】 本欄では、一般的判示事項、因果関係、損害の算定等に係る事項などにつき表示し、事案によっては当該判断の特徴などにつき表示。
【結論・認容額】 本欄では、当該判断の結論につき端的に表示するとともに、認容額とその内訳について表示。
【補足事項】 本欄では、審級に係る事項などにつき表示し、事案によっては原審等の判断につき端的に表示。

1　川崎市水道局事件・東京高判平 15.3.25 労判 849 号 87 頁

【請求】損害賠償等請求
【類型】身体的な攻撃、精神的な攻撃
【業種・職種等】公務労働・市水道局（市（Y））・工業用水課（工務係（亡A、配管工事員）、課長（B）、事務係係長（C）、事務係主査（D））
【当事者の関係性】上司 ⇒ 部下 （課長（B）・事務係係長（C）・事務係主査（D） ⇒ 工務係（亡A、配管工事員））
【言動に至る背景】直接的な背景とまではいえないが、以下のような事実が認められる。すなわち、亡Aが入職当初営業所に勤務していた頃、Yは、ε川の改修に伴って送水管布設替工事（以下「本件工事」）を計画した。そして、その施工のため、水道局工業用水課工務係主任のIらが、X１に対し、工事用立杭の建設用地として、X１の耕作地を貸してほしい旨申入れ交渉を行ったが、X１はこれを断った。その後、Yは、建設用地として他の土地を賃借することができたが、X１の土地の借りることができなかったことにより工事費が増加した。 亡Aが工業用水課に異動してきて間もなく、Iは、亡AがX１の息子であることに気付いた。また、Bも、平成４年５月１日から平成５年４月３０日までの間、同課事務係長として勤務しており、本件工事のことを知っていた。亡Aが同課に異動して１週間から１０日後に、同課の歓送迎会が開催され、亡Aも出席した。その際、亡Aは、上司から、X１が本件工事に際しYの申入れを断り、そのことで工事費が増大したことを聞き、同課全体の雰囲気が必ずしも自分を歓迎していないことを知るとともに、負い目を感じた。 なお、亡Aについて、本件いじめがなされる以前における業務遂行上の目立った問題行動は特段認定されていない。
【言動の具体的内容】B・C・Dの３名（以下「Bら３名」）による言動のうち、本件で争点となったのは、おおよそ以下の言動である。 （１）Bら３名が、平成７年５月１日付けで工業用水課に配転された亡Aに対し、同年６月ころから、聞こえよがしに、「何であんなのがここに来たんだよ」、「何であんなのがAの評価なんだよ」などと言ったこと。 （２）Dが、Fといわゆる下ネタ話をしていたとき、会話に入ってくることなく黙っている亡Aに対し、「もっとスケベな話にものってこい」、「F、亡Aは独身なので、センズリ比べをしろ」などと呼び捨てにしながら猥雑なことを言ったこと、そして、亡Aが女性経験がないことを告げると、亡Aに対するからかいの度合いをますます強め、DがFに対し、「亡Aに風俗店のことについて教えてやれ」「経験のために連れて行ってやってくれよ」などと言ったこと。 （３）Dが、亡Aを「むくみ麻原」などと呼んだり、亡Aが登庁すると「ハルマゲドンが来た」などと言って嘲笑したこと。 （４）亡Aが、外回りから帰ってきて上気していたり、食後顔を紅潮させていたり、ジュースを飲んだり、からかわれて赤面しているときなどに、Dが、「酒をのんでいるな」などと言って嘲笑したこと。

（５）平成７年９月ころになると、いじめられたことによって出勤することが辛くなり、休みがちとなった亡Ａに対し、Ｂら３名は、「とんでもないのが来た。最初に断れば良かった」、「顔が赤くなってきた。そろそろ泣き出すぞ」、「そろそろ課長（Ｂのこと）にやめさせて頂いてありがとうございますと来るぞ」などと亡Ａが工業用水課には必要とされていない厄介者であるかのような発言をしたこと。

（６）合同旅行会の際、亡Ａが、Ｂら３名が酒を飲んでいる部屋に、休みがちだったことなどについて挨拶に行ったところ、Ｄが、持参した果物ナイフでチーズを切っており、そのナイフを亡Ａに示し、振り回すようにしながら「今日こそは切ってやる」などと亡Ａを脅かすようなことを言い、さらに、亡Ａに対し、「一番最初にセンズリこかすぞ、コノヤロー」などと言ったり、亡Ａが休みがちだったことについても「普通は長く休んだら手みやげぐらいもってくるもんだ」などと言ったこと。

【当該言動に対する判断枠組と法的評価】 Ｂら３名による上記言動について、
本判決は、
・上記言動をそれぞれ認定した上で、
・「亡Ａが工業用水課に配属になっておよそ１か月ぐらい経過したころから、内気で無口な性格であり、しかも、**本件工事に関するＸ１とのトラブル**が原因で**職場に歓迎されていない**上、**負い目**を感じており、**職場にも溶け込めない**亡Ａに対し、上司であるＢら３名が嫌がらせとして前記のような行為を**執拗**に**繰り返し**行ってきたものであり、挙げ句の果てに**厄介者**であるかのように扱い、さらに、**精神的に追い詰められて欠勤しがち**になっていたもののＸ１から勧められて同課における初めての**合同旅行会**に出席した亡Ａに対し、Ｄが、**ナイフを振り回しながら脅す**ようなことを言ったものである」とし、
・「その言動の中心はＤであるが、Ｂ及びＣも、Ｄが**嘲笑**したときには、**大声**で**笑って同調**していたものであり、これにより、亡Ａが**精神的、肉体的に苦痛**を被ったことは推測し得る」とした上で、
・「以上のような言動、経過などに照らすと、**Ｂら３名の上記言動は、亡Ａに対するいじめ**というべきである」とした。

【行為者・使用者の法的責任】 本判決は、
市（Ｙ）の法的責任について、
・「国家賠償法１条１項にいわゆる『公権力の行使』とは…純然たる私経済作用及び公の営造物の設置管理作用を除いた非権力作用をも含むものと解するのが相当であるから、Ｙの公務員が故意又は過失によって安全配慮保持義務に違背し、その結果、職員に損害を加えたときは、同法１条１項の規定に基づき、Ｙは、その損害を賠償すべき責任がある」とした上で、
・「亡Ａは…内気で無口な性格であり、しかも、本件工事に関するＸ１とのトラブルが原因で職場に歓迎されず、また、負い目を感じ、職場にも溶け込めない状態にあった」が、「亡Ａが**工業用水課に配転されてから１か月しか経過せず、仕事にも慣れていない時期**に、上司であるＢら３名は、職員数が１０名という同課事務室において、一方的に執拗にいじめを繰り返していたものであり、しかも、Ｂは、**同課の責任者**でありながら、亡Ａに対するいじめを**制止しなかっ**

た」結果、「亡Aは…同課に配属されるまではほとんど欠勤したことがなかったにもかかわらず、**まったく出勤できなくなる**ほど追い詰められ、心因反応という**精神疾患に罹り、治療を要する状態**」になったとし、

・水道局職員課長のGは、亡Aの状況を知り、「Bら3名などに対し面談するなどして**調査**を一応行ったものの…亡Aからはその事情聴取」もしないまま「いじめの事実がなかったと判断し…**いじめ防止策及び加害者等関係者に対する適切な措置**」を講ぜず、その後も、**職場復帰した亡Aが再び休暇を取得していること**を**知っていた**が、**格別な措置**を執らず、配転替えを希望している亡Aの希望を一旦拒否するなどし、亡Aに**不安**を抱かせ、配転することができた亡Aではあったが不安感などが強く、2日出勤した後は「出勤できなくなり、病状が回復しないまま自殺してしまった」として、

・「このような**経過及び関係者の地位・職務内容**に照らすと、工業用水課の責任者であるBは、Dなどによるいじめを**制止**するとともに、亡Aに**自ら謝罪**し、Dらにも**謝罪**させるなどしてその**精神的負荷を和らげるなどの適切な処置**をとり、また、職員課に**報告して指導を受けるべきであった**にもかかわらず、D及びCによる**いじめなどを制止しないばかりか、これに同調**していたものであり、G課長から**調査を命じられても、いじめの事実がなかった旨報告し、これを否定する態度**をとり続けていたものであり、亡Aに自ら謝罪することも、Dらに謝罪させることも」せず、

・「また、亡Aの訴えを聞いたG課長は、**直ちに、いじめの事実の有無を積極的に調査し、速やかに善後策（防止策、加害者等関係者に対する適切な措置、亡Aの配転など）を講じるべきであった**のに、これを**怠り**、**いじめを防止するための職場環境の調整をしないまま、亡Aの職場復帰のみを図った**ものであり、その**結果**、不安感の大きかった亡Aは復帰できないまま、**症状が重くなり**、**自殺**に至った」とし、

・「B及びG課長においては、亡Aに対する**安全配慮義務を怠った**」としつつ、

・「精神疾患に罹患した者が自殺することはままあることであり、しかも、心因反応の場合には、自殺念慮の出現する可能性が高いことをも併せ考えると、亡Aに対するいじめを認識していたB及びいじめを受けた旨の亡Aの訴えを聞いたG課長においては、適正な措置を執らなければ、亡Aが欠勤にとどまらず…場合によっては自殺のような重大な行動を起こすおそれがあることを予見することができた」とし、

・「上記の措置を講じていれば、亡Aが職場復帰することができ、精神疾患も回復し、自殺に至らなかったであろうと推認することができるから、B及びG課長の安全配慮義務違反と亡Aの自殺との間には相当因果関係がある」として、

・Yは、**安全配慮義務違反により、国家賠償法1条1項の責任を負う**とした。

なお、**行為者（B、C、D）について**、Xらは、原審でYのほか、Bら3名に対して民法709・719条に基づき損害賠償を求めていたが、原判決（横浜地裁川崎支判平 14.6.27 労判 833 号 61 頁）は、Yの賠償責任を肯定しつつ、「公権力の行使に当たる公務員が、その職務を行うについて、故意又は過失によって違法に他人に損害を与えた場合には、国又は地方公共団体がその被害者に対して賠償の責任を負うべきであり、公務員個人はその責を負わないものと解されて

いる」とし、本件は「Ｂら３名がその職務を行うについて亡Ａに加害行為を行った場合である」として、Ｂら３名の個人責任を否定した。

【判断にあたっての主な考慮要素】
被行為者の置かれた状況（亡Ａの父（Ｘ１）とＹ水道局工業用水課との間での従前のトラブルが原因で職場に溶け込めない等）、言動の内容・態様・継続性・時期、当事者間の人間関係、被行為者の受けた精神的・肉体的苦痛等。

【その他特記事項】本判決は、上記【当該言動に対する判断枠組と法的評価】に記載したような判示の後、「亡Ａは、いじめを受けたことにより、心因反応を起こし、自殺したものと推認され、その間には事実上の因果関係があると認めるのが相当である」などとして、Ｂら３名のいじめと亡Ａの自殺との間の因果関係を肯定した。
また、本判決は、上記【行為者・使用者の法的責任】におけるＹの法的責任についての判示に先立ち、「一般的に、市は市職員の管理者的…地位にあるものとして、職務行為から生じる一切の危険から職員を保護すべき責務を負うものというべきである」として、「職員の安全の確保のためには、職務行為それ自体についてのみならず、これと関連して、ほかの職員からもたらされる生命、身体等に対する危険についても、市は、具体的状況下で、加害行為を防止するとともに、生命、身体等への危険から被害職員の安全を確保して被害発生を防止し、職場における事故を防止すべき注意義務（以下『安全配慮義務』…）があると解される」としている。

【結論・認容額】原判決（横浜地裁川崎支判平 14.6.27 労判 833 号 61 頁）の判断を維持（一部認容）。
Ｘ１（亡Ａの父）＝１１７２万９７０８円等、Ｘ２（亡Ａの母）＝１１７２万９７０８円等。
なお、内訳は、亡Ａの逸失利益・Ｘら固有の慰謝料・弁護士費用といったところとなるが、前２者につき「亡Ａについては、本人の資質ないし心因的要因も加わって自殺への契機となった」などとし過失相殺（７割減額）がなされている。

【補足事項】上記【結論・認容額】に記載の通り、本判決は、原審の判断を維持した。

2　誠昇会北本共済病院事件・さいたま地判平 16.9.24 労判 883 号 38 頁

【請求】 損害賠償等請求

【類型】 身体的な攻撃、精神的な攻撃、過大な要求、個の侵害

【業種・職種等】 病院（Ｙ２運営の病院（Ｙ２病院））・看護士（准看護士（亡Ａ、なお平成１３年３月まで看護助手）、准看護士（Ｙ１、亡Ａの先輩、なお平成１３年５月より管理課長））

【当事者の関係性】 先輩 ⇒ 後輩　（Ｙ１ ⇒ 亡Ａ）

【言動に至る背景】 亡Ａは、看護助手としてＹ２病院に勤務しながらＹ２から奨学金を得て、平成１１年４月から平成１３年３月まで准看護学校に通学・卒業し、准看護士の資格を得た。さらに、平成１３年４月からは、准看護士としてＹ２病院に勤務しながらＹ２から奨学金を得て看護専門学校に通学していた。

一方、Ｙ１は、平成７年３月に准看護学校を卒業していたが、看護学校の進学には失敗し、看護士の資格を有していなかった。Ｙ１は、外来部門の准看護士として勤務しながら、平成１３年５月、物品設備部門の責任者として管理課長の肩書きを得たが、物品設備部門に所属する部下はなく、主に看護学生に仕事を手伝わせていた。

Ｙ２病院における男性看護師は、女性の多い職場での少数派であったが、男性のみの独自な付き合いがあった。いわゆる体育会系の先輩後輩の関係と同じく、先輩の言動は絶対的なものであった。一番先輩であるＹ１が権力を握り、後輩を服従させる関係が続いていた。

Ｙ２病院に就職した亡Ａは、男性看護師の中で一番後輩であった。Ｙ１を始めとする先輩の男性看護師らから、こき使われるなどの亡Ａの意思に反した種々の強要を始めとするいわゆるいじめを受けることになった。亡Ａが高等看護学校に入学してから、亡Ａに対するいじめは一層激しくなった。

なお、亡Ａに関しては、仕事上一定のミスをするなどしていたようではあるものの、下記【言動の具体的内容】（６）の際の空の検体提出といったミス以外、目立った問題行動は認定されていない。

【言動の具体的内容】 Ｙ１による言動のうち、本件で争点となったのは、おおよそ以下の言動である（なお、Ｙ１以外の先輩看護士が関わった言動も存在する）。

（１）亡Ａに買い物をさせ、肩もみをさせ、家の掃除をさせ、車を洗車させ、長男の世話をさせ、風俗店へ行く際や他病院医師の引き抜きのためスナックに行く際に送迎をさせ、パチンコ屋での順番待ちをさせ、馬券を購入しに行かせ、女性を紹介するよう命じ困らせ、ウーロン茶１缶を３０００円で買わせ、職員旅行の際に飲み物費用（約８８０００円）を負担させ、介護老人施設作りに関する署名活動をさせ、亡Ａがその交際相手とのデート中に仕事を理由にＹ２病院に呼び戻し（亡ＡがＹ２病院に到着してもＹ１は病院にいなかった）、勝手に携帯電話を覗き亡Ａの交際相手にメールを送信するなどしたこと。

（２）事務職の女性と亡Ａを２人きりにして、亡Ａと女性に性的な行為をさせて、それを撮影しようと企てたこと（その際、亡Ａは焼酎のストレートを一気飲みし、急性アルコール中毒になった）。

（３）仕事中、亡Ａに対し、何かにつけ「死ねよ」という言辞を向けたこと。
（４）亡Ａに対し「君のアフターは俺らのためにある」との内容のメール、ないし、「殺す」という文言を含んだメールを送ったこと（前者メールはＥの名義で送信された）。
（５）亡Ａの交際相手がアルバイトをしていたカラオケ店で、亡Ａに対しコロッケを口でキャッチするようにと投げつけ、あるいは、亡Ａに対し、眼鏡をかけていない目を見ると死人の目を見ているようで気分が悪いから眼鏡をかけるように言うなどしたこと。
（６）亡Ａが仕事でミスをしたとき、乱暴な言葉を使ったり手を出したりすることがあり、亡Ａに対し「バカ田。何やっているんだよ。お前がだめだから俺が苦労するんだよ。」などと発言し、空の検体を出すなど亡Ａの様子がおかしいことが話題になったＹ２病院の外来会議において、亡Ａにやる気がない、覚える気がないなどと亡Ａを非難したこと。

【当該言動に対する判断枠組と法的評価】 Ｙ１による上記言動について、
本判決は、
・認定事実によれば、「Ｙ１は、自ら又は他の男性看護師を通じて、亡Ａに対し、**冷かし・からかい、嘲笑・悪口、他人の前で恥辱・屈辱を与える、たたくなどの暴力等の違法な本件いじめ**を行ったものと認められるから」、
・Ｙ１には、「民法７０９条に基づき、本件いじめによって亡Ａが被った損害を賠償する**不法行為責任がある**」とし、
・「Ｙ１らの亡Ａに対する言動が、Ｙらが主張するような**悪ふざけや職場の先輩のちょっと度を超した言動であったと認めることは到底できない**」とした。

【行為者・使用者の法的責任】 本判決は、
行為者（Ｙ１）について、
上記言動につき包括しつつ**不法行為責任を肯定**した。
使用者（Ｙ２）について、
「Ｙ１らの**後輩**に対する職場でのいじめは**従前から続いていた**こと、亡Ａに対するいじめは**３年近く**に及んでいること、本件職員旅行の出来事や外来会議でのやり取りは雇い主であるＹ２も**認識が可能であった**ことなど…Ｙ２は、Ｙ１らの亡Ａに対する本件いじめを認識することが可能であったにもかかわらず、**これを認識していじめを防止する措置を採らなかった**安全配慮義務違反の債務不履行があったと認めることができる」とし、「Ｙ２は、民法４１５条に基づき…**安全配慮義務違反の債務不履行によって亡Ａが被った損害を賠償する責任がある**」とした。

【判断にあたっての主な考慮要素】
言動の内容・態様・継続性、当事者間の人間関係等。

【その他特記事項】 本判決は、上記【行為者・使用者の法的責任】におけるＹ２の法的責任についての判断に先立ち、
・「Ｙ２は、亡Ａに対し、**雇用契約に基づき、信義則上、労務を提供する過程において、亡Ａの生命及び身体を危険から保護するように安全配慮義務を尽くす債務**を負担していたと解される」とし、
・「**具体的には、職場の上司及び同僚からのいじめ行為を防止して、亡Ａの生命及び身体を危険**

から保護する安全配慮義務を負担していたと認められる」と判示している。
これにつき、本判決は、上記【行為者・使用者の法的責任】記載の通り、「Ｙ２は、Ｙ１らの亡Ａに対する本件いじめを認識することが可能であったにもかかわらず、これを認識していじめを防止する措置を採らなかった安全配慮義務違反の債務不履行があったと認めることができる」としている。これは、一定の侵害行為（「いじめ行為」）の存在を認識し得たにもかかわらず、何らかの措置を懈怠した場合の使用者における契約責任を明示したものであり、注目に値する。
なお、本判決は、本件いじめと本件自殺の因果関係につき、「Ｙ１らの亡Ａに対するいじめはしつよう・長期間にわたり、平成１３年後半からはその態様も悪質になっていたこと、平成１３年１２月ころから、Ｙ１らは、亡Ａに対し『死ねよ。』と死を直接連想させる言葉を浴びせていること、亡Ａも、Wに対し、自分が死んだときのことを話題にしていること、更に、他に亡Ａが本件自殺を図るような原因は何ら見当たらないことに照らせば、亡Ａは、Ｙ１らのいじめを原因に自殺をした、すなわち、本件いじめと本件自殺との間には事実的因果関係がある、と認めるのが相当である」とした上で、
・「しかしながら、いじめによる結果が必然的に自殺に結びつくものでないことも経験則上明らかである。したがって、いじめを原因とする自殺による死亡は、特別損害として予見可能性のある場合に、損害賠償義務者は、死亡との結果について損害賠償義務を負うと解すべきである」として、
・Ｙ１につき、「Ｙ１らの亡Ａに対するいじめは、長期間にわたり、しつように行われていたこと、亡Ａに対して『死ねよ。』との言葉が浴びせられていたこと、Ｙ１は、亡Ａの勤務状態・心身の状況を認識していたことなどに照らせば、Ｙ１は、亡Ａが自殺を図るかもしれないことを予見することは可能であったと認めるのが相当である」とし、
・Ｙ２につき、「Ｙ２がＹ１らの行った本件いじめの内容やその深刻さを具体的に認識していたとは認められないし、いじめと自殺との関係から、Ｙ２は、亡Ａが自殺するかもしれないことについて予見可能であったとまでは認めがた」く、「Ｙ２は、本件いじめを防止できなかったことによって亡Ａが被った損害について賠償する責任はあるが、亡Ａが死亡したことによる損害については賠償責任がない」とした。

【結論・認容額】一部認容。
（Ｙ１）Ｘ１（亡Ａの父）＝損害賠償金として５００万円等、Ｘ２（亡Ａの母）＝損害賠償金として５００万円等。
（Ｙ２）Ｘ１＝損害賠償金として２５０万円等、Ｘ２＝損害賠償金として２５０万円等。
なお、Ｙ２の損害賠償債務とＹ１の損害賠償債務とは、５００万円の範囲で不真正連帯の関係とされている。

【補足事項】特になし。

3　三井住友海上火災保険事件・東京高判平 17.4.20 労判 914 号 82 頁

【請求】損害賠償等請求
【類型】精神的な攻撃
【業種・職種等】損害保険会社・保険支払事務（課長代理（X）、ＳＣ所長（Y））
【当事者の関係性】上司 ⇒ 部下（ＳＣ所長（Y）　⇒ 課長代理（X））
【言動に至る背景】Xはエリア総合職の課長代理という立場であるにもかかわらず処理件数が少なく、上司のYからすれば、Xには業務に対する熱意が感じられなかった。そのため、Yは下記【言動の具体的内容】記載の言動に及んだ。
【言動の具体的内容】Yによる言動のうち、本件で争点となったのは、おおよそ以下の言動である。 ・Yが、「意欲がない、やる気がないなら、会社を辞めるべきだと思います」などと記載した電子メールをXとその職場の同僚に送信したこと。
【当該言動に対する判断枠組と法的評価】Yによる上記言動について、 本判決は、 ・「本件メールの内容は、職場の上司であるYがエリア総合職で課長代理の地位にあるXに対し、その地位に見合った処理件数に到達するよう**叱咤督促する趣旨**であることがうかがえないわけではなく、その**目的は是認することができる**」が、 ・「本件メール中には、『やる気がないなら、会社を辞めるべきだと思います。当ＳＣにとっても、会社にとっても損失そのものです。』という、**退職勧告とも、会社にとって不必要な人間であるとも受け取られるおそれのある表現が**盛り込まれており、これがX**本人のみならず同じ職場の従業員十数名にも送信されている**」ところ、 ・その表現においては「『あなたの給料で業務職が何人雇えると思いますか。あなたの仕事なら業務職でも数倍の実績を挙げますよ。……これ以上、当ＳＣに迷惑をかけないで下さい。』という、**それ自体は正鵠を得ている面がないではないにしても、人の気持ちを逆撫でする侮辱的言辞と受け取られても仕方のない記載などの他の部分ともあいまって、Xの名誉感情をいたずらに毀損するもの**であることは明らかであり、上記送信**目的が正当であったとしても、**その**表現において許容限度を超え、著しく相当性を欠く**ものであって、Xに対する**不法行為を構成する**というべきである」とした。
【行為者・使用者の法的責任】本判決は、 **行為者（Y）について、** 上記言動につき**不法行為責任（名誉毀損）を肯定**した。
【判断にあたっての主な考慮要素】 被行為者の問題行動の有無とその内容・程度、行為者の目的、言動の内容・態様（本件メールにおける表現・内容・送信範囲）等。
【その他特記事項】本判決は、慰謝料額の文脈において、「本件メール送信の目的、表現方法、送信範囲等を総合すると、Yの本件不法行為（名誉毀損行為）によるXの精神的苦痛を慰謝す

るための金額としては、５万円をもってすることが相当である」とした。
【結論・認容額】一部認容。 慰謝料５万円等。
【補足事項】原判決（東京地判平 16.12.1 労判 914 号 86 頁）ではXの請求が棄却されている。

4　ファーストリテイリングほか（ユニクロ店舗）事件・名古屋高判平 20.1.29 労判 967 号 62 頁

【請求】損害賠償等請求
【類型】身体的な攻撃、精神的な攻撃
【業種・職種等】衣料品販売業等（Ｙ１、なおＹ２は平成１７年にＹ１から分割され権利義務を承継）・店舗（店長代行（Ｘ）、店長（Ｙ３））
【当事者の関係性】上司 ⇒ 部下（管理部部長（Ｅ）・店長（Ｙ３）⇒ 店長代行（Ｘ））
【言動に至る背景】Ｘは、平成１０年１１月１７日、β店において勤務中、従業員間の連絡事項等を記載する「店舗運営日誌」に、「店長へ」として、前日の陳列商品の整理、売上金の入金などに関する店長としての監督責任を含めたＹ３の仕事上の不備を指摘する記載をし、その横に「処理しておきましたが、どういうことですか？反省してください。Ｘ」と書き添えた。 上記記載を見たＹ３は、Ｘにさらし者にされたと感じ、同日午後５時３０分ころ、Ｘを休憩室に呼びつけ「これ、どういうこと」、「感情的になっていただけやろ」などと説明を求めた。これに対してＸは「事実を書いただけです」「感情的になっていない。２回目でしょう」と答えた上、右手を握りしめ殴るような仕草を見せたＹ３に対し「２回目でしょう。どうしようもない人だ」と言い、鼻で笑う態度を示した。 その結果、Ｙ３は、下記【言動の具体的内容】（１）に記載する言動に及んだ。
【言動の具体的内容】Ｙらによる言動（Ｅなどによる言動を含む）のうち、本件で争点となったのは、おおよそ以下の言動である。 （１）上記【言動に至る背景】におけるＸの態度に激高したＹ３が、Ｘの胸倉を掴み、同人の背部を板壁に３回ほど打ち付けた上、側にあったロッカーに同人の頭部や背部を３回ほど打ち付けた後、謝罪を求めるＸに対し謝る素振りをしながら同人の顔面に１回頭突きをし、口論の後Ｘが退去しようとしたところ、さらに「まだ、話しは終わっていない」と言いながら、Ｘの首のあたりを両手で掴み板壁に同人の頭部、背中等を１回打ち付けるなどしたこと（以下「本件事件」）。 （２）平成１３年７月３０日、Ｘが管理部部長のＥに電話し、Ｙ１内における本件事件の報告書の開示などを求めたところ、２時間以上に及ぶ会話の中で、ＥがＸに対し、「いいかげんにせいよ、お前。おー、何考えてるんかこりゃあ。ぶち殺そうかお前。調子に乗るなよ、お前」などと声を荒げながら申し向けたこと（以下「本件発言」）。 （３）Ｘ及びＹ３の上司にあたるＤが、本件事件の翌日、本件事件は労災には該当しないと言ったほか、本件事件を警察へ通報しないように命令したこと。 （４）Ｙ１がＸの労災保険給付申請を妨害・遅延させたこと。 （５）Ｙ１がＸの療養補償給付にかかる薬局の変更について事業主の証明や助力をしなかったこと。 （６）Ｙ１が、Ｘに対し、繰り返し診断書の提出を求め、面談を求めたこと。

（7）Ｙ１が、年金加入証書等各種書類の発行を１か月以上放置し、健康保険被扶養者届の処理を３か月間放置したこと。 （8）Ｙ１の担当者Ｏが、Ｘに対し、診断書の提出・本社への出頭・社宅の明け渡しを求めたこと。 （9）Ｙ１が、平成１１年６月１０日に、無断で退職手続をするなどしたこと。 （10）Ｙ１が、弁護士の受任通知後も直接Ｘと連絡をとろうとしたこと。 （11）Ｙ１が、私立探偵を使ってＸの行動調査をするなどしたこと。
【当該言動に対する判断枠組と法的評価】Ｙらによる上記言動のうち、 本判決は、 （1）について、 「Ｙ３は、Ｘに対し、本件事件において**暴行**を加えたというのであるから、その**違法性は明らかであり**、これによりＸが被った損害を賠償すべき責任を負う」などとし、 （2）について、 ・Ｅによる本件発言は、「**声を荒げながらＸの生命、身体に対して害悪を加える趣旨**を含む」もので、Ｅ自身、「**ＸがＰＴＳＤないし神経症**である旨の診断を受け、**担当医から、Ｙ１の関係者との面談、仕事の話しをすることを控える旨告知されていたことを認識**していたことからすれば、本件発言は**違法**であって、**不法行為を構成する**」とし、 （3）について、 ・「『本件事件は労災には該当しない。』『本件事件を警察へ通報しないように命令する。』とまで述べたとまでは認め難」く、「Ｄが、本件事件を警察へ通報しないように要請すると共に、治療費はＹ３に請求するように述べたとしても、Ｙ１の担当者として**必ずしも不当な処置であるとは言い難く**、それがＸの病状を悪化させた可能性は否定できないものの、**不法行為を構成するとはいえない**」とし、 （4）について、 ・Ｙ１の対応は、速やかなものとは言いがたいが、 ・「Ｘが、Ｙ１に対し、療養補償給付申請について、本件事件直後から事業主の証明や助力を求めたと認めるに足りる的確な証拠はな」く、 ・むしろ、「Ｙ１は、ε労働基準監督署からの指摘を受けて連絡してきたＸの求めに応じて、平成１１年１月８日ころには事業主の証明をした療養補償給付支給申請書及び理由書を作成し、それらは同月２１日にはε労働基準監督署に届けられているので…**療養補償給付申請を妨げる意図があったとまでは認められない**」し、 ・「休業補償給付申請が遅れたのは…平成１１年中はＹ１が給与を支給しており、その必要がなかったためで…平成１２年以降は、Ｙ１は事業主の証明をし休業補償給付申請の助力をしようとしたが…ＸとＹ１との間には意思疎通に欠けるところがあったこと、Ｘが自ら申請するつもりで対処しようとしたこと、Ｙ１が『療養のため労働できなかった期間』の始期を平成１２年１月１日としたことにＸが不信感を募らせ、それ以上手続を進めようとしなかったことによるものであり、Ｙ１において**休業補償給付の申請を妨げる意図があったとは認められない**」など

とし、
（５）について、
・「Ｙ１が薬局の変更についてだけ労災保険法上の事業主の証明や助力をしない合理的理由はないこと、ＸがＹ１に対し薬局の変更についての労災保険法上の事業主の証明や申請の助力を求めたと認めるに足りる的確な証拠はないことからすれば、Ｘの上記主張は**理由がない**」とし、
（６）について、
・「Ｙ１が、診断書等を求めたのは、時期によって理由は異なるが、給与の支給を継続し、休業補償支給申請のための休業期間の継続認証等をし、給与以外の福利厚生を継続するため、さらには、Ｘとの雇用関係を維持するか否かを検討するためには、Ｘの病状を客観的に把握する必要があったのに、**Ｘが適時に診断書を送付せず、十分な説明もせず、同意書の提出も遅れるなどした**ためであり、Ｙ１の上記行動は雇主あるいは事業主として**社会的に相当な行為**」であり、
・「また、ＥやＹ１の担当者が、Ｘに面談を求めるなどしたのは、長期休職者と定期的に連絡を取り、その現況や病状、会社への復帰の意思などを確認し、また、Ｘの病状が正確には把握できていなかったためであり…**違法と評価すべきものではな」い**などとし、
（７）について、
・「確かに、年金加入証書等各種書類の発行や健康保険被扶養者届の処理が遅れてはいる」が、「それがＸの病状を悪化させた可能性は否定できないものの、**この程度の遅れ**をもって直ちに**不法行為を構成するとはいえない**」とし、
（８）について、
・「確かにＹ１担当者Ｏは、平成１１年６月１０日ころ、Ｘに対し、診断書の提出、本社への出頭、一方的な社宅の明け渡しを求めている」が、「Ｙ１が**本件事件後再三にわたり社内手続に必要な診断書の提出を求めたのにＸがこれに応じなかった**などの経緯からすれば、それがＸの病状を悪化させた可能性は否定できないものの、Ｘの主張にかかるＹ１担当者Ｏの行為が**不法行為を構成するとはいえない**」とし、
（９）について、
・「証拠…によれば、同日、Ｘにかかる市民税及び県民税について、徴収方法が特別徴収…から普通徴収…に変更されていることが認められる」が、「上記変更手続を誰がしたかは明らかではない上、変更（異動）事由は『退職等』であって、退職、転勤、休職等も含まれること」、Ｏ作成の書面の趣旨は「診断書の提出を促すものであること、実際にもＸとＹ１との雇用関係は継続し、給与の支給もされていたことからすれば、上記Ｘの主張は**理由がない**」とし、
（１０）について、
・Ｙ１は、「Ｘからの連絡等に応じて事務連絡をしたにすぎず、上記通知後もＸ自らＹ１に直接連絡したこともある状況に照らし、**違法な行為とはいえない**」とし、
（１１）について、
・「Ｘの病状が理解困難なものであり、Ｙ１及びＹ２がＸの病状に疑念を抱かざるを得ない状況にあったことからすれば、訴訟行為として**是認される範囲**」のものであるとした。

【行為者・使用者の法的責任】本判決は、

行為者（Ｙ３、Ｅ）について、

上記言動（１）（２）**につき、「かかる２個の不法行為は民法７１９条所定の共同不法行為に当たる**」とし、「Ｙ３は、本件発言以降のＸの損害についてもＥと連帯して責任を負うから、民法７０９条、７１９条に基づき、本件事件及び本件発言によって**Ｘが被った損害の全部について賠償責任を負」う**とした。

使用者（Ｙ１（Ｙ２））について、

Ｙ１（Ｙ２）は、「Ｙ３及びＥの使用者であり、本件事件及び本件発言はその事業の執行に付き行われたものであると認められるから、７１５条、７１９条に基づき、本件事件及び本件発言によって**Ｘが被った損害の全部について賠償責任を負う**」とした。

【判断にあたっての主な考慮要素】

言動の内容・態様、被行為者の属性・心身の状況（ＰＴＳＤないし神経症への罹患）、被行為者の問題行動の有無とその内容・程度、行為者の目的、社会的相当性、当該言動に至る経緯等。

【その他特記事項】本判決は、「本件事件及び本件発言とＸの障害との間には相当因果関係があるというべき」としたが、「Ｘの障害の発生及びその持続には、不当な事柄に対して憤り、論理的に相手を問いつめるという性格的傾向による影響が大きいと認められる」などとして、６割の素因減額をなした（なお、ＸによるＹ３への指摘に関し、「従業員間で情報を共有するとの目的で作成される店舗運営日誌に、問題点の指摘だけでなく『処理しておきましたが、どういうことですか？反省してください。』との表記までする方法によるかについては選択の余地があった」といった説示もみられる）。

【結論・認容額】一部認容。

（Ｙ１、Ｙ２、Ｙ３連帯で）２３０万１８７６円等。

なお、内訳は、治療費及び入通院費等・休業損害・慰謝料・弁護士費用といったところとなるが、労災保険給付額からの控除がなされている。

【補足事項】特になし。

5　日本土建事件・津地判平 21.2.19 労判 982 号 66 頁

【請求】損害賠償等請求
【類型】身体的な攻撃、精神的な攻撃、過大な要求
【業種・職種等】土木建築会社（Y）・作業所（養成社員（亡A）、主任（C））
【当事者の関係性】上司・指導担当者 ⇒ 部下・被指導者（主任（C）　⇒ 養成社員（亡A））
【言動に至る背景】亡Aは、X１（Q建設株式会社代表取締役）とX２との子であり、平成１４年４月１日、Yに養成社員として入社した。Yでは、土木部の社員として勤務した。養成社員とは、Yにおいて、一般の社員のように退職まで勤務することはなく、建設業を行うに当たって一人前になるよう養成を受け、概ね４、５年で退職し、その後は父親などが経営する建設会社で跡継ぎとなる者をいう。採用に当たっては、面接試験などは受けるものの、基本的には業者間の信用などで採用される。賞与は支給されず、昇級もなく、退職金規定が適用されないものの、その他の賃金や勤務時間などの面では、一般の社員と何ら区別はない。 なお、亡Aは、Cらを自宅まで車で送る際に畑に突っ込み、その先のコンクリート製の住宅土台部分に衝突して頭部顔面脳損傷により死亡した（本件交通事故、同乗していたCらも死亡したが事故原因については定かでない）。
【言動の具体的内容】Cによる言動のうち、本件で争点となったのは、おおよそ以下の言動である。 （１）亡Aに対し、「おまえみたいな者が入ってくるで、M部長がリストラになるんや！」などと、理不尽な言葉を投げつけたり、亡AがQ建設株式会社の代表取締役の息子であることについて嫌味を言うなどしたほか、新入社員で何も知らない亡Aに対して、こんなこともわからないのかと言って、物を投げつけたり、机を蹴飛ばすなどしたこと。 （２）亡Aに対し、今日中に仕事を片づけておけと命じ、１人遅くまで残業せざるを得ない状況にさせ、他の作業員らの終わっていない仕事を押しつけたこと。 （３）亡Aに対し、勤務時間中にガムを吐きかけ、測量用の針の付いたポールを投げつけ足を怪我させるなどしたこと。
【当該言動に対する判断枠組と法的評価】Cによる上記言動について、 本判決は、 おおむね上記【言動の具体的内容】記載のように認定しつつ若干の評価を加え、 （１）Cが亡Aに「**つらく**あたっていた」こと、 （２）亡Aが「**仕事のやり方がわからないまま、ひとり深夜遅くまで残業したり、徹夜で仕事をしたりしていた**こと」、 （３）亡Aは「およそ**指導を逸脱した上司による嫌がらせ**を受けていたこと」などを認め、 ・「亡Aは、養成社員として入社した身であるから仕方がないんだと自分に言い聞かせるようにして、Cに文句を言うこともなく我慢して笑ってごまかしたり、怪我のことはCに口止めされたとおりW所長らにも事実を伝えず、一生懸命仕事に打ち込んできたことが認められ」、 ・「本件交通事故が発生した日の前日も、亡Aは徹夜でパソコン作業に当たっていたが、このと

き、一緒に残業していたのは数量計算等を行っていたＢ工事長のみであり、他の作業員及びＷ所長は帰宅しており、亡Ａの仕事を手伝うことはしなかったことが認められ…Ｗ所長に至っては、勤務時間中にリフレッシュと称して度々パソコンゲームをしており、亡Ａの**仕事を手伝っていた様子はうかがえ」ない**ところ、

・「これらの事実からすれば、亡Ａは、Ｙに**入社して２か月足らず**で本件作業所に配属されてからは、上司から**極めて不当な肉体的精神的苦痛を与えられ続けていた**ことが認められ」るなどとした。

なお、本判決は、「Ｃが亡Ａに対してポールを投げたのは、Ｃが亡Ａに対し、夕方５時ころから測量を始めると言ったところ、亡Ａがこんな遅くからという感じでダラダラしていたので、Ｃが嫌ならやめとけと言って測量用のポールを亡Ａの方に放り投げたところ、弾みで亡Ａの足に当たったものである」とのＹの主張につき、

・「そもそも、亡ＡがＹが主張するような態度をとっていたと認めるに足りる証拠はおよそないし、いずれにしても、Ｃが行った行為を正当化する理由となるものではおよそない」とし、

「むしろ…認定事実のとおり、このような事実をはじめ、**ガムをズボンに吐きつけられたり、昼休みも休むことを許されず、深夜遅くまで残業させられ、徹夜勤務になることもあったような過酷な職場環境**であったことからすれば、亡Ａは、Ｙに**入社後、間もなく配属された**本件作業所において、**先輩から相当厳しい扱い**を受けていたことがうかがえ」、

・「このような扱いは、**指導、教育からは明らかに逸脱**したものであり、亡Ａがこれら上司の対応について自分に対する嫌がらせと感じたとしても無理がないものであったというほかない」とした。

【行為者・使用者の法的責任】本判決は、

使用者（Ｙ）について、

上記言動に関し、

・「本件作業所の責任者であるＷ所長はこれに対し、**何らの対応もとらなかったどころか問題意識さえ持っていなかった**ことが認められ」、

・「その結果、Ｙとしても、何ら亡Ａに対する上司の**嫌がらせを解消するべき措置をとって」おらず、**

・「このようなＹの対応は、雇用契約の相手方である亡Ａとの関係で、**Ｙの社員が養成社員に対してＹの下請会社に対する優越的立場を利用して養成社員に対する職場内の人権侵害が生じないように配慮する義務（パワーハラスメント防止義務）としての安全配慮義務に違反**しているというほかない」とし、

・「したがって、この点に関し、Ｙには、**雇用契約上の債務不履行責任がある**」とし、

・「同時に、このようなＹの対応は、**不法行為を構成するほどの違法な行為**であると言わざるを得ないから、この点についても責任を負うべきである」とした。

【判断にあたっての主な考慮要素】

被行為者の属性・心身の状況（新入（養成）社員であること等）、言動の内容・態様、上司らにおける適切な対応の有無（業務遂行にあたり必要な教育・指導がなされていたかどうか、他の

従業員が被行為者の残業を手伝っていたかどうか、事業場の責任者による対応があったかどうか等）、職場環境の過酷性等。
【その他特記事項】本判決では、Ｙが亡Ａに対し、「**極めて長時間に及ぶ時間外労働や休日出勤**」をさせていたことについても詳細な認定と評価がなされている。亡Ａの慰謝料の算定にあたっては、「亡Ａが強いられてきた時間外労働が**あまりに過酷で度を超したもの**であり、**上司から受けたさまざまな嫌がらせが極めて大きな肉体的精神的苦痛を与えていた**」とし、それは、「**違法性の高いもの**」であるとして、「雇用契約の債務不履行及び不法行為に基づく慰謝料額を検討するにあたっては、このような違法性の高さを十分考慮する必要」があるなどとしている。
【結論・認容額】一部認容。 Ｘ１（亡Ａの父）＝亡Ａへの慰謝料として７５万円等、Ｘ２（亡Ａの母）＝亡Ａへの慰謝料として７５万円等。
【補足事項】特になし。

6　A病院事件・福井地判平 21.4.22 労判 985 号 23 頁

【請求】地位確認等請求
【類型】精神的な攻撃、過小な要求、個の侵害
【業種・職種等】病院（Y運営のA病院）・医師（内科医長（X））
【当事者の関係性】経営管理層 ⇒ 現場医師（院長ら ⇒ 内科医長（X））
【言動に至る背景】Xにおいては、A病院の取決めに反し、 ・午前9時とされている外来の診療開始時間をしばしば守らず、 ・院長に相談することなく保険適応外であるノロウィルスの抗原検査を行ない、 ・分掌された血液透析患者の年金に関する書類の作成を相当程度怠り、 ・必要な手続きを行なわずにカルテを借り受けたままにし、 ・個人所有の端末機を無許可でYのインターネット回線に接続し、 ・Yの指示に反して駐車場所を変更しない、 といった問題行動が見られたため、YはXを解雇するに至ったが、解雇それ自体を含む下記【言動の具体的内容】記載の言動は、Yによるパワーハラスメントであるとして X は本件提訴に至った。
【言動の具体的内容】Y側による言動のうち、本件で争点となったのは、おおよそ以下の言動である。 （1）Xの受持ち患者数を減らしたこと。 （2）Xよりも医師免許取得が遅くA病院での勤務開始も遅いL医師とXとの人事上の序列の逆転。 （3）院長による退職勧奨、Yによる解雇の意思表示後に事務長がXに対し退職金を現金で持参したこと、YがXに無断で医師会退会届を作成・提出したこと。 （4）Xが病院内で使用する部屋のドア上部に防犯カメラを設置したこと。 （5）YがXを解雇したこと。
【当該言動に対する判断枠組と法的評価】Y側による上記言動のうち、 本判決は、 （1）について、 ・「Yは、A病院に勤務する医師らにどのように患者を受け持たせるかを決する**裁量権**を有」し、 ・また、「Xの受持ち患者数の**減少程度は、半減といった著しいものではな」く**、 ・そして、「平成15年頃の減少は、Xの異動話が具体的に進められるなかで行なわれたものであり、**Xの退職に備えるという合理的理由に基づくものであった**と認められ」、 ・「さらに、平成17年の減少は、その年に発生したXと患者Gとのトラブルを背景に、**患者とのトラブル防止**という観点から行なわれたものと認められ、これについても合理的な理由があるということができる」ところ、 ・「YがXの受持ち患者を減らしたことについては、**裁量権の逸脱・濫用があったとは認められず**、これが**不法行為ないし債務不履行を構成するものとは認められない**」とし、

（２）について、
・「一般に、使用者の行なう人事上の評価は、公正妥当なものであることが求められ、また、Ａ病院のように常勤医師７名という規模の病院では、医師らの具体的な担当職務が異なるために客観的な基準を設けて評価することが困難な側面があることから、医師としての経験年数、Ａ病院における経験年数を基礎に評価するということにも**一応の合理性**はある」が、
・「それが絶対的なものでないことも明らかであり、また、評価である以上、それを行なうＹ側に**一定の裁量**があることも否定できない」とした上で、
・「Ｘは、医師としての経験年数及びＡ病院における勤務年数においてはＬ医師に優るものの…**解雇事由と評価できる事情**が認められたところである」一方、
・「Ｌ医師は、血液透析に係る…治療をＡ病院に本格的に導入し、責任者として同治療の施行と指導にあたるなど評価できる功績があったのであるから、経験年数・勤務年数を踏まえ、これら事情を評価した結果として、ＹがＬ医師をＡ病院のＫセンターの副センター長に就け、平成１９年４月１日付けで人事表上もＸとＬ医師の序列を逆転させたことについて**裁量権の逸脱・濫用があったとは認められない**」し、
・「これが**不法行為ないし債務不履行を構成するものとも認められない**」とし、
（３）について、
・まず、「Ａ病院の院長から退職を強要された」というＸの主張につき、「確かに、当時、ＹはＸに大学の医局が紹介する別の病院に移って貰いたいとの希望を持っており、そのために院長からＸに対して働きかけのあったことは推測されるところではあるが、その**働きかけの程度・内容**につき、ＹはＸの主張を否認しており、Ｘの主張を裏付ける客観性のある証拠はなく、したがって…Ｘの主張する程度・内容の働きかけがあったものとは認め難く、他にこの事実を認めるに足る証拠はない」とし、
・次に、「Ｘは、Ａ病院の事務長が本件解雇の意思表示後の平成１９年６月２２日、退職金を現金で持参してＸに受領するよう求めたことを指摘する」が、「確かに、本件解雇の効力は、退職金を持参した日に後れる平成１９年６月３０日に生じるものではある。しかしながら、Ｙは既に解雇の意思表示を済ませていたうえ、解雇の効力発生に先立って退職金を支払うことも必ずしも退職手続に伴う一連の行為として**不自然とはいえない**ことからすれば、退職金の持参行為に退職を受け容れて貰いたいとの希望が伏在していたとしても退職金持参行為それ自体が**社会的相当性**を欠く違法なものとはいえない」から、「Ｙの退職金持参行為がパワーハラスメントに当たるなどして**不法行為等を構成するものとは認められない**というべき」とし、
・さらに、「ＹがＸに無断で医師会退会届を作成・提出した行為」については、本件解雇（平成１９年６月３０日）以前、Ｙは「Ｘの医師会会費及び負担金をＸに代わって支払っていたところ、平成１９年６月２８日以降、Ｘに無断で、Ｘ名義の医師会退会届を作成し、医師会に提出した」が、「Ｙは、平成１９年７月２５日、Ｘの抗議を受けて…同月２８日には退会届を撤回したうえ、退会届提出の原因として、Ａ病院がＸの医師会会費及び負担金の代払いを中止するために必要があると誤解したことによるとの説明をＸに通知し、謝罪し」ているところ、その経緯、またＹが「同年５月２９日には同年６月３０日をもって解雇する旨の本件解雇の意思表示をし

ていたことに照らすと、Ｙの上記説明には**一応の合理性**があり、過誤ではなく**Ｘを害する目的を持って殊更になされたものとは認められない**」とし、さらに、「Ｙの上記行為によってＸの**社会生活に具体的な支障**が生じたことを認めるに足る証拠はなく、ＹはＸの抗議後遅滞なく退会届を撤回して謝罪していることからすれば、Ｘに損害が生じたとも認め難い」として、「Ｙによる医師会退会届の作成・提出行為がパワーハラスメントに当たるなどして**不法行為等を構成するものとは認められない**」とし、

（４）について、

・「Ｘは、Ｘの使用する部屋のドア上部に取り付けた防犯カメラが、Ｘの行動を監視するためのものであったと主張する」が、

・「Ｘの部屋のドア上部の防犯カメラは、階段及びエレベーター乗降口を視野に収めて、階段及びエレベーター乗降口を出入りする人の姿を映してはいるものの、Ｘの部屋のドアや、Ｘの部屋を出入りする人の姿を映してはいないこと」、

・「さらにこのカメラに先立ちＹが設置した防犯カメラ１５台のうちの２台が、Ａ病院１階及び３階の、Ｘの使用していた部屋のドア上部とほぼ対応する位置にそれぞれ取り付けられていることからすれば」、

・「Ｙが**Ｘの行動を監視するために防犯カメラを設置したとは到底認められない**」し、

・「Ｘの部屋の**ドア上部の防犯カメラが映す範囲**からすればＸに何らかの損害が生じているものとも認められない」として、

・「Ｙによる上記防犯カメラの設置がＸに対するパワーハラスメントに当たり、**Ｘのプライバシー権及び人格権を侵害したとは認められない**」とし、

（５）について、

・「本件解雇が有効であることは」上記【言動に至る背景】に記載した事項などから判断できるし、

・「ＹがＸの妻に対して解雇予告の電話をすると述べて脅迫した」というＸの主張についても、その録音反訳からすれば、「Ｘが事務長の発言に立腹したことには肯ける面があるものの、Ｘの**応対内容**に照らせば、この事務長の発言がＸに対する脅迫行為を構成する程度のものとは認められず、**パワーハラスメントに当たるものとも認められない**」などとし、

・また、その他Ｘの主張を斥けつつ、

・さらに「平成１９年６月２５日に支給されたＸの給与からＹが２か月分の社会保険料等を天引きした…ことが、Ｙの嫌がらせ行為で」あるというＸの主張についても、「その行為内容と、既に本件解雇の意思表示がなされていたことからすれば、**退職手続の一環**として行なわれたものと認めるのが相当であって、それが**パワーハラスメントに当たるとは到底認められない**」とした。

【行為者・使用者の法的責任】本判決は、

行為者（使用者（Ｙ））について、

「ＹがＸに対して**不法行為・債務不履行責任を負うものとは認められず**、Ｘの損害賠償請求…は理由がない」とした。

【判断にあたっての主な考慮要素】 被行為者の問題行動の有無とその内容・程度、言動の内容・態様、業務上の必要性・相当性、使用者における人事上の裁量権の逸脱・濫用の有無、社会的相当性、行為者の目的、被行為者における具体的損害の有無等。
【その他特記事項】本件は、上記【言動に至る背景】に記載したような事情のもとでXにより訴えの提起がなされたものである。本判決は、Xの服務規律違反について個々論じ評価をなし、総合すれば「Xについては、就業状況が著しく不良で、Yの医師としてふさわしくないと認められ、少なくとも、Y就業規則４２条２号本文の解雇事由があるものと認められる」とし、また解雇権の濫用にあたらない旨判示している。その上で、本判決は、Xの主張するところのパワーハラスメントについて、上記のように判断した。
【結論・認容額】請求棄却。
【補足事項】特になし。

7　前田道路事件・高松高判平 21.4.23 労判 990 号 134 頁

【請求】 損害賠償等請求
【類型】 精神的な攻撃、過大な要求
【業種・職種等】 土木建築工事請負業（Ｙ）・営業（Ｓ支店Ｔ営業所長（亡Ａ）、Ｓ支店工務部長（Ｊ）ら）
【当事者の関係性】 上司 ⇒ 部下（Ｓ支店工務部長（Ｊ）ら亡Ａの上司 ⇒ Ｓ支店Ｔ営業所長（亡Ａ））
【言動に至る背景】 亡Ａは、Ｔ営業所長に就任した１か月後頃から部下に命じ架空出来高の計上等の不正経理を開始し、是正指示を受けた後も、これを是正することなく漫然と１年以上不正経理を続けるなどしたため、Ｊらは下記【言動の具体的内容】記載の言動に及んだ。
【言動の具体的内容】 Ｊらによる言動のうち、本件で争点となったのは、おおよそ以下の言動である。 ・亡Ａに対し、過剰なノルマ達成の強要、及び叱責（業績検討会での「達成もできない返済計画を作っても業績検討会などにはならない」・「現時点で既に１８００万円の過剰計上の操作をしているのに過剰計上が解消できるのか。出来る訳がなかろうが」・「会社を辞めれば済むと思っているかもしれないが、辞めても楽にはならないぞ」等）をしたこと。
【当該言動に対する判断枠組と法的評価】 Ｊらによる上記言動について、 本判決は、 ・「Ｙの営業所は、独立採算を基本にしており、過去の実績を踏まえて翌年度の目標を立てて年間の事業計画を自主的に作成していたこと」、 ・「Ｔ営業所の第７９期の年間事業計画は亡Ａの前任者が作成したが、**第８０期の年間事業計画は亡Ａが**Ｔ営業所の過去の実績を踏まえて**作成**し、Ｓ支店から特に事業計画の増額変更の要請はなかったことが明らかであって」、 ・「Ｔ営業所における**業績環境**が困難なものであることを考慮しても」、 ・「当初の事業計画の作成及び同計画に基づく目標の達成に関しては、亡Ａの上司らから亡Ａに対する**過剰なノルマ達成の強要があったと認めることはできない**」としつつ、 ・「**他方**で、亡Ａの上司らからの約１８００万円の**架空出来高**を遅くとも平成１６年度末までに解消することを目標とする**業務改善の指導**は、従前に年間業績で赤字を計上したこともあったことなどのＴ営業所を取り巻く**業務環境**に照らすと、**必ずしも達成が容易な目標であったとはいい難**」く、 ・「さらに、Ｊは亡Ａに対して、平成１６年のお盆以降、毎朝工事日報を報告させ、工事日報の確認に関する指導を行っていたが、その際に亡Ａが**落ち込んだ様子**を見せるほどの**強い叱責**をしたことがあったことが認められる」ものの、 ・「**亡Ａは**、Ｔ営業所長に就任した１か月後の平成１５年５月ころから、部下に命じて**架空出来高の計上等の不正経理を開始**し」、 ・「同年６月ころ、これに気付いたＭから**架空出来高の計上等を是正するよう指示**を受けたにも

かかわらず、これを**是正することなく漫然と不正経理を続けていた**ため、平成１６年７月にも、Ｊ、Ｒ及びＭから架空出来高の計上等の解消を図るように**再び指示ないし注意**を受け」、

・「さらに、その当時、Ｔ営業所においては、工事着工後の実発生原価の管理等を正確かつ迅速に行うために**必要な工事日報を作成しておらず**、このため、同年８月上旬、Ｔ営業所の工事の一部が赤字工事であったことを知ったＪから工事日報の提出を求められた際にも、Ｊの求めに応じることができなかった」とし、

・「亡Ａの上司から亡Ａに対して架空出来高の計上等の**是正を図るように指示がされたにもかかわらず、それから１年以上が経過した時点においてもその是正がされていなかったこと**や、Ｔ営業所においては、**工事着工後の実発生原価の管理等を正確かつ迅速に行うために必要な工事日報が作成されていなかったこと**などを考慮に入れると、亡Ａの上司らが亡Ａに対して不正経理の解消や工事日報の作成について**ある程度の厳しい改善指導をすることは、亡Ａの上司らのなすべき正当な業務の範囲内にあるもの**というべきであり、**社会通念上許容される業務上の指導の範囲を超えるものと評価することはできない**から、上記のような亡Ａに対する**上司らの叱責等が違法なものということはできない**」とした上で、

・Ｘら（Ｘ１＝亡Ａの妻、Ｘ２＝亡ＡとＸ１の子）の控訴理由の一である、Ｙ内部では架空出来高等の経理操作が広く行われていたことが明らかで亡Ａのみが特異な方法で経理操作を行っていたものではないことについて、

・Ｊらが行っていた架空出来高の計上額（100～200 万円）に比し、亡Ａが行っていた架空出来高の計上額（1800 万円）が高額であったことや、亡Ａが他の方法による不正経理も行っていたことなどから、これを容れず、

・「以上のとおり、亡Ａの上司らが亡Ａに対して行った指導や叱責は、社会通念上許容される業務上の指導の範囲を超えた**過剰なノルマ達成の強要や執拗な叱責に該当するとは認められない**から、亡Ａの上司らの行為は**不法行為に当たらない**というべきである」とした。

【行為者・使用者の法的責任】本判決は、

行為者（Ｊら）について、

上記言動につき、**不法行為の成立を否定した。**

使用者（Ｙ）について、

「Ｙにつき**不法行為又は債務不履行（安全配慮義務違反）が成立するということはできない**」とした（Ｙの不法行為（使用者）責任又は債務不履行責任を否定）。

【判断にあたっての主な考慮要素】

被行為者の問題行動の有無とその内容・程度、当該営業所の業績環境、行為者の目的、業務上の必要性・相当性、言動の内容・態様等。

【その他特記事項】本件で、Ｘらは、〔１〕恒常的な長時間労働、〔２〕計画目標の達成の強要、〔３〕有能な人材を配置するなどの支援の欠如、〔４〕亡Ａに対する叱責と架空出来高の改善命令、〔５〕業績検討会等における叱責、〔６〕メンタルヘルス対策の欠如等をＹの安全配慮義務違反を基礎付ける事実として主張したが、本判決は、いずれの主張も容れず、Ｙの安全配慮義務違反を否定した。

原判決（松山地判平 20.7.1 労判 968 号 37 頁）は、Yの同義務違反を肯定していたため、本判決は判断を覆したこととなる。
すなわち、原判決（その要旨は下記【補足事項】に記載の通り）は目標値の達成困難性や亡Aの上司による叱責の態様等を重視し、それを違法とする一方、本判決は、亡Aの問題行動（不正経理等）の程度や是正指示があったにもかかわらず１年以上経ても是正がなされなかったこと等を重視し、「ある程度の厳しい改善指導」がなされたとしても、それは「社会通念上許容される業務上の指導の範囲を超え」るものと評価されず違法なものということはできないとした。問題行動に対する指導に従わない場合に、「ある程度の厳しい改善指導」が許容される可能性を示した判断として、本判決は特記し得る。

【結論・認容額】 請求棄却。

【補足事項】 上記【その他特記事項】で言及したように、原審は、Xらの請求を認容した。すなわち、原判決（松山地判平 20.7.1 労判 968 号 37 頁）は、
・「約１８００万円の架空出来高を遅くとも会計年度の終わりまでに解消することを踏まえた上での事業計画の目標値は、年間業績で赤字を計上したこともあったことなどT営業所を取り巻く営業環境に照らして達成困難な目標値であったというほかなく」、
・「平成１６年のお盆以降に、毎朝工事日報を報告させて、その際ほかの職員が端から見て明らかに落ち込んだ様子を見せるに至るまで叱責したり、業績検討会の際に『会社を辞めれば済むと思っているかもしれないが、辞めても楽にならない』旨の発言をして叱責したことは、不正経理の改善や工事日報を報告するよう指導すること自体が正当な業務の範囲内に入ることを考慮しても、社会通念上許される業務上の指導の範疇を超えるものと評価せざるを得ない」などとして、
・「亡Aに対する上司の叱責などは過剰なノルマ達成の強要あるいは執拗な叱責として違法であるというべきである」とした。

8　三洋電機コンシューマエレクトロニクス事件・広島高松江支判平21.5.22労判987号29頁

【請求】損害賠償等請求
【類型】精神的な攻撃、過小な要求
【業種・職種等】電機メーカー（Ｙ１）・製造（「新準社員」と呼称される契約社員（X、Ｆユニット所属、なお平成１８年７月１１日より清掃会社のＫ社に出向）、人事課長（Ｙ２）、Ｆユニット担当部長（Ｙ３））
【当事者の関係性】上司 ⇒ 部下（人事課長（Ｙ２）・Ｆユニット担当部長（Ｙ３） ⇒ 契約社員（X））
【言動に至る背景】Xは、 （ア）女子ロッカールームにおいて「Ａさんは以前会社のお金を何億も使い込んで、それで今の職場（マルチメディアビジネスユニット）に飛ばされたんだで、それでＹ２課長も迷惑しとるんだよ」などとと述べて同僚のＡを中傷する発言をし、あるいは、 （イ）従業員の県外出向といった会社が執る施策につき労使間のルールを無視してＹ１の役員（Ｅ取締役）に対し脅迫的な言辞などを用いて当該施策を妨害・中止させようとするなどしたこと（Xは同役員に対し「Ｆユニットでサンプルの不正出荷をしている人がいる」、「Xに対してＹ１が辞めさせるように言っている」、「人事担当者が従業員に県外出向を強要している」、「準社員や社員の中には、人事担当者をドスで刺すという発言をしている人がいる」などと述べた）があり、さらに、 （ウ）上司や役員を「くん、ちゃん」付けで呼ぶなど、 複数の問題行動を起こしていた。
【言動の具体的内容】Ｙらによる言動のうち、本件で争点となったのは、おおよそ以下の言動である。 （１）上記【言動に至る背景】におけるXの（ア）と（イ）の問題行動につき、注意・指導の必要があると考えたＹ２がXをＹ１の人事課会議室に呼び出しＢ課長とともに面談を実施した際、Ｙ２が、Xの態度に腹を立て感情的になり大きな声を出して叱責するなどし、「いいかげんにしてくれ、本当に。変な正義心か何か知らないけど、何を考えているんだ、本当に。会社が必死になって詰めようとしていることを何であんたが妨害するんだ、そうやって。裁判所でもどこでも行ってみい」、「自分は面白半分でやっているかもわからんけど、名誉毀損の犯罪なんだぞ」、「それから誰彼と知らず電話をかけたり、そういう行為は一切これからはやめてくれ。今後そういうことがあったら、会社としてはもう相当な処分をする」、「あなたは自分のやったことに対して、まったく反省の色もない。微塵もないじゃないですか。会社としてはあなたのやった行為に対して、何らかの処分をせざるをえない」、「何が監督署だ、何が裁判所だ。自分がやっていることを隠しておいて、何が裁判所だ。とぼけんなよ、本当に。俺は、絶対許さんぞ」などと発言したこと。

（２）上記【言動に至る背景】におけるＸの（ア）と（イ）の問題行動があったことから注意を喚起するためにＹ１が、Ｘとの契約更新の際、Ｘに対して、「新準社員就業規則の懲戒事由に該当する行為が見受けられた場合は、労使懲戒委員会の決定を受け、譴責以上の懲戒処分を下す。その処分の内容は、当該事由の程度によって判断するが、即時懲戒解雇も有り得る。⑴人格および名誉を傷つける言動をした時、⑵会社経営に関する虚偽事実を宣伝流布した時、あるいは誹謗・中傷した時、⑶その他、新準社員就業規則に定める懲戒事由に該当した時」と記載した「覚書」に署名押印を求めたこと、及び異動発令日に再度同趣旨の「覚書」に署名押印を求めたこと。

（３）Ｘが出向する直前の待機期間中にＸに通常の業務がなく、上記【言動に至る背景】の（イ）と（ウ）に記載したような問題行動がＸにみられたことから、次の職場でも問題を起こさないためにも上記待機期間中に就業規則等の社内規程類の理解を促す必要があると考えたＹ３が、Ｘに対し社内規程類を精読するように指示し、５日間に亘り会議室で社内規程類を精読させたこと。

（４）Ｙ３がＸに清掃業務を主たる目的とするＫ社への出向を指示したこと。

（５）Ｙ１が不当に給与を減額したこと。

【当該言動に対する判断枠組と法的評価】Ｙらによる上記言動のうち、

本判決は、

（１）について、

・Ｙ２がＢ課長とともにＸを呼び本件面談に及んだのは、Ｘにおいて上記【言動に至る背景】（ア）の「中傷行為について依然として反省の態度が見られないこと」、また、同（イ）は「従業員として不相当な行為であるから注意、指導する必要があると考えたことによるものであり、**企業の人事担当者が問題行動を起こした従業員に対する適切な注意、指導のために行った面談**であって、その**目的は正当**であるといえ」るが、

・本件面談の際、Ｙ２は、「**感情的**になって**大きな声**を出し、Ｘを**叱責**する場面が見られ、従業員に対する**注意、指導としてはいささか行き過ぎ**であったことは否定し難」く、「Ｙ２が、**大きな声**を出し、Ｘの**人間性を否定**するかのような**不相当な表現**を用いてＸを**叱責**した点については、**従業員に対する注意、指導として社会通念上許容される範囲を超えている**ものであり、Ｘに対する不法行為を構成するというべき」としつつ、

・「もっとも、本件面談の際、Ｙ２が感情的になって大きな声を出したのは、**Ｘが**、人事担当者であるＹ２に対して、ふて腐れ、横を向くなどの**不遜な態度を取り続けた**ことが多分に起因していると考えられるところ、Ｘはこの場でのＹ２との会話を同人に秘して録音していたのであり、**Ｘは録音を意識**して会話に臨んでいるのに対し、Ｙ２は録音されていることに気付かず、Ｘの対応に発言内容をエスカレートさせていったと見られるのであるが、**Ｘの言動に誘発された面があるとはいっても、やはり、会社の人事担当者が面談に際して取る行動としては不適切**であって、Ｙ２及びＹ１は**慰謝料支払義務を免れない**」が、「Ｙ２の上記発言に至るまでの**経緯などからすれば、その額は相当低額で足りる**」とし、

（２）について、

・Ｙ１は、労働契約更新直前の１年間においてＸには上記【言動に至る背景】（ア）と（イ）という「**問題行動があったことから、注意を喚起する必要**があると考え、Ｘに対し、『新準社員就業規則の懲戒事由に該当する行為が見受けられた場合は、労使懲戒委員会の決定を受け、譴責以上の懲戒処分を下す。その処分の内容は、当該事由の程度によって判断するが、即時懲戒解雇も有り得る。（１）人格および名誉を傷つける言動をした時、（２）会社経営に関する虚偽事実を宣伝流布した時、あるいは誹謗・中傷した時、（３）その他、新準社員就業規則に定める懲戒事由に該当した時』と記載した『**覚書**』に**署名押印を求めた**のであり」、

・「その**記載内容は新準社員就業規則に照らして必ずしも不当であるとはいえず、裁量の範囲内の措置**というべきものであって、Ｙ１がＸと『労働契約書』を取り交わすに際して、上記内容の『覚書』に署名押印を求めたことがＸに対する**不法行為を構成するとはいえ」ず**、

・Ｙ１が、ＸのＫ社への異動命令発令日にも、「前記『覚書』と同趣旨の『覚書』に再度署名押印を求めたことも、Ｘに対する**不法行為を構成するとはいえない**」とし、

（３）について、

・Ｙ３は、Ｘには上記【言動に至る背景】（イ）（ウ）といった「職場のモラルや社員としての品位を著しく低下させる行為があり、次の職場でも問題を起こさないためにも上記待機期間中に就業規則等の社内規程類の理解を促す必要があると考え…Ｘに対し、社内規程類を精読するように指示したことの各事実が認められるのであり、これらの事実によれば、Ｙ３がＸに対して社内規程類の精読を指示したのは、Ｘに**職場の規律を乱す問題行動が見られたことから、次の職場でも問題を起こさないためにも社内規程類の理解を促す必要があると考え、出向直前の待機期間における指導の一環として行ったもの**であり、**懲罰の意図あるいは退職を促す意図に基づくもの**とまでは認め難く、社会通念に照らして相当な措置であって、Ｘに対する**不法行為を構成するものであるとはいえない**」とし、

（４）について、

・「Ｙ１がＸに対してＫ社へ出向を命じたことは、Ｘを**退職させようとの意図**に基づくものではなく、Ｘの**就労先確保のための異動**であり、企業における**人事施策の裁量の範囲**内の措置であって、Ｘに対する**不法行為を構成するものであるとはいえない**」とし、

（５）について、

・「Ｘに対する人事評価は、Ｙ１における人事評価制度及び労働組合との間で締結した『２００７年度昇級に関する協定書』に定める基準に従ったものであるところ、Ｘへの『Ｃ』評価が不当であることを窺わせる事情は見当たらないことからすれば、企業における人事評価の裁量権を逸脱したものであるとはいえず、Ｘに対する**不法行為を構成するとはいえない**」とした。

【行為者・使用者の法的責任】本判決は、

行為者（Ｙ２）、及び使用者（Ｙ１）について、

上記言動**（１）につき不法行為（使用者）責任を肯定**し、**（２）（５）につき同責任を否定**した。

行為者（Ｙ３）について、

上記言動**（３）（４）につき、不法行為責任を否定**した。

【判断にあたっての主な考慮要素】 被行為者の問題行動の有無とその内容・程度、行為者の目的、言動の内容・態様、言動に至る状況・経緯（被行為者の態度、被行為者による当該言動の誘発）、使用者における人事施策・人事評価等の裁量等。
【その他特記事項】 本判決は、上記 **【当該言動に対する判断枠組と法的評価】** において、上記言動（１）に関し「Ｙ２及びＹ１は慰謝料支払義務を免れない」が「Ｙ２の上記発言に至るまでの経緯などからすれば、その額は相当低額で足りる」などとしているが、実際損害額の算定にあたり、「Ｙ２が、本件面談の際、**大きな声**を出し、Ｘの**人間性を否定**するかのような**不相当な表現**を用いてＸを**叱責**した点については、Ｘに対する不法行為を構成するというべき」だが、「もっとも、前述のとおり、本件面談の際、Ｙ２が感情的になって大きな声を出したのは、Ｘが、人事担当者であるＹ２に対して、ふて腐れ、横を向くなどの**不遜な態度を取り続けたことが多分に起因している**と考えられるのであり、原判決が認容する慰謝料額は相当な額であるとはいえない」とした。
【結論・認容額】 一部認容。 （Ｙ１、Ｙ２連帯で）慰謝料１０万円等。
【補足事項】 原判決（鳥取地判平 20.3.31 労判 987 号 47 頁）は、上記言動（１）のみならず以外の言動についても不法行為が成立するなどとして、Ｘの請求を一部認容した（慰謝料３００万円等）。

9　医療法人財団健和会事件・東京地判平 21.10.15 労判 999 号 54 頁

【請求】 地位確認等請求

【類型】 精神的な攻撃、人間関係からの切り離し

【業種・職種等】 病院（Ｙ運営のＫ病院）・事務（新入職員（Ｘ）、課長代理（Ａ）・先輩職員（Ｂ）・事務次長（Ｅ））

【当事者の関係性】 上司ないし先輩職員 ⇒ 部下（課長代理（Ａ）・先輩職員（Ｂ）・事務次長（Ｅ） ⇒ 健康診断に関する事務業務係（Ｘ、新入職員））

【言動に至る背景】 Ｘは新入職員であり、パソコンに関する実務経験がなかったことから試用期間を平成１９年２月１日から同年４月３０日までの３か月とし、月に１回面接を行うこととされていたが、入職直後からコンピューターへの誤入力など事務処理上のミスや事務の不手際が多かった。具体的には、

・健康診断問診票の記載内容をコンピューターに入力する際のミス、
・計測結果の入力ミス、
・受診者の住所入力不備により検査結果通知が４通返戻された、
・ゴム印押印、用紙封入の失念、
・順路案内表の記載ミス、
・聴力検査における左右逆の計測、
・ＡやＢが電話中であったり受診者と対応中であっても「何をすれば良いですか？」と聞くことがあった、
・病歴整理をする際の整理番号書き間違え、
・病院外ないし病院内よりの電話への対応における不備（相手先・用件メモ等不備）

といったものであった。
そうした状況を背景として、Ａらは、下記【言動の具体的内容】記載の言動に及んだ。
なお、その結果、Ｘの精神状態が悪化するなどし、Ｘは欠勤し休職届をＹに郵送するなどしたが、Ｙは同年４月１０日、Ｘに対し「事務能力の欠如により、常勤事務としての適性に欠ける」ことを理由にＹ就業規則７条により同月１２日付けをもって採用を取り消すとの本件解雇の通知を発送しＸは同月１１日に同通知を受領したことから、Ｘは地位確認・パワーハラスメント等による損害賠償などを求め提訴に至った。

【言動の具体的内容】 Ａらによる言動のうち、本件で争点となったのは、おおよそ以下の言動である。
（１）Ｙが健康管理室において、必要な指導・教育を行わないまま職務に就かせ、業務上の間違いを誘発させたにもかかわらず、Ｘの責任としてＡ又はＢが叱責したこと。
（２）平成１９年２月１０日ころから、Ｘを無視して職場で孤立させるなどのいわれなき職場いじめが始まり、同僚らがそれを日常的・継続的に繰り返したこと。
（３）Ａ又はＢが、Ｘの机に鍵をかけたこと。
（４）試用期間中の第１回面接及び第２回面接において退職を強要したこと。

（５）平成１９年３月２６日以降、職場においてパワハラ行為（Aの「前に勤めていた大学病院はZ党系で、組合員立ち入り禁止と張ってあった」、「組合員って、権利、権利言うけど、患者の命を放っておいて、何が権利か」などといった発言等（※））があったこと。 （※）なお、Xは、同年同月２３日にY職員で組織する健和会労働組合に加入していた。
【当該言動に対する判断枠組と法的評価】Aらによる上記言動のうち、 本判決は、 （１）について、 ・「Xの業務遂行についてYによる**教育・指導が不十分であったということはできず**」、 ・「Xの**事務処理上のミスや事務の不手際**は、いずれも、**正確性を要請される医療機関においては見過ごせないもの**であり、これに対するA又はBによる**都度の注意・指導は、必要かつ的確なもの**というほかな」く、 ・「そして、**一般に医療事故は単純ミスがその原因の大きな部分を占めることは顕著な事実**であり、そのため、Aが、Xを**責任ある常勤スタッフとして育てるため、単純ミスを繰り返す**Xに対して、**時には厳しい指摘・指導や物言い**をしたことが窺われるが、それは**生命・健康を預かる職場の管理職が医療現場において当然になすべき業務上の指示の範囲内にとどまるもの**であり、**到底違法ということはできない**」とし、 （２）について、 ・試用期間中の「第１回面接において、AからXに対して他のスタッフと**和気あいあい**とやってくれているとの評価がされていること」、 ・「Xが、Dから、第１回面接のあった同年３月９日に病歴室で**長い間励まされた**ことや、同月１２日にも**励まされた**ことは、Xが証拠…中において自認するところであることからすれば」、 ・「Xを**無視**して職場で**孤立**させるようなことが行われていたと**認定するのは困難**であり、X主張に沿う前掲証拠部分は、反対証拠…に照らし措信し難く、他にXの主張を認めるに足りる証拠はない」とし、 （３）について、 ・「机の中にXのメモが入っていることを知っているA又はBが故意に鍵をかけることによって、Xがメモを見ることができずに仕事が停滞してしまうと、**かえってXの仕事を点検しなければならないA又はBの事務負担が増えてしまう**のであるから、あえてかかる嫌がらせをするとは**想定し難い**こと」、 ・「また、Xに机の中のメモを見せないというだけのために、机の鍵をあえて紛失させて、その後に合い鍵を発注したり、健康管理室の職員全員で鍵を探したりまでするようなことをしたとは**考え難い**ことから」、 ・「A又はBが意図的にXの机の引出しに鍵をかけたとすることには**多大な疑問**があ」り、 ・「仮に、Aが、第１回面接において、Xに対し、メモは自宅で復習し自らの課題を確認することを指示したにもかかわらず、Xがメモを健康管理室の机に入れたまま帰宅して同指示に従っていないことに対する**制裁として、Xの机の鍵をかけたとの事実があったとしても**」、 ・「Aは、Xに対し、机の中に貴重品は入っているかを尋ねたところ、**メモが入ってはいるが貴**

重品は入っていないとのことであり、それ以上に、**Xから錠前屋を呼ぶようにとの要請もなかった**こと」、

・「その後、**Xは自ら作成したメモを見ずとも、入力ミスを指摘されることもなく業務を遂行している**ことからすれば、**不法行為を構成するほどの違法性があるとまではいえない**」とし、

（4）について、

・試用期間中の「いずれの面接も、その内容は、面接までの間のXの勤務態度及び勤務成績等に対する」評価がなされ、

・「それを踏まえてXに**さらに頑張るよう伝える内容**のものであったことは明らかであり」

・「加えて、**A及びEは各面接においてXを退職させる意思も権限も有していなかった**のであるから」、

・「上記各面接においてA又はEがXに対して**退職強要をしたとの事実は、これを認めることができない**」とし、

（5）について、

・「たしかに、Aが、同月27日の昼の休憩時間の食事中に」、上記【言動の具体的内容】に例示したような「発言をした事実が認められるが」、

・「Aが同発言をした**前後の経緯**が何ら明らかでないために、同発言だけをもってXに対するパワハラと**認定するには無理があるばかりか**」、

・「同発言はAの**経験に基づいた意見**を述べているに過ぎないのであって、Xを**非難するような内容のものとは解し難く**」、

・「また、Aの第1回面接及び第2回面接並びに日常的な指導について、Xがこれを退職強要又はいじめ・冷遇と捉えていることに対して、Aが**病院業務における職務の厳しさを諭す一例として話した可能性**もあり、結局、Aの上記発言をもってXに対する**不法行為と認定することはできない**」とした。

【行為者・使用者の法的責任】本判決は、

上記言動につき、**不法行為の成立を否定**し、

使用者（Y）について、

「XのYに対する**安全配慮義務違反（債務不履行）又は不法行為を理由とする損害賠償請求は…理由がない**」とした。

【判断にあたっての主な考慮要素】

業種・業務の内容・性質（正確性を要請される医療機関、生命・健康を預かる職場）、被行為者の問題行動の有無とその内容・程度、行為者の目的、業務上の必要性・相当性、言動の内容・態様等。

【その他特記事項】本判決は、Yによる解雇を無効とし、XがYとの間に労働契約上の権利を有する地位にあるとしたが、Xによるパワーハラスメントに関する請求（「XのYに対する安全配慮義務違反（債務不履行）又は不法行為を理由とする損害賠償請求」）は容れられなかった。

ところで、本判決は、冒頭において、パワーハラスメントを「組織・上司が職務権限を使って、職務とは関係ない事項あるいは職務上であっても適正な範囲を超えて、部下に対し、有形無形に継続的な圧力を加え、受ける側がそれを精神的負担と感じたときに成立するもの」として「一

応定義する」としており、注目に値する。この一応の定義は、損保ジャパン調査サービス事件・東京地判平 20.10.21 労経速 2029 号 11 頁におけるものと同様である（なお、同事件の判決日は、本件のそれと時期的に近接（６日後）しているものの、担当の裁判官は異なる）。 なお、上記言動（５）のＡによる発言内容について、発言の内容のみならず、「前後の経緯」すなわち発言の文脈を重視しようとしている点は、注目に値しよう。
【結論・認容額】 パワーハラスメントに係る請求については請求棄却（なお、ＸのＹに対する地位確認については請求認容）。
【補足事項】 特になし。

１０　東京都ほか（警視庁海技職員）事件・東京高判平22.1.21労判1001号5頁

【請求】損害賠償等請求
【類型】身体的な攻撃、精神的な攻撃、人間関係からの切り離し、個の侵害
【業種・職種等】公務労働・警察（都（Ｙ１１））・海技職員（主事（Ｘ）、係長（Ｙ１）、課長（Ｙ２）、課長代理（Ｙ３）、副署長（Ｙ４）、主任（Ｙ５）、主任（Ｙ６）、主事（Ｙ７）、主事（Ｙ８）、主任（Ｙ９）、課長（Ｙ１０、Ｙ２の後任課長））
【当事者の関係性】上司・先輩 ⇒ 部下・後輩（係長（Ｙ１）・課長（Ｙ２）・課長代理（Ｙ３）・副署長（Ｙ４）・主任（Ｙ５）・主任（Ｙ６）・主事（Ｙ７）・主事（Ｙ８）・主任（Ｙ９）・課長（Ｙ１０） ⇒ 主事（Ｘ））
【言動に至る背景】Ｘは、Ｂ署Ｄ課の海技職員（専門的知識及び技術に基づいて、警備艇の操縦、機関の簡単な整備、修理等の業務を行い、刑事訴訟法等が規定する司法警察員及び司法巡査としての権限は有しない）として採用、配置された者であるが、**着任後間もなくのころから、その専門的知識及び技術に基づいて行う主要な任務である警備艇の操縦に消極的な姿勢**を示すなどしたことから、上司の指導を受けるなどしたものの、**その勤務態度にははかばかしい改善が見られず、職場に多額の現金を持ち込み、これを他の職員にひけらかすような言動をとったり、けい船場活動記録表への落書きの内容**（「早く次の職を見付けて辞めた～い。（もう警察、都交通局はヤダー）」、「操船は可能な限りしたくない」、「隅田川ＰＢは、ヤダ・ヤダ・ヤダ・ヤダ・ヤダ」）**等から、Ｘと二人一組での警備艇乗務を嫌がる者が出た**ほか、Ｘが**上司の指示命令に従わず**、海技職員に必要な「船乗り」としての**自覚や誇りに欠ける**ところがあるのではないかとして、**Ｘの勤務態度に不満を抱く者も現れ、危険と隣り合わせの勤務である警備艇乗務に最も必要とされる同僚らとの信頼関係を構築することができないまま推移**していたところ、**採用から約１年２か月経過した後**の平成１２年６月から**３年半余にわたり、腰椎椎間板ヘルニアを理由とする病気休暇や分限休職処分により職務から離脱**していた（そのうち、平成１２年１２月２３日から分限休職処分となっており、平成１５年１２月２２日の経過により、最長の３年間の分限休職期間が満了することになっていた）が、平成１５年１１月上旬に至り、２名の主治医が相次いでＸの腰椎椎間板ヘルニアが症状消失、治癒となり、通常勤務に備えた**試み出勤可能**と診断したことから、分限免職処分となる可能性は乏しくなり、**休職期間の満了によりＸが復職する可能性が大きくなった。**ＸがＤ課の職場に復帰してくるということが現実味を帯びてきた状況の下、あるいは、それよりも少し以前において、Ｙらにより下記【言動の具体的内容】に示すような言動がＸに対しなされた。
【言動の具体的内容】Ｙらによる言動のうち、本件で争点となったのは、おおよそ以下の言動である。 （１）Ｙ２課長及びＹ３代理がＸに対して辞職願を作成することを求める発言をし、Ｙ２課長がＸのネクタイを掴んで引っ張るなどしたこと。 （２）Ｙ４副署長が、Ｘに対して、現状では分限免職処分の手続が進むこと、そのため任意退職を勧めていることを説明するなどしたこと。

（３）試み出勤に際し、定型の誓約書を作成することを拒絶したＸに対し、Ｙ２課長が誓約書の作成を求め、あるいは、Ｘの交際相手の勤務先に電話をするなどしたこと。

（４）Ａ４紙の中央に「Ｘの顔写真」が印刷され、その上に「欠格者」、その下に赤字で「この者とは一緒に勤務したくありません！」、黒字で「Ｄ課一同」とそれぞれ印字されたポスターを、Ｄ課執務室の出入口正面の壁など複数の個所に掲示するなどしたこと。

（５）シンナー等有機溶剤に対する接触皮膚炎やアナフィラキシーショックを起こす可能性が高い体質のＸに対し、Ｙ２課長が、部下にシンナーを持ってこさせた上、これをＸに示して「いい臭いすんな、ほら、この野郎、来い」などと言ったこと（Ｙ２はＸの上記体質について知っていた）。

（６）Ｘのロッカーの中にシンナーが撒かれ更衣室内全体に強いシンナー臭が漂っており着替えも困難であることを、ＸがＹ１係長とＹ２課長に訴えたにもかかわらず、両名は特段の対応をしなかったこと。

（７）辞職願を出さなければ、Ｘをひぼうする記事が週刊誌に掲載される見込みであることをＹ２課長がＸに告知し、記事が掲載されたらこれに付せんを付けてＸの父親や交際している女性等に送る旨を述べるなどしたこと。

（８）Ｙ２課長が部下に液体の入った容器を持ってこさせ、これをＸに示して「お前に掛けてやるよ」「嗅いでみろよ」と言った上、Ｘの目の前で内部の液体を数回撒布するなどしたこと。

（９）会議に出席するＹ３代理に対し、Ｘが「代理しかいないんですよ」などと言い付いてこようとしたため、Ｙ３代理がＸに「座れよ」、「行け、早く」などと言って付いてくるのをやめさせようとしたが、依然としてＸが付いてきたため、Ｙ３代理が、Ｘの左上腕部をつねり全治二、三日を要する軽度の左上腕部表皮剥離の傷害を負わせるなどしたこと。

（１０）Ｘが復職した日に、Ｙ４副署長が、Ｘに対し、定型の誓約書を書くよう求めたものの、Ｘがこれを拒否し続けたため、「じゃあ、辞めて帰ればいいじゃないか。懲戒免でもう、退職金も何もなしで」、「おん出すぞこっから、全署員使って」などと言ったこと。

（１１）Ｘが警備艇に乗船する際、激しい雨の日でも船内には入れてもらえなかったこと、及び、冬場のＸのＥ派出所における泊まり勤務の際、使用できる暖房器具がないため、繰り返し灯油を持ってきてほしいなどの旨をＹ１係長に述べたにもかかわらず、同係長は「死にやいいじゃない」などと発言し、灯油を手配することを拒絶するなどし、あるいは、Ｙ２課長が「辞めりゃいいじゃないか」などと述べたこと。

（１２）Ｘを乗船させていた警備艇がＲブリッジ近くを航行しているとき同艇の拡声器を用いＹ６主任が「この船には馬鹿が乗っています」などと発言し、別の日時同様の状況下でＹ５主任が「Ｘの税金泥棒、辞めちゃえよ」などと発言し、また別の日時にＸが勤務するＥ派出所に警備艇を接岸させる際に同艇の拡声器を用いてＹ９主任が「アー、アー、アー、本日は晴天なり、本日は晴天なり。税金泥棒、Ｘ税金泥棒、恥を知れ」と発言し、さらに別の日時にＹ６主任が拡声器を用いて「税金泥棒」などと２回の機会に亘り発言したこと。

（１３）Ｘに向かって、Ｙ６主任が、幾度か唾を吐き掛けたこと。

（１４）Ｙ３代理が火のついた煙草をＸに向かって投げるなどしたこと。

（１５）Ｙ５主任がＸと警備艇に乗船した際に速力を上げて運航中の同艇を急転舵させたため、Ｘをしてデッキ上に仰向けに転倒させ後頭部を打撲させ左上肢肘部に挫創を負わせるなどしたこと、及び公務災害に係る書類作成につきＹ１０課長がＸに書き直しを指示したこと。 （１６）Ｙ３代理が、Ｘの足に向けていすを押し出してＸの足に当て、Ｘの襟首を掴んで前に出るなどしたこと。 （１７）Ｙ１０課長が、Ｘに対し「仮病じゃねえのか」、「お前みたいな税金泥棒が居ることを、本当の事を言っちゃ駄目なのか」などと発言したこと、及び上記（１６）につきＸがＹ１０課長に話した際に同課長が「俺に言わせりゃあんなの暴力じゃないよ」などと述べたこと。
【当該言動に対する判断枠組と法的評価】Ｙらによる上記言動のうち、 本判決は、 （１）について、 ・「Ｙ２課長及びＹ３代理は、Ｘに対して辞職願を作成することを求める発言をしているが、これは…Ｘが辞職願の作成に応じないことに対し、**Ｘにとって分限免職処分がされるより辞職願を提出する方が有利であるとの趣旨で行われたもの**であることが明らかであって、これをもってＸの権利又は法律上保護すべき利益を違法に侵害するものということはできない」などとし、 ・「また、Ｙ２課長がＸのネクタイを掴んで引っ張った経緯は…Ｙ２課長らがＸに辞職願を作成しない理由を問うても１時間にわたりＸはその理由を明らかにしないでいて、その挙げ句、Ｘが理由はないと答えたことに立腹したＹ２課長がＸのネクタイを掴んで引っ張ったが、直ちに手を離し、Ｘはそのままいすに座り込んだというもの…であって、**Ｙ２課長が上記行為をするに至る経緯を全体として考察し、その態様、有形力の程度及びその結果に照らしてこれを評価**すると、これをもってＸの権利又は法律上保護すべき利益を違法に侵害するものということはできない」とし、 （２）について、 ・「Ｙ４副署長の発言は、**Ｘにとって分限免職処分がされるより辞職願を提出する方が有利であるとの趣旨**で行われたものであることが明らかであって、これをもってＸの権利又は法律上保護すべき利益を違法に侵害するものということはできない」などとし、 （３）について、 ・**定型の誓約書**にもかかわらずＸは文言を変更したいと「固執し続けるＸに対し、署長の決裁を受けた文案の**文書を自分の判断で変更することはできないと説明するＹ２課長と文言の変更を求めるＸとの間のやりとりの経緯の中での出来事**であって、これをもってＸの権利又は法律上保護すべき利益を違法に侵害したものと認めることはできない」とし、 ・その翌日、「Ｘが定型の誓約書を作成することを拒絶したことの報告を受けたＪ署長から『試み出勤はしたいが誓約書は書きたくない。』との文書を作成させるように命じられたＹ２課長が、同日登庁したＸに対し、その趣旨の文書を作成することを求めたのに対し、**Ｘはこれに応じるとも応じないとも態度を明確にしないまま**、誓約書やＪ署長が作成を命じた上記文書とも**無関係な事柄について延々と話を続けている**のであって、この日のやりとりについてＹ２課長がＸに対し誓約書の作成を強要したとみる余地はなく、この日のやりとりをもってＸの権利又

は法律上保護すべき利益を違法に侵害したものと認めることはできない」とし、
・「Ｙ２課長が、**Ｘの交際相手の勤務先に電話をしたこと…は不適切な行動といわざるを得ないが、午前８時２０分に始まって午後１時５６分まで…延々とこう着状態**が続く中、**Ｘがいったんは誓約書を作成する姿勢をみせながら再びはぐらかす態度をみせたため、これに立腹したＹ２課長がＸの交際相手の勤め先に電話をして、電話があったことの伝言を依頼**したというものであって、これをもってＸの権利又は法律上保護すべき利益を違法に侵害したものと認めることはできない」とし、
（４）について、
・「本件ポスターの掲示は、**その記載内容及び掲示の態様から、客観的にみて、Ｘの名誉を毀損し、Ｘを侮辱するものであることは明白**であって、本件ポスターの記載内容及びＹ２課長の言動からして、本件ポスターの掲示は、試み出勤を経て復職を希望するＸに対し、**心理的に追いつめて圧力をかけ、辞職せざるを得ないように仕向けて放逐する目的**で、Ｘの**名誉を毀損し、Ｘを侮辱するために行われた**ことは明らかであって、Ｘの権利又は法律上保護すべき利益を違法に侵害するもので、不法行為が成立するというべきである」とし、
（５）について、
・「アルコール、シンナー及びアセトンなどの有機溶剤に対する接触性皮膚炎やアナフィラキシーショックを起こす可能性が高い**体質**であると診断されているＸに対し、**シンナーを用いた嫌がらせ**を行うことを示して辞職を強要したものであって、Ｘの権利又は法律上保護すべき利益を違法に侵害するもので、不法行為が成立するというべきである」とし、
（６）について、
・「Ｘは、アルコール、シンナー及びアセトンなどの有機溶剤に対する接触性皮膚炎やアナフィラキシーショックを起こす可能性が高い**体質**であると診断されているのであるから、Ｘのロッカーにシンナーが撒布されていると認識される以上、Ｂ署の庁舎の管理権者及びこれを補助する幹部職員においては、Ｘのロッカーに撒布されたシンナーを除去して、Ｘが残留するシンナーのガスや臭気による健康被害を受けないように配慮して**執務環境を良好に保つべき義務**を負うというべきところ、これを怠ったものであるし」、
・「上記（４）及び（５）に摘示した事実及び判断の結果を併せると、Ｘが辞職するように仕向けるために、執務環境が作為的に悪化されたままにして上記シンナーを除去すべき義務を故意に怠ったものと推認することができ、Ｘの権利又は法律上保護すべき利益を違法に侵害するもので、不法行為が成立するというべきである」とし、
（７）について、
・「Ｙ２課長は、**Ｘが辞職するように仕向ける意図で、Ｘの名誉に対し害悪を加えることを告知**したものであって、これは**脅迫に該当**し、Ｘの権利又は法律上保護すべき利益を違法に侵害するもので、不法行為が成立するというべきである」とし、
（８）について、
・「Ｘが、Ｄ課執務室内で『アセトンと書かれたプラスチック容器』を写真撮影したり、アセトンを掛けられた旨の１１９番通報をした事実は認められる」が、

・「アセトンは、きわめて低温で引火し、蒸気は空気と混合し引火、爆発の危険があり、消防法上の危険物に指定され、蒸気を吸入すると粘膜を刺激し、咳、頭痛、息切れなどを生じる有機化合物であり、だからこそ、Xの通報を受けて、救急車と共に化学消防車が臨場し、救急隊員は、Xに対して、アセトンを掛けられた部分を水で洗うことを指示しているものであるところ、当日現場において、粘膜刺激（咳、頭痛、息切れなど）を訴える者はなく、消防法上の危険物であるアセトンを除去する措置が講じられた形跡もな」く、

・「Xが依頼した室内環境検査によってもアセトンの測定値は有機溶剤中毒予防規則における管理濃度の１万５０００分の１というものであった…上記臨場した救急隊員は、臨場後早期にアセトン撒布の事実を疑うに至っている…当日、B署においてアセトンが撒布されたのであれば当然存在するべき**客観的痕跡が皆無**というべき事実関係なのであり、頭書事実をもってアセトンが撒布されたことを認めることはできず、他にアセトン撒布の事実を認めるに足りる証拠はない…Xの主張は、同月１８日の事実に関する主張を含め、前提となる事実を欠く」とし、

（９）について、

・「Xが、Y２課長が退室した後に机を叩くなどし、会議に出席するために署長室に向かうY３代理に付いていこうとしたため、Y３代理がこれを制止してD課執務室にとどまるよう指示したのに、Xは指示に従わずにY３代理に付いてくることから、Y３代理はこれを制止するためにXの左腕部をつねったものであり、上記**行為に至る経緯及び行為の結果**（**全治二、三日**を要する軽度の左上腕部表皮剥離）に照らし、これをもってXの権利又は法律上保護すべき利益を違法に侵害したものということはできない」とし、

（１０）について、

・「Y４副署長は、Xに対し、**定型の誓約書**の作成を求めたところ、Xがこれを拒絶したため、Xに対してXの主張に係る発言をしたことは認められるものの、**結局Xは自己の考えるとおりの誓約書を作成し、Y４副署長はそれを受領**しているのであるから、Y４副署長の上記発言は穏当ではないが、これをもってXの権利又は法律上保護すべき利益を違法に侵害したものということはできない」とし、

（１１）について、

・「Xが置かれた状況及びXの訴えに対する応答に、これまでに認定したB署におけるXに対する退職するように仕向ける行為等の具体的事実を併せ考慮すると、**組織の計画的、統一的な意思により、Xの執務環境をわざと劣悪**にすることによって退職するように仕向けたものと推認することができ、Xの権利又は法律上保護すべき利益を違法に侵害するもので、不法行為が成立するというべきである」とし、

（１２）について、

・「B署におけるXに対する退職するように仕向ける行為等の具体的事実を併せ考慮すると、Y６主任、Y５主任及びY９主任が、**退職するように仕向ける目的**で、本来はそのような目的で使用してはならない**拡声器を不正に用いてXの名誉を毀損する行為**をしたものというべきであって、Xの権利又は法律上保護すべき利益を違法に侵害するもので、不法行為が成立するというべきである」とし、

（１３）について、

・「Ｂ署におけるＸに対する退職するように仕向ける行為等の具体的事実を併せ考慮すると、Ｙ６主任は、**退職するように仕向ける目的で、Ｘに対する嫌悪感を示してＸの人としての尊厳を否定してＸを侮辱する態度を唾を吐き掛けるという下劣な行為で示した**ものというべきであって、Ｘの権利又は法律上保護すべき利益を違法に侵害するもので、不法行為が成立するというべきである」とし、

（１４）について、

・「Ｙ１０課長に対し執務環境の改善を訴えているＸに対し、Ｙ３代理は、Ｘは職場全員から嫌悪されている等と述べて辞職を迫り、Ｘが更に執務環境の改善を訴えると、火の付いた煙草をＸの制服の胸元めがけて投げたのであって、これまでに認定したＢ署におけるＸに対する退職するように仕向ける行為等の具体的事実を併せ考慮すると、Ｙ３代理は、**退職するように仕向ける目的で、Ｘに対する嫌悪感を示してＸを侮辱した**ものというべきであって、Ｘの権利又は法律上保護すべき利益を違法に侵害するもので、不法行為が成立するというべきである」とし、

（１５）について、

・Ｙ５主任によるものにつき、「転倒し傷害を負ったＸに対するＹ５主任らの対応及び報告書作成の場におけるＹ５主任の発言に、これまでに認定したＢ署におけるＸに対する退職するように仕向ける行為等の具体的事実を併せ考慮すると、Ｙ５主任は、**退職するように仕向ける目的で、Ｘが乗船している警備艇『××』を急転舵させてＸを転倒させてＸに傷害を負わせた**ものと推認することができ…Ｙ５主任の上記行為は、Ｘの権利又は法律上保護すべき利益を違法に侵害するもので、不法行為が成立するというべきである」とし、

・Ｙ１０課長によるものにつき、「Ｘの権利又は法律上保護すべき利益を違法に侵害する行為があったと認めることはでき」ないとし、

（１６）について、

・「Ｙ３代理は、Ｘの足に向けていすを押し出してＸの足に当てる行為及びＸの襟首を掴んで前に出るという行為をしたことは認められるが」、

・「上記各行為に先立ち、Ｘは、あらかじめＹ３代理に向けてビデオ撮影機材をセットして撮影を開始した上で、近づくことを拒絶していすを手に取るＹ３代理に向かって進み寄ったり、離れるように言うＹ３代理に発言を続けるなどしているのであって、**ＸはＹ３代理による有形力の行使を映像として記録する目的でＹ３代理が有形力を行使するように仕組んだ上、有形力の行使を誘発した計画的なものと認められる**のであって」、

・「Ｙ３代理がＸに対してした上記各行為は**上記認定の程度にとどまる**ことを併せ考慮すると、これをもってＸの権利又は法律上保護すべき利益を違法に侵害したものということはできない」とし、

（１７）について、

・前段につき、「Ｘが持参した診断書が、作成した病院がこれまでの病院と異なり、他覚症状の記載もないものであったため、治療経過の疑問点を含めてＹ１０課長がＸに事情を問いただしたのに対し、**Ｘはいずれの質問に対してもこれをはぐらかす態度**を示したことから、Ｙ１０課

長は、『仮病じゃねえのか。』と発言したものであり、その後もＸはＹ１０課長の**質問に答えることなく**、Ｙ１０課長が着任する前の出来事について不満を述べることを繰り返し、これに対し、Ｙ１０課長は、事実を知らないことを明らかにした上でＸの発言に対する応答をしていたものであり、Ｙ１０課長の発言内容に不適切なものも含まれていることは否めないものの、これをもってＸの権利又は法律上保護すべき利益を違法に侵害したものということはできない」とし、

・後段につき、（１６）の「Ｙ３代理の平成１７年８月１１日の行為が不法行為とならない以上、これに対するＹ１０課長の上記発言がＸの権利又は法律上保護すべき利益を違法に侵害したものとなることはない」とした。

【行為者・使用者の法的責任】本判決は、

行為者（Ｙ１から１０）について、

上記言動（４）、（５）、（６）、（７）、（１１）、（１２）、（１３）、（１４）、（１５）**につき不法行為が成立**する（但し（１５）のＹ１０課長によるものについては不法行為が成立せず）ものとしたが、

国賠事案であったため、Ｙ１から１０の個人としての不法行為責任は否定した。

都（Ｙ１１）について、

Ｙ１１のＸに対する**国家賠償法１条１項に基づく賠償責任を肯定**した。

【判断にあたっての主な考慮要素】

被行為者の問題行動の有無とその内容・程度、被行為者の属性・心身の状況（休職や分限免職処分に係る事情、体質）、言動の内容・態様・有形力の程度、言動の結果（全治期間等）、言動に至る状況・経緯、行為者の目的、執務環境に係る作為の必要性とその懈怠の有無等。

【その他特記事項】本判決は、下記【結論・認容額】を導くに先立ち、上記【言動に至る背景】に記載したことなどを斟酌しつつ、

・上記言動のうち不法行為が成立すると評価される事実、すなわち、（４）、（５）、（６）、（７）、（１１）、（１２）、（１３）、（１４）、（１５）の事実（但し（１５）についてはＹ５主任によるものについてのみ）を総合して考慮すると、「Ｄ課の職員やＢ署の幹部において、**Ｘの休職前の勤務態度にかんがみて、休職期間満了により復職するであろうＸの職場復帰を積極的に受け入れるというよりは、むしろ、Ｘには任意に退職してもらって職場の平穏と円滑な業務の遂行を維持する方がＤ課ないしＢ署としてはより望ましいという考えの下に、Ｘに対し、依願退職を働きかけていこうという合意が、少なくとも暗黙のうちに多数の意思によって形成され、上記不法行為と評価される事実として掲げた行為が行われたものと認めるのが相当で…上記意思はＸが復職した後も維持されていたと認めるのが相当**である」などとしつつ、

・しかし、そうした事情を考慮しても、上記言動の（１）、（２）、（３）、（８）、（９）、（１０）、（１６）、（１７）については、「Ｘに対する不法行為を構成するものということはできないと判断する」とし、

・このうち、（１）について補足して説明するに、「Ｙ２課長及びＹ３代理がＸに対して辞職願を作成するように述べる発言をしたのは、Ｇ医師の診断を前提に推移するとＸが分限免職処分

を受けることになるとのＸとの共通の認識の下で、**Ｘにとっては分限免職処分を受けるよりは、自ら辞職した方が履歴（賞罰歴）上、次の就職に有利であるとの趣旨でこれをしたことが明らか**であって、当初は**辞職願を提出する意向を示したＸ**が、Ｇ医師に診断の変更を求めるか、あるいは指定医でない医師…に改めて診断を求めたい旨、およそ**例規上通用しない言い分**を持ち出してこれに固執し、約１時間以上にわたるやりとりの後、Ｘが辞職願を作成しない態度に転じたことが明らかとなったことから、今度は、Ｙ２課長が辞職願を作成しない理由を尋ねてその理由を説明するように求めても、**何も答えないか、あるいは医師の診断を再度受けたい旨の主張に固執してその説明をしないまま時間が経過**し、ＸがＹ２課長に対し、執務時間終了後は外で聞いてもらえないかとか、相談したい人がいるなどと発言したりして一向に話が前に進まないでいたところ、Ｘが辞職願を作成しない理由はない旨の発言をするに至ったため、もともとは、Ｘの立場を考慮して、Ｘの再就職のために、分限免職の履歴が残らないようにするとの配慮に基づいて説明や説得をしていたＹ２課長が、**遂に堪忍袋の緒が切れてＸのネクタイを掴んで引っ張った**というものであって、その経緯から**偶発的に生じた事実**と評価される」などとしている。

【結論・認容額】 一部認容。

（Ｙ１１）慰謝料＝１５０万円、弁護士費用＝１５万円等。

国賠事案であるため、Ｙ１から１０の個人としての不法行為責任は否定。

【補足事項】 原判決（東京地判平 20.11.26 労判 981 号 91 頁）は、上記言動（1）から（１７）を「全体として」不法行為を構成するものと評価し、総額３００万円余の支払等Ｘの請求を一部認容したが、本判決は、違法性を個々判断し、上記認容額とした。

１１　日本ファンド事件・東京地判平 22.7.27 労判 1016 号 35 頁

【請求】損害賠償等請求
【類型】身体的な攻撃、精神的な攻撃
【業種・職種等】消費者金融（Ｙ１）・債権管理及び債権回収業務（Ｘ１、Ｘ２、Ｘ３、事業部長（Ｙ2）） なお、Ｙ２は第２事業部の部長を務めていたが、平成１９年７月に第１事業部と第２事業部が統合された後、Ｙ２が統合後の事業部の部長となった。
【当事者の関係性】上司 ⇒ 部下（事業部長（Ｙ２） ⇒ Ｘ１・Ｘ２・Ｘ３）
【言動に至る背景】Ｙ２には、本件言動に至る以前から、部下に対し身体的な攻撃や精神的な攻撃をなすことがあり、また特定の新聞の購読を勧誘するなど複数の問題行動がみられた。また、Ｙ２は、冠攣縮性狭心症及び不整脈（心室性期外収縮）の持病を患い、**たばこの臭いが心臓病に悪影響を及ぼすとしてたばこの臭いを避けていた。**
【言動の具体的内容】Ｙ２による言動のうち、本件で争点となったのは、おおよそ以下の言動である。 （１）上記【言動に至る背景】記載のＹ２の持病に関連し、Ｙ２が、**喫煙者**であったＸ１及びＸ２に対し、扇風機を用いない季節にも関わらず、長期間に亘り頻繁に扇風機の風を当てたこと。 （２）Ｘ１がＹ２の提案した業務遂行方法を採用していないことを知ったＹ２が、Ｘ１を強い口調で叱責した上で、「今後、このようなことがあった場合には、どのような処分を受けても一切異議はございません」という内容の始末書を提出させ、会議で業務の改善方法について発言をしたＸ１に対し「お前はやる気がない。なんでここでこんなことを言うんだ。明日から来なくていい」などと怒鳴ったこと。 （３）Ｘ２が担当していた顧客の信用情報に係る報告が信用情報機関に行われていなかったことについて、Ｙ２が、「馬鹿野郎」、「給料泥棒」、「責任をとれ」などとＸ２及びその上司を叱責し、Ｘ２に「給料をもらっていながら仕事をしていませんでした」との文言を挿入させた上で念書を提出させたこと。 （４）第１事業部と第２事業部の統合に際し、第２事業部で用いられていた架電による催促を中心とする債権回収方法を行うこととし、第１事業部で用いられていた書面による催促を中心とする債権回収方法を行わないよう、Ｙ２が事業部全体に命じたこと。 （５）Ｙ２が、本件事務所における席替えの際に、立っていたＸ３の背中に突然右腕を振り下ろして１回殴打し、また他の機会に、Ｘ３を叱責しつつ椅子に座った状態でＸ３の左膝を右足の裏で蹴ったこと。 （６）Ｙ２が、Ｘ３と昼食をとっていた際、Ｘ３の配偶者に言及し「よくこんな奴と結婚したな。もの好きもいるもんだな」と発言したこと。 （７）御用納めの昼食の際、体質的に寿司を食べられず寿司以外の弁当を食べていたＸ３に対し、「寿司が食えない奴は水でも飲んでろ」との趣旨の発言をＹ２がしたこと。

【当該言動に対する判断枠組と法的評価】Ｙらによる上記言動のうち、
本判決は、
（1）について、
・「Ｙ２は、平成１９年１２月以降、**従来扇風機が回されていなかった時期**であるにもかかわらず、Ｘ１及びＸ２がたばこ臭いなどとして、扇風機をＸ１及びＸ２の席の近くに置き、**Ｘ１及びＸ２に扇風機の風が直接当たるよう向きを固定**した上で、扇風機を回すようにな」り、「Ｙ２は、Ｘ２に対しては平成２０年４月１日に**Ｘ２が他社に異動するまで**、Ｘ１に対しては同年6月に…**組合が中止を申し入れるまで、しばしば、時期によってはほぼ連日**、Ｘ２及びＸ１に扇風機の風を当てていた」ところ、
・「Ｙ２によるこれら一連の行為は、**Ｙ２が心臓発作を防ぐためたばこの臭いを避けようとしていたことを考慮したとしても**、喫煙者であるＸ１及びＸ２に対する**嫌がらせの目的**をもって、**長期間にわたり執拗に**Ｘ１及びＸ２の身体に**著しい不快感**を与え続け、それを**受忍**することを余儀なくされたＸ１及びＸ２に対し著しく大きな精神的苦痛を与えたものというべきであるから、Ｘ１及びＸ２に対する不法行為に該当するというべきである」などとし、
（2）について、
・「Ｙ２は、平成１７年９月ころ、Ｘ１がＹ２の提案した業務遂行方法を採用していないことを知って、Ｘ１から事情を聴取したり、Ｘ１に**弁明の機会を与えることなく**、Ｘ１を**強い口調**で叱責した上で」、上記【言動の具体的内容】記載の内容の始末書を提出させ、また、上記【言動の具体的内容】記載のようにＸ１を**会議で怒鳴った**ことについて、
・「Ｙらは、仮にこれらの行為が存在したとしても、Ｘ１の業務上の怠慢に対する業務上必要かつ相当な注意である旨主張する」ものの、
・「これらの行為は、Ｘ１による業務を**一方的に非難**するとともに、Ｘ１にＹ１における雇用を継続させないことがありうる旨を示唆することにより、Ｘ１に**今後の雇用に対する著しい不安**を与えたものというべき」であり、
・また、「Ｙ２は、第２事業部において、**他の従業員が多数いる前で、部下の従業員やその直属の上司を大声で、時には有形力を伴いながら叱責したり、手当なしの残業や休日出勤を行うことを強いるなどして、部下に対し、著しく一方的かつ威圧的な言動を部下に強いることが常態**となっており、Ｙ２の下で働く従業員にとっては、Ｙ２の言動に**強い恐怖心や反発**を抱きつつも、Ｙ２に**退職を強要されるかもしれないことを恐れて、それを受忍することを余儀なくされていた**ことが認められる」ところ、
・「このような背景事情に照らせば、Ｙ２によるＸ１に対する上記の行為は、**社会通念上許される業務上の指導を超えて、Ｘ１に過重な心理的負担を与えたもの**として、不法行為に該当するというべきである」とし、
（3）について、
・Ｙらは、Ｘ１の怠慢に対する必要かつ相当な注意指導であるなどと主張するが、
・「これらの行為は、そもそも７年以上Ｙ１において当該顧客に係る適切な処理がなされていなかったことに起因する事柄について、Ｘ２を**執拗に非難**し、**自己の人格を否定するような文言**

を**Ｙ２に宛てた謝罪文として書き加えさせた**ことにより、Ｘ２に**多大な屈辱感**を与えたものというべきであ」り、

・そして、本欄「(２) について」に記載のとおり、「Ｙ２の下で働く従業員が、Ｙ２の一方的かつ威圧的な言動に強い恐怖心や反発を抱きつつも、Ｙ２に退職を強要されるかもしれないことを恐れて、それを受忍することを余儀なくされていたという**背景事情**にも照らせば、Ｙ２によるＸ２に対する上記の行為は、**社会通念上許される業務上の指導の範囲を逸脱して、Ｘ２に過重な心理的負担を与えたもの**と認められるから、Ｘ２に対する不法行為に該当するというべきである」とし、

（４）について、

・この点、「Ｘ２は、当該指示は上司の権限を濫用して部下の業績と賃金を引き下げる不合理な業務を命じたものであるから違法である旨主張する」が、「Ｙ２による当該指示は、事業部統合に伴い、事業部間で異なっていた債権回収方法を統一するため、事業部の次長らとの協議の上で行われたものであり…当該指示の後には事業部の全員が当該方法による債権回収を行っている…ことに照らせば、**業務上の必要性と相当性が存在したことが認められる**から、Ｙ２による当該指示は、**正当な業務上の指導ないし指示の範囲内にあるもの**というべきで」、「Ｙ２による当該指示に違法性は認められない」とし、

（５）について、

・「Ｙ２によるこれらの行為は、**何ら正当な理由もない**まま、その場の**怒り**にまかせてＸ３の身体を**殴打**したものであるから、**違法な暴行**として不法行為に該当するというべきである」としつつ、

・「この点について、Ｙらは、静かにするよう注意するためＸ３の背中を掌でポンと軽く叩いて注意したにすぎない、また、仮にＹ２の足がＸ３の足に当たったとしても、Ｙ２が足を組み替えた際に偶然に当たったものであるとして、これらの行為を暴行と評価することはできない旨主張する」が、「職場において静かにするよう注意するために他人の腹部を掌で軽く押すなどということは通常考え難いことからすれば、Ｙ２は、席替えによる騒音に腹を立ててＮの腹部を殴打したものと認められ、その直後、Ｎの近くにいたＸ３を殴打したものと推認でき」、また、Ｙ２とＸ３が座って面談していたならば、「両者の間にはある程度の距離があったと推測されるところであって、座った状態から足を組み替えることにより偶然に足の裏が当たったなどということは、通常考え難」いなどとし、

（６）について、

・「Ｙらは、いい奥さんが結婚してくれたねという趣旨のごく普通の会話をしたにすぎない旨主張する」が、それに沿う「Ｙ２の供述は信用することができない」し、

・そして、本欄「(２) について」に記載のとおり、「Ｙ２の下で働く従業員が、Ｙ２の一方的かつ威圧的な言動に強い恐怖心や反発を抱きつつも、Ｙ２に退職を強要されるかもしれないことを恐れて、それを受忍することを余儀なくされていたことに照らせば、そのような立場にあるＹ２の当該発言により、Ｘ３にとって自らとその配偶者が侮辱されたにもかかわらず**何ら反論できない**ことについて**大いに屈辱**を感じたと認めることができる」ところ、

・「Ｙ２による当該発言は、**昼食時の会話であることを考慮しても、社会通念上許容される範囲を超えて、Ｘ２に精神的苦痛を与えたもの**と認めることができるから、Ｘ２に対する不法行為に該当するというべきである」とし、 （７）について、 ・「Ｘ３は、Ｘ３を侮辱するものとして不法行為に該当すると主張する」が、「Ｙ２の当該発言は、**言い方**にやや穏当さを欠くところがあったとしても、Ｘ３の**食事の好みを揶揄する趣旨**の発言と解するのが相当であって、Ｘ３には**寿司以外の弁当が用意されていた**ことも考えると、当該発言が、**日常的な会話として社会通念上許容される範囲を逸脱するもの**とまで認めることはできないから、違法とは認められない」とした。
【行為者・使用者の法的責任】本判決は、 **行為者（Ｙ２）について、** 上記言動（１）（２）（３）（５）（６）**につき不法行為責任を肯定**し、（４）（７）**につき同責任を否定**した。 **使用者（Ｙ１）について、** Ｙ２の上記不法行為は、「いずれもＹ２がＹ１の部長として職務の執行中ないしその延長上における昼食時において行われたものであり、これらの行為は、Ｙ２のＹ１における職務執行行為そのもの又は行為の外形から判断してあたかも職務の範囲内の行為に属するものに該当することは明らかであるから、Ｙ１の事業の執行に際して行われたもの」とし、Ｙ１は、Ｙ２の上記不法行為について、**使用者責任を負う**とした。
【判断にあたっての主な考慮要素】 被行為者の属性・心身の状況（喫煙者）、行為者の属性（心臓の持病）、言動の内容・態様・継続性、被行為者の問題行動の有無とその内容・程度、当該言動が被行為者に与える影響、行為者の目的、業務上の必要性・相当性（社会通念上許容されるかどうか、正当な業務上の指導ないし指示の範囲内にあるかどうか等）、当該言動に至る経緯等。
【その他特記事項】本判決は、Ｘ１の心療内科等への通院及び休職と、Ｙ２による扇風機の風当てとの間に相当因果関係を肯定した。
【結論・認容額】一部認容。 （Ｙ１、Ｙ２連帯で）Ｘ１＝休業損害３５万４５５２円・慰謝料６０万円等、Ｘ２＝慰謝料４０万円等、Ｘ３＝慰謝料１０万円等。
【補足事項】特になし。

１２　学校法人兵庫医科大学事件・大阪高判平 22.12.17 労判 1024 号 37 頁

【請求】 損害賠償等請求

【類型】 精神的な攻撃、過小な要求、人間関係からの切り離し

【業種・職種等】 大学（Ｙ１、Ｙ１病院を設置）・医師（Ｚ科助手（Ｘ）、前Ｚ科教授（Ｄ）、Ｚ科教授（Ｙ２））

【当事者の関係性】 上司 ⇒ 部下（前Ｚ科教授（Ｄ）・Ｚ科教授（Ｙ２） ⇒ Ｚ科助手（Ｘ））

【言動に至る背景】 Ｙ１では、平成５年１２月、平成６年３月をもって**定年退職するＤ前教授の後任教授を選出するための公募制による教授選**が行われることになり、Ｚ科の医局からはＰ助教授が推薦され、Ｙ１の外部からはＹ２（当時、Ｖ大学医学部附属病院の講師）が応募をしてきた。その一方で、**当時助手であったＸが、Ｄ前教授に断りなく、上記教授選に立候補**をした（なお、**同じ医局から複数の立候補者が出ることは、医局内がまとまっていないことを意味するので、好ましいものとはされていなかった**）ことから、**Ｄ前教授はこれに激怒し、平成６年１月以降、Ｘを医学部の学生に対する教育担当及びＹ１病院におけるすべての臨床担当から外したが、外部派遣については、従前どおり、Ｘも担当することとされた。**その後、上記教授選では、**Ｙ２が後任教授として選出**され、Ｐ助教授はＹ１病院を退職した。Ｙ２は、Ｚ科の教授就任に際し、Ｄ前教授から、Ｘをすべての臨床担当から外している旨の引き継ぎを受けたが、同科の事務掌理者として、そのような処遇の当否について、Ｘからあらためて事情聴取をすることもなく、**従前どおりの処遇を継続**するものとし、Ｘに対しては、引き続き、Ｙ１病院において一切の臨床を担当させなかった。Ｘは、上記のような経緯によって、Ｙ１病院におけるすべての臨床担当を外れたが、自主的な研究活動は続ける一方で、外部派遣についても引き続き担当していたところ、**平成８年ころ、外部派遣先の一つである県立Ａ病院への派遣担当から外され、次いで、平成１１年１１月をもって、外部派遣先の一つであるＢ病院への派遣担当からも外され、その結果、すべての外部派遣の担当から外れることになった。**なお、Ｙ２は、平成８年ころ、Ｘに対し、県立Ａ病院から**Ｘの診療態度等についてクレーム**が寄せられている旨伝えたものの、その事実関係を確認したり、クレームの具体的内容を説明したりすることはなく、また、平成１１年１１月をもってＸをすべての外部派遣の担当から外すにあたっても、**Ｘに対し、その弁解を聴取したり、上記クレームの原因となるような言動ないし態度を改めるように指導することはなかった。**

【言動の具体的内容】 Ｙ２による言動（Ｄによる言動を含む）のうち、本件で争点となったのは、おおよそ以下の言動である。
（１）平成６年１月頃から１０年以上に亘り臨床を担当させなかった（Ｚ科において分類されていたグループのいずれにも所属させなかった）こと。
（２）平成６年１月頃から１０年以上に亘り教育を担当させなかったこと。
（３）平成１１年１１月以降、関連病院への派遣（外部派遣）による診察担当から外したこと。

【当該言動に対する判断枠組と法的評価】 Ｙ２らによる上記言動のうち、
本判決は、

（１）と（３）について、 ・「Ｙらは、Ｘには他の医師及び職員との協調性がなく、患者とトラブルを起こすなど大学病院に勤務する医師としての資質に欠けていたことから、すべての臨床担当から外すことにした」などと主張するが、 ・「Ｘは、Ｙ１病院に赴任するまで**１５年以上の間、主に勤務医師**として働いてきた（複数の病院においてＺ科部長として勤務…）**経験を有する**のであるから、Ｙ１としても、そのような**Ｘを採用しておきながら、その後において、Ｘが大学病院に勤務する医師としての資質に欠けていると判断したのであれば、Ｘに対し、そのような問題点を具体的に指摘した上でその改善方を促し、一定の合理的な経過観察期間を経過してもなお資質上の問題点について改善が認められない場合は、その旨確認して解雇すべき**ところ、本件全証拠を検討しても、Ｙらが、上記のような**合理的な経過観察期間を設けた改善指導等を行って、その効果ないし結果を確認したなどの具体的事実は見当たらない**」とし、 ・「Ｙらは、**Ｘに対する具体的な改善指導を行わず、期限の定めのないまま、Ｘをいわば医師の生命ともいうべきすべての臨床担当から外し、その機会を全く与えない状態で雇用を継続したというものであって、およそ正当な雇用形態ということはできず、差別的な意図に基づく処遇であったものと断定せざるを得ない**」としつつ、 ・その他Ｘの人格等に係るＹらによる主張を斥け、「**１０年以上の長きにわたり、Ｙ１病院において臨床を担当する機会が全く与えられてこなかった**ことを考えれば、Ｘに…問題点があったとしても、そのことはＸに対するそれまでの処遇に起因する側面もあるというべき」などとし、 ・「したがって、Ｙらが、平成６年１月以降、ＸをＹ１病院におけるすべての**臨床担当から外す**ものとし、平成１１年１１月以降、Ｘをすべての**外部派遣の担当からも外す**ものとしたこと…は**合理的な裁量の範囲を逸脱した違法な差別的処遇**というべきである」とし、 （２）について、 ・「大学病院に勤務しているとはいえ、教育に従事することが必要不可欠であるとまではいえない上、教育という性質を考えると、**学生に対する教育担当者の適正判断についてはＹ１の理念及び方針に基づく独自かつ広範な裁量に委ねられる**ものというべきであるから、上記**教育担当から外されたことが著しく不合理な処遇であったということはできない**」とし、 一方、臨床担当に一部復帰した平成１６年８月以降の処遇（他の医師と比較して昇進が遅れていることを含む）についてのＸによる不満の主張については、「それ自体を独立した不法行為ではなく、本件処遇の延長として捉えた上で、損害額の算定事情として考慮するのが相当である」とした。
【行為者・使用者の法的責任】本判決は、 **行為者（Ｙ２）、及び使用者（Ｙ１）について、** 上記言動（１）**と**（３）**につき、不法行為（使用者）責任を肯定**し、 一方、**（２）につき、**上記【当該言動に対する判断枠組と法的評価】に示したように判示し、**両者の法的責任を否定**した（但し、Ｘの臨床担当への一部復帰以降の処遇については、損害額の事情として考慮するものとされている）。

【判断にあたっての主な考慮要素】 被行為者の問題行動の有無とその内容・程度、改善指導の有無、被行為者のキャリア、言動の内容・態様・継続性、担当させなかった業務の内容（「医師の生命」ともいうべき臨床）、使用者における人事上の裁量等。
【その他特記事項】本判決は、Ｘの損害額（Ｘが本件処遇によって受けた精神的苦痛に対する慰謝料の額）に関し、 ・「Ｘが大学病院に勤務する医師とはいえ、**臨床担当の機会を与えられなければ、医療技術の維持向上及び医学的知識の経験的取得を行うことは極めて困難**といわざるを得ず、そのような期間が**長期化**するほど、臨床経験の不足等から、Ｙ１病院において**昇進したり、他大学ないし他病院等に転出する機会が失われる**であろうことは容易に推測されるところ」、 ・「**違法な差別的処遇である本件処遇が１０年以上という長期に及んだものであった**ことからすると、Ｘが本件処遇によって受けた精神的苦痛は相当に大きいというべきである」とし、 ・また、「Ｘは、平成１６年８月以降、外来診療等の一部を担当するようになったとはいえ、Ｙ１病院のＺ科において専門的な診療を継続的に担当するのに必要であることが推認されるグループ…のうち耳グループに所属するよう命じられたのが平成１９年４月であったことを考えると、少なくともそれまでの間は十分な臨床の機会が与えられたものとはいえず、Ｘの上記精神的苦痛が解消されたものということはできない」としつつ、 ・一方において、「Ｘとしても…Ｚ科の教授選において、上司であるＤ前教授に何ら相談することもなく独自に教授選に立候補するような行為が**当時の実情としては人事的に一定の不利益を生じさせる可能性のあったことは容易に認識し得た**というべきであるし、その一方で、Ｙらは、Ｙ１病院においてＸがすべての臨床担当から外れるようになった後、Ｘに対し、Ｙ１病院を離れて他の病院等に転出することを勧め、転出先の病院を具体的に紹介するなどしたが、Ｘはこれに応じないまま、自らＹ１において研究活動に従事することを選択したことが認められ」、「さらに、証拠…及び弁論の全趣旨によれば、平成６年から平成１０年ころにかけて、外部派遣先の病院からＸの勤務態度等について**複数のクレーム**が寄せられていたことが認められ、また、平成１６年８月にＹ１病院における臨床担当に一部復帰した以降であるとはいえ、**Ｙ１病院の他の医師及び職員から…不満**…が出ているのも事実であることを併せ考えると、Ｘとしても、**大学病院という組織に所属する以上、人事をはじめとする円滑な運営等に配慮したり、外部派遣先の病院並びにＹ１病院の他の医師及び職員との協調を心がけるなど組織内において円満な人的関係を維持するように柔軟な対応が求められていた**にもかかわらず、自己の考え方に固執し、これを優先させる余り、**組織の一員として配慮を欠くような行動傾向があり、そのために周囲との軋轢をかなり生じさせたことは否定できない**」とし、 ・「以上のような事実関係等のほか、本件に現れた一切の事情を総合考慮すると、Ｘが違法な差別的処遇というべき本件処遇を受けたことについて、Ｙらから支払いを受けるべき慰謝料は２００万円と認めるのが相当である」とした。 なお、本件において、「Ｙらの消滅時効の抗弁は理由がない」とされた。

【結論・認容額】一部認容。
（Ｙ１、Ｙ２連帯で）慰謝料２００万円等。

【補足事項】原判決（神戸地判平 21.12.3 労判 1024 号 45 頁）は、おおよそ、上記言動（１）を違法な行為とし、慰謝料１００万円等、Ｘの請求を一部認容した。

１３　トマト銀行事件・岡山地判平24.4.19労判1051号28頁

【請求】損害賠償等請求
【類型】精神的な攻撃、過小な要求、身体的な攻撃
【業種・職種等】銀行（Ｙ１）・支店融資係（Ｘ、支店長代理（Ｙ２））、営業本部お客様サポートセンター（Ｘ、センター長（Ｙ３））、人事総務部（Ｘ、部長代理（Ｙ４）） ※Ｘは幾度か配転されている。なお、各部署におけるＸの職位等は、判決文からは必ずしも判然としない。
【当事者の関係性】上司 ⇒ 部下（支店長代理（Ｙ２）・センター長（Ｙ３）・部長代理（Ｙ４）⇒ Ｘ）
【言動に至る背景】Ｘは、平成１８年４月２８日、脊髄空洞症等に罹患したことにより、同日から同年７月１５日までの期間、Ｋ大学附属病院に入院した。Ｘは、退院後、**自宅療養を経て、平成１８年９月に職場復帰**をした。本件で争点となったＹ２ら上司による言動は、Ｘの職場復帰の後になされたものである。 Ｘは、**上記疾病による痛みや多量の服薬による眠気**などに悩まされていた。また、Ｘには、**仕事でミスをし処理速度も遅くなるなど**の事情も発生していた。 なお、**Ｘは、平成１９年１１月１６日、脊髄空洞症による左肩関節、左肘機能の著しい障害により身体障害者等級４級と認定された。**
【言動の具体的内容】Ｙ２・Ｙ３・Ｙ４による言動のうち、本件で争点となったのは、おおよそ以下の言動である（Ｙ３・Ｙ４によるものについては、Ｘの主張するところなどによる）。 **Ｙ２（平成１８年１０月から平成１９年４月までＸの上司）について** **（１）**ミスをしたＸに対し、「もうええ加減にせえ、ほんま。代弁の一つもまともにできんのんか。辞めてしまえ。足がけ引っ張るな」、「一生懸命しようとしても一緒じゃが、そら、注意しよらんのじゃもん。同じことを何回も何回も。もう、貸付は合わん、やめとかれ。何ぼしても貸付は無理じゃ、もう、性格的に合わんのじゃと思う。そら、もう１回外出られとった方がええかもしれん」、「足引っ張るばあすんじゃったら、おらん方がええ」などと言ったこと。 **（２）**延滞金の回収ができず、代位弁済の処理もしなかったＸに対し、「今まで何回だまされとんで。あほじゃねんかな、もう。普通じゃねえわ。あほうじゃ、そら」、「県信から来た人だって…そら、すごい人もおる。けど、僕はもう県信から来た人っていったら、もう今は係長…だから、僕がペケになったように県信から来た人を僕はもうペケしとるからな」などと言ったこと。 **（３）**ミスをしたＸに対し、「何をとぼけたこと言いよんだ、早う帰れ言うからできん。冗談言うな」、「鍵を渡してあげるからいつまでもそこ居れ」、「何をバカなことを言わんべ、仕事ができん理由は何なら、時間できん理由は何なら言うたら、早う帰れ言うからできんのじゃて言うたな自分が」などと言ったこと。 **（４）**Ｘに対し、Ｆという者以下だという趣旨の発言をしたこと。 **Ｙ３（平成１９年５月から平成１９年９月までＸの上司）について** **（５）**Ｘに対し、仕事が遅いとことあるごとに言ったこと。

（６）債権処理紛失の責任をＸに押しつけたこと。
（７）Ｘの居眠りについて注意したこと（多量服薬等で意識が遠のくことがあったなどとするＸの主張が存在する）。
（８）Ｘの仕事を取り上げたこと。
Ｙ４（平成１９年１２月から平成２１年３月までＸの上司）について
（９）Ｘに対し、どこに行っていたと言ったこと（一挙一動について毎日詰められたなどとするＸの主張が存在する）。
（１０）Ｘに対し、仕事がのろいと言ったこと。
（１１）手順を踏まなかったＸを叱責するにあたり、「ウソをついた」、「予め見せなかった」などといって物を投げたり、机をけとばしたり、ボールペンを机に突き立てたりするなどして威嚇したこと。

【当該言動に対する判断枠組と法的評価】Ｙらによる上記言動について、
本判決は、
まず、**Ｙ２によるものについて、**
・（１）から（４）の存在を前提とするなどしつつ、
・「Ｙ２は気が高ぶってくると、口調が早くて強くなっていく傾向があると認められ」、
・「Ｙ２は、**Ｘの病状、体調について、退院されて職場復帰した以上、通常の業務はできる体で来ていると思っていたとして、ほとんど把握も配慮もしていなかった**」などとし、
・「以上を前提に判断するに、Ｙ２は、**ミスをしたＸに対し、厳しい口調で、辞めてしまえ、（他人と比較して）以下だなどといった表現を用いて、叱責**していたことが認められ、それも１回限りではなく、**頻繁に行っていた**と認められる」とし、
・「確かに…**Ｘが通常に比して仕事が遅く、役席に期待される水準の仕事ができてはいなかった**とはいえる」が、「本件で行われたような叱責は、健常者であっても精神的にかなりの負担を負うものであるところ、**脊髄空洞症による療養復帰直後であり、かつ、同症状の後遺症等が存するＸにとっては、さらに精神的に厳しいものであったと考えられる**こと、それについてＹ２が**全くの無配慮**であったことに照らすと、上記Ｘ自身の問題を踏まえても、Ｙ２の行為はパワーハラスメントに該当するといえる」とした。
次に、**Ｙ３によるものについて、**
（５）につき、「当該事実の存在を認めるに足る証拠はないといえる」などとし、
（６）につき、Ｙ３が「責任を押しつけようとしていたとは考え難い」などとし、
（７）と（８）につき、Ｘの主張を斥けつつ、「仮にＹ３が寝ていたのかと強い口調で言ったり、Ｘから貸せと言って書類を取上げた事実があったとしても、**Ｘを含め部下が働きやすい職場環境を構築する配慮も必要ではあるが、仕事を勤務時間内や期限内に終わらせるようにすることが上司であり会社員であるＹ３の務めであると考えられる**こと、本件でＹ３の置かれた**状況に鑑みれば、多少口調がきつくなったとしても無理からぬこと**などによれば、**Ｘの病状**を踏まえても、それだけでパワーハラスメントに当たるとはいえないと解する」とした。

そして、**Ｙ４によるものについて、**
（**９**）につき、「Ｙ４が、Ｘに対し、どこに行っていたとの質問をしていたことは当事者間に争いがない」が、「Ｘが勤務時間内に勤務場所にいなかったために、Ｙ４が同質問を行っていたと考えられるところ、このことは**業務遂行上必要な質問**であると言え、仮に**厳しい口調**となっていたとしても、これをもってパワーハラスメントとは認められない」とし、
（**１０**）につき、「仕事が遅いと言ったと認められるのは」**１回だけ**であるとし、
（**１１**）につき、「Ｙ４がＸを注意する際に、Ｘの主張…のような行動をとったとは認められない」などとし、
「Ｙ４の行動は、**注意、指導の限度を超えたものということはできない**から、パワーハラスメントに該当するとは認められない」とした。

【行為者・使用者の法的責任】本判決は、
行為者（Ｙ２）について、
上記言動**（１）から（４）などにつき、不法行為責任を肯定**した。
一方、**他の行為者（Ｙ３、Ｙ４）について、**
各言動は**「パワーハラスメント」に該当しないなどとして不法行為責任を否定**した。
使用者（Ｙ１）について、
「Ｙ２の行為はパワーハラスメントに該当するといえ…本件において…Ｙ１は…その被用者であるＹ２らに不法行為責任が発生しないことのみを使用者責任が発生しない根拠として主張しており、選任、監督に相当の注意をした（民法７１５条１項ただし書き）こと等責任発生を阻害する他の事情を主張していないから、Ｙ１に**使用者責任が認められる**」とした。

【判断にあたっての主な考慮要素】
被行為者の属性・心身の状況（病状、体調、後遺症の存在）、言動の内容・態様（口調等）・頻度・時期（被行為者の療養復帰直後）、被行為者の問題行動の有無とその内容・程度、被行為者の属性に対する行為者の配慮の有無、行為者の職責、業務上の必要性・相当性等。

【その他特記事項】本件では、頻回に配転命令が出されたことについても、ＸによりＹ１の不法行為責任が問われているものの、本判決は、「確かに、短期間で各部署へ移されている上、その結果、各部署で不都合が生じたことから次の異動を行ったという場当たり的な対応である感は否めないものの、Ｙ１が能力的な制約のあるＸを含めた従業員全体の職場環境に配慮した結果の対応であり、もとより従業員の配置転換には、被用者にある程度広範な裁量が認められていることにも鑑みると、Ｙ１に安全配慮義務違反（健康管理義務違反）があるとして、不法行為に問うことは相当ではないと解する」などとしてＹ１の不法行為責任を否定している。

【結論・認容額】一部認容。
（Ｙ１、Ｙ２連帯で）慰謝料＝１００万円、弁護士費用＝１０万円等。

【補足事項】特になし。

１４　ザ・ウィンザー・ホテルズインターナショナル事件・東京高判平 25.2.27 労判 1072 号 5 頁

【請求】地位確認等請求
【類型】精神的な攻撃、過大な要求
【業種・職種等】ホテル運営会社（Ｙ１）・営業（営業担当者（X)、営業部次長（Ｙ２））
【当事者の関係性】上司 ⇒ 部下（営業部次長（Ｙ２） ⇒ 営業担当者（X)）
【言動に至る背景】Ｘは、 ・仕事上必ずしもミスをしなかったわけでなく（下記言動（**1**）（**2**）の背景)、 ・帰社命令に従わないといったこともあり（下記言動（**3**）の背景)、 ・あるいはＹ２からの夏季休暇中の出社依頼に応じなかったためにＹ２の仕事準備を不十分なままにさせるなどしたために（下記言動（**4**）の背景)、 Ｙ２を憤慨させるなどし、Ｙ２は下記**【言動の具体的内容】**記載の言動に及んだ。
【言動の具体的内容】Ｙ２による言動のうち、本件で争点となったのは、おおよそ以下の言動である。 （**1**）Ｙ２がＸに対し飲酒を強要したこと。 （**2**）Ｙ２が体調不良のＸに対し自動車運転を強要したこと。 （**3**）Ｙ２がＸに対し深夜に叱責のメールを送信ないし留守電（７・１留守電）を残したこと。 （**4**）Ｙ２が夏季休暇中のＸに対し深夜に「お前。辞めていいよ。辞めろ。辞表を出せ。ぶっ殺すぞ、お前」などという留守電（８・１５留守電）を残したこと。
【当該言動に対する判断枠組と法的評価】Ｙ２による上記言動のうち、 本判決は、 （**1**）について、 ・「Ｘは、少量の酒を飲んだだけでもおう吐しており、Ｙ２は、**Ｘがアルコールに弱いことに容易に気付いたはず**であるにもかかわらず、『**酒は吐けば飲めるんだ**』などと言い、Ｘの**体調の悪化を気に掛けることなく**、**再び**Ｘのコップに酒を注ぐなどしており、これは、単なる**迷惑行為にとどまらず**、**不法行為法上も違法**というべきであ」り、 ・「また、**その後も、Ｙ２の部屋等でＸに飲酒を勧めている**のであって」、前記言動に「**引き続いて不法行為が成立**するというべきである」とし、 （**2**）について、 ・Ｙ２は、（**1**）の言動により「**体調を崩していた**Ｘに対し、レンタカー運転を**強要**している。たとえ、**僅かな時間であっても体調の悪い者に自動車を運転させる行為は極めて危険**であり、体調が悪いと断っているＸに対し、**上司の立場で運転を強要**したＹ２の行為が**不法行為法上違法**であることは明らかである」とし、 （**3**）について、 ・Ｙ２による「本件７・１**留守電やメールの内容や語調**、**深夜の時間帯**であることに加え、**従前**

のＹ２のＸに対する態度に鑑みると、同留守電及びメールは、Ｘが帰社命令に違反したことへの**注意**を与えることよりも、Ｘに**精神的苦痛を与えることに主眼**がおかれたものと評価せざるを得ないから、Ｘに**注意を与える目的**もあったことを考慮しても、**社会的相当性を欠き**、不法行為を構成するというべきである」とし、
（４）について、
・Ｙ２が「深夜、夏季休暇中のＸに対し、**『ぶっ殺すぞ』などという言葉を用いて口汚くののしり、辞職を強いるかのような発言**をしたのであって、これらは、本件８・１５留守電に及んだ**経緯**を考慮しても、不法行為法上**違法**であることは明らかであるし、その**態様も極めて悪質**である」とした。

【行為者・使用者の法的責任】本判決は、
行為者（Ｙ２）について、
上記言動につき、**不法行為の成立を肯定**した。
使用者（Ｙ１）について、
上記言動は、「いずれもＹ１の業務に関連してされたものであることは明らかであるから、Ｙ１は、民法７１５条１項に基づき**使用者責任を負う**」とした。

【判断にあたっての主な考慮要素】
被行為者の属性・心身の状況（体質）、行為者の目的、被行為者の問題行動の有無とその内容・程度、当該言動以前の行為者の被行為者に対する態度、社会的相当性、言動の内容・態様・時間帯、当該言動に至る経緯等。

【その他特記事項】Ｘは地位確認請求をしているが、認容されなかった。
ところで、Ｘの損害額に関し、本判決は、上記言動（１）は、「Ｘが仕事上の失敗もあり上司であるＹ２からの飲酒要求を拒絶し難いこと及びＸが酒に弱いことを知りながら飲酒を強要したものであって、これによって、Ｘは多大な不快感及び体調の悪化をもたらされたもので、Ｘの受けた肉体的・精神的苦痛は軽視することができ」ず、「また、Ｘの本件長期欠勤に間接的な影響を与えた可能性も否定することができない」とし、上記言動（２）は、「体調の悪いＸに短時間とはいえ自動車運転を強要したことは、社会通念上も決して許される行為ではない」とし、上記言動（３）は、「Ｘの規律違反があるものの、深夜にＸを不安に駆り立てる目的で行ったものといわざるを得ず、これによってＸは大きな不安にさいなまれた」が「Ｙ２は、その後、この件につきＸに謝罪しているから、この点は慰謝料額においてしんしゃくすべきである」とし、上記言動（４）は、「社会的相当性の範囲を大きく逸脱しており、これによってＸに生じさせた精神的苦痛は大きいというべきであ」り、「さらに、本件８・１５留守電後、Ｙ１において、ＸとＹ２の指揮命令関係を解消させたものの、両名を隣席のまま数か月にわたり放置し、Ｘに精神的苦痛を増大させたものといえる」とし、「以上の点を考慮すると、Ｘの肉体的・精神的苦痛を慰謝するための金額としては、１５０万円が相当である」としている。
なお、Ｘが「Ｙ２の継続的なパワハラ行為によって、急性肝障害及び適応障害等の精神疾患にり患した」旨主張したことから、本判決は、パワハラとＸの精神疾患等の発症との因果関係につき判断しているが、結論としてそれを否定した。

【結論・認容額】 一部認容（地位確認請求については認容せず）。 （Ｙ１、Ｙ２連帯で）慰謝料１５０万円等。
【補足事項】 原判決（東京地判平 24.3.9 労判 1050 号 68 頁）の判断枠組と結論は、下記のように、本判決と異なる。 すなわち、原判決は、上記言動につき判断するに先立ち、パワーハラスメントにつき一定の規範を示している。原判決は、まず、 ・「世上一般にいわれるパワーハラスメントは極めて抽象的な概念で、内包外延とも明確ではない」とし、 ・「そうだとするとパワーハラスメントといわれるものが不法行為を構成するためには、質的にも量的にも一定の違法性を具備していることが必要」として、 ・「パワーハラスメントを行った者とされた者の人間関係、当該行為の動機・目的、時間・場所、態様等を総合考慮の上、『企業組織もしくは職務上の指揮命令関係にある上司等が、職務を遂行する過程において、部下に対して、職務上の地位・権限を逸脱・濫用し、社会通念に照らし客観的な見地からみて、通常人が許容し得る範囲を著しく超えるような有形・無形の圧力を加える行為』をしたと評価される場合に限り、被害者の人格権を侵害するものとして民法７０９条所定の不法行為を構成するものと解するのが相当である」とした。 その上で、上記言動のうち（４）についてのみ、「Ｘの人格的利益を侵害するものとして、民法７０９条の不法行為に該当する」とした（認容額は慰謝料７０万円等）。 上記規範は、本稿掲載の 20 日本アスペクトコア事件・東京地判平 26.8.13 労経速 2237 号 24 頁でも用いられている。

１５　アークレイファクトリー事件・大阪高判平25.10.9労判1083号24頁

【請求】損害賠償等請求
【類型】精神的な攻撃、過小な要求
【業種・職種等】医薬品試薬等輸出入製造販売（Y）・工場勤務（派遣労働者(X)、正社員の製造ライン責任者（E及びF)）
【当事者の関係性】上司 ⇒ 部下(正社員の製造ライン責任者(E及びF) ⇒ 派遣労働者(X))
【言動に至る背景】Xは派遣労働者であり、Yにおいては、E及びFのような正社員が製造ラインの責任者に任命され、Xら作業担当者に対する作業指示・監督業務を行っていた。Xは、時折ミスをすることがあり、その結果、下記【言動の具体的内容】記載の言動がE及びFによりなされるなどした。なお、Xが所属するチームの具体的な業務内容は、試薬の製造に伴う機械操作及び付帯作業であった。
【言動の具体的内容】E及びFによるXへの言動のうち、本件で争点となったのは、おおよそ以下の言動である。 （１）日中の業務引継ぎでFから指示された業務をXが夜勤務においてした際、Eの指示に基づきこれを止めたところ、命令違反としてFが非難したこと。 （２）派遣労働者のせいで生産効率が低下したとFが上司に説明後、Fが作業改善し生産効率が上昇すれば、Fの成果にできるとし、生産効率を落とすようXに言ったこと。 （３）プログラムの変更作業を指示通りしていなかったとして、FがXを叱責し、「殺すぞ」と述べたこと。 （４）機械の清掃の際にXが洗浄液をこぼした上、これを丁寧に拭き取らず機械の腐食や不良製品製造に繋がるような事態を生じさせたため、Fがこれを咎め、唐突に「殺すぞ」など述べたこと。 （５）体調不良でXが欠勤した際、FがXに対し、仮病でパチンコに行っていたとの疑いをかけたこと。 （６）E及びFが、Xが所有する車両に関し、「塩酸をこうチョロ、チョロ、チョロと」などと危害を加えるかのようなことを述べたこと。 （７）Fが、Xが所有する車両（コペンという車名）に関し、「むかつくわコペン。かち割ったろか」などと述べたこと。 （８）上記（４）の際に、Fが「あほ」などと述べたこと。 （９）Fが、職場の機械の故障音になぞらえ、Xが所有する車両に関し、「コペン壊れた？」「コペンボコボコになった？」などと述べたこと。 (10) Fが「今日、派遣が一人やめましたわ」などと述べたこと。 (11) XがFに挨拶した際、Fが咳き込み「ごほ、ごほ、ごほ」と応答したこと。 (12) FがXに対し「頭の毛、もっとチリチリにするぞ」、「ライターで」などと述べたこと。
【当該言動に対する判断枠組と法的評価】E及びFによる上記言動のうち、 本判決は、

まず（１）～（４）について、
・これらは「Xに対する指導」であるとYは主張するが、
・「そもそも、**労務遂行上の指導・監督の場面において、監督者が監督を受ける者を叱責し、あるいは指示等を行う際には、労務遂行の適切さを期する目的において適切な言辞を選んでしなければばならないのは当然の注意義務**と考えられるところ」、
・「本件では、**それなりの重要な業務であったとはいえ、いかにも粗雑で、極端な表現を用い、配慮を欠く態様で指導**されており、かかる**極端な言辞**を用いるほどの**重大な事態であったかは疑問**であるし」、
・「監督を受ける者として、監督者がそのような言辞を用いる**性癖**であって、その発言が**真意でないことを認識し得るとしても、**業務として日常的にそのような極端な言辞をもってする指導・監督を**受忍しなければならないとまではいえず**」、
・「逆に、**監督者において、労務遂行上の指導・監督を行うに当たり、そのような言辞をもってする指導が当該監督を受ける者との人間関係や当人の理解力等も勘案して、適切に指導の目的を達しその真意を伝えているかどうかを注意すべき義務**がある」とし、
次に（５）～（９）について、
・これらを「**指導に付随してなされた軽口**ともみえる発言」としつつ、
・「それが**１回だけといったものであれば違法とならないこともあり得るとしても、Xによって当惑や不快の念が示されているのに、これを繰り返し行う場合には、嫌がらせや時には侮辱といった意味を有するに至り、違法性を帯びるに至る**」とした上で、
「本件では…監督を受ける者に対し、**極端な言辞をもってする指導や対応**が繰り返されており、**全体としてみれば、違法性を有する**に至っている」とし、
そして、
（10）について、「Fに**悪意や他意**があるとまではうかがわれないから、**極めて不適切で度を超した発言であるとまではいえない**」などとし、
（11）について、「Xが挨拶をしているのに、咳き込んであえて無視したと主張しているのであるが、**経緯**や**態度**等になお不明な点もあり、これのみを抜き出し、あえてFがXを**無視した会話内容であるとまで認めるには足りない**」とし、
（12）について、「その**前後の遣り取り**を通じてみると、上記発言は冗談であるとして受け流されているものとみられ、**極めて不適切とまではいえない**」などとした。
なお、本件では「殺すぞ」などの言辞（たとえば（３）におけるそれなど）がみられるところ、これにつき本判決は、「**『殺すぞ』という言葉**は、仮に『いい加減にしろ』という意味で叱責するためのものであったとしても、指導・監督を行う者が被監督者に対し、労務遂行上の指導を行う際に用いる言葉としては、いかにも**唐突で逸脱した言辞**というほかはなく、Fがいかに日常的に荒っぽい言い方をする人物であり、そうした性癖や実際に危害を加える具体的意思はないことをXが認識していたとしても、**特段の緊急性や重大性を伝えるという場合のほかは、そのような極端な言辞を浴びせられることにつき、業務として日常的に被監督者が受忍を強いられるいわれはない**というべき」とし、「本件では、もとより上記のような緊急性や重大性はうかが

われない」とした。

【行為者・使用者の法的責任】本判決は、
行為者（E・F）、及び使用者（Y）について、
上記言動（1）から（9）**につき包括して不法行為が成立**するものとし、そうした「不法行為は、Fら及びXが、Yの業務である本件労務に従事する中で、Yの支配領域内においてなされたYの事業と密接な関連を有する行為で、Yの事業の執行について行われたものであるから、Yは、**使用者責任を負う**と認められる」とした。
なお、「これに対し、Yは、Fらにつき、いずれも、本件作業に関する経験が豊富で、X以外の後輩に対する監督・指導を行ってきたが、本件以外にトラブルを起こしたことはないことや、Yでは、安全衛生管理規程…を定め、年間安全衛生計画を立ててこれを実施しており、Yの従業員らが、日常安心して作業に従事できる職場環境を確立する体制をとっていることを理由に、Fらの選任・監督に相当の注意をし、過失はなく、使用者責任は免責されるというべきである旨主張するが」、
・「本件苦情後は、ともかく、それ以前において、少なくとも、Yが、同体制を維持するため、Fらの選任や監督につき、相当の注意をしていたことを認める証拠が何らないことから、同主張を認めることはできない」とし、
・「かえって、Fらは、指導・監督を行う立場にある者として、業務上の指導の際に用いる言葉遣いや指導方法について、Yの同人らの上司から、指導や注意及び教育を受けたことはなかったことを自認しており…Yが、その従業員であるFらの選任・監督について、その注意を怠ったと認めるのが相当である」とした。

【判断にあたっての主な考慮要素】
業務の内容・性質、被行為者の属性・心身の状況、被行為者の問題行動の有無とその内容・程度（当該言動の原因となった事態の緊急性・重大性）、言動の内容・態様・回数、業務上の必要性・相当性、当事者間の人間関係、行為者の目的、当該言動に至る経緯等。

【その他特記事項】本判決は、慰謝料算定の文脈において、下記のような判示をなした。すなわち、本判決は、
・「Fらの言動は、Xに対し、指導を行うに当たって、唐突で極端な言葉を用いて臨む部分があり、Fらはその真意について弁解し、Xには普段の和気あいあいとした交友関係の状況からすれば当然その真意が十分伝わっていたはずであるとの趣旨のことを述べているが、FらとXとの間に、普段からうち解けた会話ができるような和気あいあいとした交友関係が形成されていたことを認めるに足りる証拠はないし、むしろ、各…会話の内容からは、**Fらが正社員でXが派遣社員であることも手伝って、両者の人間関係は基本的に反論を許さない支配・被支配の関係となっていた**ということができ」、
・「本件では、職場において適切な労務遂行のために必要な言辞としては、度を超す部分があるというほかはないものである。これらの会話において、**Xが性格的に不器用で、言われたことを要領よくこなしたり受け流したりすることのできない、融通の利かない生真面目なタイプ**であることがうかがわれ、Fらに何とか調子を合わせようとする様子は散見されるものの、総じ

てこれらの軽口を受け止め切れていないことは容易に認められるところである」とした上で、
・「これらの言辞を**個別にみるときには不適切というに止まるものもある**が、中には**Xがその種の冗談は明らかに受入れられないとの態度を示しているのに、繰り返しなされている部分があ****る**のであって、上記のような**一方的に優位な人間関係**を前提に、Xの上記のような**性格を有する人物**に対する言辞としては、**社会通念上著しく相当性を欠きパワーハラスメントと評価することができる**といわざるを得ない」としたが、
・その一方において、「Fらの発言は監督者として、**態様及び回数**において、以上のような不注意な逸脱部分はあるものの、Xに対する**強い害意や常時嫌がらせの指向**があるというわけではなく、態様としても受け止めや個人的な感覚によっては、単なる**軽口として聞き流すことも不可能ではない、多義的な部分**も多く含まれていることも考慮すべき」とした。
ところで、本判決は、上記【言動の具体的内容】の（5）〜（9）について、上記【当該言動に対する判断枠組と法的評価】において示したように、これらを「指導に付随してなされた軽口ともみえる発言」としつつ、「それが1回だけといったものであれば違法とならないこともあり得るとしても、Xによって当惑や不快の念が示されているのに、これを繰り返し行う場合には、嫌がらせや時には侮辱といった意味を有するに至り、違法性を帯びるに至る」とした。被行為者により当惑の念などが示されているにもかかわらず複数回なされる場合は軽微な言動であったとしても違法たり得るといった当該判示の内容は、示唆的といえよう。
また、本判決は、上記【当該言動に対する判断枠組と法的評価】などで示したように、E及びFの言動を細やかに分析しており、その判断手法は注目に値する。とりわけ、正社員と派遣労働者との間でなされたパワーハラスメントとして、その人間関係に着目している点や、被害者における理解力にも着目している点は、特記されよう。
なお、Yによる過失相殺の主張は容れられず、他方、XによるY固有の不法行為責任（なお、下記【補足事項】参照）についての主張も容れられなかった。

【結論・認容額】一部認容。
慰謝料３０万円、弁護士費用３万円等。

【補足事項】原判決（大津地判平24.10.30労判1083号24頁）は、Y固有の不法行為責任についても肯定している。

１６　メイコウアドヴァンス事件・名古屋地判平 26.1.15 労判 1096 号 76 頁

【請求】 損害賠償等請求

【類型】 身体的な攻撃、精神的な攻撃

【業種・職種等】 金属琺瑯加工業及び人材派遣業（Ｙ１）・琺瑯加工前処理業務等（亡Ａ）、代表取締役（Ｙ２）、監査役（Ｙ３）

【当事者の関係性】 上司 ⇒ 部下（代表取締役（Ｙ２）・監査役（Ｙ３） ⇒ 亡Ａ）

【言動に至る背景】 Ｙ１での仕事において、亡Ａは、設備や機械を損傷するという事故を含むミスをしばしば起こしていた。

【言動の具体的内容】 Ｙ２、Ｙ３による言動のうち、本件で争点となったのは、おおよそ以下の言動である。

（１）亡Ａが仕事でミスをすると、Ｙ２が亡Ａに対し、「てめえ、何やってんだ」・「どうしてくれるんだ」・「ばかやろう」などと汚い言葉で大声で怒鳴り、あわせて頭を叩くことも時々あったほか、殴ることや蹴ることも複数回あったこと。

（２）亡Ａがミスをした際に、損害賠償を請求し、支払えないようであれば、家族に請求するという趣旨のことをＹ２が述べ、また、亡Ａに対し、賠償を約束する内容の退職願（※）を書くように強要したこと。

（３）亡Ａに対し、Ｙ３が日常的に暴言、暴行をなしたこと。

（※）退職届の下書きには、「私Ａは会社に今までにたくさんの物を壊してしまい損害を与えてしまいました。会社に利益を上げるどころか、逆に余分な出費を重ねてしまい迷惑をお掛けした事を深く反省し、一族で誠意をもって返さいします。２ヶ月以内に返さいします」などと記載され、また、「額は一千万～１億」と鉛筆で書かれ、消された跡が存在していた。

【当該言動に対する判断枠組と法的評価】 Ｙ２による上記言動のうち、
本判決は、

（１）、（２）について、

・「Ｙ２の亡Ａに対する暴言、暴行及び退職強要のパワハラが認められるところ」、

・「Ｙ２の亡Ａに対する前記暴言及び暴行は、亡Ａの**仕事上のミスに対する叱責の域を超えて、亡Ａを威迫し、激しい不安に陥れるもの**と認められ、不法行為に当たると評価するのが相当であり」

・「また、本件退職強要も不法行為に当たると評価するのが相当である」とし、

（３）について、

・Ｙ３については、Ｘら（Ｘ１は亡Ａの妻、Ｘ２、Ｘ３及びＸ４は亡Ａの子である）の主張及び「当事者尋問等におけるＸ１の供述自体、Ｙ３が、亡Ａに対し、日常的に暴言、暴行をしたことがあるという抽象的なものにすぎない上、Ｋの供述も、亡ＡがＹ３から蹴られたという話を亡Ａから聞いたことがある、Ｙ３も汚い言葉でヒステリックに叫んでいたことがよくあったというものにすぎず…Ｈの供述も、Ｙ３もＹ２と同じように暴言、暴行をしていたというものにすぎない…のであるから、Ｙ３が、亡Ａに対し、日常的に暴言や暴行を行っていたということを

認めるに足りる証拠はない」とし、
・「Xらが主張するＹ３のパワハラを認めることはできない」とした。

【行為者・使用者の法的責任】本判決は、
行為者（Ｙ２）、及び使用者（Ｙ１）について、
上記言動（１）（２）**につき、不法行為が成立**し、「**会社法３５０条により、Ｙ１は、Ｙ２が亡Ａに与えた損害を賠償する責任を負う**」とした。
行為者（Ｙ３）について、
上記言動（３）につき、その存在を認めなかった。

【判断にあたっての主な考慮要素】
被行為者の問題行動の有無とその内容・程度、言動の内容・態様、当該言動が被行為者に与える影響（威迫し、激しい不安に陥れる）等。

【その他特記事項】本判決は、Ｙ２の不法行為と亡Ａの死亡との間に、相当因果関係を肯定した。すなわち、本判決は、
・「〔１〕亡Ａが仕事においてミスが多くなると、Ｙ２は、しばしば、汚い言葉で大声で怒鳴っており、平成２０年夏以降については、亡Ａがミスをした時に亡Ａの頭を叩くという暴行を時々行っていたこと、及び、〔２〕亡Ａは、同年秋ころ以降、『この仕事に向いていないのかな。昔はこんな風じゃなかったのに。』などと口にするようになり、日曜の夜になると、『明日からまた仕事か。』と言い、憂鬱な表情を見せるようになったことが認められるところ、上記〔２〕の亡Ａの各言動の時期及び内容に照らすと、同言動は、上記〔１〕のＹ２の暴言や暴行が原因となっていたものであり、同年秋ころ以降には、亡Ａは、仕事でミスをすることのほかに、ミスをした場合にＹ２から暴言や暴行を受けるということについて、不安や恐怖を感じるようになり、これらが心理的なストレスとなっていたと解するのが相当であ」り、
・「さらに、亡Ａは、その後も、ミスを起こして、Ｙ２から暴言や暴行を受けていたと認めるのが相当であるから、本件暴行を受けるまでの間に、亡Ａの心理的なストレスは、相当程度蓄積されていたと推認でき」、
・そして、「亡Ａは、自殺７日前に、全治約１２日間を要する傷害を負う本件暴行を受けており、その原因について、たとえ亡Ａに非があったとしても、これによって負った傷害の程度からすれば、本件暴行は仕事上のミスに対する叱責の域を超えるものであり、本件暴行が亡Ａに与えた心理的負荷は強いものであったと評価するのが相当である」とした上で、
・「さらに、亡Ａは、自殺３日前には、本件退職強要を受けているところ、その態様及び本件退職届の内容からすれば、本件退職強要が亡Ａに与えた心理的負荷も強いものであったと評価するのが相当である」とし、
・「以上によれば、短期間のうちに行われた本件暴行及び本件退職強要が亡Ａに与えた心理的負荷の程度は、総合的に見て過重で強いものであったと解されるところ…亡Ａは、警察署に相談に行った際、落ち着きがなく、びくびくした様子であったこと、警察に相談した後は、『仕返しが怖い。』と不安な顔をしていたこと、自殺の約６時間前には、自宅で絨毯に頭を擦り付けながら『あーっ！』と言うなどの行動をとっていたことが認められることに照らすと、亡Ａは、従前

から相当程度心理的ストレスが蓄積していたところに、本件暴行及び本件退職強要を連続して受けたことにより、心理的ストレスが増加し、急性ストレス反応を発症したと認めるのが相当である」として、
・「以上の経緯と…本件遺書の記載内容を併せ考えると、亡Ａは、上記急性ストレス反応により、自殺するに至ったと認めるのが相当である」とした。
なお、Ｘらは、監査役（Ｙ３）についても、Ｙ２と客観的に関連共同している旨を主張しているが、本判決は、
・「Ｘらは、〔１〕Ｙ３とＹ２の血縁関係、〔２〕Ｙ２らのＹ１内の地位、〔３〕Ｙ２らの亡Ａに対する暴言、暴行は、Ｙ１内で業務時間中に行われていたことから、Ｙ２らは、互いの暴言、暴行を認識しており、本件暴行及び本件退職強要についてもＹ３は認識し得る状況にあったので、本件暴行及び本件退職強要を直接行っていないＹ３についても、Ｙ２と客観的に関連共同していると認められると主張するが、上記各事実をもって、Ｙ３が、Ｙ２と関連共同していたことを認めることはできず、他にこれを認めるに足りる証拠はない」とし、
・「よって、Ｙ２らの関連共同を認めることはできない」とした。

【結論・認容額】一部認容。
（Ｙ１、Ｙ２連帯で）Ｘ１＝２７０７万０５０４円等、Ｘ２＝９０２万３５０１円等、Ｘ３＝９０２万３５０１円等、Ｘ４＝９０２万３５０１円等。
なお、内訳は、亡Ａの逸失利益・亡Ａの死亡慰謝料・弁護士費用といったところとなるが、労災保険給付との損益相殺がなされている。

【補足事項】特になし。

１７　鹿児島県・曽於市（市立中学校教諭）事件・鹿児島地判平 26.3.12 労判 1095 号 29 頁

【請求】損害賠償等請求
【類型】精神的な攻撃、過大な要求
【業種・職種等】学校（市（Ｙ１）立）・公教育（教諭（亡Ａ）、校長（Ｂ）、教頭（Ｃ）、教育センター指導官（Ｄ）） なお、県（Ｙ２）が、Ｂ校長及びＣ教頭らの賃金を負担している（国家賠償法３条関連）。
【当事者の関係性】上司・指導担当者 ⇒ 部下・被指導者（校長（Ｂ）・教頭（Ｃ）・教育センター指導官（Ｄ） ⇒ 教諭（亡Ａ））
【言動に至る背景】Ｙ１が設置するγ中学校の教諭であった亡Ａは、中学校の**音楽**科の第２種**教員免許状**を取得していたが、**その他の科目についての教員免許は有していなかった**。亡Ａは、平成１１年度以降、不適応反応・躁うつ・神経症性うつ病・神経症性不眠・ストレス反応といった**精神の疾患への罹患歴**を有し、病気休暇や年休を随時取得するなどしていた。亡Ａは、欠勤の多さなどをＢ校長らから問題視され、また、忘れ物をした生徒を椅子の上に正座させていたところを目撃されるなどしていた。
【言動の具体的内容】Ｂらによる言動のうち、本件で争点となったのは、おおよそ以下の言動である。 （１）亡Ａが３か月間の病気休暇を取得した後、業務軽減の必要性が記載された診断書を提出し職場に復帰したところ、Ｂが、亡Ａに対し、平成１７年度の亡Ａの担当教科として、免許外科目である第１、２学年の国語科を追加・担当させるなどしたこと。 （２）ＢとＣにおいては、亡Ａが何らかの精神疾患を有しており、その状態が良好でないことを認識し得たにもかかわらず確認をなさないまま、平成１８年７月にＢがＹ２教育委員会に対して亡Ａについて指導力不足等教員に係る申請を行い、亡Ａに教育センターでの指導力向上特別研修を受けることを命じるなどしたこと。 （３）教育センターにおいて、Ｄら指導官（本件担当指導官）は、亡Ａが何らかの精神疾患を有していることを認識し得たにもかかわらず、これまでの教員生活を振り返り自己の課題を発見するために自分史に基づく指導を継続させ、またＤが、休職や退職を考えたいという亡Ａの研修日誌の記載に、「自分の身上や進退については、両親や担当者とも十分に相談してください」とコメントするなどしたこと。
【当該言動に対する判断枠組と法的評価】Ｂらによる上記言動のうち、 本判決は、 （１）について、 ・亡Ａは平成１６年１２月から「ストレス反応を理由とする３か月間の病気休暇を取得し、**平成１７年３月に業務軽減の必要性が記載された診断書を提出**して、職場に復帰したところ、Ｂ校長が…亡Ａに対し、平成１７年度の亡Ａの担当教科として、**免許外科目**である第１、２学年

の**国語科の担当を追加**することを打診し、亡Ａの不承諾及び他の関係者の反対の意見を考慮しても、亡Ａに**国語科を担当させた**ことにより」、
・「亡Ａにおいて、平成１６年度と比較すると平成１７年度においては１週間に担当する**授業数**が約１２時間から約２０時間に**約８時間増加**していたこと、亡Ａがそれまでに国語科を担当したことがなかったこと、平成１６年度から平成１７年度で教科担当以外の**校務分掌も減らされていない**こと、新たに担当する国語科が**受験科目**であること、平成１７年９月以降、亡Ａにおいて、**急な年次休暇の取得や授業の準備不足、じんましん、顔の腫れ、服務上の問題行動が頻繁に発生**したのであって」、
・「上記の時間的関係を踏まえると平成１７年度における亡Ａの業務における心理的負荷は、**精神疾患による病気休暇取得直後の労働者にとって過重**であった」とし、
（２）について、
・「亡Ａが、平成１８年度においても第１、２学年の国語科を担当し、さらに教員免許外の国語科の研究授業を行っており、**教員免許外の科目での研究授業の負担が増加**した状況にあり…血を吐いたと虚偽の事実を告げて救急車を呼ぶなど、亡Ａの行動に、**通常ではあり得ない精神状態の悪化を疑うべき兆候**が現れていたことからすると、Ｂ校長及びＣ教頭において、亡Ａが何らか**精神疾患を有しており、その状態が良好でないことを認識し得た**というべきところ」、
・亡ＡがＥ医師（定期的に亡Ａが診察を受けていたζクリニックの医師）のもとに「通院していること、亡ＡがＢ校長及びＣ教頭の事情聴取に対してパニック状態になっていたと告げたこと、Ｂ校長がＥ医師から亡Ａにパニック障害があると聞かされていたにもかかわらず、亡Ａの心療内科への通院状況について**特段の発問もせず**、Ｂ校長が…平成１８年７月２１日、Ｙ２教育委員会に対して、亡Ａについて**指導力不足等教員に係る申請を行い**」、
・「同申請の中で、亡Ａにつき『平成１２年度、そううつ病で３ヶ月の病休を取っているが、一昨年度、通院してた鹿児島市のηメンタルクリニック（今は、通院していない）の医師によると、そううつは見られないということを聞いている。』と記載し、同記載に当たり、**漫然と、Ｅ医師に対する不信感から、亡Ａがζクリニックを受診していることについては、特段の記載をせず、Ｅ医師に対しては、亡Ａの状況について確認をする必要性はなく、通院をしていないηクリニックの記載をすれば足りると安易に考え**、Ｃ教頭も、Ｅ医師に対して、亡Ａの精神状態について、**確認する必要はないと安易に考えていた過失**があるというべきである」とし、
・「その結果、Ｙ２教育委員会が、亡Ａが指導力不足等教員に該当するとの決定及び人事上の措置として研修を実施することが必要であるとの決定を行い…決定内容をＹ１教育委員会に通知し、Ｙ１教育委員会は…亡Ａに対し、『研修命令書』により、同年１０月１日から平成１９年３月３１日まで、教育センターにおいて、指導力向上特別研修を受けることを命じたのであって」、
・「指導力向上特別研修が**指導力不足等教員に対して行われる研修**であり、亡Ａが平成１８年１月以降教育センターで指導力向上特別研修を受講することを**拒絶していた**こと、平成１８年１０月当時の教育センターにおける研修の**対象者が亡Ａ以外に１名のみ**であり、指導力向上特別研修の受講が**教員にとって不利益なもの**であると推測されること、亡Ａは指導力向上特別研修の**受講は制裁措置**であると考え、指導力向上特別研修の辞令をもらって、力が抜け、どうやって死の

うかと思うと**自殺念慮**をうかがわせる行動をしたことに照らして、指導力向上特別研修の受講は、何らかの精神疾患を有し、その状態が良好でない亡Ａにとり、**極めて心理的負荷が大きい**ものであると認めることができる。また、**Ｂ校長及びＣ教頭も、これまでの亡Ａの行動に照らして、亡Ａの心理的負荷を知り得る状況にあった**ものと認めることができる」とし、

（３）について、

・「亡Ａは、本件担当指導官らに対し、精神安定剤の服用をしている事実、偏頭痛、めまい及びじんましん等の症状が現れている事実、気分的に不安定なことが起こり、センターに来る以前に休職すべきだったこと等を**申告**していることからすると、Ｄ指導官及び本件担当指導官らにおいても、**亡Ａが何らかの精神疾患を有していることを認識し得た**というべきである」が、

・「本件担当指導官らにおいて、これまでの教員生活を振り返り自己の課題を発見するために**自分史に基づく指導を継続**し、Ｄ指導官において、休職や退職を考えたいという亡Ａの研修日誌の記載に、『自分の身上や進退については、両親や担当者とも十分に相談してください。』とコメントするなど、**退職を促しているとも受け取られる指導**を行っており、これらは、亡Ａにとり、**極めて心理的負荷が大きいものであった**というべきである」とし、

以上を包括して、

・Ｂ、Ｃ、Ｙ２教員委員会、Ｄらによる「一連の各行為は、亡Ａの**精神疾患を増悪させる危険性の高い行為である**というべきであって…Ｅ医師の意見書中に、『根本的に学校関係・教育委員会側と主治医側との大きな違いは、Ａさんがａ）精神疾患なのか、ｂ）心身は正常で素行が悪い単なる問題教員、指導力不足教員、このａ）ｂ）の判定に尽きる。主治医としては、ａ）である。』、『指導力不足、職業人としての自覚がないという判断で教育センターへの措置決定を下された際、精神疾患で通院治療中であった事を校長及び教育委員会は了解していたにも関わらず、しかも主治医に十分な病状確認をせずに措置決定を下された点』が亡Ａの『自殺を誘因したもの』とする部分は、**労働者の健康状態を把握し、健康状態の悪化を防止するというＹ２及びＹ１の信義則上の安全配慮義務に違反**したことを指摘する内容で…正鵠を得たもの」とするのが相当とした。

【行為者・使用者の法的責任】本判決は、

市（Ｙ１）、県（Ｙ２）について、

上記言動**（１）から（３）につき包括し安全配慮義務違反を肯定**し、

国家賠償法１条、３条に基づく賠償責任を肯定した。

【判断にあたっての主な考慮要素】

被行為者の属性・心身の状況（教員免許科目、精神疾患への罹患等）、被行為者の問題行動の有無とその内容・程度、被行為者の業務負担の程度、行為者の目的、言動の内容・態様、言動に至る状況・経緯（被行為者の健康状態に関する確認の程度等）、被行為者における心理的負荷の程度等。

【その他特記事項】本判決は、上記【当該言動に対する判断枠組と法的評価】に先立ち、「使用者は、その雇用する労働者に従事させる業務を定めてこれを管理するに際し、業務の遂行に伴う疲労や心理的負荷等が過度に蓄積して労働者の心身の健康を損なうことがないよう注意する

義務を負うと解するのが相当であり、使用者に代わって労働者に対し業務上の指揮監督を行う権限を有する者は、使用者の上記注意義務の内容に従ってその権限を行使すべきものである」として、電通事件の最高裁判決（平 12.3.24 労判 779 号 13 頁）を参照し、「この理は、地方公共団体とその設置する中学校に勤務する地方公務員との間においても同様に当てはまるものであって、地方公共団体が設置する中学校の校長は、自己が指揮監督する教員が、業務の遂行に伴う疲労や心理的負荷等が過度に蓄積して労働者の心身の健康を損なうことがないよう注意する義務を負うと解するのが相当である」と判示している。

また、本判決は、「一連の各行為と、亡Ａの精神疾患の増悪及び自殺との間に相当因果関係がある」とした。

なお、本判決は、下記認容額の算定にあたり、「亡Ａが自殺するに至ったことについては、業務上の負荷と亡Ａが有していた精神疾患とが共に原因となった」とし、亡Ａの精神疾患への罹患歴、対人関係にストレスをためやすい亡Ａの傾向、これが労働者の個性の多様さとして想定される範囲を逸脱している部分の存在、平成１７年３月にＢ校長が亡Ａに病気休暇の延長を勧めたが亡Ａが合理的な判断をすることができるだけの判断能力があったにもかかわらずこれらを断ったこと、その後も亡Ａが病気休暇を取得するなど自己の健康を保持するための行動をとっていないこと等に照らせば、「Ｙらに亡Ａの死亡による損害の全部を賠償させることは、公平を失するものといわざるを得ず、素因減額３割及び過失相殺２割を控除」すべきとした。

【結論・認容額】一部認容。

（Ｙ１、Ｙ２連帯で）Ｘ１（亡Ａの父）＝２１８３万３７４３円等、Ｘ２（亡Ａの母）＝２１８３万３７４３円等。

なお、内訳は、亡Ａの逸失利益・亡Ａへの慰謝料・亡Ａの葬儀費用・弁護士費用といったところとなるが、上記【特記事項】の通り、素因減額・過失相殺がなされている。

【補足事項】特になし。

１８　海上自衛隊事件・東京高判平 26.4.23 労判 1096 号 19 頁

【請求】損害賠償等請求

【類型】身体的な攻撃、精神的な攻撃、過大な要求

【業種・職種等】公務労働・海上自衛隊（国（Ｙ１））・護衛艦（Ｔ）勤務の自衛官（２等ないし１等海士（亡Ａ)、２等海曹（Ｙ２））

【当事者の関係性】先輩 ⇒ 後輩（２等海曹（Ｙ２） ⇒２等ないし１等海士（亡Ａ））

【言動に至る背景】亡Ａにおいて目立った落ち度はない。一方、Ｙ２は、護衛艦Ｔに船務科電測員として７年以上勤務していたため「主」的な存在となっており、また、亡Ａのみならず他の自衛官への粗暴な行為や暴行などもみられ、さらに、艦内に自ら購入した市販のエアガンを持ち込む等の行動もみられた。

【言動の具体的内容】Ｙ２による言動のうち、本件で争点となったのは、おおよそ以下の言動である。

（１）亡Ａに対し、殴打したり蹴ったりし、エアガンを撃ちつけるなどしたこと。

（２）アダルトビデオに関する金員を亡Ａに対し要求し、これを受領したこと。

【当該言動に対する判断枠組と法的評価】Ｙ２による上記言動のうち、
本判決は、

（１）について、

「Ｙ２は…平成１６年春頃以降、亡Ａの**仕事ぶりにいらだちを感じたときや単に機嫌が悪いときに**、亡Ａに対し、**１０回程度以上、平手や拳で顔や頭を殴打**したり、**足で蹴ったり、関節技をかけるなどの暴行**をし、また、同年春頃から同年１０月２４日まで頻繁に、**エアガン等を用いてＢＢ弾を撃ちつける暴行**を加えた」として、「暴行」と評価し、

（２）について、

「Ｙ２は…同年８月から９月にかけて、亡Ａに対し、アダルトビデオの売買代金名下に合計８万円ないし９万円の支払を要求してこれを受領し、さらに、同年１０月中頃、アダルトビデオの購入会員の脱会料名目で５０００円の支払を要求し、これを受領した」とし、

・「これらの金員の受領は、亡ＡがＹ２による上記の暴行及び同僚隊員に対する暴行によりＹ２を**畏怖していた状況に乗じて行われたもの**であり、亡Ａに対する**恐喝行為**であるといえる」としつつ、

・「Ｙ２は、亡Ａはたやすくアダルトビデオの購入を承諾したように供述する…が」、

・「Ｙ２が亡Ａに対し**暴行を行っていたこと、アダルトビデオの代金が亡Ａの給与に照らすと非常に高額であること、当時亡Ａは貸金業者、親、同僚等から借入れをするなど経済的に困窮し**ており、Ｙ２に対して代金を分割で払うことの了承を求めていたこと…からすれば」、

・「亡Ａが**自由な意思により上記ビデオを購入したとみることはできず**、Ｙ２に対する亡Ａの**金銭の支払は恐喝によるものというべき**である」とした。

【行為者・使用者の法的責任】本判決は、
行為者（Ｙ２）について、

・Ｙ２の亡Ａに対する暴行の中には、「Ｙ２が亡Ａの仕事ぶりにいらだちを感じた際に、先輩隊員として指導的立場にあったＹ２が**業務上の指導と称して行ったもの**が含まれており、**それらについては、外形的にみてＹ２の職務行為に付随してされたものとして、Ｙ１が国賠法１条１項に基づき損害賠償責任を負う反面、その範囲で、Ｙ２の個人としての責任は免除される**」が、
・「Ｙ２による暴行の大部分は、エアガンの撃ちつけを含め、Ｙ２の機嫌が悪いときや単に亡Ａの反応を見ておもしろがるときなど、業務上の指導という外形もなく行われている上、上記恐喝は、Ｙ２の職務の執行とは全く無関係に行われたものであることが明らかであ」り、
・「これらが亡Ａの自殺の原因になったものと認められる」ので、
・「**Ｙ２は、Ｙ２の職務と無関係に行われたこれらの暴行及び恐喝につき、個人としての不法行為責任を負う**」とした。
国（Ｙ１）について、
・「**Ｙ１は、Ｙ２の亡Ａに対する暴行のうち、業務上の指導と称して行われたものにつき、国賠法１条１項に基づく責任を負うほか**」、
・「**Ｙ２の上司職員において、Ｙ２に対する指導監督義務違反があったと認められる場合には、上司職員の職務執行につき違法な行為があったものとして、同項に基づく責任を負う**」とした。
なお、必要な措置（Ｙ２らへの調査、Ｙ２への指導・教育・行為をやめさせる等の措置）を講じなかったなどとして、Ｙ２に対する指導監督義務違反が認められるとされたのは、下記の３名である。すなわち、
・「亡Ａから、Ｙ２にたまにふざけてガスガンで撃たれることがある旨の申告」を受けていたＬ第２分隊長、
・「Ｙ２がＴ艦内に私物のエアガン等を持ち込んでいることを認識し」、また亡Ａと同様にＹによる暴行を受けていたＩが「突然、髪型をパンチパーマにしたこと、その背後にＹ２の強要などの規律違反行為がある可能性があることを認識し」、さらに「Ｉの身体にＹ２にエアガン等で撃たれた形跡があるとの情報を得」ていたＣ先任海曹、
・「Ｙ２が亡Ａらに対しエアガン等による暴行を行っていたことを知っていた」Ｅ班長
の３名である。

【判断にあたっての主な考慮要素】
当該言動が行われた経緯・状況（アダルトビデオ購入に関する被行為者の承諾の有無等）、当該言動が被行為者に与える影響、言動の内容・態様・回数等。

【その他特記事項】上記【行為者・使用者の法的責任】に記載したように、本判決は、亡Ａにおける被害を知っていた等の事情があるＹ２の上司職員について、必要な措置（行為者らへの調査、行為者への指導・教育・行為をやめさせる等の措置）を講じなかったなどとして、Ｙ２に対する指導監督義務違反が認められるとした。使用者側の法的責任、上司の職責といった文脈において、注目に値する判断といえよう。
なお、本判決は、Ｙ２の暴行及び恐喝、上司職員らの指導監督義務違反と亡Ａの死亡との間の相当因果関係に関し、
・「亡Ａの死亡は、本件違法行為から亡Ａが自殺を決意するという特別の事情によって生じたも

のというべきであり、Ｙらが亡Ａの死亡について損害賠償責任を負うというためには、Ｙ２及び上司職員において、亡Ａの自殺を予見することが可能であったことが必要である」と判示した上で、

・「亡Ａは、少なくとも親しかった同僚には、Ｙ２から受けた被害の内容を告げ、そのことに対する嫌悪感を露わにし、自殺の１か月ほど前から自殺をほのめかす発言をしていたのであるから、上司職員らにおいては、遅くとも、Ｃ先任海曹にＹ２の後輩隊員に対する暴行の事実が申告された平成１６年１０月１日以降、乗員らから事情聴取を行うなどしてＹ２の行状、後輩隊員らが受けている被害の実態等を調査していれば、亡Ａが艦内においても元気のない様子を見せ、自殺を決意した同月２６日の夜までに、亡Ａが受けた被害の内容と自殺まで考え始めていた亡Ａの心身の状況を把握することができたということができ」、

・「亡Ａは、同月１日にＣ先任海曹からＹ２に対して指導が行われたことを親しかった同僚等に報告していたことからすると、Ｃ先任海曹の指導によりＹ２の暴行等が無くなることを強く期待していたことが推察されるところ、上司職員において上記調査を行い、その時点でＹ２に対する適切な指導が行われていれば、亡Ａが上記期待を裏切られて失望し自殺を決意するという事態は回避された可能性があるということができ」、

・「また、Ｙ２においても、自ら亡Ａに対して…暴行及び恐喝を行っていた上、亡Ａと同じ班に所属して業務を行っていたことに照らせば、亡Ａの心身の状況を把握することが容易な状況に置かれていたというべきである」として、

・「Ｙ２及び上司職員らは、亡Ａの自殺を予見することが可能であったと認めるのが相当である」とした。

【結論・認容額】一部認容。

本件は国賠事案であるが、Ｙ２については、その職務と無関係に亡Ａに対し行われた暴行及び恐喝につき個人としての不法行為責任を負うことから、下記のような判示がなされている。

（Ｙ1、Ｙ2連帯で）Ｘ1（亡Ａの母）＝５４６１万３２１６円等、Ｘ2（亡Ａの姉）＝１８７０万４４０６円等。

なお、内訳は、亡Ａの逸失利益・亡Ａへの慰謝料・亡Ａの葬祭料・Ｘらへの慰謝料・弁護士費用といったところとなるが、上記合計額のほか当審よりＸらが主張したＹ１への（一定の文書不開示等に対する）慰謝料請求が１０万円ずつ認容されている。

【補足事項】原判決（横浜地判平 23.1.26 労判 1023 号 5 頁）は、亡Ａの自殺につき、Ｙ２及び上司職員らにおける予見可能性を認めなかったが、本判決はそれを認めた。

１９　岡山県貨物運送事件・仙台高判平 26.6.27 労判 1100 号 26 頁

【請求】損害賠償等請求
【類型】身体的な攻撃、精神的な攻撃、過大な要求
【業種・職種等】貨物自動車運送事業等（Ｙ１）・営業所勤務（主として家電リサイクル業務担当の新入社員（亡Ａ）、営業所長（Ｙ２））
【当事者の関係性】上司 ⇒ 部下（営業所長（Ｙ２） ⇒ 家電リサイクル業務等担当の新入社員（亡Ａ））
【言動に至る背景】新入社員の亡Ａは、不注意等によりミス（荷物を傷つけてしまうなど）をすることが多く、同じようなミスを繰り返すことも少なくなかったなどの事情のもと、Ｙ２は下記【言動の具体的内容】記載の言動に及んだ。
【言動の具体的内容】Ｙ２による言動（Ｈによる言動を含む）のうち、本件で争点となったのは、おおよそ以下の言動である。 （１）亡Ａがミスをした場合、他の従業員らが周りにいる場合であっても、Ｙ２は「何でできないんだ」、「何度も同じことを言わせるな」、「そんなこともわからないのか」、「俺の言っていることがわからないのか」、「なぜ手順通りにやらないんだ」などと怒鳴る等して、亡Ａに強い口調で頻回に叱責し、亡Ａのミスが重大であった場合には、「馬鹿」、「馬鹿野郎」、「帰れ」などという言葉を発したこと。 （２）Ｙ２は、平成２１年４月１日ころから、亡Ａに対し、同人の業務に対する理解度を把握するとともに同人の業務の改善につなげようとの意図の下に、業務日誌を書くように指示したものの書き方等は指導せず、「？」、「日誌はメモ用紙ではない！業務報告。書いている内容がまったくわからない！」、「内容の意味わからない　わかるように具体的に書くこと」などと赤字でコメント記載するなどし、新入社員である亡Ａを励まし進歩や成長を褒め努力したことを評価するようなものを１つも記載せず、同年７月から８月ころからは業務日誌を以前ほど頻繁に確認せず、その作成を中止させるなどの指示も出さないまま、亡Ａをしてその作成を継続させたこと。 （３）複数の強要などの言動、すなわち、(ｱ) Ｙ２が亡Ａを叱責する際亡Ａに暴力を振るっていたこと、(ｲ) Ｈ所長代理が必要性のない事故報告書を作成するよう強要していたこと、(ｳ) Ｙ２が亡Ａが足を負傷した際にも業務に就くよう強要したこと、(ｴ) Ｙ２が出勤簿に不正な記載を強要していたこと、(ｵ) Ｙ２が退職勧奨をしたことなど。
【当該言動に対する判断枠組と法的評価】Ｙ２らによる上記言動のうち、 本判決は、 （１）について、 ・「Ｙ２は、**仕事に関して几帳面で厳しく**、亡Ａが**ミス**をした場合、**他の従業員らが周りにいる場合であっても**…**怒鳴る**等して、亡Ａに**強い口調**で叱責していたこと、亡Ａのミスが重大であった場合には、『**馬鹿。**』、『**馬鹿野郎。**』、『**帰れ。**』などという言葉を発することもあったこと、このようなＹ２による**叱責の時間は概ね５分ないし１０分程度**に及び、**その頻度は、少なくとも**

１週間に２、３回程度、亡Ａのミスが重なれば１日に２、３回程度に及ぶこともあったこと…亡Ａは、叱責に口応えをすることはなく、Ｙ２と目線を合わせることもなく、下を向いて**一方的に聞いていた**こと、叱責後、亡Ａは表面的には落ち込んでいないように見受けられる場面もあった一方で、複数の従業員が、亡Ａが**しょげている**様に感じたり、**しょげ返ってうつむき加減**で歩いている様子を目撃していたこと、亡Ａは、ミスをして叱責された際、本件業務日誌に、Ｙ２に対する**謝罪や反省の気持ち**を綴ることもあったこと等が認められ」、

・また、「平成２１年９月１２日又は１３日の叱責は、亡Ａに**解雇の可能性**を認識させる内容のものであり、亡Ａはその後２、３日は落ち込んだ様子を見せ、以後、解雇や転職に対する**不安**を周囲に漏らすようになり、同月１６日には、酒を飲んでから出勤するというそれ以前には見られない**異常な行動**を取るようになったこと等が認められ」、

・このような「Ｙ２による**叱責の態様（言葉使い、口調、叱責の時間、場所）**や**頻度**、**亡Ａの叱責中又は叱責後の様子等**に照らすと、亡Ａに対するＹ２の叱責は、**社会経験、就労経験が十分でなく、大学を卒業したばかりの新入社員**であり、上司からの**叱責に不慣れであった**亡Ａに対し、**一方的に威圧感や恐怖心、屈辱感、不安感を与えるもの**であったというべきであり、Ｙ２の叱責が亡Ａに与えた**心理的負荷は、相当なもの**であったと認めるのが相当である」とし、

（２）について、

・「Ｙ２は、当初、亡Ａの指導の一助とするために本件業務日誌を記載させることとしたものと認められるが」、

・「実際には、亡Ａに対し、本件業務日誌を通じて**具体的な業務の方法等について指導することはなかった**こと、本件業務日誌の**記載の仕方について事前に具体的な指導をすることもなかった**ものの、亡Ａが自分なりに考えて記載した内容について、意味が分からない等の**厳しいコメントを散発的かつ一方的に付す**のみで、亡Ａの**進歩や成長、努力を評価するようなコメントを付したことはなかった**こと、同年７月から８月ころには、Ｙ２自身が、本件業務日誌により亡Ａの改善・指導を期待することはできないと感じていたにもかかわらず、その後も**漫然と亡Ａに本件業務日誌を記載させ続け**、亡Ａは、本件業務日誌に**書くことがなく困っていた**こと等が認められる」ことから、

・「本件業務日誌の作成作業も、亡Ａに対し、Ｙ２による叱責と相まって、**相当程度の心理的負荷を与えるもの**であったというべきである」としつつ、

・「これに対し、Ｙらは、Ｙ２の叱責は、亡Ａのミスに端を発したものであることや、Ｙ２は亡Ａの人格を非難するようなことはなく、理由なく叱責することもなかったこと、他の従業員が、Ｙ２からより頻回に、より厳しい内容の叱責を受け、それに耐えていたこと等も指摘する」が、

・「叱責の端緒が亡Ａのミスにあったことは、亡Ａに対する心理的負荷の程度を検討する際に重視されるべき事柄ではないし、Ｙ２が亡Ａの人格を非難したり、理由なく叱責したりしたことがなかったとしても、前記認定の叱責の態様や頻度等に照らせば、これらの叱責が亡Ａに相当の心理的負荷を与えていたこと自体は否定し難い」し、

・「また、既に指摘したとおり、**亡Ａは、大学を卒業したばかりの新入社員であり、それまでアルバイト以外に就労経験がなく…Ｃ営業所における勤務を開始したばかりであったのだから、**

上司からの叱責を受け流したり、これに柔軟に対処する術を身につけていないとしても無理からぬところであり、同営業所の他の従業員らが、Ｙ２による叱責に対処できていたことをもって、亡Ａに対する心理的負荷が重いものでなかったということはできない」とし、
（３）について、
(ｱ)につき、「Ｙ２が、亡Ａ以外の従業員らに叱責をする際に暴力を振るったことはなかったこと、Ｃ営業所の従業員らは、Ｙ２が亡Ａを叱責するのを何度も見ていたが、Ｙ２が亡Ａに暴力を振るったり、それによって亡Ａが負傷したりしたのを見た者はおらず、そのようなことがあったと聞いたことのある者もいなかったこと…」などから「Ｙ２が亡Ａに対し、**暴力を振るったことがあったとは認められない**」とし、
(ｲ)につき、「亡Ａは…デッチで冷蔵庫を運搬していたところ、パレットに積まれていた段ボールに冷蔵庫の角をぶつけて段ボールに傷を付けるというミスをし、このミスについて『事故報告書』…を作成した」が、そのミスは、「最終的にはＹ１に損害を発生させたものではなかったものの、Ｙ１の重要な顧客の荷物に傷を付けるという重大なミスであったのであるから…Ｈ所長代理が亡Ａに**反省を促すため**に事故報告書の作成を指示したことが、**業務上の指導として許容される範囲**を逸脱し、**パワハラと評価することはできない**」とし、
(ｳ)につき、証拠によれば、倒れた鉄板に足にぶつかり亡Ａが足の親指を負傷したこと、昼休みの時間に病院に行き右側拇趾挫創と診断されたがレントゲン所見は異常なしと診断されたことが認められ、「亡Ａは足を引きずっており、休みたがっていたが、少なくとも事務作業に支障が出るほどのけがではなく、**通常と変わらずに仕事をすることができた**と認められるから、仮にＹ２が亡Ａに対して『事務でもいいから出勤しろ。』などと指示をしたのだとしても、業務上の指導として許容される範囲を逸脱した**パワハラとまで評価することはできない**」とし、
(ｴ)につき、「亡Ａが、平成２１年９月１０日以降同月３０日まで、始業時刻及び終業時刻として、出勤簿に初めから印字されている勤務計画どおりの始業時刻及び終業時刻を記入したこと及び実際には亡Ａは本件業務日誌に記載した始業時刻から終業時刻まで業務を行っていたと認めるのが相当である」が、「亡Ａが出勤簿に実際の労働時間とは異なる勤務計画どおりの始業時間及び終業時間を記入していたのが、Ｙ２の**強制**によるものであることを認めるに足りる証拠はないから、少なくとも、この点をもって、Ｙ２が亡Ａに**パワハラを行っていたと評価することもできない**」とし、
(ｵ)につき、「Ｘらは、Ｙ２が…亡Ａに対し、飲酒をして出勤したことについて違法な退職勧奨を行った旨主張する」ところ、「確かにＹ２は、亡Ａに対して『そういった行為は解雇に当たる。』などと言って強く叱責したものであるが、Ｙ２の叱責は、亡Ａの行為が解雇に当たり得るほどの**極めて重大な問題のある行為であることを指摘したものであって、退職勧奨には当たらない**というべきであるし、実際に、飲酒をした上で車を運転して出勤したという亡Ａの行動は、社会人として相当に非難されるだけでなく、Ｙ１が運送会社であるということからすれば**Ｙ１の社会的信用**をも大きく失墜させかねないものであったのであるから、上記のようにＹ２が亡Ａに対して厳しく叱責したことが後記のとおり、亡Ａの自殺に至る過程において重要な位置を占める事実であるとしても、これをもって直ちに**パワハラとまで評価することはできない**」とした。

【行為者・使用者の法的責任】本判決は、
行為者（Ｙ２）について、
・上記【当該言動に対する判断枠組と法的評価】に記載の通り、言動（１）（２）**につき、心理的負荷が相当なものであった**などとしつつ、一方（３）**につき**、そもそもそうした**言動がなかったかパワハラとは評価できない**などとしているが、それ以外に、**亡Ａの業務の過重性・長時間に及ぶ時間外労働による負荷・新入社員であったことによる心理的負荷といった観点**からも一定の判断をなし、「**亡Ａは、総合的にみて、業務により相当強度の肉体的・心理的負荷を負っていた**ものと認めるのが相当」とした上で、
・本件自殺と業務との間の相当因果関係（下記【その他特記事項】参照）を肯定し、
・また、使用者における健康管理義務（健康配慮義務）につき、
・「Ｙ２は、亡Ａの就労先であったＣ営業所の所長の地位にあり、同営業所において、使用者であるＹ１に代わって、同営業所の労働者に対する業務上の指揮監督を行う権限を有していたと認められるから、Ｙ２は、使用者であるＹ１の負う上記注意義務の内容に従ってその権限を行使すべき義務を負っていた」などとし、
・「Ｙ２は、亡Ａを就労させるに当たり、亡Ａが業務の遂行に伴う疲労や心理的負荷等が過度に蓄積して心身の健康を損なうことがないよう、〔1〕Ｙ１に対し、亡Ａの時間外労働時間を正確に報告して増員を要請したり、業務内容や業務分配の見直しを行うこと等により、亡Ａの業務の量等を適切に調整するための措置を採る義務を負っていたほか、〔2〕**亡Ａに対する指導に際しては、新卒社会人である亡Ａの心理状態、疲労状態、業務量や労働時間による肉体的・心理的負荷も考慮しながら、亡Ａに過度の心理的負担をかけないよう配慮する義務を負っていた**と解される」とし、丁寧なあてはめ（とりわけ〔2〕につき、「Ｙ２による叱責等は…**肉体的疲労の蓄積していた亡Ａに対し、相当頻回に、他の従業員らのいる前であっても、大声で怒鳴って一方的に叱責**するというものであり…このような指導方法は、**新卒社会人である亡Ａの心理状態、疲労状態、業務量や労働時間による肉体的・心理的負荷も考慮しながら、亡Ａに過度の心理的負担をかけないよう配慮されたものとはいい難い**」などとした）をなし、
・「Ｙ２には、上記の各点について注意義務違反があったと認めることができる」とし、
・そして、「Ｙ２には、結果の予見可能性があったと認められる」などとして、
・Ｙ２は、亡Ａが自殺し死亡したことにつき、「**不法行為責任を免れない**」とした。
使用者（Ｙ１）について、
「Ｙ１は、Ｙ２の使用者であるから、Ｙ２がその事業の執行につき、亡Ａ及びＸらに与えた損害について賠償する義務を負うものと認められ」、「**Ｙ１は、民法７１５条に基づき、Ｙ２と連帯して損害賠償責任を負う**」とした。

【判断にあたっての主な考慮要素】被行為者の問題行動の有無とその内容・程度、被行為者の属性・心身の状況（新入社員であることなど）、行為者の目的、業務上の必要性・相当性、言動の内容・態様（言葉使い・口調・叱責の時間・場所・周囲における他従業員の存在）・頻度、被行為者に課された業務量・内容、当該言動による被行為者の心理的負荷の程度等。

【その他特記事項】本判決は、上記【行為者・使用者の法的責任】における健康管理義務（健康

配慮義務）に係る判示に先立ち、「労働者が労働日に長時間にわたり業務に従事する状況が継続するなどして、疲労や心理的負荷等が過度に蓄積すると、労働者の心身の健康を損なう危険のあることは、周知のところであり、労働基準法の労働時間制限や労働安全衛生法の健康管理義務（健康配慮義務）は、上記の危険発生防止をも目的とするものと解されるから、使用者は、その雇用する労働者に従事させる業務を定めてこれを管理するに際し、業務の遂行に伴う疲労や心理的負荷等が過度に蓄積して労働者の心身の健康を損なうことがないように注意する義務を負うと解するのが相当であり、使用者に代わって労働者に対し業務上の指揮監督を行う権限を有する者は、使用者のこの注意義務の内容に従ってその権限を行使すべきものと解される」とし、電通事件の最高裁判決（平 12. 3. 24 労判 779 号 13 頁）を参照している。

なお、本判決は、亡Ａの自殺と業務との間の相当因果関係につき、「亡Ａの業務には、精神障害を発病させるに足りる強い負荷があったと認められ…Ｙ２から解雇の可能性を認識させる強い叱責を受け」たことなどから亡Ａが平成２１年９月中旬ころには「適応障害を発病していたと認めるのが相当」であり、亡Ａは同年１０月６日、出勤前に飲酒し、Ｙ２から「入社以来、最も厳しい叱責を受けるに至り」、「亡Ａは正常な認識、行為選択能力及び抑制力が著しく阻害された状態となり、自殺に至ったものと推認することができる」などとして、その存在を肯定した。

【結論・認容額】一部認容。

（Ｙ１、Ｙ２連帯で）Ｘ１（亡Ａの父）＝３４７０万３２９０円等、Ｘ２（亡Ａの母）＝３４７０万３２９０円等。

なお、内訳は、亡Ａの逸失利益・亡Ａへの慰謝料・弁護士費用といったところとなる。

【補足事項】原判決（仙台地判平 25. 6. 25 労判 1079 号 49 頁）は、本判決と異なり、Ｙ２の不法行為責任を否定するなどした。

２０　日本アスペクトコア事件・東京地判平 26.8.13 労経速 2237 号 24 頁

【請求】 損害賠償等請求
【類型】 精神的な攻撃、過大な要求
【業種・職種等】 プリンティングセンター（派遣先、なお派遣元はＹ）・コピー製本業務ないしデザイン業務（派遣労働者（Ｘ）、派遣元担当者（Ｂ・Ｄ））
【当事者の関係性】 派遣元担当者 ⇒ 派遣労働者（Ｂ・Ｄ ⇒ Ｘ）
【言動に至る背景】 Ｘの有していたスキルや経験と、Ｙらにおいて必要とされていたそれとは、一定の乖離が存在していた。
【言動の具体的内容】 Ｂ・Ｄによる言動として、Ｘが主張するのは、おおよそ以下の言動である。 （１）Ｘの業務場所であるＪプリンティングセンターには、派遣元Ｙの従業員のほか、Ｆ社の従業員もおり、Ｘは、Ｆ社のＣの下で働くことになったが、Ｃから求められているスキルの高さを伝えられ、Ｘが「今は難しい」と言ったところ、ＹのＤがＸに対し「前向きではない。頑張りますなどと言いなさい」などと叱責し、その翌日には「もうデザイン業務はやらなくていい」と言ったこと。 （２）ＢがＸに対し、「あなたの受入れ先はどこにもない。９月２０日付けで更新はしない。いつ辞めても良い」と言ったこと。 （３）Ｄが「Ｘさんってオツムの弱い人かと思ったよ」とか、Ｘが初めて担当する作業で、ノウハウを教えて貰えずまごつき、ぎこちなく作業しているときに「ロボットみたいな動きでぎくしゃくしている」などと馬鹿にしたような口調で言いＸに屈辱感を与え、「指示されたこと以外はするな」と言う一方で「いい加減に人に頼らないで仕事覚えてよ」などと言いＸをして混乱させたこと。
【当該言動に対する判断枠組と法的評価】 Ｘの主張について、 本判決は、 ・そもそも、パワハラについては、「同じ職場で働く者に対して、職務上の地位や人間関係などの職場内の優位性を背景に、業務の適正な範囲を超えて、精神的・身体的苦痛を与える又は職場環境を悪化させる行為のこと」と「一応の定義付けがなされ、行為の類型化が図られているものの、極めて抽象的な概念であり、これが**不法行為を構成するためには、質的にも量的にも一定の違法性を具備していることが必要である**」とし、 ・「**具体的にはパワハラを行ったとされた者の人間関係、当該行為の動機・目的、時間・場所、態様等を総合考慮の上、企業組織もしくは職務上の指揮命令関係にある上司等が、職務を遂行する過程において、部下に対して、職務上の地位・権限を逸脱・濫用し、社会通念に照らし客観的な見地からみて、通常人が許容し得る範囲を著しく超えるような有形・無形の圧力を加える行為をしたと評価される場合に限り、被害者の人格権を侵害するものとして民法７０９条の所定の不法行為を構成するものと解するのが相当である**」として、 ・これを「本件についてみるに、そもそも、Ｘがパワハラを受けたと主張する**時期や前後の経**

緯などは明確でなく、そもそも、Xの主張するところをもって、民法上の不法行為が成立しうるものといえるのか疑問であるし、その点をおくとしても、BやDは、Xに対して、Xが主張するような**言動**をとったことはないと否定しており、Xの供述以外に、Xの主張を裏付ける客観的な証拠もない」から、

・「Xが主張するように、**Yに不法行為責任が生じるようなDやBによるパワハラの存在を認めることはできない**」とした。

【行為者・使用者の法的責任】本判決は、上記【当該言動に対する判断枠組と法的評価】に記載の通り、

使用者(Y)について、

そもそも、「**不法行為責任が生じるような**DやBによる**パワハラの存在を認めることはできない**」とした(当然ながら不法行為(使用者)責任は生じない)。

【判断にあたっての主な考慮要素】

(上記の通り本判決はパワハラの存在を否定したが本判決が示した規範によれば考慮要素は下記の通りとなる)当事者間の人間関係、当該言動の動機・目的・時間・場所・態様、行為者(上司)の職務上の地位・権限の逸脱・濫用の程度等。

【その他特記事項】本判決は、パワーハラスメントに関し一定の規範を示したが、当該規範は、本稿掲載の 14 ザ・ウィンザー・ホテルズインターナショナル事件・東京高判平 25.2.27 労判 1072 号 5 頁の原判決(東京地判平 24.3.9 労判 1050 号 68 頁)で示されたものと同一のものである。

【結論・認容額】請求棄却。

【補足事項】特になし。

２１　暁産業ほか事件・福井地判平 26.11.28 労判 1110 号 34 頁

【請求】損害賠償等請求
【類型】精神的な攻撃
【業種・職種等】消火器販売・消防設備の設計施工保守点検等会社（Ｙ１）・メンテナンス部員（新入社員（亡Ａ）、リーダー（Ｙ２、亡Ａの上司）、メンテナンス部部長（Ｙ３、亡Ａの上司））
【当事者の関係性】上司 ⇒ 部下（部長（Ｙ３）・リーダー（Ｙ２）⇒ 新入社員（亡Ａ））
【言動に至る背景】亡Ａは、高校の新卒者であり、Ｙ１の新入社員であった。亡Ａは、当初、消火器の点検などの比較的簡単な作業に従事していたが、作業に慣れるに従って７月ころから消火栓や火災報知器などの点検業務にも従事するようになった。この点検業務に当たっては、亡Ａの直属の上司に当たるＹ２に同行し、Ｙ２から指導を受けることが多かった。Ｙ２は、亡Ａの仕事の覚えが悪いことから、自分が注意したことは必ず手帳に書いてノートに書き写すように指導していたが、亡Ａが仕事上の失敗が多く、Ｙ２が運転する車中で居眠りをするなどのことが重なったため、いらだちを覚えるようになった。そうしたことを背景に、Ｙらは、下記【言動の具体的内容】記載の言動に及んだ。
【言動の具体的内容】Ｙ２・Ｙ３による言動のうち、本件で争点となったのは、おおよそ以下の言動である。 （１）Ｙ２が亡Ａに対し次のような言葉又はこれに類する言葉を投げかけたこと。 「学ぶ気持ちはあるのか、いつまで新人気分」、「詐欺と同じ、３万円を泥棒したのと同じ」、「毎日同じことを言う身にもなれ」、「わがまま」、「申し訳ない気持ちがあれば変わっているはず」、「待っていた時間が無駄になった」、「聞き違いが多すぎる」、「耳が遠いんじゃないか」、「嘘をつくような奴に点検をまかせられるわけがない」、「点検もしてないのに自分をよく見せようとしている」、「人の話をきかずに行動、動くのがのろい」、「相手するだけ時間の無駄」、「指示が全く聞けない、そんなことを直さないで信用できるか」、「何で自分が怒られているのかすら分かっていない」、「反省しているふりをしているだけ」、「嘘を平気でつく、そんなやつ会社に要るか」、「嘘をついたのに悪気もない」、「根本的に心を入れ替えれば」、「会社辞めたほうが皆のためになるんじゃないか、辞めてもどうせ再就職はできないだろ、自分を変えるつもりがないのならば家でケーキ作れば、店でも出せば、どうせ働きたくないんだろう」、「いつまでも甘甘、学生気分はさっさと捨てろ」、「死んでしまえばいい」、「辞めればいい」、「今日使った無駄な時間を返してくれ」。 （２）亡Ａが、Ｙ３に対し退職の申し出をした際、Ｙ３がこれを拒否し、厳しい叱責をしたことなど。
【当該言動に対する判断枠組と法的評価】Ｙらによる上記言動のうち、 本判決は、 （１）について、 ・「これらの発言は、**仕事上のミスに対する叱責の域を超えて、亡Ａの人格を否定し、威迫するもの**である」とし、

・「これらの言葉が**経験豊か**な**上司**から**入社後１年にも満たない社員**に対してなされたことを考えると**典型的なパワーハラスメント**といわざるを得ず、**不法行為に当たる**と認められる」としつつ、 ・暴行があったとＸが主張した点については「Ｙ２が亡Ａに対して**暴行**を振るったことに沿う**証拠はない**」と付言し、 **（２）**について、 そもそも、そうした事実、すなわち「いじめないしパワーハラスメントと評される行為をしたことを認めるに足りる**証拠はない**」とした。
【行為者・使用者の法的責任】本判決は、 **行為者（Ｙ２）について、** 上記言動**（１）につき、不法行為の成立を肯定**した。 **行為者（Ｙ３）について、** 上記言動**（２）につき、**上記**【当該言動に対する判断枠組と法的評価】**記載の通り、そうした事実を認めず、また、「Ｙ２による亡Ａへのパワーハラスメントを容易に認識できたにもかかわらず、自らの責任でＹ２と亡Ａとをチームとして多く組む人員配置を続けたのであるからこの点でＹ３に過失が認められる」とのＸの主張につき、 ・「メンテナンス業務がＹ１の構内での作業ではなく外注先での作業が大半を占めることからすると、Ｙ２の亡Ａへの指導の実態について把握するのは困難であり、亡ＡがＹ３に対しＹ２からパワーハラスメントを受けていることを訴えた事実は認められないことからすると、このＸの主張は理由がな」く、 ・「また、Ｙ３のメンテナンス部の部長としての役割は作業現場の人員配置と作業日程の決定にとどまっていたこと…等に照らすと、Ｘのその余の主張も理由がな」く、 ・「よって、ＸのＹ３に対する**不法行為責任に基づく請求は理由がない**」とした。 **使用者（Ｙ１）について、** 「Ｙ１がＹ２に対する監督について相当の注意をしていた等の事実を認めるに足りる証拠はない」とし、**使用者責任を肯定**した。
【判断にあたっての主な考慮要素】 被行為者の属性・心身の状況（新入社員であること等）、言動の内容・態様等。
【その他特記事項】本判決は、亡Ａによる手帳ないしノートへの記載内容からＹ２による言動に関し事実認定をしているが、その際において、その「内容が客観的事実と符合していることが認められる」点を重視した。 なお、本判決は、本件自殺とＹ２の不法行為との間の相当因果関係を認めるに際し、 ・「亡Ａは、高卒の新入社員であり、作業をするに当たっての緊張感や上司からの指導を受けた際の圧迫感はとりわけ大きいものがあるから、Ｙ２の前記言動から受ける心理的負荷は極めて強度であったといえ」、 ・「この亡Ａが受けた心理的負荷の内容や程度に照らせば、Ｙ２の前記言動は亡Ａに精神障害を発症させるに足りるものであったと認められる」とし、

・「そして、亡Ａには、業務以外の心理的負荷を伴う出来事は確認されていないし、既往症、生活史、アルコール依存症などいずれにおいても問題はないのであって、性格的な偏りもなく、むしろ、上記手帳の記載を見れば、きまじめな好青年である」とした上で、
・「亡Ａがロープを購入し、遺書を作成したと思われる平成２２年１１月２９日には、Ｙ２の言動を起因とする中等症うつ病エピソードを発症していたと推定され、正常な認識、行為選択能力及び抑制力が著しく阻害された状態になり、本件自殺に至ったという監督署長依頼に係る専門医の意見…はこれを採用すべきものである」とし、
上記の相当因果関係を肯定した。

【結論・認容額】一部認容。
逸失利益＝４７２７万３１６２円、亡Ａの死亡慰謝料＝２３００万円、弁護士費用＝６００万円等。
なお、「Ｘが平成２５年５月２９日に支給された遺族補償金３６６万０６０５円は、上記逸失利益（元本）に充当するのが相当である」とされている（その結果、逸失利益＝４３６１万２５５７円)。

【補足事項】本判決を不服としたＸ側Ｙ側双方により控訴がなされたが、控訴棄却の判断がなされている（名古屋高金沢支判平 27.9.16 LEX/DB25541196)。

２２　サントリーホールディングスほか事件・東京高判平27.1.28労経速2284号7頁

【請求】損害賠償等請求
【類型】精神的な攻撃
【業種・職種等】清涼飲料、食料品、酒類等の製造及び販売業（Ｙ１（当時はＳ））・事務（Ｃ部企画グループ等勤務（X）、同グループの長（Ｙ２）、コンプライアンス室長（Ｙ３））
【当事者の関係性】上司 ⇒ 部下（企画グループの長（Ｙ２）・コンプライアンス室長（Ｙ３）⇒ X）
【言動に至る背景】Ｘにおいては、指示された業務の納期を守らないなど一定の問題行動がみられ、それに対しＹ２は不満を抱いていた。
【言動の具体的内容】Ｙ２・Ｙ３による言動のうち、本件で争点となったのは、おおよそ以下の言動である。 **（１）**上記【言動に至る背景】記載の事情のもと、Ｙ２が、Ｘを注意・指導する際に、「新入社員以下だ。もう任せられない」、「何で分からない。おまえは馬鹿」などと発言しＸを誹謗中傷したこと。 **（２）**Ｘが、鬱病に罹患しており今後約３箇月の自宅療養を要する旨の診断書を、平成１９年４月１２日にＹ２に提出し休職を願い出たところ、Ｙ２が、３箇月の休養については有給休暇で消化すること、３箇月の休みを取るならばＸの異動の話は白紙に戻さざるを得ずＹ２の下で仕事を続けることになること、４月１６日までに異動ができるかどうかの返答をすることをＸに述べ、困惑させたこと。 **（３）**Ｙ２が、Ｘが鬱病に罹患していることを認識しながら、不満顔でＸに対応するなどのハラスメントをなしたこと。 **（４）**Ｘが通報した事実関係について、Ｙ３は、誠実かつ適切な調査を行い、その調査結果に基づいてしかるべき対応を取るべきであったにもかかわらず、意図的にこれを怠り、明確な根拠も示さないまま判断基準、判断経過などの開示を拒否したこと。 **（５）**Ｙ３が、Ｘとの面談において、Ｙ２の言動がパワーハラスメントに該当しないことが所与のものであるかのような態度を取り続け、逆にＸが病気に至る過程で過負荷状態を適切に周囲に相談できなかったことがＸの病気悪化の原因であると断定し、あたかも本件の端緒から発病に至るまでの経緯もＸのせいであるかのように述べ、本件自体のもみ消しを図ったこと。
【当該言動に対する判断枠組と法的評価】Ｙらによる上記言動のうち、 本判決は、 **（１）**について、 ・「Ｙらは、Ｙ２の言動はＸを注意指導するために行われたものであって、Ｘの上司としてすべき正当な業務の範囲内にあり、社会通念上許容される業務上の指導の範囲を超えたものではなかったと主張する」ので、「検討するに…Ｘは、平成１８年４月１１日のＫホスピタルでの初診時において、医師に対し、Ｙ２から『新入社員以下だ。もう任せられない。』との発言があったことのほかに、Ｙ２から**納期を守らないことなどで叱責**されたことを話していたこと、Ｘは、

同月１４日のＫホスピタルでの２回目の診察時においても、医師に対し、Ｙ２は頭の回転が速くて付いて行けない感じを持っているとも話していたことなどが認められることからすると…Ｙ２の言動は、Ｙ２がＸを**注意、指導する中で行われたもの**であったと認められるものであるが、一方、Ｙ２の上記言動について、Ｙ２がＸに対する**嫌がらせ等の意図を有していたものとは認めることはできない**」としつつ、

・「しかしながら、『**新入社員以下だ。もう任せられない。**』というような発言はＸに対して**屈辱を与え心理的負担を過度に加える行為**であり、『**何で分からない。おまえは馬鹿**』というような言動はＸの**名誉感情をいたずらに害する行為**であるといえることからすると、これらのＹ２の言動は、Ｘに対する**注意又は指導のための言動として許容される限度を超え、相当性を欠くものであったと評価せざるを得ない**というべきであるから、Ｘに対する**不法行為を構成する**ものと認められる」とし、

（**2**）について、

・「Ｙ２は、本件診断書をＸから受領した際、Ｘに対し、３箇月の休養については有給休暇で消化してほしいこと、Ｘが隣の部署に異動する予定であるが、３箇月の休みを取るならば上記異動の話は白紙に戻さざるを得ず、Ｙ２の下で仕事を続けることになること、この点について平成１９年４月１６日までに異動ができるかどうかの返答をするように告げたことが認められる」ところ、

・「Ｙ２の上記言動は、本件診断書を見ることにより、Ｙ２の部下であるＸが**鬱病に罹患したことを認識**したにもかかわらず、Ｘの**休職の申出を阻害する結果**を生じさせるものであって、Ｘの**上司の立場にある者として、部下であるＸの心身に対する配慮を欠く言動**として**不法行為を構成する**ものといわざるを得ない」とし、

（**3**）について、

・「Ｙ２がＸに対して具体的にどのような言動を行ったかを認めるに足りる証拠はなく、Ｙ２がかなり不満顔であったとすることについては、Ｘの主観によって判断されるものであること、さらに…Ｙ２はＸからの…申出を受けてＸを手伝いから外し、Ｘに代えて他の者を補充したもので、Ｙ２がＸの申出を受入れて対応していたことなどに照らすと、平成１９年５月以降も、Ｙ２がＸに対して不法行為を行ったとするＸの上記主張は認められない」とし、

（**4**）について、

・「Ｙ３は、平成２３年６月３０日にＸとの間で初回の面談を行った後、平成２３年７月１３日から同年８月１日までの間、Ｘが企画Ｇで勤務していた当時にＸとＹ２の周囲で勤務していた５人の者に対して、Ｙ２とＸの当時のやり取り等を面談又はメールにて事情聴取したこと、Ｙ３は、Ｘとの間で６回にわたって面談を行ったこと、Ｙ３は、上記面談において、Ｙ２の行為がパワーハラスメントに当たらないという理由について根拠を示しながら口頭で説明したこと、Ｙ３は、Ｙ２との間で２回の面談を行い、Ｙ２に対してＸに対する当時の注意指導の在り方について省みさせ、Ｙ２において注意指導の方法に行過ぎの部分があったこと等の反省に至らせたことなどが認められる」とし、

・「以上の事実によると、Ｙ３は、Ｘ及びＹ２**双方に事情を聞くとともに、複数の関係者に対し**

て当時の状況を確認するなどして適切な調査を行ったものといえ」、 ・「そして、Y１においては通報・相談内容及び調査過程で得られた個人情報やプライバシー情報を正当な事由なく開示してはならないとされていることからすると、Y３において、調査結果や判断過程等の開示を文書でしなかったことには合理性があったものといえ、しかも、Y３は、Xに対し、Y２への調査内容等を示しながら、口頭でY２の行為がパワーハラスメントに当たらないとの判断を示すなどしていたものであって、Y３に違法があったということはできず、Xの上記主張は理由がない」とし、 （５）について、 ・「Y３が適切な調査等を行ったことは…説示したとおりであることに加え…Y３は、Xに対し、Y２がXに対する自身の指導が厳しかったり度を超えていたりしたことがあったことを認めていること、Y２がXに対する配慮がなかったと反省していること、Y２は平成１９年３月にはXの体調がおかしい様子であることに気付いたにもかかわらず、Xに課す業務量を減らすことを考えなかったこと、本件診断書を提出したXに対してY２が長期休暇を取らせなかったことが判断ミスといえることを告げており、その上で、Y１における内部基準に照らせば、Y２の行為がパワーハラスメントに当たらないことを説明したことが認められ、以上によると、Y３において、Y２の行為がパワーハラスメントに該当しないことが所与のものであるかのような態度を取り続け、本件自体のもみ消しを図ったと認められるものではなく、Xの主張は理由がない」とした。
【行為者・使用者の法的責任】本判決は、 **行為者（Y２）、及び使用者（Y１）について、** 上記言動（１）（２）**につき、Y２に不法行為責任を肯定**（（３）については否定）し、また、上記言動が存した際の使用者**Sの使用者責任を肯定**し、Sの権利義務を一部承継した**Y１は本件損害賠償債務も承継**しているものとした。 **行為者（Y３）について、** 上記言動（４）（５）**につき、いずれも不法行為責任を否定**した。
【判断にあたっての主な考慮要素】 被行為者の属性・心身の状況（鬱病への罹患）、被行為者の問題行動の有無とその内容・程度、言動の内容・態様（許容性・相当性）、当該言動後の経緯等。
【その他特記事項】本判決は、Y２の上記言動（１）（２）とXのうつ病発症とその進行との間の相当因果関係を肯定したが、これに関しては以下のような判示がなされている。すなわち、 ・「Xは、遅くとも平成１９年４月の時点で鬱病を発症して、同月１１日、鬱病の診断を受け、精神の不調により、同月１３日から同年５月６日まで及び同年７月１２日から平成２０年７月３１日までの間休業し、復職した後も通院を継続しているものであるところ、前記認定のY２の不法行為は、Xの鬱病の発症及び進行に影響を与えたものであって、両者の間に相当因果関係を認めることができる」が、 ・「Yらは、Xの鬱病の発症は、Xのぜい弱性や性格傾向に起因するものであり、Y２の言動との間に因果関係はない旨を主張」しているところ、「確かに…Y２の不法行為は、悪質性が高い

ものとはいえず、Ｘが平成１８年にも鬱病の診断を受けて抗うつ薬を服用していたことからすると、平成１９年の鬱病の発症及び進行について、Ｘの素因が寄与した面が大きいことは否定できない」ものの、

・「Ｙ２の不法行為は…平成１９年２月以降…Ｘの労働時間が著しく増加し、直属の上司であったＹ２から厳しい指導を受ける機会も増えていたことに伴い、Ｘの精神的負荷が増大していた中でなされたものであって、当該行為がＸの鬱病の発症及び進行に寄与したことは優に認められるというべきであり、上記のとおりＸの精神的負荷が増大していた状況はＹ２において十分認識可能であったと認められるから、Ｙらの主張を採用することはできない」とした。

また、慰謝料の算定にあたっては、Ｘの素因も考慮がなされている。

【結論・認容額】一部認容。

（Ｙ１、Ｙ２連帯で）慰謝料＝１５０万円、弁護士費用＝１５万円等。

【補足事項】原判決（東京地判平 26.7.31 労判 1107 号 55 頁）は、おおよそ、本判決同様、上記言動（１）（２）を違法な行為とし、Ｙ２の不法行為責任及びＹ１の使用者責任を肯定して、Ｙ２及びＹ１に対し２９７万円等の連帯支払を求める限度でＸの請求を一部認容した（なお、Ｘは当審において請求を減縮した）。

２３　公立八鹿病院組合ほか事件・広島高松江支判平27.3.18労判1118号25頁

<table>
<tr><td>【請求】損害賠償等請求</td></tr>
<tr><td>【類型】身体的な攻撃、精神的な攻撃、過大な要求</td></tr>
<tr><td>【業種・職種等】公立病院（一部事務組合（Ｙ１）が運営）・医師（新人医師（亡Ａ）、整形外科医長（Ｙ２、亡Ａの上司）・整形外科部長（Ｙ３、亡Ａ及びＹ２の上司）</td></tr>
<tr><td>【当事者の関係性】上司 ⇒ 部下（整形外科部長（Ｙ３）・整形外科医長（Ｙ２） ⇒ 新人医師（亡Ａ））</td></tr>
<tr><td>【言動に至る背景】亡Ａは、研修医を終えて半年の新人医師（専門医１年目）であった。Ｙ１の運営する病院での勤務（亡Ａにおいては、平成１９年１０月から、同年１２月のうつ病発症後の自殺まで）は、専門医１年目の者にとっては、負担の大きいものであり、亡Ａにおいては一定のミスなどが生じた。そうしたことを背景として、Ｙらは、下記【言動の具体的内容】記載の言動に及んだ。</td></tr>
<tr><td>【言動の具体的内容】Ｙ２・Ｙ３による言動のうち、本件で争点となったのは、おおよそ以下の言動である。
（１）Ｙ２が握り拳で１回ノックするように亡Ａの頭を叩いたこと、また、これに関し、Ｙ３が院長よりＹ２を指導するように言われたにも関わらずそれを行わなかったこと。
（２）手術の際にＹ３が亡Ａに「田舎の病院だと思ってなめとるのか」と言ったこと。
（３）Ｙ２が亡Ａに対し、その仕事ぶりでは給料分に相当していないこと、これを「両親に連絡しようか」などと言ったこと。</td></tr>
<tr><td>【当該言動に対する判断枠組と法的評価】Ｙらによる上記言動について、
本判決は、
「社会通念上許容される指導又は叱責の範囲を明らかに超えるものである」と端的に評価した。
また、本判決はそれに続けて、
・亡Ａの前任医師らが、そろって「本件病院整形外科での勤務は、専門医としての経験が１年ないし２年といった者には負担が大きかったこと、Ｙ３やＹ２に相談すると怒鳴られたり、無能として攻撃されたりするので、質問するのを萎縮するようになったこと、Ｙらから患者や看護師らの面前でも罵倒されたり、頭突きや器具で叩かれるなど精神的にも相当追い詰められたこと等を供述し」、
・実際に半年で本件病院を去った医師が３名存在することを考慮すると、
・「Ｙ３やＹ２は、経験の乏しい新人医師に対し通常期待される以上の要求をした上、これに応えることが出来ず、ミスをしたり、知識が不足して質問に答えられないなどした場合に、患者や他の医療スタッフの面前で侮辱的な文言で罵倒するなど、指導や注意とはいい難い、パワハラを行っており、また質問をしてきた新人医師を怒鳴ったり、嫌みをいうなどして不必要に萎縮させ、新人医師にとって質問のしにくい、孤立した職場環境となっていたことは容易に推認することができる」とし、
・「亡Ａについても…友人に送った『整形の上司の先生２人、気が短くよく怒られてるわ。』等</td></tr>
</table>

のメールや１１月中旬頃からはＹ３やＹ２を避けるようになっていたこと等に鑑みると、**前任者らと同様、度々、Ｙ３及びＹ２から患者や看護師らの面前で罵倒ないし侮蔑的な言動を含んで注意を受けていたこと**は容易に推測され、このような状況の下で亡Ａは**一層萎縮**し、Ｙ３及びＹ２らに**質問もできず１人で仕事を抱え込み、一層負荷が増大するといった悪循環**に陥っていったものと認められる」とした上で、

・「以上に加え、亡Ａは、所定の**勤務時間外や休日に月に１２回の待機当番**を担当して業務関係の電話を受けることもあり…また、**月に三、四回程度は処置のため呼び出されたり自ら出勤**するなどして、**本来は予定されている休息をとり得ないこともあった**ことが認められる」としつつ、

・「なお、Ｙ３及びＹ２なりに１１月中旬くらいからは、亡Ａの**勤務負担の軽減やより基本的な内容についても指導を行うなどの配慮を示していたものの**、なおも同月２８日の手術の際に、Ｙ３が『田舎の病院だと思ってなめとるのか』と言ったり、１２月５日にＹ２が亡Ａに対し、その仕事ぶりでは給料分に相当していないこと及びこれを『両親に連絡しようか』などと言っていたこと等に鑑みると、Ｙ３及びＹ２らは上記指導や配慮に付随して、なおも亡Ａに対し**威圧ないし侮蔑的な言動が継続**していたもので、亡Ａを**精神的・肉体的に追い詰める状況**が**改善・解消**したものとは認められない」とし、

・「以上を総合すると、本件病院において、**亡Ａが従事していた業務**は、それ自体、心身の極度の疲弊、消耗を来たし、うつ病等の原因となる程度の**長時間労働**を強いられていた上、**質的**にも医師免許取得から３年目（研修医の２年間を除くと専門医として１年目）で、整形外科医としては大学病院で６か月の勤務経験しかなく、市井の総合病院における診療に携わって一、二か月目という**亡Ａの経歴を前提とした場合**、**相当過重**なものであったばかりか、Ｙ２やＹ３によるパワハラを**継続的**に受けていたことが加わり、これらが**重層的かつ相乗的に作用して一層過酷な状況に陥ったもの**と評価される」とした。

【行為者・使用者の法的責任】本判決は、

行為者（Ｙ２、Ｙ３）について、

上記言動を違法なものとしたが、「Ｙ３及びＹ２の亡Ａに対するパワハラはその職務を行うについて行ったものであり、**Ｙ１には国賠法１条に基づく責任が認められることから、Ｙ３及びＹ２は個人としての不法行為責任を負わない**」とした。

使用者（Ｙ１）について、

・まず、国賠法の適用の有無につき、これを肯定した上で、

・「Ｙ１の安全配慮義務違反に基づく責任及び国賠法１条に基づく責任」を検討するとし、

・Ｙ１は、平成１９年１１月中旬頃には、「就労環境が過酷であり、亡Ａが心身の健康を損なうおそれがあることを具体的かつ客観的に認識し得たものと認められる」とした上で、

・「そもそもＹ１においては、亡Ａの赴任以前から、新人医師の労働環境が過重であることやＹ３及びＹ２のパワハラを認識していたのであるから…新人医師らの労働環境整備に努めておくべきであった上…亡Ａの勤務時間、及びＹ３やＹ２との関係も含めた勤務状況を把握し、まずＹ３やＹ２に対し、新人医師に対する教育・指導とはいい難いパワハラの是正を求めるとともに、

亡Ａについては、派遣元の○大病院とも連携を取りつつ、ひとまず仕事を完全に休ませる、あるいは大幅な事務負担の軽減措置を取るなどした上、新たに看護師、Ｙ３やＹ２らがそれぞれの個別的裁量で行っていた予約の調整、担当替え等をより効率的かつ広範に行うなどの方法により、亡Ａの業務から生じる疲労や心理的負荷の軽減を図るべきであ」り、亡Ａのうつ病の「発症が１２月上旬であることに鑑みると、これらが行われていれば、亡Ａの本件疾病及びそれによる本件自殺を防止し得る蓋然性があったものと認められる」とし、Ｙ１の「医師らの時間外勤務時間の把握自体が不十分であり、また、本件病院においては、亡Ａの前にも、Ｌ、Ｎ及びＰの各医師が半年で本件病院を去っているにもかかわらず、何らの対策もなされた形跡がないこと等を考慮すると、新人医師にとって本件病院での勤務が過酷であることやＹ３及びＹ２のパワハラを認識しながら、何らの対策を講じることなく、新人医師に我慢してもらい、半年持ってくれればよい、持たなければ本人が派遣元の大学病院に転属を自ら申し出るだろうとの認識で放置していたことすらうかがわれる」として、「**Ｙ１には亡Ａの心身の健康に対する安全配慮義務違反が認められる**」とし、

・また、「Ｙ３は、Ｙ１に代わって当該医師に対し業務上の指揮監督を行う権限を有する者であったと認められ、上記注意義務の内容に従って、その権限を行使すべきであったのに、これを怠り、またＹ３及びＹ２が職場で亡Ａに対して行ったパワハラは、注意や指導の範疇を超えた違法行為であって…結果として亡Ａに本件疾病ないしこれに基づく自殺という損害を被らせるものであるから、**Ｙ１は国賠法１条に基づく責任も免れない**」とした。

【判断にあたっての主な考慮要素】

被行為者の属性・心身の状況（新人医師であること等）、言動の内容・態様・継続性（患者や他の医療スタッフの面前での言動であること等）、当該言動が被行為者に与える影響、（新人である）被行為者に課された業務量・内容等。

【その他特記事項】本判決は、上記【行為者・使用者の法的責任】における「Ｙ１の安全配慮義務違反に基づく責任及び国賠法１条に基づく責任」に係る検討に先立ち、「国賠法１条に基づく損害賠償責任は、民法７０９条、７１５条に基づく不法行為責任に対し特別法に位置づけられるから、Ｙ１が国賠法１条に基づく責任を負う場合には民法７０９条、７１５条に基づく不法行為責任は問題とならず、他方、Ｙ１は特別地方公共団体として、その職員である公務員が職務遂行するにあたって、生命及び健康等を危険から保護するように配慮すべき義務（安全配慮義務）を負っているものと解されるところ（最高裁昭和５０年２月２５日第三小法廷判決・民集２９巻２号１４３頁）、この安全配慮義務違反に基づく損害賠償責任は、国又は地方公共団体が不法行為規範のもとにおいて私人一般に対し負っている責任とは別個の責任と解されるから、国賠法１条に基づく責任と請求権競合の関係に立つものと解される」と判示している。

ところで、本判決は、Ｙ２とＹ３の言動それ自体だけでなく、亡Ａが新人医師であり諸事の負担が過大であったことや、これまでの本件病院に勤務していた医師たちからの供述、また本件病院における諸態勢などを勘案しつつ結論を導出させている。また、患者や看護師らの面前における言動の存在も、違法性判断に一定の影響を与えている。

なお、本判決は、Ｙ２とＹ３の言動と亡Ａの本件疾病との間には「優に相当因果関係が認め

れる」とし、「本件自殺は本件疾病の精神障害の症状として発現したと認めるのが相当であり、上記各行為と本件自殺との間の相当因果関係も認めることができる」とした。

【結論・認容額】 一部認容。

国賠事案であったためＹ２とＹ３の個人としての不法行為責任は否定され、Ｙ１の賠償責任が肯定された。

Ｘ１（亡Ａの父親）＝亡Ａの逸失利益・亡Ａへの慰謝料・弁護士費用として３０８１万８７４５円等、Ｘ２（亡Ａの母親）＝亡Ａの逸失利益・亡Ａへの慰謝料・弁護士費用として６９２９万３７４５円等。なお、Ｘ１については遺族補償一時金等給付を受けているところ損益相殺がなされており、上記額は、損益相殺後の額となる。

【補足事項】 原判決（鳥取地米子支判平 26.5.26 労判 1099 号 5 頁）は、２割の過失相殺を認めるなどした（本判決は過失相殺を認めなかった）。なお、本判決を不服としたＸ側により上告がなされたが、上告棄却・上告不受理の決定がなされている（最決平 30.11.13 LEX/DB25542653）。

２４　さいたま市環境局事件・東京高判平 29.10.26 労判 1172 号 26 頁

【請求】 損害賠償等請求
【類型】 身体的な攻撃、精神的な攻撃
【業種・職種等】 公務労働・市役所（市（Y））・環境局Ｓ部Ｓセンター事務職（管理係業務主任（亡Ａ）、先輩・指導担当者（Ｂ））
【当事者の関係性】 先輩・指導担当者 ⇒ 後輩・被指導者（Ｂ ⇒ 亡Ａ）
【言動に至る背景】 亡Ａは、Ｙの技能職員として採用され、教育委員会に出向を命じられ、学校の業務主事として勤務していたが、自らの希望で環境局Ｓ部Ｓセンター（以下「本件センター」）に異動となり、Ｂの指導を受けた。当該異動前、亡Ａは、「うつ病、適応障害を発症し、重症うつ状態レベル」であるなどと診断され、８９日間の病気休暇を取得していた。 行為者のＢは、職場関係者により、自己主張が強く協調性に乏しい、言葉使いが乱暴でミスをした際には強く叱る、管理係に長く勤務している立場を利用して仕事を独占している、上司にも暴言を吐く、専任である計量業務の内容に関し他者に引き継いだり教えたりするのを拒否する、亡Ａを除く同僚の中にはＢから嫌がらせを受けた者もいる、本件センター管理係長のＥもＢに遠慮しているところがあったなどという認識及び評価がなされており、また、職場関係者の中には、Ｂの行動及び発言に苦労させられ、心療内科に通ったことがある者も存在していた。Ｅは、Ｂに上記のような問題があることを認識していた。本件センター所長のＦは、亡Ａが「うつ病、適応障害」の病名で８９日間の病気休暇を取得していることについて引継ぎを受けておらず、Ｅも同様に亡Ａの上記病気休暇取得の事実を知らなかった。 平成２３年４月初旬から、亡ＡはＢとペアを組み、Ｂと２人で公用車に乗って、銀行への入金・両替業務を開始したが、Ｂは、亡Ａに対しても、指導係として職務について教示をする際、威圧感を感ずるほどの大きな声を出し、厳しい言葉で注意をすることがあり、また、下記【言動の具体的内容】記載の言動に及んだ。
【言動の具体的内容】 Ｂによる言動のうち、本件で争点となったのは、おおよそ以下の言動である。 （１）Ｂが亡Ａの脇腹に暴行を加えたこと。 （２）およそ３ヶ月に亘りＢが亡Ａに暴言等を継続的になしたこと。
【当該言動に対する判断枠組と法的評価】 **事実の存否**に関しての判断となるが、Ｂによる上記言動（１）（２）について、 本判決は、 ・「亡Ａは、平成２３年４月２１日頃、Ｂから脇腹に暴行を受けたことは**優に認定**することができ、同年７月末頃まで、**職場における優越性を背景とした暴言等のパワハラを継続的に受けていた**ものと**推認することができる**」とした。
【行為者・使用者の法的責任】 本判決は、 **市（Ｙ）について、** ・「安全配慮義務のひとつである職場環境調整義務として、良好な職場環境を保持するため、**職**

場におけるパワハラ、すなわち、職務上の地位や人間関係などの職場内の優位性を背景として、業務の適正な範囲を超えて、精神的、身体的苦痛を与える行為又は職場環境を悪化させる行為を防止する義務を負い、パワハラの訴えがあったときには、その事実関係を調査し、調査の結果に基づき、加害者に対する指導、配置換え等を含む人事管理上の適切な措置を講じるべき義務を負うものというべきである」とし、

・亡Aが精神疾患で「８９日間の病気休暇を取得した旨の情報」が「Yの組織内で適切に共有されなかったからといって、直ちに安全配慮義務に反するものということはできない」としつつも、

・「亡Aの上司であったEは、亡Aからパワハラの訴えを受けたのであるから、パワハラの有無について事実関係を調査確認し、人事管理上の適切な措置を講じる義務があるにもかかわらず、事実確認をせず、かえって、職場における問題解決を拒否するかのような態度を示し、Eから報告を受けたFも特段の指示をせず、ようやく7月末頃になって、Bが１人で入金・両替業務をする体制に変更したものの、それまでパワハラの訴えを放置し適切な対応をとらなかった」とし、「また、亡Aは、F宛の平成２３年7月１１日付けの『入金（その他）の件について』と題する書面…を作成しているところ、これは作成日付が記載されたものである上、X２は、亡Aが上記書面をFに渡した旨供述、陳述し、実際、同月末頃には、B１人で入金・両替業務をする体制に変更する措置が取られているのであるから、それをFに交付した可能性も高いが、Fはこれを否定している…上記の書面の交付を受け取っていたとすれば当然のこと、受け取っていなかったとしても、Fは、Eから亡Aのパワハラの訴えについて報告を受けたにもかかわらず、事実の確認等について指示をせず、放置したことに変わりがない」とし、

・Yは、「亡Aのパワハラの訴えに適切に対応しなかったのであるから、職場環境調整義務に違反したものというべき」とし、

・さらに、「Yは、EやFは、亡Aのうつ病による病気休暇の取得の情報を知らなかったというが、亡Aを問題があるBと同じ管理係に配置したこと自体が問題ではなく、亡Aからのパワハラの訴えに適切に対応しなかったことが職場環境を調整する義務を怠ったものと評価されるものである」としつつ、

・あるいは、また、「Fは、亡Aから、平成２３年１２月１４日には体調不良を訴えられ、翌１５日には、実際自殺念慮までも訴えられ、亡Aの精神状態が非常に危険な状況にあることを十分認識できたのであるから、直ちに亡Aの同意をとるなどし、自らあるいは部下に命じるなどして主治医等から意見を求め、産業医等に相談するなど適切に対処をする義務があったにもかかわらず、自己の判断で、勤務の継続をさせ、亡Aの精神状況を悪化させ、うつ病の症状を増悪させたのであるから、Yには、この点においても、安全配慮義務違反があるというべきである」とし、

安全配慮義務違反による国家賠償法１条１項の責任を肯定した。

【判断にあたっての主な考慮要素】

被行為者の属性・心身の状況（うつ病の発症歴等）、言動の内容・態様・継続性、当事者間の人間関係（職場における優越性）等。

【その他特記事項】本判決は、パワーハラスメントにつき、上記【行為者・使用者の法的責任】に記載したように、「職場におけるパワハラ、すなわち、職務上の地位や人間関係などの職場内の優位性を背景として、業務の適正な範囲を超えて、精神的、身体的苦痛を与える行為又は職場環境を悪化させる行為」としている。このうち、「業務の適正な範囲を超えて、精神的・身体的苦痛を与える行為」との部分は、本稿掲載の 26 関西ケーズデンキ事件・大津地判平 30.5.24 労経速 2354 号 18 頁におけるものと同様である。
ところで、本判決は、「亡Ａには、うつ病の既往症があり、異動前の職場において、ほぼ上限である８９日間の病気休暇を取得した経過があったところ、Ｂからパワハラを受け、それを訴えたにもかかわらず、上司らが適切に対応しなかったため、うつ病の症状を悪化させ、体調悪化により病気休暇を余儀なくされ、職を失いかねないことを苦に自殺したものと認められ」、「ＥやＦが亡Ａからパワハラの訴えを受けた後に適切な対応をとり、亡Ａの心理的な負担等を軽減する措置をとっていれば、亡Ａのうつ症状がそれほど悪化することもなく、Ｆが亡Ａから自殺念慮を訴えられた直後に主治医や産業医等に相談をして適切な対応をしていれば、亡Ａがそのうつ病を増悪させ、自殺することを防ぐことができた蓋然性が高かったものというべきである」として、Ｙの安全配慮義務違反と亡Ａの自殺との間の相当因果関係を肯定している。
また、本判決は、以下のように過失相殺をしており、下記【結論・認容額】は過失相殺後のものである。すなわち、本判決は、「亡Ａが、うつ病の症状を増悪させ、自殺するに至ったことについては、亡Ａの上記のうつ病の既往症による脆弱性が重大な素因となっていることもまた明らかであって、それは、損害の賠償に当たり、衡平の見地から斟酌すべき事情になることは否定できない」とし、また、「別居していた期間を除き、Ｘらは、その両親として、亡Ａと同居して生活をし、また、Ｘ２が、上記別居期間中も概ね亡Ａと夕食を共にしており、亡Ａがうつ病で通院、服用し、Ｂからパワハラを受け、Ｅ及びＦが、適切な対応をしなかったこと、同年８月頃からの不安定な状況や病状悪化等について認識していたことが認められるから、主治医等と連携をとるなどして、亡Ａのうつ病の症状が悪化しないように配慮する義務があったといえ、これは、損害の賠償に当たり、衡平の見地から斟酌すべき事情になるものというべきである」とし、「以上の各事実を併せ考えれば、亡Ａ及びＸらに生じた損害については、過失相殺又は過失相殺の規定（民法７２２条２項）の類推適用により、亡Ａの素因及びＸらの過失の割合を合計７割としてこれを減ずることが相当というべきである」とした。
ところで、本判決は、「安全配慮義務のひとつである職場環境調整義務」との判示をなしているが、そもそも職場環境調整義務（いわゆる職場環境配慮義務を指しているものとも読み取れるが定かではない）を安全配慮義務に含まれる一類型というような理解をしてよいのかどうか、必ずしも説得的な判示はなされていない。

【結論・認容額】一部認容。
Ｘ１（亡Ａの親）＝亡Ａ及び亡Ａの両親であるＸらの精神的苦痛に対する慰謝料・亡Ａの逸失利益として９５９万９０００円等、Ｘ２（亡Ａの親）＝亡Ａ及び亡Ａの両親であるＸらの精神的苦痛に対する慰謝料・亡Ａの逸失利益として９５９万９０００円等。

【補足事項】原判決（さいたま地判平 27. 11. 18 労判 1138 号 30 頁）は、8 割の過失相殺を認めるなどした（本判決は、上記【その他特記事項】に記載したように、7 割の過失相殺を認めた）。

２５　加野青果事件・名古屋高判平29.11.30労判1175号26頁

【請求】 損害賠償等請求
【類型】 精神的な攻撃、過大な要求
【業種・職種等】 青果物仲卸業（Ｙ１）・経理ないし営業事務（経理ないし営業事務担当者（亡Ａ)、先輩・指導担当者（Ｙ２、Ｙ３))
【当事者の関係性】 先輩・指導担当者 ⇒ 後輩・被指導者（Ｙ２及びＹ３ ⇒ 亡Ａ）
【言動に至る背景】 亡Ａにおいては数字や日付の入力ミスといった仕事上のミスが多かったことなどから、Ｙ２・Ｙ３は下記【言動の具体的内容】記載の言動に及んだ。
【言動の具体的内容】 Ｙ２・Ｙ３による言動のうち、本件で争点となったのは、おおよそ以下の言動である。 **Ｙ２について** **（１）** 亡Ａに対し深夜架電したこと、及び出社を指示したこと。 **（２）** 亡Ａのミスに対し注意し叱責したこと。 **Ｙ３について** **（３）** 亡Ａに対し「てめえ」「あんた、同じミスばかりして」などと厳しい口調で叱責したこと。 **（４）** 亡Ａに対し、「親に出てきてもらうくらいなら、社会人としての自覚を持って自分自身もミスのないようにしっかりしてほしい」と述べたこと。 **（５）** 亡Ａの配置転換後、亡Ａに対し、ＥＤＰ室において、Ｙ２とともに叱責していたほか、自身でも別途亡Ａを呼び出して叱責したこと。
【当該言動に対する判断枠組と法的評価】 Ｙ２・Ｙ３による上記言動について、 本判決は、 まず、Ｙ２によるものについて、 **（１）** につき、 ・「Ｙ１には夜勤担当者がいるものの、Ｙ２は、夜勤担当者から、夜遅くに、システムエラー等の問い合わせを受け、自ら電話で対応したり、Ｙ１の本社に戻って伝票を入力し直したりし、必要な場合には営業事務担当者に電話等で確認していたこと」等に照らせば、「上記各架電は、**夜勤担当者からの問い合わせに回答するため、営業事務担当者であった亡Ａに対して事実確認等をする目的**で行われたものであり、また、出社指示は、**Ｙ２が出社できない等の状況の下で、入力担当者である亡Ａに代わりに出社するよう依頼したもの**である」旨のＹ２の本人尋問における供述は信用でき、 ・Ｙ２による「電話連絡や出社指示は、**業務上の必要性**によるものであったといえ」ることなどから、 ・「Ｙ２の亡Ａに対する深夜の架電及び出社指示は、**業務として適正な範囲を超えるもの**ではなく、亡Ａに対し**精神的又は身体的苦痛を与える行為**とまでは評価できないから、**不法行為に該当しない**」とし、

（２）につき、
・「Ｙ２は、亡Ａが**ミス**をすることが多かったことから、事実確認や注意のために亡ＡをＥＤＰ室に呼び出すことも多く、その際には、亡Ａに対し、（Ｙ３在席時には同人とともに）『何度言ったらわかるの』などと**強い口調で注意・叱責**をするなどしており、**同じ注意・叱責を何回も繰り返し、相応に長い時間**にわたることもあったことが認められ」、
・「かかるＹ２の亡Ａに対する叱責行為は、その**態様、頻度**等に照らして、Ｙ３の場合と同様に、**業務上の適正な指導の範囲を超え**て、亡Ａに**精神的苦痛を与えるもの**であったと認められるから、不法行為に該当するというべきであ」り、
・「かかる**叱責の態様**に照らせば、Ｙ２において、これが**社会通念上許容される業務上の適正な指導の範囲**を超えて不法行為に該当するものであることを認識することは容易であったと認められる」ことから、
・「Ｙ２は、上記行為について**不法行為責任を負う**というべきである」とした。
次に、Ｙ３によるものについて、
・（３）（４）（５）を「本件叱責行為」と包括した上で、
・「Ｙ３は、亡Ａに対し、**業務上の指導を行う立場**にあった」とし、
・亡Ａにおいて仕事上のミスが減ることはなかった原因は、「亡Ａ自身の注意不足のみならず」、平成２３年１月以降Ｙ１の取締役であった「Ｂが心配したとおり…Ｙ３が**感情的**に亡Ａに対する**叱責を繰り返した**ことにより亡Ａの**心理的負荷が蓄積**されたことも相当程度影響しているものとみるのが相当であ」り、
・また、「Ｙ３は…Ｂから、亡Ａの**ミス**が減らないのはＹ３が亡Ａに対して**注意**する際に**徐々にきつい口調**になることも原因ではないかと指摘されるとともに、亡Ａに対して注意をする際には**もう少し優しい口調で行うよう注意**を受けたことがあり」、ＥＤＰ室に勤務していた者からも「Ｙ３の亡Ａに対する注意がパワーハラスメントに該当するおそれがある旨の指摘を受けたこともある」ことから、「Ｙ３は、亡Ａに対して**強い口調**で注意することが亡Ａに対し**威圧感や恐怖心**を与えることはあっても、**必ずしもミスの防止に繋がらない**ことや、社会問題化しているパワーハラスメントに該当する可能性があることを認識していたものと認められる」とした上で、
・「Ｙ３は…**繰り返し注意をしても亡Ａのミスが減らないことに怒りを覚えて一層感情的に亡Ａを叱責**するようになり」、また亡Ａの母である「Ｘ２がＢに対し、Ｙ３の言動について注意するよう申入れたことについても好ましく思っていなかった」とし、
・以上のような「Ｙ３の亡Ａに対する**叱責の態様**及び**叱責の際のＹ３の心理状態**に加え、亡Ａが**高等学校卒業直後**の平成２１年４月にＹ１へ入社したこと…及び平成２４年４月以降、亡Ａが同月に**引き継いで間もない新しい業務**に従事していたこと…に鑑みると、平成２３年秋頃以降、Ｙ３が亡Ａに対して、**継続的かつ頻回に、叱責**等を行ったことは、亡Ａに対し、**一方的に威圧感や恐怖心を与えるもの**であったといえるから、**社会通念上許容される業務上の指導の範囲を超え**て、亡Ａに**精神的苦痛を与えるもの**であると認められる。以上により、Ｙ３の本件叱責行為は、**不法行為に該当**する」とした。

・なお、Ｙ３による「亡Ａに対する指導は亡Ａの仕事上のミスの頻発に起因するものであり、人格的非難を伴うものや亡Ａの属人性を理由とするものではないから、正当な指導の範囲内であり、不法行為を構成するものではない旨」の主張については、「**叱責（指導）の態様、頻度及び継続性**に照らせば、Ｙ３の本件叱責行為は、業務上の適正な指導の範囲を超えるものであるというほかなく、たとえ、それが亡Ａの仕事上のミスの頻発に起因したとしても、Ｙ３の不法行為責任を否定することはできない」とした。

【行為者・使用者の法的責任】本判決は、
行為者（Ｙ２）について、
上記言動（１）**につき不法行為の成立を否定**し、（２）**につき不法行為の成立を肯定**した。
行為者（Ｙ３）について、
上記言動（３）（４）（５）**につき、不法行為の成立を肯定**した。
使用者（Ｙ１）について、
・「使用者は、その雇用する労働者に従事させる業務を定めてこれを管理するに際し、業務の遂行に伴う疲労や心理的負荷等が過度に蓄積して労働者の心身の健康を損なうことがないように注意する義務（雇用契約上の安全配慮義務及び不法行為上の注意義務）を負うと解するのが相当である」と説示した上で、
・各事実に評価を加えた後、「Ｙ１が、Ｙ３の本件叱責行為及びＹ２の指導・叱責について、制止・改善を求めず、また、亡Ａの業務内容や業務分配の見直し等を怠ったことは、Ｙ１の義務違反に該当」するとして、
・Ｙ１の**不法行為責任及び債務不履行責任を肯定**し、Ｙ２とＹ３の言動につきＹ１の**使用者責任を肯定**した。

【判断にあたっての主な考慮要素】
被行為者の属性・心身の状況（高等学校卒業直後の入社、配置転換後の新業務従事）、被行為者の問題行動の有無とその内容・程度、言動の内容・態様・頻度・継続性、被行為者の心理的負荷の蓄積の程度等。

【その他特記事項】本判決では、Ｙ２の言動につき、「強い口調で注意・叱責をするなどしており、同じ注意・叱責を何回も繰り返し、相応に長い時間にわたることもあった」としている。これに関し、本判決は、「Ｙ２は、原審において、亡Ａを呼び出した頻度について週１回くらいで、時間は１０分くらいであった旨供述し、Ｙ３は、原審において、亡Ａを呼び出した頻度について１週間に１回もない、時間はそれほどではない、Ｙ２が同席しているときに自分が注意したことはない旨供述する。しかし、営業職だったＥは、**本来であれば５分で済むようなことなのに１時間近く同じことを何回も繰り返していたと述べている**…こと、Ｆは、原審において、亡Ａは毎日のようにＥＤＰ室に呼ばれていた、ＥＤＰ室にいる時間は、長い時は２０～３０分、普通で１０～１５分と述べていること、２階で勤務していたＧも**結構な頻度でＹ２とＹ３に怒られていた、亡Ａのように毎日怒られている人は見たことがない**と述べている…こと、Ｈは、本件配置転換前、Ｙ３が亡Ａに対し**かなり強い威圧的口調で何でこうなったのか等と何回も何回も繰り返していた**、亡ＡはＥＤＰ室でＹ２とＹ３からよく注意されていたと述べている…こ

とからすると、上記のとおり」事実を認定するのが相当としている。
なお、本判決は、Ｙ１の不法行為（使用者責任を含む）と亡Ａの自殺との間の相当因果関係を認め、結果の予見可能性につき、
・厚生労働省による呼びかけ等から、「使用者は、平成２４年当時、仕事の負担が急に増えたり、職場でサポートが得られないといった事由から、労働者がうつ病になり、自殺に至る場合もあり得ることを認識できたのであるから、うつ病発症の原因となる事実ないし状況を認識し、あるいは容易に認識することができた場合には、労働者が業務上の原因で自殺することを予見することが可能であったというべきである」とし、
・「そして、Ｙ３及びＹ２による違法な注意・叱責とこれについてＹ１が適切な対応を取らなかったこと、及び亡Ａの業務内容や業務分配の見直しをすべき義務があったのにこれをしなかったということを、Ｙ１は認識し、あるいは容易に認識できるものであったから、Ｙ１には亡Ａの自殺について予見可能性があった」とした。

【結論・認容額】一部認容。
（Ｙ１）Ｘ１（亡Ａの父）に対し３１９０万３７８３円（うち２７万５０００円はＹ３と連帯、うち２７万５０００円はＹ２及びＹ３と連帯）、Ｘ２（亡Ａの母）に対し２３８４万２６４３円（うち２７万５０００円はＹ３と連帯、うち２７万５０００円はＹ２及びＹ３と連帯）、
（Ｙ２）Ｘ１に対し２７万５０００円（Ｙ１及びＹ３と連帯）、Ｘ２に対し２７万５０００円（Ｙ１及びＹ３と連帯）、
（Ｙ３）Ｘ１に対し５５万円（うち２７万５０００円をＹ１と連帯、２７万５０００円をＹ１及びＹ２と連帯）、Ｘ２に対し５５万円（うち２７万５０００円をＹ１と連帯、２７万５０００円をＹ１及びＹ２と連帯）。
なお、内訳は、亡Ａの逸失利益・亡Ａへの慰謝料・亡Ａの葬祭料・Ｘらへの慰謝料・弁護士費用といったところとなるが、労災保険給付額からの控除がなされている。

【補足事項】原判決（名古屋地判平 29.1.27 労判 1175 号 46 頁）は、亡Ａへの慰謝料１５０万円等を認容するにとどまっていた。なお、本判決を不服としたＹ側により上告がなされたが、上告不受理の決定がなされている（最決平 30.11.13 LEX/DB25562357）。

２６　関西ケーズデンキ事件・大津地判平 30.5.24 労経速 2354 号 18 頁

【請求】損害賠償等請求
【類型】精神的な攻撃、過大な要求
【業種・職種等】家電量販店（Ｙ２）・販売事務（レジ又は販売業務係（亡Ａ（「ＬＰ」＝「フルタイム勤務の時給制非正規労働者」）、店長（Ｙ１））
【当事者の関係性】上司 ⇒ 部下（店長（Ｙ１） ⇒ レジ又は販売業務係（亡Ａ））
【言動に至る背景】亡Ａは、**許容されない値引きなど、複数の不適正な行為ないし禁止されている行為をなすなどの問題行動**があったため、Ｙ１は、下記【言動の具体的内容】記載の言動に及んだ。
【言動の具体的内容】Ｙ１による言動のうち、本件で争点となったのは、おおよそ以下の言動である。 （１）Ｙ１が亡Ａをして３通の注意書を作成させたこと。 （２）Ｙ１が亡Ａの希望に反するシフト変更をしたこと。 （３）Ｙ１が亡Ａに対して声を荒げて大声で叱責したこと。 （４）Ｙ１が亡Ａを価格調査業務に配置換えしたこと。
【当該言動に対する判断枠組と法的評価】Ｙ１による上記言動について、 本判決は、 （１）について、 ・亡Ａによる「**不適正な処理が続いた場合**に、口頭による注意では足りず、**注意書**を作成させる必要があると判断することも十分あり得」、 ・「Ｙ２における注意書とは、従業員に今後の改善策を検討させるにとどまるものであって、**顛末書や始末書のような性質を有するものではない**こと」からすれば、 ・「Ｙ１が亡Ａをして**３通**の注意書を作成させた行為は、**業務上の必要性及び相当性が認められる行為**であると解するのが相当」であるなどとして、「**パワハラ（業務の適正な範囲を超えて、精神的・身体的苦痛を与える行為）の一環であると評価することはできない**」とし、 （２）について、 ・シフトの編成はＹ２に「**一定の裁量**が認められるべき行為」であり、 ・**亡Ａが販売やレジ業務で不適切な処理を繰り返していた**ため、「亡Ａをこれらの業務に直接携わることのない部署に配置換えする方針で動いていた」ところ、そうした方針が**不合理であったとはいえず**、 ・「本件シフト変更に当たっては、**亡Ａのみでなく**、本件店舗に勤務する他のパートナー従業員のシフトについても、必ずしもその意に沿わない変更が行われたこと」も「踏まえれば、本件シフト変更は、亡Ａを販売やレジ業務に直接携わることのない部署に配置換えすることに伴う本件店舗の従業員全体の担当業務の調整という**業務上の必要性から行われたもの**と考えるのが自然」であるなどとして、本件シフト変更そのものについては、**パワハラの一環であったと評価することはできない**とし、

（３）について、
言動の態様としては**ある程度強いもの**であったと言えるが、
・「**あくまで、何度も不適切な処理を繰り返した亡Ａに十分な反省が見られず**」、**亡Ａより反論されたために「一時的に感情を抑制できずにされた叱責**」であり、
・「**叱責の内容自体が根拠のない不合理なもの**」であったわけではなく
・「それ以外に、**大声での叱責が反復継続して繰り返し行われていたとか、他の従業員の面前で見せしめとして行われていたなど、業務の適正な範囲を超えた叱責があったことを窺わせる事情を認めるに足りる証拠**」もない
ということを踏まえ、「亡ＡにもＹ１に**叱責を受けてもやむを得ない部分**があったことは否定できない」などとして、いずれも**パワハラの一環であったと評価できない**とした。
（４）について、
・「Ｙ１が亡Ａに意向打診した際に説明した価格調査業務の内容は、Ｙ２の親会社である訴外Ｋが編成する**マーケットリサーチプロジェクトチームの業務内容に匹敵する業務量**であるにもかかわらず、これを**ＬＰ１人**が地域で競合する１店舗のみに専従するという意味において、**極めて特異な内容**のもの」であり、
・「たとえ、Ｙ１に、亡Ａに対して積極的に嫌がらせをし、あるいは、本件店舗を辞めさせる**意図**まではなかった」としても、「本件配置換えの結果、亡Ａに対して過重な内容の業務を強いることになり、この業務に**強い忌避感**を示す亡Ａに**強い精神的苦痛**を与えることになるとの認識に欠けるところはなかったというべき」であるなどとして、
本件配置換え指示は、「亡Ａに対し、**業務の適正な範囲を超えた過重なもの**であって、**強い精神的苦痛を与える業務**に従事することを求める行為であるという意味で、**不法行為に該当**すると評価するのが相当であるというべきである」とした。

【行為者・使用者の法的責任】本判決は、
行為者（Ｙ１）について、
上記言動（４）**についてのみ、不法行為の成立を肯定**した。
使用者（Ｙ２）について、
上記につき、**使用者責任を肯定**したが、
Ｙ２におけるパワハラ防止体制の存否に関しては、
・「労働契約法５条が、『使用者は、労働契約に伴い、労働者がその生命、身体等の安全を確保しつつ労働することができるよう、必要な配慮をするものとする。』と規定しているとおり、使用者は、労働者が職場において行われるパワハラ等によって不利益を受け、又は就業環境が害されることのないよう、労働者からの相談に応じ、適切に対応するために必要な体制の整備その他の雇用管理上必要な措置を講じる義務（職場環境配慮義務。雇用機会均等法１１条１項参照。）を負っており、同義務に違反して、パワハラを放置することは許されないというべきである」との規範を立て、
・そのあてはめとして、「Ｙ２においては、店長等の管理職従業員に対してパワハラの防止についての研修を行っていること、パワハラに関する相談窓口を人事部及び労働組合に設置した上

でこれを周知するなど、パワハラ防止の啓蒙活動、注意喚起を行っていることが認められるし、本件においても、亡AはＹ１からの本件配置換え指示について、パワハラに関する相談窓口となっているＹ２の労働組合の書記長に対して相談したところ、書記長は、これを受けて部長に対して本件配置換えを実行させないように指示されたいとの連絡をしているのであって、Ｙ２における相談窓口が実質的に機能していたことも認められる」などとし、 ・「以上によれば、Ｙ２としては、パワハラを防止するための施策を講じるとともに、パワハラ被害を救済するための従業員からの相談対応の体制も整えていたと認めるのが相当であるから、Ｙ２の**職場環境配慮義務違反を認めることはできない**」とした。
【判断にあたっての主な考慮要素】 被行為者の問題行動の有無とその内容・程度、行為者の目的、業務上の必要性・相当性、言動の内容・態様・継続性、被行為者に課された業務量・内容・範囲等。
【その他特記事項】本判決は、パワハラを「業務の適正な範囲を超えて、精神的・身体的苦痛を与える行為」としているが、これは、本稿掲載の 24 さいたま市環境局事件・東京高判平 29. 10. 26 労判 1172 号 26 頁におけるそれの一部と同様である。 ところで、Ｙ２におけるパワハラ防止体制の存否についての本判決の判断は、上記【行為者・使用者の法的責任】に記載した通りである。しかし、Ｙ２の「パワハラに関する相談窓口」として、「人事部」のほか、本来別個の組織であるはずの「労働組合」を挙げ、それをＹ２の職場環境配慮義務違反の有無に関する判断の材料としている点について、本判決の論旨は必ずしも明快でない。 なお、本判決は、本件配置換え指示と亡Aの自死との相当因果関係を否定した。
【結論・認容額】一部認容。 （Ｙ１、Ｙ２連帯で）Ｘ１（亡Aの夫）＝５５万円（慰謝料）及び５万円（弁護士費用）等、Ｘ２（亡Aの長男）＝５５万円（慰謝料）及び５万円（弁護士費用）等。
【補足事項】特になし。

第４章　分析対象裁判例の個表

第４章　分析対象裁判例の個表

1　川崎市水道局事件・東京高判平 15.3.25 労判 849 号 87 頁

【事実の概要】

Ｘ１及びＸ２は、亡Ａ（昭和４２年３月２５日生）の父母である。

亡Ａは、昭和６３年４月、Ｙの職員として採用され、水道局○営業所に配属された。その後、平成４年１０月同局資材課に、平成７年５月１日同局工業用水課に、平成８年４月１日同局資材課にそれぞれ配転された。亡Ａが同局工業用水課に勤務していた当時、Ｂは同課課長（平成６年４月１日から）、Ｃは同課事務係長（平成７年５月１日から）、Ｄは同課事務係主査（同日から）としてそれぞれ勤務していた（以下においては、Ｂ、Ｃ及びＤを「Ｂら３名」ともいう）。

亡Ａは、水道局工業用水課に配転された後の平成７年９月ころから、職場を時々休むようになり、同年１１月３０日に武田病院で受診し、心因反応と診断され、通院するようになったが、同年１２月には１日出勤したのみであった。川崎水道労働組合（以下「組合」）は、亡Ａから職場でいじめなどを受けた旨の訴えがあったため、同月５日、組合本部で、水道局職員課長であるＧ、Ｂらの出席を求め、その席上で、亡Ａから事情聴取をした。

亡Ａは、平成８年１月には３日（そのうち２日はそれぞれ半日のみ）出勤したのみであり、同年３月にはすべて欠勤した。同年４月１日に同局資材課に配転された後は、同月に２日出勤したのみであり、それ以降同年１２月までの間は出勤しなかった。亡Ａは、同年４月、２回にわたり、自殺を企てたが、未遂に止まった。その後、亡Ａは、日精病院（入院２回）、福井記念病院（入院３回）及びかわむらクリニックで治療を受けた。亡Ａの症状については、日精病院では精神分裂病、境界性人格障害、心因反応、福井記念病院では精神分裂病、心因反応、かわむらクリニックでは心因反応、精神分裂病とそれぞれ診断された。亡Ａは、平成９年１月に４日間（そのうち１日は半日のみ）出勤したのみであり、同年２月以降は出勤しなかった。そして、同年３月４日、自宅で首をくくって自殺した。

（1）亡Ａの経歴、性格、家庭環境など

亡Ａは、農業を営んでいるＸ１・Ｘ２夫婦の長男（一人っ子）として、昭和４２年に出生し、昭和５７年３月に地元の中学校を卒業後、東京にある私立高校に入学したが、間もなくして中退した。そして、昭和５８年４月、神奈川県立α高校に入学したが、健康上ないし人間関係上の理由で昭和６１年４月から同県立β高校（通信制）に転入し、昭和６２年３月同校を卒業した。その後、亡Ａは、Ｘらを手伝って農業に従事したが、耕作面積がさほど広くないこともあって就職をしようと考えた。そこで、亡Aは、Yの一般職の試験を受けたが、不合格となった。その後、亡Aは、X１の小学校時代の同級生で川崎市議会議員のMに相談したところ、同議員から水道局の試験を受けるよう勧められたので、これを受け、合格した。亡Aの性格は、真面目でおとなしく、やや弱気の面があり、人前で大声を出して話すことは得意ではなく、家庭外では無口な方であり、余り社交的ではなかった。

（２）○営業所における勤務状況、本件工事に対するX１の対応など

亡Aは、昭和６３年４月１日に水道局に採用され、○営業所工事係に技能員配管工事員として配属された。仕事の内容は、給水装置関係の故障修理であり、亡Aは、作業車を運転して１班３名で現場に赴き、作業に従事していた。その当時、亡Aは、同僚との付き合いはほとんどなく、一人でいることが多かったが、勤務評定は最も評価の高いAであった。ただ、特定の人には「学校に行かなかったことで父親とうまくいっていない。」などと話したことがあった。

亡Aが○営業所に勤務していた当時、Yは、γ区δ地区内におけるε川の改修に伴って工業用水２号送水管布設替工事（本件工事）を計画した。そして、その施工のため、水道局工業用水課工務係主任のI、同係長のT及び土木局のUが、X１に対し、平成２年１０月ころから同年１２月ころまでの間、工事用立杭の建設用地としてX１の耕作地を貸してほしい旨申入れ、その交渉を行っていたが、X１はこれを断った。その後、Yは、工事用立杭の建設用地としてVの所有土地を賃借することができたので、平成３年１２月に本件工事に着手し、平成６年３月、これを完成させたが、X１の土地の借りることができなかったことにより、工事費が増加した。

（３）資材課における勤務状況など

亡Aは、○営業所に勤務しながら、平成４年４月からγ工科短期大学土木科（夜間学部）に入学して通学していたが、担当していた故障修理の仕事が時間外に及ぶこともあって、通学しにくい状況にあった。そこで、通学しやすい内勤の業務である資材課に異動したい旨希望したところ、これが適って同年１０月１日付けで同課資材係に異動し、倉庫員に職種変更され、貯蔵品の出し入れ及び在庫管理を２名又は３名の班体制で行っていた。

亡Aは、平成６年３月同大学を卒業し、土木職への転任試験の受験資格を得て、同年９月に土木職への転任試験を受けたが、同年１１月に不合格となった。

平成７年度の水道局組織機構の見直しに伴い、資材課倉庫員を１名減少させる計画が立てられたところ、倉庫員の定年退職予定者がいなかったため、倉庫員の中から１名を異動させる必要があった。その当時、工業用水課工務係が１名欠員になったので、そこに資材課倉庫員が配転されることになったが、工務係の仕事はオートバイによる巡回業務が中心であったため、若い職員を配転する必要があった。そこで、水道局では、当時倉庫員で最も若かった亡Aに、時間の融通が利き、試験勉強の時間が取りやすい旨話して、意向を聞くと、亡Aも異動に同意した。

（４）工業用水課における勤務状況など

亡Aは、平成７年５月１日付けで水道局工業用水課に異動し、職種が配管工事員に変更された。その当時の同課は、事務係と工務係によって構成され、一つの事務室に以下の者が配属されており、各係ごとに一団となって職員が配置されていた。なお、同課の事務室は、Yの市議会場のある建物の２階にあった。

・課長　B

・事務係　C（係長）、D（主査）、N（主任）、O

・工務係　P（係長）、I（主査）、Q、F、亡A

亡Aの仕事内容は、工業用水の使用先を回り、使用量の検針や流量計測設備の保守点検を行うものであり、同僚のF（亡Aより一回り以上年長であった）と２人で分担してオートバイで巡回していた。亡AとFは、始業時の午前８時３０分から当日の段取りをして、午前８時５０分ころ、それぞれ決められた使用先を巡回するため事務室を出発し、午前中にこの作業を終了して事務室に戻り、午後はその日の巡回内容の事務整理と翌日の準備を行っていた。また、Fと亡Aは、保守点検の結果、計測装置に異常があったときには、Dに報告していた。そして、その報告を基に、Dは、料金を調整していた。なお、亡Aは、工業用水課に配転後、組合の中央委員（分会長）として活動するようになった。

亡Aが異動してきて間もなく、Iは、工業用水課の住所録が配布された際に、本件工事に伴って以前自分が工務係主任として交渉したことがあるX１と亡Aが同姓であり、住所も似ているので地図を調べたところ、亡AがX１の息子であると分かった。また、Bも、平成４年５月１日から平成５年４月３０日までの間、同課事務係長として勤務しており、本件工事のことを知っていた（もっとも、X１と借地交渉をしていた当時には同課に在籍していなかった）。亡Aが同課に異動して１週間から１０日後に、同課の歓送迎会が開催され、亡Aも出席した。その際、亡Aは、上司から、X１が本件工事に際しYの申入れを断り、そのことで工事費が増大したことを聞き、同課全体の雰囲気が必ずしも自分を歓迎していないことを知るとともに、負い目を感じた。当日の夜帰宅した亡Aは、X１に対し、本件工事の際にXらが耕作していた田のことでYとの間で問題を起こしたことがあるかなどと尋ねた。これに対し、X１は、以前に本件工事のために田を工事用地に使わせてほしい旨の話があり、これを断ったことがあるが、もめ事が起こるようなことはなかったと説明した。亡Aは、歓送迎会の席上、上司から、本件工事に際して、X１が本件工事の用地使用を断ったので、Yは４０００万円余りの工事費を出費しなければならなかったと嫌味を言われた旨話した。その際、亡Ａは、暗い表情をしており、Ｘ１から説明を受けた後も、気が沈んだような様子であった。

（５）Ｂら３名の言動など

ア　亡Ａは、平成７年５月１日付けで工業用水課に異動し、その後２か月ぐらいは仕事を覚えるのに懸命であったが、無口で大人しく、同課の同僚・上司ともなじめず、自分から話し掛けることもなく、また、話し掛けられても、下を向いたままで、話に加わったりせず、コミュニケーションを取ることができない性格で、冗談を言ったりすることもなく感情も表に出すようなこともなかった。同課では、主にＤを中心にＢら３名によって課の雰囲気が作られる面もあった。特にＤは、物事にはっきりした人物で、地声も大きく、大きな音を立ててドアを開閉したり、スリッパの音を立てて歩くなど動作も大きいところがあり、内気でぼそぼそと話す亡Ａに対し、「もう少し聞こえる声で話してくれよ。」などと言ったこともあり、亡Ａは、Ｄの言動に驚き、接し方が分からないような様子を見せていた。ＤとＦは、１０数年前に水道局川崎営業所で勤務したことがあったので、工業用水課でも、親しくしており、毎朝、Ｆが外回りに出掛ける午前８時５０分ころまでの間、Ｆの席でＦが毎日買ってくるスポーツ新聞記載の風俗記事などを見ながら雑談をしていた。

イ　ところが、同年６月ころから、Ｂら３名は、亡Ａに聞こえよがしに、「何であんなのがここに来たんだよ。」「何であんなのがＡなんだよ。」などと言うようになった。また、Ｄは、Ｆの席でスポーツ新聞に女性のヌード写真が掲載されている紙面を話題に話をしていたとき、Ｆの隣の席にいながら会話に入ってくることなく黙っている亡Ａに対し、「もっとスケベな話にものってこい。」「Ｆ、亡Ａは独身なので、センズリ比べをしろ。」などと猥雑なことを言ってからかうようになった。そして、亡Ａが女性経験がないことを告げると、亡Ａに対するからかいの度合いはますます強まり、Ｆに対し、「亡Ａに風俗店のことについて教えてやれ。」「経験のために連れて行ってやってくれよ。」などと言ったことがあった。さらに、その当時は、オウム真理教による地下鉄サリン事件及びその主宰者が連日マスコミをにぎわし、話題となっていた時期であった。ＤとＦは、互いに冗談交じりに「スケベ麻原」、「ジジイ麻原」などと呼び合っていたが、他方、亡Ａに対し、Ｄは、亡Ａが身長１７２センチメートル、体重約７５キログラムでやや太り気味であり、性格的にも内気であったため、「むくみ麻原」などと呼んだり、亡Ａが登庁すると「ハルマゲドンが来た。」などと言って嘲笑した。これに加えて、Ｄは、ストレス等のためにさらに太った亡Ａが、外回りから帰ってきて上気していたり、食後顔を紅潮させていたり、ジュースを飲んだり、からかわれ赤面しているときなどに、「酒を飲んでいるな。」などと言って嘲笑した。このような言動が主にＤによって行われたときには、Ｂ及びＣは、これを認識しながら、大声で笑って同調した。

ウ　これに対し、亡Ａは、黙って耐えていたが、Ｆに聞こえるように「職場にいると息が詰まるし、気疲れする。」などと独り言を言っていたこともあった。そこで、Ｆは、亡Ａの心情に配慮し、夏ころから、業務報告のまとめを亡Ａに代わって行い、午後も亡Ａを外回りの仕事に出すようになった。ところが、亡Ａは、同年９月ころになると、休みがちとなった。Ｂら３名は、亡Ａに対し、「とんでもないのが来た。最初に断れば良かった。」、「顔が赤くなってきた。そろそろ泣き出すぞ。」、「そろそろ課長（Ｂのこと）にやめさせて頂いてありがとうございますと来るぞ。」などと亡Ａが工業用水課には必要とされていない、厄介者であるかのような発言をした。

エ　亡Ａは、同年９月には、半休を含めて６日仕事を休んだが、同月２４日に行われた土木職への転任試験は受けた。同年１０月にも、半休を含めて６日仕事を休んだ。また、そのころには、亡Ａは、出勤して巡回作業に出掛けても、仕事をせずにカーフェリー乗り場で休んでいる姿を目撃されたこともあった。亡Ａは、Ｆに対し、休みがちになった理由について「職場にいると息が詰まるし、気疲れするから工業用水課の部屋にいるのが嫌だ。」などと言っていた。

オ　その後、亡Ａは、Ｘらに対し、Ｂら３名から「何であんなのがここにきたんだよ。」、「何であんなのがＡの評価なんだよ。」などと聞こえよがしに言われ、いじめを受けている旨告げた。その際、亡Ａは、Ｘ１に対し、「ε用水工事の時にうちの田を使わせていれば、こんないじめに遇わないですんだであろうに、どうして田を貸さなかったのか。」などと言って食って掛かり、何回も非難した。また、Ｂら３名のうち１名が欠勤したりしたときなどには、亡Ａは、家に帰ってきてから、「今日はいじめがなかった。」などとＸ２に報告した。

カ　同年１１月１８日から１９日にかけて、熱海で泊まりがけで川崎市水道局の工業用水課、給水部管理課、企画課の３課合同旅行会（以下「合同旅行会」）が行われた。亡Ａは、同月に入り、１０日、１５日から１７日にかけて休んだものの、Ｘ１から、工業用水課に配属されて初めての旅行だからと勧められたこともあって、これに参加した。合同旅行会は現地集合であったところ、Ｂら３名は、移動中から酒を飲み、ホテル到着後も、夜の宴会が始まる前にも部屋で酒を飲んでいた。亡Ａは、Ｂら３名が酒を飲んでいる部屋に、休みがちだったことなどについて挨拶に行ったところ、Ｄは、持参した果物ナイフでチーズを切っており、そのナイフを亡Ａに示し、振り回すようにしながら、「今日こそは刺してやる。」などと亡Ａを脅かすようなことを言った。また、Ｄは、合同旅行会の前ないしその宴会の席上において、亡Ａに対して「一番最初にセンズリこかすぞ、コノヤロー。」などと言ったり、亡Ａが休みがちだったことについても「普通は長く休んだら手みやげぐらいもってくるもんだ。」などと言ったことがあった。亡Ａは、合同旅行会の参加者全員で写真撮影をした際には、Ｄの隣で立っていた。亡Ａは、Ｄの上記言動に嫌気がさした上、翌日結婚式に出席することもあって、合同旅行会の夜は宿泊せず、午後

１０時ころ帰宅した。Ｘ１は、帰宅後には亡Ａの様子が悪く見えたので、何かあったのか尋ねたところ、Ｄからナイフを突きつけられ、「これで刺してやる。」と言われた旨答えていた。

キ　同月１９日、友人の結婚式に出席した亡Ａは、同じく出席していた同僚であるＨに対し、工業用水課でＢら３名にいじめられていると話した。亡Ａが両親であるＸら以外の者にいじめられていると話したのはこれが初めてであった。合同旅行会以後、亡Ａは、Ｄの前に出ると、一層おどおどした態度を見せるようになった。なお、同月２４日は、土木職への転任試験の合否発表日であったが、結果は不合格であった。

ク　また、亡Ａは、Ｍ議員にも、上司から、本件工事に伴ってＸ１がＹの申出を断ったことで工事費用が大きくなりＹに損害を掛けたと言われ、いじめを受けていると訴えた。これを聞いた同議員は、同月下旬ころ、Ｂと面談して、いじめの事実の有無を調査するよう申し入れた。

ケ　亡Ａは、同年１１月には、半休を含め１０日出勤したが、合同旅行会後は、半休を含め４日しか出勤しなかった。

（６）組合の事情聴取、Ｙによる調査など

ア　組合は、Ｈから、亡Ａが工業用水課においていじめを受けている旨の報告がなされたので、実態調査を行うことになった。これを知ったＢら３名は、「被害妄想で済むんだからみんな頼むぞ。」「工水ははじっこだから分からないよ（友達を何とかしないとな。）」「まさか組合の方からやってくるとは思わなかった。」などと、工業用水課の他の職員に対し、亡Ａに対するいじめ、嫌がらせは亡Ａの被害妄想であり、亡Ａを除く職員全員でいじめの事実を見聞したことはないと言えば、いじめはなかったことになる旨働き掛けるなどして、亡Ａに対するいじめの事実が亡Ａの被害妄想であると口裏合わせをするように働き掛けた。

イ　組合中央支部のＪ支部長とＫ書記長は、Ｇ課長に対し、組合本部において、亡Ａから事情を聴取するので、同席してほしい旨要請した。平成７年１２月５日、組合本部において、亡Ａ、Ｘ２、Ｇ課長、人事係長Ｒ、Ｂ、Ｊ支部長、Ｋ書記長が立ち会いの上、亡Ａに対するいじめ問題の事情聴取が行われた。亡Ａは、これまでにＢら３名からいじめを受けた内容を予め２６項目にまとめてメモ（以下「亡Ａメモ」）を作成し、これを読み上げた。その際、普段無口で大人しく、ぼそぼそと話す亡Ａが、大きな声でメモを読み上げたため、居合わせた者は一様に驚いた。亡Ａの訴えに対し、Ｂは、錯覚であると答えるのみで、事実関係について反論はしなかった。また、その際、亡Ａは、同月４日付け武田病院の診断書を提出した。その内容は、心因反応という病名で、平成７年１１月３０日から１か月の休養を要するというものであった。

なお、亡Ａメモには、以下の内容が記載されていた。

―――記載内容―――

タバコを吸っているとねないで済む

別荘を持っていないと言ったら持っていれば１ヶ所しか行けないからな

話を作るのは課長と係長がうまい

ずうずうしい、態度がでかい（もう少しかわいげがあればな）

何であんなのがＡなんだよ

ハルマゲドンが来た

麻原

食事して汗をかき顔が赤いと酒を飲んでいる

地下の自販機でジュースを飲んでいると何か少し入れても臭いもしないしわからないんだから

まさか仕事中にしょうちゅうを飲ませるわけにいかないしな

トイレに良く行くと何をしてるんだか（ションベンをしていないみたいだ俺は良くでる）

とんでもないのが来た。最初に断れば良かった

顔が赤くなってきた。そろそろ泣き出すぞ、

そろそろ課長にやめさせて頂きましてありがとうございましたと来るぞ

あいつは気が小さいから何もできない

３課合同旅行で１番最初にセンズリこかすぞコノヤロー

ナイフでチーズを切りながら今日こそは刺してやる

役所は何でもナマイキだで済むからな

被害妄想で済むんだからみんなたのむぞ

工水は、はじっこだからわからないよ（友達を何とかしないとな）

酒を飲まないと調子が出ない

まさか組合の方からやってくるとは思わなかった

いじめられているように小さくなっている

今度工水に来たやつはずうずうしいらしいな、そうなんだよ工水は２階のオアシスだからな

どうせ友達がいないんだからみんなでやってやればいいんだ

普通は長く休んだら手みやげくらい持ってくるもんだ

―――記載内容　以上―――

ウ　亡Ａは、平成７年１２月には、１９日に出勤したのみで、この日以外は出勤しなかった。亡Ａからのいじめられているという訴えを受け、Ｇ課長は、自らＢら３名のほか工業用水課職員から事情聴取をするとともに、Ｂに対し、工業用水課の職員を中心にい

じめを見聞したことがあるか否か調査するよう指示したが、その後亡Aが欠勤を続けているということで亡Aから直接事情を聴取することはなかった。調査の結果、G課長は、いじめの事実を自ら確認することはできなかった上、平成8年1月9日、Bからも同様の報告を受けた。

エ　また、M議員は、平成8年1月5日、Bと面談し、亡Aの希望に添って配置転換をしてほしい旨申入れた。

オ　亡Aは、同年1月に入っても、出勤しなかった。上記調査結果が出された同月9日、G課長、K書記長らは、Xら宅を訪問し、職場復帰の日、復帰後の執務場所などについて話合いを行ったが、調査結果については報告しなかった。しかし、亡Aは、同月16日ないし同月18日に出勤したのみで、その後は出勤しなかった。なお、亡Aは、工業用水課に配属されてから、太りだし、平成8年1月ころには、配属当初70から75キログラム程度であった体重は85キログラム程度に増えていた。

カ　同月22日、水道局のL総務部長は、X1から面談を求められ、亡Aの机の中から遺書が出てきたと知らされた。そこで、同日、G課長及びR係長は、武田病院の担当医師と面談し、その後、Xら宅を訪問した。その際、亡Aは、資材課への配転の希望を申し出たが、G課長らは、亡A及びXらに対し、「今休んでいるので、配転替えは難しい。」旨答えていた。

キ　平成8年1月ころ、Fは、出勤していなかった亡Aの税金の年末調整をXら宅の最寄り駅近くの喫茶店まで持参したことがあったが、その際、X2がFに対し、工業用水課での亡Aの様子を聞いたところ、Fは、亡Aメモに記載された内容とほぼ同様のいじめ、嫌がらせの事実があったと話していた。

(7)武田病院における治療状況など

ア　武田病院への受診経過

亡Aは、平成7年11月28日、中村医院で受診した。その際、亡Aは、担当医師に対し、同年5月に職場が変わり、そのころより胃痛、食後吐き気などがあり、職場の人間関係でストレスを負っている旨訴えた。同医師は、診察の結果、武田病院を紹介した。なお、同年12月2日、同医院でレントゲン検査がなされたが、異常がなかった。

イ　武田病院における亡Aの訴え

武田病院のカルテには以下のように記載がなされている。

―――記載内容―――

・平成7年11月30日(初診)

上司にいじめられた。課長と(工務係だが)別の事務係長と事務係の主査にいじめられた。3人がわざと本人に聞こえるように話をする。「ハルマゲドンが来た」「麻原」「図々しい奴が来た」

本人だけしか移動で行かず。本人が振り向くと黙る。３人で大声で言う。他人が聞こえるように「わざと聞こえるように言っているのだ」と言った。

６月から１０月まで相談しないで我慢していた。憂鬱だった。１１月に組合に相談した。改善の努力してくれるが改善しないので、逃げ場がなくなり苦痛になった。

平成７年９月から、夜寝汗をかく、不眠、腹具合が悪い、気分が晴れぬがひどくなった。食欲なし。

死にたいと思う。

私止めても働く場所ないし、心が沈む。

・同年１２月４日

工業用水課のｂ課長、Ｃ事務係長、Ｄ事務係主査が意地悪する。

・同月１１日

５日に今まであったことを全部メモしていった。皆の前で公表した。でも認められたのは一部。ｂとＣははっきりやったと言わず。Ｄの分は何となく認めた。

・同月１５日

職場は変わってない。私不安になった。多分もうないと思うが光景が浮かんでくる。近づくと行きたくなくなる。

・同月２５日

１２月２０日出勤した１日　違うことで納得できぬ。

（意地悪の方はどうなった？）表面上はない。

・平成８年１月８日

１月４日から仕事始め、行ったが勤務できず、３人の顔見て駄目、仕事する気になれず？体緊張した。あと休。人の目が気になる。

意地悪されつらい、状況変り、軽くなっている。

自分で重くなっている気がする。

死にたくなる。

・同月２４日

配転を考えると課長が言ってくれた。

意地悪もうない。

・同年2月7日

人事係長に電話した。3月の異動は無理と言われた。「3月1日から1か月働けば今の職場で働け。」と言われた。今の職場に復帰すれば、前の記憶がよみがえる。

診断書は市役所のだ、また起きるといけないので3人の名を入れて発症から書いてもらいたい。

・同月１９日

職員課長（G）と人事係長（R）に電話で聞いた。はっきりしたこと言わぬ。

・同年３月１５日

３月１４日審査会で、D先生と話した。結果は３月２７日に審査会開き、異動日と職場復帰が決まる。ぎりぎりだ。不安だ。

・同月２９日

異動決定した職場復帰も４月１日からになった。前の職場に戻ることになった。前のつながっていた人間関係がどうなってる。信用なくなってるのではないか？

―――記載内容　以上―――

ウ　武田病院の医師の診断など

武田病院では、初診以来、亡Aの症状については、心因反応と診断した。同病院の担当医師は、紹介先の中村医院に対し、平成７年１２月２日付けの書面で、「職場の人間関係に関係のある心因反応だと思いますので、外来通院で治療します。必要なら入院も考えます。」と報告した。その後、同病院で薬物療法と精神療法が行われた結果、症状は軽快の傾向が見られた。同病院の担当医師は、軽度の不安はあるが、平成８年４月１日から職場復帰が可能であるとし、その際、人事異動を行うのが適当であると診断した。

（8）　資材課への異動及びその後の状況など

上記のとおり、G課長らは、当初、亡A及びXらに対し、「今休んでいるので、配転替えは難しい。」旨答えていた。その後、水道局は、亡Aの希望と武田病院の医師の診断結果を基に、資材課量水器係に異動させることにし、平成８年３月１４日、L総務部長が、亡Aを同係に異動させるためには労働条件の変更を伴うため、組合３役に対し、事前説明を行って、職場復帰の作業を進めた。一方、亡Aは、他課への配転がなされるかどうかなどに不安を抱き、同月１５日、武田病院で治療を受けていったん帰宅した後、外出し、夜になってJ支部長らに電話で「車で岸壁にぶつかって死んでやる。」などと言ったので、驚いた同支部長らは、亡Aを説得し、帰宅させた。結局、亡Aは、同年４月１日付けで同係に配転されることになり、同日、同係に出勤した。ところが、工業用水課のいじめに加わった上司の一人が昇進するらしい旨聞いてショックを受け、帰宅後も興奮状態が続いていた。同月２日朝、亡Aは、L総務部長に対し、電話でその人事異動について抗議した。その後、亡Aは、自宅物置でロープを吊って自殺を図ったが、X１が発見して思いとどまらせた。

亡Aは、同月４日には、ガス栓を開けて自宅台所でガス自殺を図ったが、未遂に終わった。また、同月７日には大量服薬をして、救急車で搬送された。亡Aは、同月１日と同月２日のみ出勤し、その後は同年１２月まで欠勤が続いた。

（9）資材課への異動後の武田病院における治療状況など

ア　平成８年４月３日

亡Ａは、担当医師に対し、「他人の茶をのみ、こぼしたことを気にした。辛いといい、嘆く。昨夜すさんだ。物置でロープをつった。工業用水の元係長が課長になったらしい。それがきっかけだが、他人ならならぬ。」などと説明した。

イ　同月５日

亡Ａは、担当医師に対し、昨夜ガス栓をひねり死のうとした、死んだ方がよかったと思うなどと話したところ、同医師から「あなた自分を大事にして自殺しない気持になってくれるといい。」「死にたいの分かるが我慢して。」と説得され、「そのようにします。」と答えた。

ウ　同月９日

Ｘ１は、亡Ａが自殺未遂を起こしてから、このまま在宅治療を続けることに不安を抱き、担当医師に相談したところ、武田病院が満床であったため、日精病院を紹介された。

（１０）日精病院、武田病院における治療状況など

ア　日精病院における第１回目の入院

亡Ａは、平成８年４月９日、同病院で診察を受けた。その際、亡Ａは、担当医師に対し、「職場でいじめに遭っていた。仕事に行くのは嫌で休んでいた。周囲で何か話していると落ち着かない。自分のことを悪く言われているような気がする。声が聞こえて来るというようなことはありません。死にたくなることは時々あった。実際に計画した。ガス栓を開いたり、薬をまとめて飲んだりした。」と訴えた。担当医師は、亡Ａが未遂にとどまっているものの自殺を繰り返しており、自殺念慮が残存すると診断し、同日、亡Ａを医療保護入院させた。

その後、亡Ａは、外泊の許可をもらって自宅に帰ったことがあったが、その期間中、仕事のことを考え、不安定になり自殺を企てた。

亡Ａは、武田病院に転医するため、同年５月１７日日精病院を退院した。

イ　武田病院への通院

亡Ａは、同月１８日、同月１９日、同月２４日、武田病院で治療を受けた。その際、担当医師に対し、「体重落ちぬ。９８ＫＧ。職場を恨んでいたのは多少残っている。死にたいがやせたいに変わった。」などと話していた。

ウ　日精病院における第２回目の入院など

亡Ａは、武田病院が満床であったため、同月２４日、日精病院に再度任意入院したが、同月３１日、デイケアで病棟を出てそのまま自宅に帰ってしまうという事故が発生したため、医療保護入院に切り替えられた。そして、外泊中の同年６月２０日、武田病院を受診した際、亡Ａは、「女の子いて声かけ振られた。」などと話していた。同病院の医師は、

亡Ａに対し、デイケアに通うよう指導した。亡Ａは、同年７月８日に日精病院を退院し、その後、同病院にデイケアに通っていたが、不安感が増大し、状態が悪化したため、同月３０日、亡Ａを診察した同病院の医師の紹介により、福井記念病院に転医することになった。

エ　日精病院の診断

同病院の医師は、亡Ａの症状につき、第１回目の入院時には、精神分裂病、人格障害と診断したが、入院後の平成８年４月２０日以降は心因反応、境界性人格障害と診断した。また、第２回目の入院時には、精神分裂病と診断したが、その後は、境界性人格障害と診断し、退院後、心因反応と診断し、福井記念病院への紹介状には、精神分裂病あるいは境界性人格障害と記載した。

（１１）福井記念病院における治療状況など

ア　第１回目の入院

亡Ａは、平成８年７月３０日に入院し、精神療法を受けたが、入院したころ、「水道局では、４ケ所程勤務場所が変ったが、３ケ所目の工業用水課に勤務していた時に、上司３人に色々といやがらせをされた（平成７年５月～)。以前用地使用の件で父に依頼してきたことがあったが、父が断った経緯がある（平成４年頃)。上司からおまえの父が断ったために７０００万円余計に使ったと言われたことがある。」と話していた。また、亡Ａは、平成８年８月８日、担当医師に対し、「病気になったのは父が用地使用の件で断ったことが契機になっている。もう済んだことではあるが、時々思い出したりしてしまう。」と話したこともあった。その後も、亡Ａは、職場やＸ１に関し、担当医師に対し、「父の話があってから水道局が嫌いになってしまった。ほかの局に行くには試験があるので行くことができない。」、「前の土地の件のことがひっかかっている。水道局の人も許せないが親も許せない。」、「当時父には貸した方が良いと話したが、父は田んぼがやりにくくなってしまうからと反対した。」などと話していた。亡Ａは、同月１９日、任意入院から医療保護入院に切り替えられ、治療をうけていたが、症状が軽快したので、同年１０月１４日退院した。

イ　第２回目の入院

亡Ａは、福井記念病院を退院後、かわむらクリニックに通院していたが、同年１１月７日、同病院を受診した際、「夜間眠れない。外に出ようとしない。夕方になると不安が大きくなり、泣き出すこともある。」と訴え、入院を希望したので、同日、同病院に入院した。その後、精神療法がなされていたが、亡Ａは、「１２月に職場復帰したいので、審査会の用紙が送られてきた段階で退院したい。入院したのは肥満防止のためだから。」などと話していた。結局、亡Ａの希望により、入院後５日目に退院した。

ウ　第3回目の入院

亡Aは、同年１１月１１日に福井記念病院を退院したが、同月１３日、同病院を受診した際、「退院したが、家でごろごろしている。食べてばかりで体重が減らない。入院して体重を減らしたい。」と訴えて入院を希望したので、同日、同病院に入院した。亡Aは、同月１５日、担当医師に対し、「１１月１２日自宅で首つりを図る。夕方家の倉庫で吊ったが、ロープが切れて助かった。もう馬鹿なまねはやりません。１２月から仕事に出ようと思ったけど出れないことで先生を恨んでいました。ただ入院して先生の気持ちも分かりました。病気を治したいので自宅で療養したい。」と話し、入院後４日目に退院した。

エ　福井記念病院の診断

同病院の医師は、亡Aの症状につき、第１回目に入院した当時、精神分裂病と診断したが、Y宛ての診断書では、心因反応と診断した。その後も、精神分裂病と診断し、第３回目の退院時の病名も精神分裂病であった。

（１２）かわむらクリニックにおける治療状況など

ア　亡Aは、第１回目に福井記念病院を退院した後である平成８年１０月１７日、かわむらクリニックで受診した。また、第３回目に同病院を退院した当日である同年１１月１６日と同月２８日に同クリニックを受診し、その後、同年１２月には3回、平成９年1月には9回、同年２月には３回（最終日同月２７日）それぞれ同クリニックに通院した。

イ　亡Aは、同クリニックに通院中、「１日中不安感にさいなまれ、困惑状態であった。」、「死にたい。」、「1月１日復職決定。余り自信はない。」などと訴えていた。

ウ　亡Aは、平成９年１月復職したが、同月９日、同クリニックを受診した際、「今日休んでしまった。何となく困っちゃって朝起きられなかった。」などと説明していた。その後も、亡Aは、同クリニックで受診する都度、不安感などを訴えていた。

エ　同クリニックでは、亡Aの症状につき、初診時、精神分裂病と診断したが、平成８年１２月６日付けのY宛ての診断書では、傷病名を心因反応とし、「現在は症状なく安定しており、寛解状態にある。平成９年1月１日より復職が可能である。」と診断した。その後も、Y宛ての診断書では、心因反応と診断していたが、武田病院宛の診療情報提供書では、精神分裂病と診断していた。

（１３）その後の亡Aの状況など

亡Aは、平成８年９月ころからマンションで一人暮らしをする準備をし、自立する努力などをした。Yは、かわむらクリニックの診断と亡Aの希望に基づき、平成９年１月から亡Aを職場復帰させることを決定した。しかし、職場への復帰は思うようにならず、亡Aが出勤できたのは同月６日、同月７日、同月８日、同月１３日（ただし１３日は半休）のみであり、その後は出勤できなくなってしまった。亡Ａは、なおも職場復帰したいと考え、同年２月下旬ころには、同年４月１日の職場復帰に向け、体力を付けておかなければならないとして、トレーニングを始めるなどしていた。亡Ａの病状は、回復に向かったり逆に増悪したりすることを繰り返していた。

（１４）亡Ａの自殺状況など

平成９年３月４日、亡Ａは自宅１階で首をくくって自殺した。亡Ａの遺体の目のあたりには新しい傷があり、Ｘらの顔にも亡Ａが不安が高じてＸらに暴力をふるった際にできた青あざがあった。なお、死亡時の亡Ａの体重は約９０キログラムであった。

亡Ａの死亡当日、Ｘ１は、自宅物置などにおいて、以下のとおり、亡Ａが記載した遺書１ないし５（５通）を発見した。遺書１は段ボールの破片の表裏に記載されたものであり、遺書２ないし５はいずれもノートに記載されたものである。

―――遺書１記載内容―――

私、亡Ａは、工業用水課でのいじめ、ｂ課長、Ｃ係長、Ｄ主査に対する「うらみ」の気持が忘れられません。また水道局の組しき機構の見直し、人事異動の不公平にがまんができません。そして組合（本部）もくさいものにはフタのような考え方で納得できません。最後にお世話になった方々にごめいわくをかけました。すいませんでした。お父さん、お母さん私がいなくなっても気を落さないでがんばって下さい。二十八才まで育ててくれてありがとうございました。平成八年一月三~~日午前三時三十分~~亡Ａ　３人の双らをうらみながら死にます。四日午後十一時四十五分

―――遺書１記載内容　以上―――

―――遺書２記載内容―――

お父さん、お母さん、先立つ不幸をおゆるしください。今回の役所の事では大変めいわくをかけてしまいました。今まで２８年間苦労のかけっぱなしで一度も孝行できませんでしたが、私は幸せでした。お世話になりました。

―――遺書２記載内容　以上―――

―――遺書３記載内容―――

Ｍ先生、奥様、Ｗ様、役所に入れて頂いたばかりでなく、今回のことでは大変めいわくをおかけしましたが、このような結果になってしまいました。おわびのしようもありませんが、これでおゆるし下さい。

―――遺書３記載内容　以上―――

———遺書４記載内容———

Ｚ書記長、Ｊ支部長、Ｋ副支部長、今回のことでは大変ごめいわくをおかけしました。何度も登戸まで来て頂きはげましていただきましたが、これで限界となりました。生前のお礼を申し上げてお別れさせて頂きます。ありがとうございました。

———遺書４記載内容　以上———

———遺書５記載内容———

甲主管、乙さん、Ｈさん、資材にいるころから、ほんとに良くしてもらい大変感しゃしています。

———遺書５記載内容　以上———

（１５）亡Ａの自殺後の経過

Ｍ議員は、平成９年３月１２日、川崎市議会の予算審査特別委員会において、亡Ａの自殺の原因として職場におけるいじめがあったとして質問した。これに対し、Ｓ水道局長は、亡Ａに積極的に職場に溶け込んでいくという姿勢が見られず、転任試験も重なり、精神的重圧を受けて欠勤するようになり、休職期間中、亡Ａ、Ｘら及び医師と相談しながら最善の方法を模索していたが、自殺に至った旨答弁し、いじめがなされていたことを否定した。Ｘらは、亡Ａの死亡後、Ｆに対し、いじめの事実の有無について質問したところ、Ｆは、これを認めた。その後、Ｆは、平成９年４月１４日付けメモ（以下「Ｆメモ」）を作成し、Ｘらに渡した。そのメモの内容は、以下のとおりである。

———記載内容———

オウム教　サリン事件のときで

日刊スポーツ

すけべ麻原　Ｆ

むくみ〃　亡Ａ

日刊のハダカ

Ｆ、亡Ａ独身なので

センズリくらべ

もっと、スケベな話に乗って来い。

音無しいのでもっと大声、元気を出せ。

Ｆみたいにずぶとくなれ。

三課合同旅行で

ナイフでつまみかチーズ切っていて

手元で振り廻す。

５月は何でもない
６〜７月で
びびり出す。→工水に居るのがいやなので
　　　　　夏にもAM、PM外に出る

―――記載内容　以上―――

Ｘらは、Ｙの対応に不信を抱き、弁護士に相談し、亡Ａメモ、Ｆメモを渡したところ、同弁護士から、事実関係を確認するため、Ｆを同行するよう指示された。その後、Ｘらは、Ｆを同行して、同弁護士の事務所に赴いた。同弁護士は、Ｆから説明を受けながら、手控えを取った。その手控え中には、「当時オーム事件が盛んに報道されているときで、Ｄは、Ｆ、亡Ａが太り気味で顔が丸いので、Ｆに対してすけべ麻原と似ている、亡Ａに対しては顔がむくんで麻原と同じ類いだ」、「亡ＡはＤのこのような言動を経験して怖い人だと思っていたようである。亡Ａから特に相談は受けなかったが、Ｄのたいどについて亡Ａが嫌がっていたようなので、午後も外まわりの仕事に出て、検査結果のまとめの方は、自分でやってあげると言った。」、「日刊スポーツ紙などに載っているヌード写真をＦ、亡Ａに見せつけて、どうだと言ってからかっていた。このような時期（６月下旬）頃亡Ａが自分は女性経験がないとＤに話したことがある。それをきっかけにして余計にからかいを強めてからかいの度がはげしくなり、Ｆに対して亡Ａを風俗営業に連れて行って女を知ってこい。亡Ａはこれに対して下を向きに黙っていた。亡Ａは声が小さいし、ぼそぼそと話しをするくせがあるが、これに対しＤが「亡Ａ、もっと元気を出せ、大きな声で話せ。」と言っていた。（亡Ａ、Ｆを呼捨て）記事の中のわいせつ関係の部分を見せて、男なんだから、こんな話にも乗ってこい。」などと記載されていた。

Ｘらは、Ｙに対し、国家賠償法又は民法７１５条に基づき損害賠償を、Ｂ、Ｃ及びＤに対し、同法７０９条、７１９条に基づき損害賠償をそれぞれ求めた。原審（横浜地裁川崎支判平 14.6.27 労判 833 号 61 頁）は、Ｙの賠償責任を肯定したが、「公権力の行使に当たる公務員が、その職務を行うについて、故意又は過失によって違法に他人に損害を与えた場合には、国又は地方公共団体がその被害者に対して賠償の責任を負うべきであり、公務員個人はその責を負わないものと解されている」とし、「そうすると、本件においては、被告Ｂら３名がその職務を行うについて亡Ａに加害行為を行った場合であるから、Ｘらに対し、その責任を負担しないというべきである」として、Ｂら３名の個人責任を否定した。

【判旨】

（1）Ｂら３名の亡Ａに対するいじめの有無について

「以上認定の事実関係に基づいて判断するに、〔1〕Ｂら３名が、平成７年５月１日付けで工業用水課に配転された亡Ａに対し、同年６月ころから、聞こえよがしに、『何であんなのがここに来たんだよ。』、『何であんなのがＡの評価なんだよ。』などと言ったこと、〔2〕Ｄが、Ｆといわゆる下ネタ話をしていたとき、会話に入ってくることなく黙っている亡Ａに対し、『もっとスケベな話にものってこい。』、『Ｆ、亡Ａは独身なので、センズリ比べをしろ。』などと呼び捨てにしながら猥雑なことを言ったこと、そして、亡Ａが女性経験がないことを告げると、亡Ａに対するからかいの度合いをますます強め、ＤがＦに対し、『亡Ａに風俗店のことについて教えてやれ。』『経験のために連れて行ってやってくれよ。』などと言ったこと、〔3〕Ｄが、亡Ａを『むくみ麻原』などと呼んだり、亡Ａが登庁すると『ハルマゲドンが来た。』などと言って嘲笑したこと、〔4〕Ｄが、ストレス等のためにさらに太った亡Ａに対し、外回りから帰ってきて上気していたり、食後顔を紅潮させていたり、ジュースを飲んだり、からかわれて赤面しているときなどに、『酒をのんでいるな。』などと言って嘲笑したこと、〔5〕同年９月ころになると、いじめられたことによって出勤することが辛くなり、休みがちとなった亡Ａに対し、Ｂら３名は、『とんでもないのが来た。最初に断れば良かった。』『顔が赤くなってきた。そろそろ泣き出すぞ。』『そろそろ課長（Ｂのこと）にやめさせて頂いてありがとうございますと来るぞ。』などと亡Ａが工業用水課には必要とされていない、厄介者であるかのような発言をしたこと、〔6〕合同旅行会の際、亡Ａが、Ｂら３名が酒を飲んでいる部屋に、休みがちだったことなどについて挨拶に行ったところ、Ｄが、持参した果物ナイフでチーズを切っており、そのナイフを亡Ａに示し、振り回すようにしながら『今日こそは切ってやる。』などと亡Ａを脅かすようなことを言い、さらに、亡Ａに対し、『一番最初にセンズリこかすぞ、コノヤロー。』などと言ったり、亡Ａが休みがちだったことについても『普通は長く休んだら手みやげぐらいもってくるもんだ。』などと言ったことが認められる」。

「以上のとおり、亡Ａが工業用水課に配属になっておよそ１か月ぐらい経過したころから、内気で無口な性格であり、しかも、本件工事に関するＸ１とのトラブルが原因で職場に歓迎されていない上、負い目を感じており、職場にも溶け込めない亡Ａに対し、上司であるＢら３名が嫌がらせとして前記のような行為を執拗に繰り返し行ってきたものであり、挙げ句の果てに厄介者であるかのように扱い、さらに、精神的に追い詰められて欠勤しがちになっていたもののＸ１から勧められて同課における初めての合同旅行会に出席した亡Ａに対し、Ｄが、ナイフを振り回しながら脅すようなことを言ったものである。そして、その言動の中心はＤであるが、Ｂ及びＣも、Ｄが嘲笑したときには、大声で笑って同調していたものであり、これにより、亡Ａが精神的、肉体的に苦痛を被ったことは推測し得るものである。

以上のような言動、経過などに照らすと、Ｂら３名の上記言動は、亡Ａに対するいじめというべきである」。

（２）Ｙの主張に対する検討

「Ｂら３名による亡Ａに対するいじめの事実はなく、亡Ａは、精神分裂病ないし境界性人格障害による関係妄想、被害妄想が生じた結果、Ｂら３名からいじめを受けたと訴えていたものである旨」Ｙは主張する。

「しかしながら、前記のとおり、〔１〕亡Ａは、平成７年１２月５日、組合本部において、Ｊ支部長らの組合幹部に加えて、Ｇ課長、Ｂらの立会の下、亡Ａメモを読み上げていじめを訴えたが、これには、日時、場所等の記載はないものの、工業用水課でいじめをうけた内容が一応具体的に記載されており、これを聞いたＢは、事実関係について反論をしなかったこと、〔２〕亡Ａは、いじめを受けた後、Ｘ１に対し、いじめを受けていることを打ち明け、『ε用水工事の時にうちの田を使わせていれば、こんないじめに遇わないですんだであろうに、どうして田を貸さなかったのか。』などとＸ１を非難し、また、合同旅行会でいじめを受けたことについては、『宴席でＤという上司から、チーズ料理について出てきたナイフを突き付けられ、「これで刺してやる」とおどされた。』と具体的に述べていること、〔３〕亡Ａは、Ｘ２に対しても、『何であんなのがここにきたんだよ。』、『何であんなのがＡの評価なんだよ。』などといじめを受けていたことを訴えるとともに、Ｂらの３名のうちの１名が欠勤すると、嫌がらせをされないなどと報告していたこと、〔４〕亡Ａは、Ｍ議員にも、上司から、本件工事に伴ってＸ１がＹの申出を断ったことにより工事費用が大きくなりＹに損害を掛けたと言われるとともに、そのことでいじめを受けていると訴え、同議員は、平成７年１１月下旬ころ、Ｂと面談して、いじめの事実の有無を調査するよう申し入れ、さらに、平成８年１月５日、Ｂに対し、亡Ａを工業用水課から資材課などに異動させるよう申入れたこと、〔５〕亡Ａは、昭和６３年４月に水道局に採用されて以来、真面目に勤務していたが、工業用水課に配転後２ないし３か月が経過してから、Ｆに聞こえるように、『職場にいると息が詰まるし、気疲れする。』と独り言を言うようになり、半年後からは休暇も多くなり、しかも、合同旅行会後、Ｄの前に出ると一層おどおどした態度に出るようになり、間もなくほとんど出勤しなくなってしまったものであり、このような経過に照らすと、工業用水課に配転後、亡Ａを精神的に追い詰めるような出来事があったと推認されること、〔６〕亡Ａは、合同旅行会後の平成７年１１月３０日、武田病院で受診し、その後も通院していたが、同病院では心因反応と診断されており（亡Ａは、平成８年１月１９日には、武田病院の医師に対し、自己の病状が重くなっている気がする旨述べており、典型的な精神分裂病では病識がないとされていること…からして、少なくともその時点において精神分裂病に罹患していたとは認められないこと）、その後自殺を企てるようになってから、精神分裂病あるいは境界性人格障害と診断されたものであり、しかも、同病院、日精病院、福井記念病院及びかわむらクリニックで受診した際、一貫して、各医師に対し、職場においてＢら３名から受けたいじめによる不安、精神的苦痛を訴えていたこと、〔７〕亡Ａは、遺書１を作成しながら、自殺を思いとどまったが、これには、『私、亡Ａは、工業用水課でのいじめ、Ｂ課長、Ｃ係長、Ｄ主査に対する「うらみ」の気持が忘れられません。』などと記載されていたこと、〔８〕Ｆメモ及び同人から事情聴取した○○弁護士の手控えには、Ｄが亡Ａに対し『むくみ麻原』と呼んでいたこと、ヌード写真を見せてからかっていたこと、合同旅行会において、ナイフを振り回していたことなどの記載部分があり、これらは亡Ａに対するいじめがなされた事実を裏付ける証拠となり得ることが認められ、これらの諸事情を併せ考えると、いじめの事実を否定する証人Ｇ、同Ｆ、Ｂ、Ｄ及びＣの各供述等は採用できず、他にこれを覆すに足りる証拠はない。Ｙは当審において、亡Ａと同じ工業用水課に勤務していたＩ、Ｊ、Ｃ、Ｇ、Ｈの各陳述書…を提出し、各陳述書には亡Ａに対するいじめがなかった趣旨の記載があるが、上記認定を覆すに足りない」。

「以上によれば、亡Ａに対するいじめはなく、精神分裂病ないし境界性人格障害により妄想が生じた結果、亡ＡがＢら３名からいじめを受けたと訴えていた旨」のＹの主張は採用できない」。

（３）Ｂら３名のいじめと亡Ａの自殺との間の因果関係（いじめによって心因反応を生じること及び自殺との間の因果関係）

「前記のとおり、亡Ａは、平成７年５月１日付けで工業用水課に配転されたが、それまでは欠勤するようなことはなく、真面目に仕事に取り組んでいた。ところが、歓送迎会の席上、上司から、本件工事に際し、Ｘ１がＹから申入れのあった土地借用を断ったことで、工事費用が増大したと言われ、このことから自分が歓迎されていないことを知るとともに、負い目を感じるようになった。そして、同年６月ころから、上司であるＢら３名から前記のようないじめを受けるようになり、精神的に追い詰められ、同年９月からたびたび休暇を取るようになり、Ｄからナイフを突き付けられて脅されてからは、ほとんど出勤しなくなるとともに、睡眠障害、寝汗などの異常が見られるようになり、同年１１月３０日に武田病院で診察を受けたところ、職場の人間関係に原因のある心因反応と診断された。平成８年４月１日付けで資材課量水器係に配転され復職したが、いじめに加わった上司の一人が昇進するらしいと聞いたことから、ショックを受け、わずか２日出勤したのみで、その後出勤しなくなった上、自殺を図り、日精病院、福井記念病院に入院し、その後もかわむらクリニックに通院していたが、平成９年３月４日、自殺するに至った。

亡Ａの自殺の原因については、自殺直前の遺書等がなかったが、亡Ａの作成した遺書１には、『私、亡Ａは、工業用水課でのいじめ、Ｂ課長、Ｃ係長、Ｄ主査に対する「うらみ」の気持が忘れられません。』などと記載されており、これに加え、いじめによって心理的苦痛を蓄積した者が、心因反応を含む何らかの精神疾患を生じることは社会通念上認められ、さらに、心因反応（心因性精神病）は、国際疾病分類第１０回修正（以下『ＩＣＤ－１０』という。）第５章『精神および行動の障害』の分類Ｆ４の『神経症性障害、ストレス関連障害および身体表現性障害』に当たると考えられ、これらの障害は、自殺念慮の出現する可能性は高いとされている…。そして、亡Ａには、他に自殺を図るような原因はうかがわれないことを併せ考えると、亡Ａは、いじめを受けたことにより、心因反応を起こし、自殺したものと推認され、その間には事実上の因果関係があると認めるのが相当である。

なお、前記認定のとおり、亡Ａが初めに治療を受けた武田病院の診断は心因反応であったが、平成８年４月９日以降に治療を受けた日精病院の診断は、『精神分裂病、人格障害』（第１回目の入院時）、『心因反応、境界性人格障害』（入院後）、『精神分裂病』（第２回目の入院時）、『境界性人格障害』（入院後）、『心因反応』（退院後）であり、福井記念病院の診断は『精神分裂病』（川崎市あての診断書では『心因反応』）であった。この点につき、福井記念病院の丙医師は、当審で提出された回答書…において、亡Ａの病名は統合失調症（同回答書によれば、平成１４年８月の日本精神神経学会において、『精神分裂病』は『統合失調症』に呼称変更されたとのことであるが、以下では便宜『精神分裂病』という。）又は心因性精神障害であり、発症時期は平成７年秋ころである旨述べている。以上によれば、亡Ａの病名は心因反応又は精神分裂病とするのが妥当と思われるが、精神分裂病はＩＣＤ－１０による上記分類のＦ２に当たるから、上記判断と同じく、亡Ａに対するいじめと精神分裂病の発症・自殺との間には事実的因果関係が認められる。

この点につきＹは、精神分裂病は内因性（目覚し時計がひとりでに鳴るように、内から起こる意）の精神疾患であり、何らかの原因（出来事）によって発症するものではないから、いじめと亡Ａの精神分裂病の発症との間には事実的因果関係がない旨主張する。しかしながら、Ｙが引用する『心理的負荷による精神障害等に係る業務上外の判断指針について』（平成１１年９月１４日付け労働基準局長通達）においても、業務の強い心理的負荷（職場における人間関係から生じるトラブル等、通常の心理的負荷を大きく超えるものについて考慮するものとされている。）により精神障害（ＩＣＤ－１０の分類によるもの）を発病する場合があるものとされ、業務による心理的負荷によってこれらの精神障害が発病したと認められる者が自殺を図った場合には、精神障害によって正常の認識、行為選択能力が著しく阻害され、又は自殺行為を思いとどまる精神的な抑制力が著しく阻害されている状態で自殺が行われたものと推定し、原則として業務起因性が認められるものとされているのであって、上記主張を採用することはできない。もっとも、健常者であればそのほど心理的負荷を感じない他人の言動であっても、精神分裂病等の素因を有する者にとっては強い心理的負荷となり、心因反応ないし精神分裂病の発症・

自殺という重大な結果を生じる場合があり、この場合に、加害者側が被害者側に生じた損害の全額を賠償すべきものとするのは公平を失すると考えられるが、その点は、後記のとおり、過失相殺の規定を類推適用して賠償額の調整を図るべきである。

また、Yは、Yの職員の言動によって亡Aに精神分裂病等が発症することは予見不可能であったから、仮にいじめがあったとしても、その行為と亡Aの死亡（自殺）との間には相当因果関係がない旨主張するが、前記認定説示のとおり、Bら3名の言動が亡Aに対するいじめ（不法行為）であり、その行為と亡Aの心因反応ないし精神分裂病の発症・自殺との間に事実的因果関係が認められる以上、不法行為と損害（亡Aの死亡）との間に相当因果関係がある（損害論の問題）というべきである」。

この点に関し、Yは、「〔1〕亡Aには、高校時代に2度の不登校、退学ということがあったこと、亡Aの診療録を検討すると、亡Aは、高校生時代から内因性ないし器質性の境界性人格障害ないし境界型精神分裂病を発症していたことがうかがわれ、これらは特に原因がなくとも発症するのであるから、仮にいじめがあったとしても、亡Aの自殺との間に因果関係を認めることはできない、〔2〕亡Aの自殺にはいじめ以外の要因が働いていることなどから条件関係すら認められないなどと主張するが、〔1〕の点については、前記のとおり、亡Aは、水道局に採用されて以来、勤務態度は積極的であり、○営業所時代には勤務評定でAの評価を得ており、工業用水課に配属された当初もいじめを受けるまでは真面目に勤務していたものであり、高校時代から境界性人格障害又は精神分裂病を発症していたことを認めるに足る証拠はなく、また、その余の点についても前記認定の諸事情に照らすと、いずれも採用することができない。Yは、亡Aに対するいじめがあったとしても、それは亡Aの精神疾患の原因でなく、『引き金』になったすぎないとも主張するが、Yは、精神分裂病は内因性の精神疾患であって、何らかの原因（出来事）によって発症するものでなく、また、亡Aは高校生時代から既に精神疾患を発症していたという前提に立っているところ、その前提を認めることができないことは前記のとおりであるから、上記主張は失当というべきである」。

（4）Yの責任

「一般的に、市は市職員の管理者的立場に立ち、そのような地位にあるものとして、職務行為から生じる一切の危険から職員を保護すべき責務を負うものというべきである。そして、職員の安全の確保のためには、職務行為それ自体についてのみならず、これと関連して、ほかの職員からもたらされる生命、身体等に対する危険についても、市は、具体的状況下で、加害行為を防止するとともに、生命、身体等への危険から被害職員の安全を確保して被害発生を防止し、職場における事故を防止すべき注意義務（以下『安全配慮義務』という。）があると解される。

また、国家賠償法１条１項にいわゆる『公権力の行使』とは、国又は公共団体の行う権力作用に限らず、純然たる私経済作用及び公の営造物の設置管理作用を除いた非権力作用をも含むものと解するのが相当であるから、Ｙの公務員が故意又は過失によって安全配慮保持義務に違背し、その結果、職員に損害を加えたときは、同法１条１項の規定に基づき、Ｙは、その損害を賠償すべき責任がある。

そこで、以下、この点について検討する」。

「前記のとおり、亡Ａは、平成７年５月１日付けで工業用水課に配転されたが、内気で無口な性格であり、しかも、本件工事に関するＸ１とのトラブルが原因で職場に歓迎されず、また、負い目を感じ、職場にも溶け込めない状態にあった。ところが、亡Ａが工業用水課に配転されてから１か月しか経過せず、仕事にも慣れていない時期に、上司であるＢら３名は、職員数が１０名という同課事務室において、一方的に執拗にいじめを繰り返していたものであり、しかも、Ｂは、同課の責任者でありながら、亡Ａに対するいじめを制止しなかった。その結果、亡Ａは、巡回作業に出掛けても、巡回先に行かなくなったり、同課に配属されるまではほとんど欠勤したことがなかったにもかかわらず、まったく出勤できなくなるほど追い詰められ、心因反応という精神疾患に罹り、治療を要する状態になってしまった。Ｇ課長は、亡Ａがいじめを訴えた平成７年１２月５日時点で、精神疾患が見られるようになったことを知った。そこで、Ｇ課長は、自らもＢら３名などに対し面談するなどして調査を一応行ったものの、いじめの一方の当事者とされているＢにその調査を命じ、しかも、亡Ａが欠勤しているという理由で亡Ａからはその事情聴取もしなかったものであり、いじめの性質上、このような調査では十分な内容が期待できないものであった。そして、Ｇ課長は、自らの調査及びＢによる調査の結果、いじめの事実がなかったと判断して、平成８年１月９日、Ｘら宅を訪問し、その調査結果も伝えず、かつ、いじめ防止策及び加害者等関係者に対する適切な措置を講じないまま、職場復帰のことを話し合った。その後も、Ｇ課長らは、職場復帰した亡Ａが再び休暇を取るようになったことを知っていたが、格別な措置を執らず、Ｌ総務部長から、亡Ａの遺書が出てきた旨のＸ１からの報告を知らされた直後、武田病院の担当医師と面談し、その後にＸら宅を訪問したものであるが、その際、配転替えを希望している亡Ａ及びＸらに対し、『今休んでいるので難しい。』などと言って、亡Ａの希望をいったん拒否したものの、その後、配転の話を進めていった。しかし、配転がなされるかどうかに不安を抱いていた亡Ａは、平成８年３月１５日『車で岸壁にぶつかって死んでやる。』などと言い、自殺をにおわせる言動を取った。その後、亡Ａは、資材課量水器係に配転することができたものの、２日間出勤したのみであり、不安感などが強かったため、その後は出勤できなくなり、病状が回復しないまま自殺してしまった」。

「このような経過及び関係者の地位・職務内容に照らすと、工業用水課の責任者であるＢは、Ｄなどによるいじめを制止するとともに、亡Ａに自ら謝罪し、Ｄらにも謝罪させるなどしてその精神的負荷を和らげるなどの適切な処置をとり、また、職員課に報告して指導を受けるべきであったにもかかわらず、D及びCによるいじめなどを制止しないばかりか、これに同調していたものであり、G課長から調査を命じられても、いじめの事実がなかった旨報告し、これを否定する態度をとり続けていたものであり、亡Aに自ら謝罪することも、Dらに謝罪させることもしなかった。また、亡Aの訴えを聞いたG課長は、直ちに、いじめの事実の有無を積極的に調査し、速やかに善後策（防止策、加害者等関係者に対する適切な措置、亡Aの配転など）を講じるべきであったのに、これを怠り、いじめを防止するための職場環境の調整をしないまま、亡Aの職場復帰のみを図ったものであり、その結果、不安感の大きかった亡Aは復帰できないまま、症状が重くなり、自殺に至ったものである。

したがって、B及びG課長においては、亡Aに対する安全配慮義務を怠ったものというべきである」。

「以上の事実関係に加えて、精神疾患に罹患した者が自殺することはままあることであり、しかも、心因反応の場合には、自殺念慮の出現する可能性が高いことをも併せ考えると、亡Aに対するいじめを認識していたB及びいじめを受けた旨の亡Aの訴えを聞いたG課長においては、適正な措置を執らなければ、亡Aが欠勤にとどまらず、精神疾患（心因反応）に罹患しており、場合によっては自殺のような重大な行動を起こすおそれがあることを予見することができたというべきである。したがって、上記の措置を講じていれば、亡Aが職場復帰することができ、精神疾患も回復し、自殺に至らなかったであろうと推認することができるから、B及びG課長の安全配慮義務違反と亡Aの自殺との間には相当因果関係があると認めるのが相当である」。

「したがって、Yは、安全配慮義務違反により、国家賠償法上の責任を負うというべきである」。

（５）Xらの損害

ア　逸失利益

・給与分

「亡Aは、昭和４２年３月２５日生まれの男子であり、死亡当時、Yの水道局に勤務していたこと、生存していれば、６０歳の定年までの約３０年間稼働することができ、その期間中、少なくとも１級A１１号から１年ごとに順次上の号給に昇給し、４３歳で２級２０号に、５４歳で３級１６号の給与の支給を受けることができると見込まれること、亡Aの死亡当時の給料は１か月２３万円であり、３０歳以降の収入は、別表のとおり、月給に調整手当（月給の１００分の１０）を加えたものの１２か月分及び期末手当、勤勉手当を加えた合計として、月給を１．１倍した額に別表記載の係数を乗じた額になることが認められる。

そこで、支給を受けるはずであった給与をライプニッツ方式により年５分の割合による中間利息を控除して死亡時点の現価を求めると、別表記載のとおり８９３７万１８７８円となるところ、生活費として、５０パーセントを控除すると、その額は４４６８万５９３９円となる」。

・退職手当分

「退職手当については、既に支給された退職手当の金額と定年まで勤務すれば得られたであろう退職手当の金額との差額が逸失利益となるところ、定年退職時における亡Ａの月給を４１万３５００円として支給率６２．７…を乗じると、退職手当の総額は２５９２万６４５０円となる。

そこで、その金額からライプニッツ方式により年５分の割合による中間利息を控除すると、死亡時点の現価は５９９万６７８７円（２５９２万６４５０×０．２３１３）となるが、Ｘらは、既に退職手当として３８１万８０００円の支給を受けたので、これを控除すると、その額は２１７万８７８７円となる」。

イ　相続

「Ｘらは、亡Ａの父母であるから、その法定相続分に従い、亡ＡのＹに対する損害賠償請求権を２分の１ずつ相続した」。

ウ　Ｘら固有の慰謝料

「Ｘらは、Ｂら３名のいじめ、Ｙの安全配慮義務違反により唯一の子である亡Ａを失ったものであり、その無念さは想像に余りあり、その他諸般の事情を考慮すると、Ｘらの慰謝料は、それぞれ１２００万円とするのが相当である」。

エ　過失相殺の規定の類推適用

「亡Ａは、いじめにより心因反応を生じ、自殺に至ったものであるが、いじめがあったと認められるのは平成７年１１月ころまでであり、その後、職場も配転替えとなり、また、同月から医師の診察を受け、入通院をして精神疾患に対する治療を受けていたにもかかわらず、これらが効を奏することなく、自殺に至ったものである。これらの事情を考慮すると、亡Ａについては、本人の資質ないし心因的要因も加わって自殺への契機となったものと認められ、損害の負担につき公平の理念に照らし、Ｘらの上記損害額の７割を減額するのが相当である」。

オ　小計　各１０６２万９７０８円

カ　弁護士費用

「本件事案の性質、審理経過等を考慮すると、本件事件と相当因果関係のあるＸらの弁護士費用は、それぞれ１１０万円とするのが相当である」。

キ　損害額合計

「以上によれば、Ｘらの損害額合計は各１１７２万９７０８円となる」。

2　誠昇会北本共済病院事件・さいたま地判平 16.9.24 労判 883 号 38 頁

【事実の概要】

Ｘ１は、亡Ａの父である。Ｘ２は、亡Ａの母である。Ｘらは、亡Ａの平成１４年１月２４日の自殺（以下「本件自殺」）によって、亡Ａの権利義務を２分の１の割合で相続により承継した。亡Ａ（昭和５５年生、本件自殺当時２１歳）は、平成１１年３月、高校を卒業した。平成１１年４月、Ｙ２との雇用契約に基づき、Ｙ２病院に就職した。亡Ａは、看護助手としてＹ２病院に勤務しながら、Ｙ２から奨学金を得て（Ｙ２病院に２年以上就業することで返済したことになる）、平成１１年４月から平成１３年３月まで、α医師会立准看護学校に通学した。准看護学校を卒業し、准看護士の資格を得た。亡Ａは、平成１３年４月から、准看護士としてＹ２病院に勤務しながら、Ｙ２から奨学金を得てβ医師会看護専門学校に通学した。

Ｙ１（昭和４９年生、本件自殺当時２７歳）は、平成５年４月から、Ｙ２病院に勤務した。平成７年３月、准看護学校を卒業した（看護学校の進学には失敗し、看護士の資格を有していない）。Ｙ１は、外来部門の准看護士として勤務しながら、平成１３年５月、物品設備部門の責任者として管理課長の肩書きを得た（ただし、物品設備部門に所属する部下はなく、主に看護学生に仕事を手伝わせていた）。

Ｙ２は、Ｙ２病院を設置、運営する医療法人である。Ｙ２病院は、ベッド数９９床の病院であった。平成１３年当時、医師数名、女性看護師が外来に十数名、病棟に約２０名、男性看護師が全体で５名、その他レントゲン技師らが数名の人員を有していた。高等看護学校に通いながら勤務していたものが５名程度、准看護婦学校に通いながら勤務していたものが３名程度いた。Ｙ２病院の看護部は、看護部長のもとに、病棟部門、外来部門及び物品設備部門の３部門に別れていた。

Ｙ２病院の男性看護師は、平成１３年当時、Ｙ１、Ｂ、Ｅ（昭和５１年生、本件自殺当時２５歳）、Ｆ（昭和５３年生、本件自殺当時２３歳）、亡Ａの５名であった。Ｙ１は、勤務年数等から看護部門での男性職員の一番上の先輩である。亡Ａは、男性看護師５人の中で、一番下の後輩である。

（１）亡Ａの勤務状態

亡ＡのＹ２病院での勤務時間は、次のとおりであった。

・午前８時３０分（ただし看護助手のときは午前７時３０分）から午前１１時３０分までＹ２病院で勤務

・午後１時から午後４時３０分まで学校に通学

・午後５時から午後７時３０分（ただし病棟勤務の場合の終了時刻）までＹ２病院に戻って勤務

亡Ａの仕事の内容は、看護助手のときは、患者の呼出、医師の介助、機材の搬送などであった。准看護士になってからは、注射、検査等を担当した。看護学生は、Ｙ１の指示で、Ｙ２病院の各部門に物品を用意することも仕事の一つであった。亡Ａは、Ｙ２病院の外来部門でＹ１と一緒に勤務していた。また、Ｙ１の下で物品整備の仕事を手伝った。

（２）Ｙ２病院における雰囲気やＹ１の態度

Ｙ２病院の男性看護師は、女性の多い職場での少数派であったが、男性のみの独自な付き合いがあった。いわゆる体育会系の先輩後輩の関係と同じく、先輩の言動は絶対的なものであった。一番先輩であるＹ１が権力を握り、後輩を服従させる関係が続いていた。勤務時間が終了しても、Ｙ１らの遊びに無理矢理付き合わされた。学校の試験前に朝まで飲み会に付き合わせるなどのいやがらせがあった。Ｙ１の個人的な用事に使い走りさせられた。Ｙ１の仕事が終わるまで帰宅が許されなかったり、Ｙ１の仕事を手伝うために、事実上の残業や休日勤務を強いられたりした（Ｙ２病院は、看護学生に残業させないように指示していた。そのため、タイムカードには退出時刻を打刻させられ上で残業を強要された。）。Ｙ１の命令に従わないと、仕事の上での嫌がらせを受けた。Ｙ１の指示には従わざるを得ない雰囲気であった。そのようなＹ２病院の男性看護師の雰囲気やＹ１の態度は、看護学校の生徒の間でも話題になっていた。

（３）亡Ａへの様々ないじめ行為

Ｙ２病院に就職した亡Ａは、男性看護師の中で一番後輩であった。Ｙ１を始めとする先輩の男性看護師らから、こき使われるなどの亡Ａの意思に反した種々の強要を始めとするいわゆるいじめを受けることになった。亡Ａが高等看護学校に入学してから、亡Ａに対するいじめは一層激しくなった。帰宅した亡Ａは、Ｙ１の電話で呼び出されることがしばしばあった。看護学校の同級生で平成１１年夏ころから交際を始めた亡Ａの彼女であったＷや同じくＹ２病院に勤務して看護学校の同級生であったＤ、更に母親であるＸ２らが見聞等した、亡Ａに対するいじめには、次のようなものがあった。

ア　Ｙ１のための買い物をさせた。具体的には、上尾まで名物の柏餅を買いに行かせたり、深夜になって、病院で使用する特殊な電池を探しに行かせたりした。

イ　Ｙ１の肩もみをさせた。

ウ　Ｙ１の家の掃除をさせた。

エ　Ｙ１の車を洗車させた。

オ　Ｙ１の長男の世話をさせた。

カ　Ｙ１が風俗店へ行く際の送迎をさせた。亡Ａは、駐車場で待たされていた。

キ　Ｙ１が他の病院の医師の引き抜きのためにスナックに行く際、亡ＡにＹ１を送迎させた。

ク　Ｙ１がパチンコをするため、勤務時間中の亡Ａに開店前のパチンコ屋での順番待ちをさせた。

ケ　Ｙ１が購入したい馬券を後楽園まで購入しに行かせた。競馬に詳しくない亡Ａは、Ｗに馬券の買い方を相談した。

コ　亡Ａが通う高等看護学校の女性を紹介するように命じ、亡Ａを困らせた。

サ　ウーロン茶１缶を３０００円で買わせた。

シ　Ｙ１らの遊びに付き合うため、亡Ａに金銭的負担を強いた。本件職員旅行に必要な飲み物等を亡Ａに用意させた。亡Ａは、飲み物等の費用約８万８０００円を負担した（ビール券が用意されているが、ビール券で亡Ａの負担部分がゼロになるように精算された様子はうかがえない）。

ス　平成１３年９月から平成１３年１０月ころ、亡Ａに対してのみ、他の学生は行っていない介護老人施設作りに関する署名活動をさせた（Ｙ２病院としての署名活動はすでに終了していた）。

セ　亡Ａは、勤務時間外にＷと会おうとすると、Ｙ１からの電話で、仕事を理由にＹ２病院に呼び戻されることが何度かあった。例えば、平成１３年４月２９日の日曜日、亡Ａは、Ｗとお台場でデートしていた。Ｙ１は、亡Ａがデートしていることを知りながら、仕事だと言ってＹ２病院に呼び出した。亡Ａは、急いでＹ２病院に向かった。亡ＡがＹ２病院に到着しても、Ｙ１は、病院にいなかった。

ソ　Ｙ１は、亡Ａの携帯電話の内容を勝手に覗いていた。亡Ａの携帯電話を使用して、Ｗにメールを送った（メールの内容がいつもと違うことから、Ｗが気付き、亡Ａに確認している）。

（４）亡Ａによる悩みの吐露

平成１３年秋ころになると、亡Ａは、中学校や高校時代の友人に対し、いじめによる辛さを訴えるようになった。亡Ａの悩みを聞いたＷは、亡Ａに対し、職場を変わることができないのか尋ねた。亡Ａは、Ｙ１に恐怖心を抱き、逃げても追いかけてくる旨答えた。

（５）職員旅行での事件

平成１３年１２月１５日、亡ＡやＹ１を含めた４３名程度のＹ２病院従業員は、Ｙ２病院の職員旅行として、福島県の温泉へ１泊２日の旅行に出掛けた。

Ｙ１は、２次会が終わった後で、亡Ａに好意を持っている事務職の女性と亡Ａを２人きりにして、亡Ａと女性に性的な行為をさせて、それを撮影しようと企てた。亡Ａと女性の部屋の周りには、職員が集まり、部屋の中をのぞいていた。Ｙ１は、カメラを持って押入れに隠れた。亡Ａは、焼酎のストレートを一気飲みし、布団に倒れた。呼吸が荒く、チアノーゼが現れた。Ｙ１らは、亡Ａをホテルの車でγ病院に連れて行った。同病院では、急性アルコール中毒と診断された。入院することを勧められた。亡Ａは、点滴を受けた後、宿泊ホテルに戻り、埼玉県へ帰宅した。

本件職員旅行での事件は、上司に報告されることはなかった。本件職員旅行以降、亡Ａは、落ち込んでいる様子が見られた。

（６）忘年会での会話

平成１３年１２月２９日、Ｙ１、Ｂ、Ｅ、Ｆ、亡Ａら１５名程度の看護師が集まり、忘年会を行った。本件職員旅行で亡Ａが無呼吸状態になったことが話題になった。亡Ａの先輩らは、亡Ａに対し、「あのとき死んじゃえばよかったんだよ。馬鹿。」「専務にばれていたら俺たちどうなっていたか分からないよ。」などと発言した。亡Ａが何か言うと、「うるせえよ。死ねよ。」と言い返されていた。これ以降、Ｙ１らは、Ｙ２病院での仕事中においても、亡Ａに対し、何かあると「死ねよ。」という言葉を使うようになった。

（７）電子メールの文章

平成１３年１２月３０日、Ｙ１は、亡Ａに対し、Ｅの名義で、「君のアフターは俺らのためにある。」との内容の電子メールを送った。

また、Ｙ１は、亡Ａに対し、そのころ、「殺す。」という文言を含んだ電子メールを送った。

（８）カラオケ店での出来事

平成１４年１月１２日ころ、Ｙ１、Ｅ、Ｆ及び亡Ａの４名は、亡Ａの彼女であるＷがアルバイトをしていたカラオケ店を訪れた。

カラオケ店に行く車の中で、Ｙ１らが、Ｗから亡Ａにプレゼントされた帽子をライターで燃やすそぶりをして、亡Ａをいじめた。

アルバイトを終えたＷは、Ｙ１らと同席した。Ｙ１らは、辛いコロッケが１つだけ含まれているロシアンルーレット用のコロッケを注文した。４人で１つずつ食べてみたが、辛いコロッケに当たる者はいなかった。Ｙ１は、亡Ａに対し、残ったコロッケを、口でキャッチするようにと投げつけた。亡Ａは、コロッケを口でキャッチできず、下に落とした。亡Ａが落ちたコロッケを皿に戻すと、Ｙ１は、何で戻すんだと食べるように文句を言った。

Ｙ１らは、Ｗの前で、本件職員旅行での亡Ａと女性職員との件を話し始めた。Ｅは、Ｗに対し、「僕たちは酔っぱらってこいつに死ね死ねと言ってましたね。僕は今でもこいつが死ねば良かったと思ってますよ。」などと話した。Ｙ１は、亡Ａに対し、眼鏡をかけていない目を見ると死人の目を見ているようで気分が悪いから眼鏡をかけるように言った。

亡Ａは、黙ってうつむいていた。Ｅは、亡Ａに対し、「お前は先輩に一度命を救われているんだから、これからも先輩に尽くさなきゃいけないぞ。」と話した。

Ｙ１は、亡Ａが席をはずしたところで、亡Ａがまた病院を辞めたいと言ってくるだろうと発言した。Ｅは、「この間、亡Ａが病院を辞めたいと言い出した時には、本当にやばいと思いましたよ。あいつマジで悩んでましたしね。」などと言った。Ｙ１らは、亡Ａが今度病院を辞めると第三者に相談したらどう指導するかなどと話し合っていた。

亡ＡとＷは、Ｙ１らより先にカラオケ店を出た。亡Ａは、Ｗを家に送った。Ｗは、様子がおかしい亡Ａに対し、先輩たちの指導と銘打っているものは間違っている、病院を辞めることを真剣に考えようなどと話した。話の途中、亡Ａは、Ｆから、電話で、俺たちはどうやって帰ればいいんだと先輩を車で送迎するように強要された。亡Ａは、Ｗを待たせたまま、カラオケ店に戻り、ＦやＹ１を家まで送った。

（９）罵倒等

Ｙ１らは、亡Ａが仕事でミスをしたとき、乱暴な言葉を使ったり、手を出したりすることがあった。Ｙ１は、亡Ａに対し、「バカ田。何やっているんだよ。お前がだめだから俺が苦労するんだよ。」などと発言することもあった。

平成１４年１月１８日ころ、亡Ａは、からになった血液検査を出した。Ｙ１にしつこく叱責された。

平成１４年１月１８日のＹ２病院の外来会議において、からの検体を出してたりして、亡Ａの様子がおかしいことが話題になった。Ｙ１は、その席で、亡Ａにやる気がない、覚える気がないなどと亡Ａを非難した。

（１０）本件自殺及びその前後

平成１４年１月１７日ころ、亡Ａは、Ｗとデートした帰りの車の中で、最近、看護婦にまで見捨てられてて本当にやばいんだよなどと言って涙ぐんだ。Ｙ１らＹ２病院の先輩の話になった際、亡Ａは、Ｗに対し、「もし、俺が死んだら、されていたことを全部話してくれよな。」と言った。Ｗは、病院を辞めてしまえばよいと話した。亡Ａは、Ｙ１が怖くてそんなことは出来ないと答えた。

亡Ａは、平成１４年１月２１日、２２日及び２３日とＹ２病院に勤務した。

平成１４年１月２３日夜、亡Ａは、Ｗのアルバイト先のカラオケ店でＷを待った。Ｗは、亡Ａがアルバイト先まで会いに来ることが珍しかったので、どうして来たのだろうと思った。亡Ａは、来た理由について特に説明しなかった。Ｗも、亡Ａが自殺を考えているとは思いつかなかった。

平成１４年１月２４日は、亡Ａの勤務は休日であった。

午前１１時ころ、Ｆは、亡Ａに対し、電話で、物品がない等の亡Ａの仕事上のミスを怒った。亡Ａは、また夕方に電話をする旨言って電話を切った。午後1時２０分ころ、亡Ａの友人からの電話があった。亡Ａは、出なかった。夕方、亡Ａが、自宅の２階で、電気コードで首を吊って自殺しているのが発見された。亡Ａは、救急車でＹ２病院に運ばれた。同日午後6時４７分ころ、死亡が確認された。Wは、亡Ａが自殺したことを知らされ、その原因がＹ１にあると思った。Wは、Ｙ１が亡Ａの遺体に付きそうのを拒絶した。

Ｙ１は、亡Ａが死亡してから、四十九日が過ぎるころまで、亡Ａが働いていた職場に花を供えた。Ｙ１は、平成１４年１１月ころまで、心身症等で休職した。

Ｘらは、Ｙ１に対し、いじめ行為による不法行為責任（民法７０９条）を理由に、Ｙ２病院を設置するＹ２に対し、雇用契約上の安全配慮義務違反による債務不履行責任（民法４１５条）を理由に、損害賠償金合計３６００万円等の支払を求めた。

【判旨】

（１）Ｙ１のいじめ行為の存在

「上記認定の事実関係によれば、Ｙ１は、自ら又は他の男性看護師を通じて、亡Ａに対し、冷かし・からかい、嘲笑・悪口、他人の前で恥辱・屈辱を与える、たたくなどの暴力等の違法な本件いじめを行ったものと認められるから、民法７０９条に基づき、本件いじめによって亡Ａが被った損害を賠償する不法行為責任がある」。

「上記認定の事実関係の下において、Ｙ１らの亡Ａに対する言動が、Ｙらが主張するような悪ふざけや職場の先輩のちょっと度を超した言動であったと認めることは到底できない」。

（２）Ｙ２の債務不履行の有無

「Ｙ２は、亡Ａに対し、雇用契約に基づき、信義則上、労務を提供する過程において、亡Ａの生命及び身体を危険から保護するように安全配慮義務を尽くす債務を負担していたと解される。具体的には、職場の上司及び同僚からのいじめ行為を防止して、亡Ａの生命及び身体を危険から保護する安全配慮義務を負担していたと認められる」。

「これを本件についてみれば、Ｙ１らの後輩に対する職場でのいじめは従前から続いていたこと、亡Ａに対するいじめは3年近くに及んでいること、本件職員旅行の出来事や外来会議でのやり取りは雇い主であるＹ２も認識が可能であったことなど上記認定の事実関係の下において、Ｙ２は、Ｙ１らの亡Ａに対する本件いじめを認識することが可能であったにもかかわらず、これを認識していじめを防止する措置を採らなかった安全配慮義務違反の債務不履行があったと認めることができる」。

「したがって、Ｙ２は、民法４１５条に基づき、上記安全配慮義務違反の債務不履行によって亡Ａが被った損害を賠償する責任がある」。

（３）本件いじめと本件自殺の因果関係

「上記認定のとおり、Ｙ１らの亡Ａに対するいじめはしつよう・長期間にわたり、平成１３年後半からはその態様も悪質になっていたこと、平成１３年１２月ころから、Ｙ１らは、亡Ａに対し『死ねよ。』と死を直接連想させる言葉を浴びせていること、亡Ａも、Wに対し、自分が死んだときのことを話題にしていること、更に、他に亡Ａが本件自殺を図るような原因は何ら見当たらないことに照らせば、亡Ａは、Ｙ１らのいじめを原因に自殺をした、すなわち、本件いじめと本件自殺との間には事実的因果関係がある、と認めるのが相当である」。

（４）損害額

ア「本件いじめと亡Ａの本件自殺との間に事実的因果関係が認められることは、すでに認定説示したところである。

しかしながら、いじめによる結果が必然的に自殺に結びつくものでないことも経験則上明らかである。したがって、いじめを原因とする自殺による死亡は、特別損害として予見可能性のある場合に、損害賠償義務者は、死亡との結果について損害賠償義務を負うと解すべきである」。

イ　Ｙ１の賠償額１０００万円

「Ｙ１らの亡Ａに対するいじめは、長期間にわたり、しつように行われていたこと、亡Ａに対して『死ねよ。』との言葉が浴びせられていたこと、Ｙ１は、亡Ａの勤務状態・心身の状況を認識していたことなどに照らせば、Ｙ１は、亡Ａが自殺を図るかもしれないことを予見することは可能であったと認めるのが相当である。

Ｙ１は、亡Ａが本件自殺によって死亡したことについて、損害賠償義務を負うと認められる」。

「上記認定のＹ１らのいじめの態様、特にしつように長期間に及んでいること、亡Ａは、２１歳の若さで自殺に追い込まれたこと、他方、いじめに対する対処方法は自殺が唯一の解決方法ではなく、自殺を選択したのは亡Ａの内心的要因による意思的行動である面も否定できないこと、Ｙ１も、『死ね。』との発言はあるが、実際に亡Ａの自殺を予見していたとは認められないことなど諸般の事情を考慮すれば、亡Ａに対する本件いじめ及びそれによって亡Ａが自殺したことよって亡Ａが被った精神的苦痛を慰謝する金額は、１０００万円をもって相当と認める」。

「したがって、亡Ａの地位を相続したＸらは、Ｙ１に対し、それぞれ損害賠償金５００万円及びこれに対する不法行為の日以後で訴状送達の日の翌日である平成１５年４月５日から支払済みまで民法所定の年５分の割合による遅延損害金の支払を求めることができる」。

ウ　Ｙ２の賠償額５００万円

「上記認定の事実関係の下において、Ｙ２がＹ１らの行った本件いじめの内容やその深刻さを具体的に認識していたとは認められないし、いじめと自殺との関係から、Ｙ２は、亡Ａが自殺するかもしれないことについて予見可能であったとまでは認めがたい。

Ｙ２は、本件いじめを防止できなかったことによって亡Ａが被った損害について賠償する責任はあるが、亡Ａが死亡したことによる損害については賠償責任がない」。

「亡Ａが本件いじめによって被った精神的苦痛を慰謝する金額は、上記認定の事実経過等諸般の事情を考慮して、５００万円を相当と認める」。

「したがって、亡Ａの地位を相続したＸらは、Ｙ２に対し、それぞれ損害賠償金２５０万円及びこれに対する請求日である訴状送達の日の翌日である平成１５年４月４日から支払済みまで民法所定の年５分の割合による遅延損害金の支払を求めることができる（Ｙ２の損害賠償債務とＹ１の損害賠償債務とは、５００万円の範囲で不真正連帯の関係にある。）」。

3　三井住友海上火災保険事件・東京高判平17.4.20労判914号82頁

【事実の概要】

Xは、昭和５０年４月１日、A保険会社（当時はB保険会社）に総合職として入社し、平成１０年７月、希望によりエリア総合職に転換し、平成１３年１０月から、同社のV損害サービス部W中央サービスセンター（以下「本件SC」）における３つのユニットの一つ（構成員十数名）に所属し、同ユニットの３番目の席次（Xの上席には、「ユニットリーダー」、「総合職の課長代理」がいる）であるエリア総合職の課長代理として勤務していた。Yは、本件SCの所長であり、Xの第一次人事考課査定者である。Dは、X所属のユニットリーダーである。

A社のエリア総合職で課長代理以下の社員の人事考課は、総合考課と賞与考課に分かれ、いずれの考課も優良な方からU、S、G、A、B、C、Dに評定区分される。Xは、平成１３年度と平成１４年度の総合考課・賞与考課が共にCという評定を受けた。

本件SCのXが所属するユニットは、保険支払事務を担当していた。同保険支払事務には、賠償保険と傷害保険の各業務があり、賠償保険は、被害者との折衝、損害の認定等がある点で傷害保険に比して困難が伴い、難易度も高い。Xは、本件SCにおいて、難易度の低い傷害保険業務だけの担当となり、不満を抱いていた。

Xは、かねてから担当案件の処理状況が芳しい成果を挙げられずにいたところ、ユニットリーダーのDは、平成１４年１２月１０日、当月のXの処理件数が１件であったことから、Xを叱咤激励したが、その後の処理状況もはかばかしくなかった。

Dは、平成１４年１２月１８日、本件SCのXを含むユニットの従業員と上司であるYにあてて、「甲野KD　もっと出力を」と題し、「現在　DOキャリーアウトの真っ直中ですが、甲野KDは全くの出力不足です。１２月１０日（火）AM１０時、１０日終了時点で支払合計件数１件で、叱咤激励しましたが、本日現在　搭乗１０件・人傷０件と、所長代理として全く出力不足といわざるを得ません。ペンディングも増える一方です。本日中に、全件洗い替えをし下記Dへ報告のこと。全件の経過管理（どうなっているのか）をして、どれが払えどれが何故持ち越すのかを、記入のこと。１２／１８（水）」と記載した電子メール（以下「Dメール」）を送信した。なお、「DOキャリーアウト」とは、本件SCにおいて、当時行われていた未払保険事故件数の削減を目的とした取組みである。

Yは、Dメールを見て、同日（平成１４年１２月１８日）、「Dさんのメール『甲野KDもっと出力を』について返信します。」と題し、次の記載を含む電子メール（以下「本件メール」）をX及びDを含む同じユニットの従業員十数名に送信した。この部分は、赤文字で、ポイントの大きな文字であった。

———記載内容———

１．意欲がない、やる気がないなら、会社を辞めるべきだと思います。当ＳＣにとっても、会社にとっても損失そのものです。あなたの給料で業務職が何人雇えると思いますか。あなたの仕事なら業務職でも数倍の業績を挙げますよ。本日現在、搭傷(ママ)１０件処理。Ｃさんは１７件。業務審査といい、これ以上、当ＳＣに迷惑をかけないで下さい。
２．未だに始末書と「～～病院」出向の報告（私病？調査？）がありませんが、業務命令を無視したり、業務時間中に勝手に業務から離れるとどういうことになるか承知していますね。
３．本日、半休を取ることを何故ユニット全員に事前に伝えないのですか。必ず伝えるように言ったはずです。我々の仕事は、チームで回っているんですよ。

———記載内容　以上———

なお、本件メール中の「Ｃ」は、途中入社２年目の専任職であり、平成１４年１０月は３１件、同年１１月は２８件、同年１２月は２６件を処理していた。他方、Ｘの処理件数は、同年１０月が６件、同年１１月が１２件、同年１２月が２３件であった。

Ｙは、Ｘに業務に対する熱意が感じられず、エリア総合職の課長代理という立場であるにもかかわらず、実績を挙げないことが、他の従業員の不満の原因になっていることを考え、Ｘへの指導を行うとともに、Ｄメールの内容を支持することを表明する必要があると判断し、本件メールを送信した。

Ｘは、Ｙによる本件メールの送信は不法行為を構成すると主張し、Ｙに対し慰謝料１００万円等を求めた。原審（東京地判平 16.12.1 労判 914 号 86 頁）は、Ｘの請求を棄却したため、Ｘは、その判断を不服として控訴した。

【判旨】

「本件メールの内容は、職場の上司であるＹがエリア総合職で課長代理の地位にあるＸに対し、その地位に見合った処理件数に到達するよう叱咤督促する趣旨であることがうかがえないわけではなく、その目的は是認することができる。しかしながら、本件メール中には、『やる気がないなら、会社を辞めるべきだと思います。当ＳＣにとっても、会社にとっても損失そのものです。』という、退職勧告とも、会社にとって不必要な人間であるとも受け取られるおそれのある表現が盛り込まれており、これがＸ本人のみならず同じ職場の従業員十数名にも送信されている。この表現は、『あなたの給料で業務職が何人雇えると思いますか。あなたの仕事なら業務職でも数倍の実績を挙げますよ。……これ以上、当ＳＣに迷惑をかけないで下さい。』という、それ自体は正鵠を得ている面がないではないにしても、人の気持ちを逆撫でする侮辱的言辞と受け取られても仕方のない記載などの他の部分ともあいまって、Xの名誉感情をいたずらに毀損するものであることは明らかであり、上記送信目的が正当であったとしても、その表現において許容限度を超え、著しく相当性を欠くものであって、Xに対する不法行為を構成するというべきである」。

「Yは、『本件メールの内容は、課長代理職にふさわしい自覚、責任感をもたせるべく指導・叱咤激励したものであり、Xを無能で会社に必要のない人間であるかのように表現したものではない』旨主張するけれども、本件メールの前記文章部分は、前後の文脈等と合わせ閲読しても、退職勧告とも、会社にとって不必要な人間であるとも受け取られかねない表現形式であることは明らかであり、赤文字でポイントも大きく記載するということをも合わせかんがみると、指導・叱咤激励の表現として許容される限度を逸脱したものと評せざるを得ない。Yの上記主張は採用することはできない」。

「本件メール送信の目的、表現方法、送信範囲等を総合すると、Yの本件不法行為（名誉毀損行為）によるXの精神的苦痛を慰謝するための金額としては、5万円をもってすることが相当である」。

4　ファーストリテイリングほか（ユニクロ店舗）事件・名古屋高判平 20.1.29 労判 967 号 62 頁

【事実の概要】

Ｘ（昭和４８年生）は、平成９年３月１日、Ｙ１に入社し、その後、Ｙ１の経営する衣料品販売店舗であるα店他２店舗の勤務を経て、平成１０年１０月２６日から、千葉市所在のβ店に店長代行として勤務していた。

Ｙ２は、平成１７年１１月１日にＹ１から分割され、その権利義務を承継した。

Ｙ３（昭和４７年生）は、平成７年４月、Ｙ１に入社し、γ店長、関東千葉エリアのマネージャー職等を経て、平成１０年９月からβ店に店長として勤務していた。

（１）本件事件

ア　Ｘは、平成１０年１１月１７日、β店において勤務中、従業員間の連絡事項等を記載する「店舗運営日誌」に、「店長へ」として、前日の陳列商品の整理、売上金の入金などに関する店長としての監督責任を含めたＹ３の仕事上の不備を指摘する記載をし、その横に「処理しておきましたが、どういうことですか？反省してください。Ｘ」と書き添えた。

上記記載を見たＹ３は、Ｘにさらし者にされたと感じ、同日午後５時３０分ころ、Ｘを休憩室に呼びつけ「これ、どういうこと」、「感情的になっていただけやろ」などと説明を求めた。

これに対してＸは「事実を書いただけです」「感情的になっていない。２回目でしょう」と答えた上、右手を握りしめ殴るような仕草を見せたＹ３に対し「２回目でしょう。どうしようもない人だ」と言い、鼻で笑う態度を示した。

Ｙ３は、このＸの態度に激高し、Ｘの胸倉を掴み、同人の背部を板壁に３回ほど打ち付けた上、側にあったロッカーに同人の頭部や背部を３回ほど打ち付けた。

一旦、暴行を中止したＹ３が、中央のテーブルの前に戻ると、ＸはＹ３に近づき「店長、謝ってください」と謝罪を求めた。Ｙ３は、Ｘに向かって「ご免なさい」と言って謝る素振りをしながら同人の顔面に１回頭突きをした。

その後も口論が続き、Ｘが「それって脅迫ですか、辞めさせられるものなら、辞めさせてみなさい。そんなことをしたら、あなたは首ですよ」と言ったのに対し、Ｙ３は「首になったって関係ねえよ、お前を辞めさせてから俺も辞めてやる」と申し向けた。

そこでＸが「もう、あなたと話しても無駄です」と言いながら休憩室を出ようとしたところ、Ｙ３は「まだ、話しは終わっていない」と言いながら、Ｘの首のあたりを両手で掴み、板壁に同人の頭部、背中等を１回打ち付けた。そのとき、パート従業員であるＭが仲裁に入り、暴行は収まった。

ＸとＹ３は売場に戻ったが、Ｘは「気分が悪い」などと言い、トイレに行った。Ｙ３が、様子を見に行ったところ、Ｘは洗面台の前にしゃがみ込み、救急車を呼ぶよう申し出た。このとき、Ｘは鼻水を出していた。

Ｙ３は、Ｘの態度は大げさに過ぎると思ったが、上司のＱに電話で相談の上、救急車を呼んだ。Ｘは、救急車で千葉県δ区所在のＨ病院に搬送された。

イ　Ｘは、平成１０年１１月１７日、Ｈ病院において、頭部外傷、髄液鼻漏疑と診断され、経過観察のため入院した。Ｘは、後頭部痛、背部痛、吐き気、めまい等を訴えていた。髄液鼻漏疑の診断は、Ｘが透明な鼻水を出していたことによるものであったが、頭部ＣＴ検査等の結果、異常は見られなかった。

Ｘ及びＹ３の上司に当たるＤは、同月１８日午後２時ころ、Ｈ病院を訪れ、病室でＸと面談した。その際、Ｘは、まだ気分が優れない旨話した。

Ｄは、同病院院長からＸの容態について問題ない旨の説明を受けたが、念のため再検査をするよう依頼した。そのため、再度、頭部ＣＴ検査が行われたが異常はなく、髄液鼻漏の疑いは否定された。院長は、Ｄに対し、このまま退院しても支障がない旨説明した。

また、Ｄは、同病院にＹ３を呼び出し、本件事件の経緯を聴取した上で、病室の外の談話スペースにおいて、同日午後４時ころ、ＸとＹ３を引き合わせた。Ｄの立ち会いの下、ＸとＹ３は３０分程度面談した。

その際、Ｙ３は、Ｘに対し、何度も頭を下げて謝ったが、Ｘは取り合わなかった。Ｄは、Ｘに対し、「Ｙ３の将来もあるので、警察に届け出ないでほしい」旨を述べたが、Ｘは、「警察に届け出る」旨を答えた。

Ｘは、同日午後６時２０分ころ、母親に付き添われて退院し、そのまま、名古屋の実家に向かった。

Ｙ３は、同日午後１１時ころ、謝罪するため、Ｘの実家に電話したが、やはりＸは取り合わなかった。

（２）その後の経緯

ア　Ｘは、平成１０年１１月１９日、気分が悪いなどと訴え、Ｇ病院脳外科を受診したが、同科医師は調子が悪ければ翌日も来院することとして帰宅させた。

Ｘは、同日、その足で、Ｉ病院整形外科を受診した。Ｘは、後頭部痛、吐き気及びめまいを訴えて入院を希望したが、レントゲン、頭部ＣＴ及び頸部ＭＲＩによる検査の結果、椎間板の突出とそれによる硬膜管の圧迫が見られたにとどまった（なお、上記異常と本件事件との因果関係はない）ため、同科医師はＸを帰宅させた。同医師は、Ｘの病名を「頸部挫傷」とし、同日より約４週間の加療を要する旨の診断書を交付した。

その後もＸは、同月２４日、２６日、２９日と同病院整形外科に通院を続け、後頭部痛、吐き気、嘔吐、めまい、左手違和感等を訴えて入院を希望したが、特段の異常は見られず、入院には至らなかった。同病院医師は、Xの症状の主因は頭部の外傷であると考え、F病院脳神経外科にXの診療を依頼した。

イ　Xは、平成１０年１１月３０日、F病院脳神経外科を受診し、平成１１年２月ころまで通院治療を受けた。

また、Xは、平成１０年１２月７日から、背中の痛み、動きの悪さ、左手のしびれ等を訴え、同病院整形外科及び理学診療科にも通院を開始し、平成１１年５月ころまで投薬、リハビリ治療等を受けた。同病院整形外科医師は、Xの病名を「中心性脊髄損傷」、「中心性頚髄損傷による左手指機能障害」とし、平成１２年６月１３日に症状固定した旨診断している。

ウ　Xは、平成１０年１２月２日、ε中央警察署に本件事件について被害届を出した。

Xは、同年１１月下旬ころ、知人の社会保険労務士に相談し、同年１２月ころ、労働基準監督署に対し、療養補償給付申請書を提出することとなった。なお、同請求書は、H病院、ε労働基準局を経て平成１０年１２月１５日にε労働基準監督署で受け付けられ、同月２２日に入力されている。

Y１では、Xの療養中、給与全額分を支給することとし、Y１管理部労務・給与担当のOは、その支給のため、平成１１年１月９日ころ、Xに対し、診断書の提出を求めた。Xは、同月２５日、F病院脳神経外科医師より、Xの病名を「頭部外傷〈２〉型後」とする診断書の交付を受け、Y１に送付した。

Y１は、Xに対し、給与全額分の支給を開始した。Oは、同年２月から同年５月にかけて、Xに対し、この支給を継続するためには毎月１回診断書を提出する必要があるとして、口頭ないし書面により再三診断書の提出を求めたが、Xはこの求めに応じないでいた。

Y１は、同年３月分からXの給与全額分の支給を停止した。

エ　Xは、平成１０年１２月１日、睡眠障害、頭痛、頭がぼーっとする等訴えてF病院精神科を受診した、同科J医師は睡眠導入剤を処方した。

その際、Xは明るくやや多弁な状態にあり、J医師に対し「店長はサルなのであんなことをする。ひどいですよ」と明るい口調で話した。

「性格」欄には「おっとり型、几帳面、気が強い」との記載がある。

その後、Xは同科へ通院を中止していたが、平成１１年４月１９日、再び頭痛を訴えて受診した。その後、Xは、概ね２週間に１回の頻度で同科に通院するようになった。

Xは、平成１１年５月１０日、同科を受診し、J医師に対し、後頭部痛、頭痛、吐き気、めまい、身体に対する違和感等を訴えたほか、「会社に行ったがその後両手にバーと蕁麻疹が出た。一度も出たことはなかったが、皮膚科には行かなかった。首のリハビリの医師から精神的なものではと言われた」旨話した。J医師は、同日、Xに対し、Xについて

「神経症」と診断し、病名を「神経症」とし「上記により本日より１ヶ月間の休養加療を要する」旨付記した診断書を交付した。

Ｘは、Ｙ１に上記診断書を送付した。

オ　Ｏは、同年６月１０日ころ、Ｘに対し「上記診断書では、疾病と本件事件との因果関係が判断できない。同月１８日までに因果関係についての記載のある診断書を提出してもらいたい。これが確認できるまでは給与の支払はできない。このまま期限までに、因果関係が明記された診断書の提出をせず、正当な理由なき無断欠勤が続く場合は、もはや、退社したものと見做さざるを得ず、あるいは、当社就業規則に従って対応し、やむなく懲戒処分を検討せざるを得ない。本社に出社の上、これまでの状況の説明を求める。β店の任務を６月１０日付けをもって解くので千葉市内の社宅を１週間以内に明け渡してもらいたい」旨記載した書面を送付した。なお、Ｙ１の就業規則では、長期欠勤期間は６カ月、その間給与は全額支給、休職期間は６カ月、その間給与は３分の１支給となっていた。

Ｘは、同年６月１２日午後５時ころ、Ｙ１から送付された上記書面を見たところ蕁麻疹を呈し、救急車にて名古屋市昭和区所在のＫ病院に搬送された。Ｘは、同病院内科にて、精神的要因による蕁麻疹と診断された。

Ｘは、同年６月１４日、Ｆ病院精神科を受診し、Ｊ医師に対し、Ｙ１から上記書面が送付されたこと、Ｋ病院に救急車で搬送されたことを話したほか、「Ｃの夢は見る、身体の方で反応してしまう、うなされていたことはある、考えないようにはしている」と話した。

Ｊ医師は、同日、Ｘについて、ＤＳＭ－〈４〉の基準（別紙１記載の診断基準）に基づき「外傷後ストレス障害（神経症)」と診断し、病名を「外傷後ストレス障害（神経症)」に改め「Ｈ１０．１１．１７の事件に関連して上記病名の状態を呈している。引き続きＨ１１．６．１０．より２ヶ月間の休養加療を要する」旨付記した診断書を交付した。

Ｘは、上記診断書をＹ１に送付した。

Ｏは、上記診断書の送付を受けた同月１８日ころ、Ｘとの対応を当時、管理部部長であったＥに引き継いだ。

カ　Ｘは、平成１１年４月に結婚し、Ｙ１に対し、健康保険被扶養者届を提出したが、直ちには処理されなかった。

Ｘは、同年６月８日に、Ｙ１に対し、年金加入証明書等の各種証明書の発行を依頼したが、直ちには処理されなかった。

キ　Ｅは、Ｘとの対応をＯから引き継いで間もなく、Ｘに対し、３月分以降の給与全額分支給、傷病見舞金、結婚祝い金の支給、Ｘの結婚に伴う健康保険証発行手続、年金加入証明書等の各種証明書の発行の処理をしたほか、Ｘの求めに応じ、使用されていなかった千葉市所在の社宅に代えて名古屋市千種区に社宅を用意することとした。

Xは、平成１１年７月中旬ころ、千葉市所在の社宅を引き払い、名古屋の実家から名古屋市千種区所在の社宅に転居した。

Ｊ医師は、他の病院の診断書が必要である旨のXの求めに応じ、同年７月１２日、G病院精神科に対し、自らの所見を示した上でXの診断を依頼した。

Xは、同月１５日、G病院精神科L医師の診察を受けた。Xは、L医師に対し「Y１に行ったときは、冷汗、足がすくむ、恐怖があり、Y１に行かないときは、頭痛、吐き気、めまいなどがある」、「会社に行くと本件事件を思い出す。思い出そうとしなくても、ごくまれに日常生活で起きることもある。Cの店に入ると起きる」、「そうゆう場所はできれば避けている。でもまだ社員だから手続のために行かねばならない」、「Y１が診断書の提出を求めるのは、なるべく軽い診断書を使って「もう治ってる」とあればくびにしてしまう。まだ社員なので上司の命令には従う必要があるから、蕁麻疹が出るようになった」などと話した。

L医師は、同日、Xが本件事件により外傷後ストレス障害となった旨診断し、Xに対し、その旨の診断書を交付した。

Xは、平成１２年３月２７日まで、F病院精神科に通院したが、同年３月をもって同科が一旦廃止されることになったため、Ｊ医師から紹介を受けてG精神科に通院することになった。

Xは、F病院精神科に通院中、Ｊ医師に対し、不眠、頭痛、めまい、吐き気等を訴えるほか、「やる気ないなら辞めろと言われている感じ」（平成１１年６月２１日）、「追いつめられた感じです」、「上司が横領していて、それを見つけて辞めていただきたいとこそっと言ったら殴られた」、「（殴られたときのことを思い出すかとの問いに対し）会社に行くと思い出す。イメージとして連想するものとあうとフラッシュバック」（同年７月１２日）、「フラッシュバックがある」、「体内で電気が走っているような、皮膚の下に虫がいるような」（同年８月９日）、「会社から電話があったりすると、ガタッとくるんです」（同年９月６日）、「ストレスがくると皮膚に出ます」、「Y１等の人と会ったりすると蕁麻疹が出ます」（同月２７日）、「会社で話すと暗い方向に引きずり込まれるので、Rの電話みたいで…」（同年１１月８日）、「（殴られたときのことを思い出すことはあるか、との問いに対し）そういうこともある。何か恐怖感、追い込まれた感じ」（平成１２年１月１７日）、「仕事の方から電話が入るとすごくいやな気分になる」、「会社に行かなければ少しいいけど、Cのことが新聞によく出ていて社長のコメントとかあると頭痛が出ます」（同年２月１４日）などと話している。

ク　Eは、平成１１年１１月ころ、Xに電話し、診断書の提出及び面談を求めるとともに、それに応じられないなら労災の休業補償に切り替える必要がある旨申し向けたが、Xはこれに応じなかった。Xは、Eに対し、面談に応じられない理由として、「医者から、Y１の関係者と面談したり、仕事の話しをしてはいけないと言われている」旨伝えたが、

Ｅは、その後も複数回にわたり、Ｘに面談を求めた。

Ｅは、平成１２年１月５日ころ、Ｘに対し、労災の休業補償に切り替えるよう求める書面を送付し、同月２６日に電話でその意向を確認したところ、Ｘはこれに応じる旨回答した。このとき、Ｅは、Ｘに対し、労働者災害補償保険法（以下「労災保険法」）の休業補償の継続認定をし、給与以外の福利厚生を継続するためには、Ｘの病状を客観的に把握する必要があるとして、Ｙ１が医療機関関係者からＸの治療に係る記録の提供や説明を受けることを同意する旨の同意書の提出を求めた。しかし、Ｘは、Ｙ１に対し、同年５月１７日までその同意書を提出しなかった。

また、Ｅは、同年１月ころ、Ｙ１側で手続を進める前提で、Ｘに対し、労働できなかった期間の始期が「平成１２年１月１日」と記載された労災の休業補償給付申請に係る書類を郵送した。Ｘは、同書類を自ら労働基準監督署に提出しなければならないと考え、同書類をもとにＦ病院に診療担当者の証明を求めに行ったところ、療養期間の始期と食い違いがあるのでＹ１に確認をとらないと証明できないと言われた。Ｅは、Ｘに対し、平成１３年４月及び５月に、電話で、長期休職者の現状を把握できないまま雇用を継続することは困難であるから、具体的な要望があれば要望書や診断書を提出することを求めた。その際、Ｘから「労働できなかった期間」の始期を本件事件発生日に遡らせることを求めたが、Ｅは、同年５月５日、休業補償給付は会社から給料が支給されていないことを前提とした制度であるからそのような扱いはできないと回答した。

ケ　Ｘは、平成１２年４月１２日からＧ病院精神科に通院を開始した。通院の頻度は、概ね２週間に１回であった。また、Ｘは、同年５月１０日から、蕁麻疹の治療のため、同病院皮膚科にも通院を開始した。

Ｘは、同月１７日ころ、Ｙ１に対し、Ｆ病院からＸの治療に係る記録の提供や説明を受けることを同意する旨の同意書を提出した。しかし、このとき既に、同病院精神科は閉鎖されていた。

Ｘは、同年５月２４日、Ｇ病院精神科のＬ医師の外傷後ストレス障害（以下「ＰＴＳＤ」）等に係る診断書、すなわち「ＰＴＳＤ　フラッシュバック、少しのストレスでじんま疹などの皮膚症状、頭痛、微熱などが続いている。寛解までの期間は今のところ不明である」との記載のある診断書の交付を受け、そのころＹ１に送付した。

Ｅは、同年１０月２日ころ、通院中のＧ病院からＸの治療に係る記録の提供や説明を受けることを同意する旨の同意書の提出を求めたが、Ｘはこれに応じなかった。

コ　Ｘは、Ｇ病院精神科に通院した際、Ｌ医師に対し、不眠、頭痛、めまい、吐き気、記憶力の低下を訴えるほか、「フラッシュバック、きっかけがあることが多い。通常は忘れている。会社関係のことですね。会社の上司から問い合わせてきたときなどはいかんです。一度、電話きたとき、蕁麻疹がきて救急車で運ばれたことがある。町中でＣ見るとダメですね」（平成１２年４月１２日）、「会社とのやり取りがあるとストレスが出るのか蕁麻疹が出て。暴力連想させるものがあるとよくないです。会社のことが話題になるとよくないですね。会社から解雇の通告きたとき、一気に気分が悪くなって救急車で運ばれた」（同年５月２４日）、「フラッシュバックは、頻度がかつてと比べれば減ってはいる。勤務中呼び出されて個室で被害にあったので、近い状況になると起こることが多い。例えばトイレにはいるようなときとか、狭い室内にはいるときですね」、「（状況と無関係に出てくることは、との問いに対し）ふっと出ることはあります」、「頻度的には、週に２、３回、一度でると消えるのに時間がかかる」、「外出したときに近い背格好の人がいるとつらいものがある」（同年７月１９日）、「会社との交渉時に蕁麻疹が出ました」（同年１０月４日）、「暴力シーンがあると怖いのでいまはテレビは見ていません」（同月１８日）、「会社と交渉していたが、そしたら蕁麻疹が本当に出てしまって」（同年１１月２９日）、「会社がいろいろ言ってくる。一人の医者じゃ駄目だから、ほかの医者にもかかれとか言ってくる。他の医者にも診断書をもらった。ＰＴＳＤと言われた」、「フラッシュバックは会社と連絡をとると出る。外傷の時の場面というかその時の恐怖感が出てくる。頭痛がひどくなる。店舗に行くとイメージが出てきますね」（同年１２月２７日）、「フラッシュバックは、４、５日は誘因なくあった。柄の悪いやつを見たりするとありますね。テレビも封印しているのであまり見ないですけどね。時間的には２、３分で、そうなったら気分転換はかるために他のことを考えたりしている。そういう意味では問題ない」（平成１３年３月１４日）、「（いま一番困っていることは、との問いに対し）１番には、突然蕁麻疹が出くること、会社に行く、手紙が来ること、２番には、突然恐怖心が出てくる、外出中似た人が来ると、３番には、突然思い出されてしまう、ついさっき見たみたいな感じで。週一回くらいの割合である」（同年７月４日）「（テレビや新聞を見ない理由は、との問いに対し）ふいに会社名が出るとか、暴力場面出るとフラッシュバックが出るため」、「（フラッシュバックはこれを避ければ出ないですか、との問いに対し）頻度は減ったがいまも出る」、「家の中より外にいた方がいろいろなもの買っている人が目に入ってフラッシュバックの頻度は増えますね。今回の加害者の体格に似た人を見て怖かったですね」、「一番きついのは会社関係ですね」（同年１１月７日）などと話している。

サ　Ｘは、平成１３年７月３０日、Ｅに電話し、Ｙ１内における本件事件の報告書の開示などを求めた。この電話は２時間以上に及んだが、その会話の中で、ＥはＸに対し「いいかげんにせいよ、お前。おー、何考えてるんかこりゃあ。ぶち殺そうかお前。調子に乗るなよ、お前」などと声を荒げながら申し向けた（本件発言）。これについて、Ｘが注意したところ、Ｅは謝罪した。さらに、両者は話を続け、結局、Ｅは電子メールによる報告書を郵送することを約束し、後日、実際に約束を履行している。

Ｘは、この電話の直後、気分が悪くなり、嘔吐したとして、母親に付き添われて救急車でＧ病院に搬送された。Ｘは、医師の問診を受け、３０分程休んで帰宅した。

シ　Ｅは、Ｘとの上記電話のやり取りの中で、ＸがＸ自身で休業補償給付支給申請をするものと誤解していることに気付き、部下のＴに対し、Ｘから休業補償給付支給申請書を受け取り、Ｘの休業補償の手続を進めるよう指示した。Ｔは、Ｘから休業補償給付支給申請書を受け取り、平成１３年８月６日に労働基準監督署に同申請書を提出することとなった。

Ｘは、同月２３日ころ、平成１１年１２月２９日を始期とする労災の休業補償給付金を受給することとなった。

Ｘ代理人弁護士は、Ｙ１に対し、平成１３年１０月２日、受任通知を送付し、その中で、今後の連絡はＸに直接することなく上記代理人にするよう連絡した。しかし、Ｙ１の従業員が、Ｘに対し、平成１４年４月１５日ころ、健康保険被扶養者異動届、児童手当の手続等に関する事務連絡のため、直接電話をしたが、Ｘは電話に出なかった。Ｘは、Ｙ１に対し、自ら、同月３０日ころ、休業補償給付支給請求書の送付依頼と、給与の振込先の変更に関する質問をした。

ス　Ｘは、平成１４年４月１日、名古屋地方裁判所に、本訴訟を提起した。

Ｘは、Ｇ病院精神科に通院した際、Ｌ医師に対し「訴訟がマスコミに報道されて、それから蕁麻疹がひどくなっている。全身に出てくる。体中風船のようになってしまった」（平成１４年４月)、「フラッシュバックも１日１回出てくる。具体的には、恐怖もちろん、身体が動かなくなってしまうような、何かに睨まれているような」（同月２４日）などと話した。

Ｙ１は、調査会社にＸの行動調査を依頼し、同年５月１日、同社によるＸの行動調査がされた。

Ｘは、名古屋市から、Ｌ医師の診断に基づき、同年６月５日、障害等級３級（労働が著しい制限を受けるか又は労働に著しい制限を加えることを必要とする程度の障害を有するもの）とする精神障害者保健福祉手帳の交付を受けた。Ｘは、平成１８年１０月、障害等級１級（日常生活の用を弁ずることを不能ならしめる程度のもの。常時介護の必要有）の認定を受けている。

Ｘは、本件事件後、在職証明書、福利厚生倶楽部の入会申込書、ギヤマンカード（クレジット機能付きの社員証)、出産祝い金給付申請証を作成したり、診断書等の提出物を定期メール便で本社に送るため、８回ほど名古屋市所在のＣの店舗を訪れている。

Ｘは、勤務中Ｙ３から暴行を受けるとともに、その後の労災保険法の申請手続等においてＹ１の従業員から不当な対応を受け、これによってＰＴＳＤに罹患したなどと主張して、Ｙらに対し、不法行為（民法７０９条、７１５条、７１９条）による損害賠償金各自５９３２万０７５１円等の支払を求めた。原判決（名古屋地判平 18.9.29 労判 926 号5頁）は、Ｘの請求を、Ｙらに対し各自２２４万７２００円等の支払を命じる限度で認容した。

【判旨】

（1）Ｙ３らの行為について

「Ｙ３は、Ｘに対し、本件事件において暴行を加えたというのであるから、その違法性は明らかであり、これによりＸが被った損害を賠償すべき責任を負う。

なお、本件事件において仲裁に入ったＭの刑事事件の供述調書には、最後の暴行態様について首を絞めながら板壁に打ち付けた旨の記載があるが、Ｙ３の刑事事件の供述調書に首ないし首のあたりを掴んでと記載されているほかは、Ｘの供述調書も含めて『胸倉を掴み』と記載されていること、本件事件後、受診時に締首による外傷も見受けられないことからすれば、首を絞めたとは認定できない。また、Ｘは、本件事件後、意識喪失があった旨供述するが、刑事記録にもそのような記載はなく、頭部に対する暴行があった場合に意識喪失の有無は医療上重要な事柄であるから、医師において、暴行の場面のみならず、診察に至るまでの間の意識喪失の有無を確認することが一般的であるところ、本件事件直後に受診したＨ病院のカルテの『看護既往歴』の『入院までの経過』欄には『受傷后、意識喪失はなかった』と明記されていることからすれば、意識喪失があったとは認め難い」。

「Ｅは、Ｘに対し『いいかげんにせいよ、お前。おー、何考えてるんかこりゃあ。ぶち殺そうかお前。調子に乗るなよ、お前。』と声を荒げながらＸの生命、身体に対して害悪を加える趣旨を含む発言をしており（本件発言）、Ｅが、ＸがＰＴＳＤないし神経症である旨の診断を受け、担当医から、Ｙ１の関係者との面談、仕事の話しをすることを控える旨告知されていたことを認識していたことからすれば、本件発言は違法であって、不法行為を構成するというべきである」。

「Ｘは、本件事件の翌日、上司のＤから、本件事件は労災には該当しないと言われたほか、本件事件を警察へ通報しないように命令された旨主張」する。「確かに、Ｘ自ら労働者災害補償保険の療養補償給付の手続を行っていることをも勘案すると、証人Ｄの反対趣旨の供述にもかかわらず、ＤがＸに対し、本件事件を警察へ通報しないように要請すると共に、治療費はＹ３に請求するように述べたことは窺えるものの、これ以上に、『本件事件は労災には該当しない。』『本件事件を警察へ通報しないように命令する。』とまで述べたとまでは認め難い。そして、Ｄが、本件事件を警察へ通報しないように要請すると共に、治療費はＹ３に請求するように述べたとしても、Ｙ１の担当者として必ずしも不当な処置であるとは言い難く、それがＸの病状を悪化させた可能性は否定できないものの、不法行為を構成するとはいえない。このことは、本件事件の翌日にＤがＨ病院の医師から、Ｘは特に問題はなく退院できる、数日間の安静を要する状態にあると伝えられていたにすぎず…長期の療養の必要性を認識していたとは考えられないこと」、Ｄが、部長に宛てたメールやＹ１の顧問弁護士が部長に宛てたメールからすれば、ＸがＹ３を本件事件について刑事告訴すると述べていることを前提に対処を検討しているが、労災保険給付申請については全く言及されていないことからも裏付けられる。また、Xは、本件事件当日、Qに労災保険給付申請の話をし、翌日拒否されたとも主張するが、そのような主張は平成１９年６月になって初めてされたものであること、また、Qが、本件事件の当日、Y１の部長に宛てたメールには、「刑事告訴の話は出ているが労災保険給付申請の話は出ていないこと…からすれば、Xの主張は理由がない。さらに、Xは、Q及びDに対し、平成１０年１１月２０日ころ、労災保険給付申請をすることを求めて拒否された旨主張するが、その様な主張も平成１９年６月に至って初めてされたものであり、Y１及びY２はこれを否定している上、上記申入れと拒否を認めるに足りる証拠はない。なお、治療費の負担や休業期間中の給与の支給の話が出ていることと、XとY１の間での労災保険申請の話が出ていることを同列に扱うことはできない。また、平成１０年１１月当時、Xが、療養補償給付申請のみならず、休業給付申請を希望していたのであれば、療養補償給付申請と同時期に自ら申請しているはずであるが、そのような事実は窺えないこと、同年１２月２日及び同月１０日には被害届や現場検証のためわざわざ千葉市まで赴いているのにY１と労災保険申請について交渉した様子も窺えないことからすると、Xが、当時、休業補償給付申請の希望を有していたとは認められない。

また、Xは、Y１が労災保険給付申請を妨害・遅延させた旨主張する。確かに、労働安全衛生法１００条、労働安全衛生規則９７条により、事業主は労働基準監督署に対し遅滞なく死傷病報告書を提出することが義務付けられており、また、Y１の店舗運営マニュアルでは、労働災害の発生を把握した店長は被災者に労働災害申請書を交付して記入を求めるなどした上、人事課に送付し、業務委託先の社会保険労務士の指示に従うことになっており、Y１が死傷者である従業員等の労災保険申請の代行・助力をすることが想定されている…。ところが、本件事件に関して、療養補償給付申請がされたのは平成１０年１２月１１日であり、休業補償給付申請がされたのは平成１３年8月6日であり、これらに助力等をしても、Y１の上記対応は、速やかなものとは言いがたい。

しかし、Xが、Y１に対し、療養補償給付申請について、本件事件直後から事業主の証明や助力を求めたと認めるに足りる的確な証拠はない。かえって、Y１は、ε労働基準監督署からの指摘を受けて連絡してきたXの求めに応じて、平成１１年１月８日ころには事業主の証明をした療養補償給付支給申請書及び理由書を作成し、それらは同月２１日にはε労働基準監督署に届けられているので…療養補償給付申請を妨げる意図があったとまでは認められない。

休業補償給付申請が遅れたのは…平成１１年中はY１が給与を支給しており、その必要がなかったためである。平成１２年以降は、Y１は事業主の証明をし休業補償給付申請の助力をしようとしたが…XとY１との間には意思疎通に欠けるところがあったこと、Xが自ら申請するつもりで対処しようとしたこと、Y１が『療養のため労働できなかった期間』の始期を平成１２年１月１日としたことにXが不信感を募らせ、それ以上手続を進めようとしなかったことによるものであり、Ｙ１において休業補償給付の申請を妨げる意図があったとは認められない。なお、Ｙ１の死傷病報告書の提出が遅れてはいるが、ε労働基準監督署が本件事件について把握していることをＹ１も平成１１年１月ころには知っていたことからすると、Ｙ１において意図的に報告書の提出を遅らせる理由を見いだすことはできず、上記提出の遅れが労災隠しを裏付けるものとはいえない。

この点、Ｘは、平成１１年１月１２日ころ休業補償給付の申請をしようとしたが、Ｙ１が給与を振り込んだためできなかった旨主張する。確かに、同給付にかかる同日付申請書…にはＹ１の事業主の証明がないが、ほぼ同時期に、Ｙ１は療養補償給付申請については事業主の証明をしていること、Ｘは労働基準監督署から二重受給となるとの指摘を受けて申請を断念せざるを得なかったのであり、Ｙ１に対し休業補償給付申請の事業主の証明や助力を求める前に申請を断念したと推認されること、また、Ｘは同月２５日付診断書を提出して給与が支給されるように手続を進めていること、Ｙ１において、Ｘが拒否しているのに給与を振り込む合理的理由はなく、Ｘにおいて給与の振込みを拒否した様子も窺えないことからすると、Ｘの上記主張は理由がない。

Ｘは、Ｙ１が療養補償給付にかかる薬局の変更について事業主の証明や助力をしなかった旨主張する。しかし、ＸのＧ病院への転院に伴い、療養補償給付にかかる薬局の変更をすべき事情が生じた可能性もあるが、Ｙ１が薬局の変更についてだけ労災保険法上の事業主の証明や助力をしない合理的理由はないこと、ＸがＹ１に対し薬局の変更についての労災保険法上の事業主の証明や申請の助力を求めたと認めるに足りる的確な証拠はないことからすれば、Ｘの上記主張は理由がない。

Ｘは、Ｙ１が、Ｘに対し、繰り返し診断書の提出を求め、面談を求めるなどしているのは違法である旨主張する。しかし、Ｙ１が、診断書等を求めたのは、時期によって理由は異なるが、給与の支給を継続し、休業補償支給申請のための休業期間の継続認証等をし、給与以外の福利厚生を継続するため、さらには、Ｘとの雇用関係を維持するか否かを検討するためには、Ｘの病状を客観的に把握する必要があったのに、Ｘが適時に診断書を送付せず、十分な説明もせず、同意書の提出も遅れるなどしたためであり、Ｙ１の上記行動は雇主あるいは事業主として社会的に相当な行為といえる。また、ＥやＹ１の担当者が、Ｘに面談を求めるなどしたのは、長期休職者と定期的に連絡を取り、その現況や病状、会社への復帰の意思などを確認し、また、Ｘの病状が正確には把握できていなかったためであり…違法と評価すべきものではなく、上記Ｘの主張は理由がない。

さらに、Ｘは、年金加入証書等各種書類の発行を１か月以上放置された、健康保険被扶養者届の処理を３か月間放置されたとも主張し、確かに、年金加入証書等各種書類の発行や健康保険被扶養者届の処理が遅れてはいる。それがＸの病状を悪化させた可能性は否定できないものの、この程度の遅れをもって直ちに不法行為を構成するとはいえない。

Ｘは、診断書の提出、本社への出頭、一方的な社宅の明け渡しを求められたなどとも主張し、確かにＹ１担当者Ｏは、平成１１年６月１０日ころ、Ｘに対し、診断書の提出、本社への出頭、一方的な社宅の明け渡しを求めている。しかし、Ｙ１が本件事件後再三にわたり社内手続に必要な診断書の提出を求めたのにＸがこれに応じなかったなどの経緯からすれば、それがＸの病状を悪化させた可能性は否定できないものの、Ｘの主張にかかるＹ１担当者Ｏの行為が不法行為を構成するとはいえない。

また、Ｘは、Ｙ１が、同日、Ｘに事実上の退職を求め、無断で退職手続をした旨主張する。そして、証拠…によれば、同日、Ｘにかかる市民税及び県民税について、徴収方法が特別徴収（事業主が納税義務者の給与から天引きして納付する方法）から普通徴収（納税義務者が自ら納付する方法）に変更されていることが認められる。しかし、上記変更手続を誰がしたかは明らかではない上、変更（異動）事由は『退職等』であって、退職、転勤、休職等も含まれること、Ｏ作成の平成１１年６月１０日付の書面の記載内容は、『退社したものと見なさざるを得ず』との記載もあるものの、『やむなく懲戒に至る場合』もある旨記載されている点では、同年４月２２日付、同年５月１９日付と同内容であり…その趣旨は診断書の提出を促すものであること、実際にもＸとＹ１との雇用関係は継続し、給与の支給もされていたことからすれば、上記Ｘの主張は理由がない。

なお、Ｘは、診断書の文書料をＹ１が負担する旨の合意があったのに、診断書を提出しても文書料の支払をしないため、診断書の提出を中止していた旨主張する。しかし、上記合意が成立したと認めるに足りる的確な証拠はなく、また、文書料の負担の問題だけで、病状を適切に知らせないことが正当化されるわけでもない。

また、Ｙ１が、弁護士の受任通知後も直接Ｘと連絡をとろうとしたことについては…Ｘからの連絡等に応じて事務連絡をしたにすぎず、上記通知後もＸ自らＹ１に直接連絡したこともある状況に照らし、違法な行為とはいえない。

私立探偵を使ってＸの行動調査をしたり、Ｘの元同僚であるＹ１従業員に陳述書を作成させ、証拠として提出したことについては、Ｘの病状が理解困難なものであり、Ｙ１及びＹ２がＸの病状に疑念を抱かざるを得ない状況にあったことからすれば、訴訟行為として是認される範囲内の行為といえる。

さらに、Ｘは、Ｙ１及びＹ２が鑑定の結果で示された『安心の保証』を与えようとしないこともＹ１及びＹ２の嫌がらせである旨主張するが、Ｘ自身何が『安心の保証』となるのか具体的に明らかにしておらず、主張自体失当というべきである」。

（２）Ｘの障害に関して

ア　ＰＴＳＤの知見

「外傷後ストレス障害（ＰＴＳＤ）とは、強烈な恐怖体験により心に大きな傷を負い、再体験症状、回避・麻痺症状、覚醒亢進症状等が発生し、そのため社会生活、日常生活の機能に支障を来すという疾患である。

米国精神医学界の診断基準であるＤＳＭ－〈４〉によれば、別紙１記載の診断基準によりＰＴＳＤの診断を行うこととされている。

ただし、極端なストレス因子に暴露された者に起こる精神病理をすべてＰＴＳＤとするべきではない。極端なストレス因子に対する症状の反応様式が他の精神疾患（例えば、短期精神病性障害、転換性障害、大うつ病性障害）の基準を満たしている場合には、これらの診断をＰＴＳＤの代わりに、又はそれに追加して下さなければならないとされている」。

イ　妄想性障害の知見

（ア）「妄想性障害とは、妄想を主要症状とする疾患群の総称である。

妄想性障害の妄想は、実際に生じたことや生じても不思議ではないことを核にして妄想が形成され、ひとたび妄想が生じ、適切な対応がなされなかった場合には、相手の些細な言動の背後に妄想に従って悪意を読み取り、現実的な不満、不手際があると、自分が被害的に思っていたことが証明されたと納得するが、他方で、被害妄想を打ち消すような肯定的な情報は受入れようとはしないとされている。

被害型が最も多く見られる病型であり、被害型は、妄想の中心主題が、陰謀を企てられる、だまされる、監視される、追跡される、毒を盛られたり薬を飲まされる、悪意をもって中傷される、いやがらせをされる、長期目標の遂行を邪魔されるという確信に関する場合に適用される。些細なことが誇張され、妄想体系の焦点となることがある。妄想の焦点が、法的措置によって償わなければならない不正におかれること（好訴パラノイア）もしばしばあるとされている」。

（イ）「米国精神医学界の診断基準であるＤＳＭ－〈４〉によれば、別紙２記載の診断基準により妄想性障害の診断を行うこととされている」。

（ウ）「生涯罹病危険率は、０．０５パーセントから０．１パーセントの間と推測され、非常にまれな疾患であるとされている。

妄想性障害に関しては、常に本人の特徴的な病前性格が論じられており、被害妄想を特徴とする場合には、他人との関係に特に敏感であったり、正義感などの主張が強いといった特徴が指摘されている。

発症年齢は、思春期から晩年までにわたっており、多様である、経過は様々であり、特に、被害型においては、障害は慢性的であるが、妄想的確信へのとらわれがしばしば強くなったり弱くなったりする、他の例では、完全寛解の期間があった後に再発が続くこともあれば、疾患が数か月のうちに寛解し、再発を認めないこともしばしばあることが指摘されている。

一方、被害型が発症の誘因となった出来事やストレス因子と関連している場合は予後がよいかもしれない、妄想性障害の予後はかつて考えられていたよりもよく半数程度は治療可能である、妄想性障害では基本的に妄想対象以外に関する思考、行動については目立った症状を示さないことが多いので、妄想が消失するか実生活に支障にならない程度に軽快すれば労働能力は回復する可能性があるとの指摘もある」。

ウ　診断書によるXの症状

「Xは、平成１１年４月１９日から平成１２年３月２７日まではF病院精神科に、平成１２年４月１２日以降はG病院精神科にそれぞれ通院し、担当医師から以下の診断を受けた」。

（ア）平成１１年５月１０日付け診断書

「（病名）神経症

（付記）１か月間の休養加療を要する」。

（イ）平成１１年６月１４日付け診断書

「（病名）外傷後ストレス障害（神経症）

（付記）本件事件に関連して上記病名の状態を呈している。引き続き平成１１年６月１０日より２か月間の休養加療を要する」。

（ウ）平成１１年７月１５日付け診断書

「（病名）外傷後ストレス障害

（付記）本件事件を受けたことを契機として疾患が発症した」。

（エ）平成１２年６月１１日付け意見書

「（病名）外傷後ストレス障害

（主訴）出社時に足がすくむ。冷汗が出て暴行時の記憶がリアルに思い出され恐怖心が出る。会社との交渉時、全身蕁麻疹が出る。頭痛、めまい、吐き気、頚部痛

（初診時所見）不眠、食欲不振、勤務先（C）と同じ店を見るだけで暴行時のことが苦痛を伴って想起される。主訴の症状。

（現在の症状）頭痛、浮遊感、会社と関係のある事柄に接すると蕁麻疹が出る。同時に暴行時の体験が想起される。

（現在の治療）根治療法は困難であるため、対症療法として抗不安薬、睡眠導入剤などを使用している。最近１、２か月で微熱が治まり、全身の倦怠感が少なくなった。症状が悪化するのは、会社との交渉時や会社を連想させるものに接したときである。

今後の症状の推移については不明。症状の改善の見込みはあると思うが、急速なものではないと考える。治癒の可能性はある。時期は不明」。

（オ）平成１３年９月ころの意見書

「（病名）外傷後ストレス障害

（主訴及び自覚症）勤務先へ行ったり手紙が来ると蕁麻疹が出る。暴行を受けた人と同じような容貌の人を見ると恐怖心が出てくる。自宅で週１回ほど突然何の予期もなく暴行を受けたときのことをついさっき起きたことのように想起してしまい、体が硬くなっ

てしまう。そうなると横になって閉眼していると少しは楽になる。その他、頭の鈍痛がほぼ毎日ある。

（治療内容）抗うつ薬、抗不安薬などの向精神薬による薬物療法が中心である。行動療法や認知行動療法がある程度有効とされているが当院を含めＰＴＳＤに系統的にこの治療が行われている医療施設が日本では少ないのが現状である。治癒見込みについては不明ですが、可能性はあります。時期は不明。ただ、症状が６か月以上続いていることからすると、予後は不良と考えます」。

（カ）平成１３年１１月２１日付け診断書

「（病名）外傷後ストレス障害

（付記）上記にて加療中である。現在症としては、週に１回程の誘因のないフラッシュバックが続いていること、また、Ｃ関係のものを見ると、外傷時の記憶がよみがえり恐怖感におそわれる。また、暴行を受けた人と同じような体型の人を見ると同じくその時の恐怖感がよみがえるなどの症状がある。その他にも、自律神経系の症状も多彩に出現している。これらの症状があるため、多くの行動が制限を受けている。

テレビを見たり新聞を見ることもできない状況である」。

（キ）平成１４年２月１３日付け診断書

「（病名）外傷後ストレス障害

（付記）上記にて加療中である。薬物療法は行ってはいるが、不眠、感覚過敏、フラッシュバック、全身倦怠、記銘力障害などの症状があり、就労不能と考えます。

治癒に要する期間は不明である。ただ、症状が６か月以上続いており、予後不良であることが想定されます」。

（ク）平成１４年５月３１日付け診断書

「（病名）外傷後ストレス障害

（疾患の状態）憂うつ気分、不眠、外傷時のフラッシュバック、外傷と関係することに出会うと蕁麻疹などが出る、記銘力の若干の低下。

外傷と関係することを避けて生活している。テレビや新聞はそのため見ない。ただ、自宅にいてもフラッシュバックなどが誘因なしでも起こるため、苦痛を伴いながらでも大学院に通って気を紛らわしている。

（生活能力の状態）

適切な食事摂取、身辺の清潔保持、金銭管理と買物、通院と服用、他人との意思伝達・対人関係、身辺の安全保持・危機対応、社会的手続や公共施設の利用、趣味・娯楽への関心、文化的社会的活動への参加については、いずれも適切にできる。

精神障害を認め、日常生活又は社会生活に一定の制限を受ける」。

エ　精神科医Ｓの意見書

「Ｙ１提出の上記意見書によれば、精神科医Ｓは、ＤＳＭ－〈４〉の基準（別紙１記載の診断基準）によれば、本件事件は、外傷的出来事（基準Ａ〔１〕、〔２〕）に該当するほど重大なものではない、Ｘのいうフラッシュバックは表現が非常に曖昧であり、再体験症状（基準Ｂ）には当たらない、外傷と関連した刺激の持続的回避・反応性の麻痺（基準Ｃ）、持続的な覚醒亢進症状（基準Ｄ）の症状も認められないとして、ＸはＰＴＳＤに罹患していないとする」。

オ　鑑定意見

「鑑定人Ｎは、本件事件の刑事記録、Ｆ病院及びＧ病院におけるＸの診療録等の鑑定資料を検討した上、平成１７年９月２２日、Ｘと面接して同人を診察した結果、以下のとおり判断した」。

(ア)「心的外傷体験があったからといって、常にＰＴＳＤが生じるわけではなく、反応性抑うつ、恐怖症、全般性不安障害、パニック障害、妄想反応等の反応が生じうるところ、（ａ）上記面接の結果、Ｘは、Ｙ１が現在若しくは将来において、Ｘに対して危害を加えようとする意図を持ち、継続的に監視をし、迫害を受けているという被害感情を有しており、この感情は心因性の被害妄想と判断される、（ｂ）ＤＳＭ－〈４〉の妄想性障害の診断基準（別紙２記載の診断基準）に照らせば、本件事件及びＥの本件発言等その後のＹ１とのやり取りやＹ１の依頼による調査会社の行動調査を受けており、Ｘが、Ｙ１に危害を加えられる、つけ狙われている、殺される、監視されている等の被害妄想を抱くことは、完全にあり得ないことではなく、妄想の内容は奇異とはいえない（基準Ａ）、Ｘには、非常に奇異な妄想、幻覚、解体した会話、解体した行動、思考感情の平板化などの陰性症状はない（基準Ｂ）、社会的に不適応の状態にあるが、会話、身辺自立、日常生活には支障はない（基準Ｃ）、軽噪状態という診断がされたことがあるが、明らかに妄想の持続期間よりも短い（基準Ｄ）、この妄想を生じさせるような薬物の使用、身体疾患は認められない（基準Ｅ）、（ｃ）Ｘは妄想性障害の被害型に罹患している。

ＰＴＳＤについては、（ａ）本件事件における暴行は、ＤＳＭ－〈４〉の基準における外傷的出来事の基準Ａ〔１〕に相当し、これに対するＸの反応は、程度として非常に軽いが外傷的出来事の基準Ａ〔２〕にも相当し、Ｌ医師の診察期間中、発作的に暴行のことを思い出して身動きが取れなくなるなど、ＰＴＳＤ様の症状が認められているが、（ｂ）ＰＴＳＤというのは、暴行被害時の恐怖が、自然に緩解することができずに遷延するものであるのに対して、ＸのＰＴＳＤ様症状は、妄想性障害の増悪と共に出現し、当初は白日夢程度の現実感のない想起であったのが、次第に現実味を帯びたフラッシュバックへと移行したものであり、過去の暴行に対するＸの恐怖は過去に連れ戻されてしまうかのような想起に由来するものではなく、Ｙ１から、現在と将来にわたって危害を加えられていることを確信することによって日常的に不安が増強し、その原因となった本件事件のことが想起されたものと考えられる、（ｃ）Ｘは、本件事件によってＰＴＳＤに罹患したことはない」。

（イ）「Ｘは、本件事件によって、Ｙ３がＸに意図的な殺意を抱いているとの妄想反応を生じ、この妄想反応の影響下で、Ｈ病院でのＹ１の対応がＸの心情を十分に酌むものではなかったため、妄想反応の対象が会社にも拡大し、当夜のＹ３からの電話により、危害を加えるためにやってくるとの恐怖を抱き、被害妄想が強化され、さらに、その後のＹ１との交渉過程において、Ｘの心理的反応が十分にＹ１担当者に理解されず、意思の疎通の不良に対して担当者がＸに苛立ちをぶつけるような対応が見られたため、Ｘはこれを Ｙ１の悪意と受け取り、妄想を強化させてきた」。

（ウ）「Ｘは、正義感が強く不正を見過ごすことができず、不当な事柄に対して憤り、論理的に相手を問いつめるため、相手がそれを攻撃と受け取りかねないという性格傾向があった。そのような性格傾向がなければ、妄想性障害を生じたとは思われないが、本件事件を体験しなければ、日常的な対人葛藤などで妄想性障害を生じる可能性は生涯にわたって極めて低かったものと考えられる。Ｘの妄想は、その内容において本件事件と密接に結びついており、それ以外には妄想などの精神病理は広がっておらず、Ｘに妄想性障害の素因があったとしても、その程度は非常に弱いものであったと考えられる。ただ、こうした関係を、性格傾向の寄与率という数値で表すことは困難である」。

（エ）「Ｘの病状は、なお不安定であり、一部には改善の可能性もあるので、後遺障害という見方はできない。

労働能力については、妄想による不安が活発であるため、現時点での就労はほぼ不可能である。平成１５年８月に厚生労働省から示された非器質性精神障害の等級に従えば、妄想的不安のために他人と接することが著しく制限されているために、第９級『対人業務につけない』に相当する。

今後の予測については、発症から数年を経て、これまで治療対象となってこなかった妄想性障害について、今後の治療によってどの程度妄想や社会機能が改善されるのか、どの程度の症状が固定されたまま残るのか、労働能力がどの程度回復するのかを予測することは不可能である。

治療のためには、発症後早期に適切な対応をすることが重要であるところ、Ｙ１との交渉過程は逆に妄想を強める結果となっており、治療はもとより自然治癒の可能性も妨げられたと考えられる一方、発症の原因が明確であり、発症が若年であり、病前の適応がよいこと、精神科治療に通い続けていることは、治療にとって有利な点である。抗精神病薬も使用されているが、これを主剤として積極的に増量する余地もまだ残されている。

Ｘの恐怖を考慮し、精神医療の専門家の助言の下に、Ｃ側からも安心の保証が与えられることが望ましい。今後の治療の成否、Ｘの労働能力の改善は、このような安心感の保証がどの程度に得られるかに依拠しているところが大きい。

労働能力が本件事件前と同程度に回復する見込みを数値化することは現時点では難しいが、今後のＸの治療にとっての有利、不利な点が相殺されると考えた場合、妄想性障害に関する治療対応が集中的に行われたと仮定すれば、治癒する率は５０パーセント程度である。治癒に要する期間については、鑑定人の経験的な判断としては、病状の改善に１年、病前の労働能力の回復までにさらに１年程度が見込まれると予想する」。

（３）本件事件ないしその後のＥの本件発言によるＸの障害について

「本件事件は故意による暴行であり、必ずしも軽微なものではないこと、Ｙ３は同一店舗内で働くＸの直属の上司であり、本件事件がＰＴＳＤにおける外傷的出来事に該当することは直ちに否定できず、また、Ｘは、Ｊ医師ないしＬ医師に対し、フラッシュバックが生じている旨何度も話している。

しかし、その具体的内容は『(殴られたときのことを思い出すか、との問いに対し）会社に行くと思い出す。イメージとして連想するものとあうとフラッシュバック』、『(殴られたときのことを思い出すことはあるか、との問いに対し）そういうこともある。何か恐怖感、追い込まれた感じ』、『フラッシュバックは会社と連絡をとると出る。外傷の時の場面というかその時の恐怖感が出てくる。頭痛がひどくなる。店舗に行くとイメージが出てきますね。』などというものであり、本件事件ないしＹ１それ自体に対する忌避感、不安感ないし嫌悪感から生じた反応ではあるかもしれないが、暴行が再現されているような現実感を伴う再体験症状に該当するとは認め難いし、休職に関する手続のためとはいえ、Ｘは、Ｙ１と長期間にわたり交渉を続けていたほか、Ｙ２店舗にも度々訪れており、本件事件それ自体を想起させる会話を意図的に避ける等の症状も認め難い。

その一方で、Ｘは、本件事件後、以前見られなかった頭痛、吐き気、蕁麻疹等を呈しているほか、Ｙ１担当者との折衝を通じて、Ｙ１に対する忌避感、不安感、嫌悪感を抱くようになっており、Ｙ１からの書面を見たり、本件発言を受けた際、蕁麻疹等を呈して救急車で搬送されるなど、その程度は過剰といっても妨げないまでに達している。

これらからすれば、Ｘが本件事件ないしその後のＥの本件発言によりＰＴＳＤに罹患したとは認め難いが、Ｘは、几帳面で気が強く、正義感が強く不正を見過ごすことができず、不当な事柄に対して憤り、論理的に相手を問いつめるという性格傾向を有していたところ、そのＸが、日頃から厳しくあたられていたＹ３から暴行を受けたこと、その後の休職に関するＹ１担当者との折衝のもつれを通じ、担当者ひいてはＹ１自体に対して、次第に、忌避感、不安感、嫌悪感を感じるようになり、Ｅによる『ぶち殺そうかお前。』などという本件発言を受けたこと、本訴訟の提起によりＹ１との対立関係が鮮明化し、また、調査会社による行動調査を受けたことなどが相まって、Ｙ１がＸに危害を加えようとしているという類の被害妄想を焦点とする妄想性障害に遅くとも平成１１年２

月半ばころ罹患し、今日までその症状を維持、増減させてきたものと認めるのが相当である。

そして、妄想性障害は、常に本人の特徴的な病前性格が論じられており、被害妄想を特徴とする場合、他人との関係に特に敏感であったり、正義感などの主張が強いといった特徴が指摘されるほか、その生涯罹病危険率は０．０５パーセントから０．１パーセントの間と推測される非常にまれな疾患であるとされるところ…Ｘの障害の発生及び維持には、不当な事柄に対して憤り、論理的に相手を問いつめるという性格的傾向が不可欠の素地となり、その後のＹ１担当者との折衝のもつれもこの性格的傾向が相当程度影響を及ぼしているとはいえるが、本件事件がＸの妄想性障害発症の端緒となっており、Ｅによる本件発言も当時のＹ１担当者との折衝状況と相まって、その症状に影響を及ぼしたことは否定し難く、本件事件及び本件発言とＸの障害との間には相当因果関係があるというべきである。なお、Ｅは、本件発言当時には、ＸがＰＴＳＤと診断されており、医師にＹ１の関係者との面談や会話を控えるよう告知されていることを知っていたことからすれば、本件発言がＸの症状を悪化させることを予見すべきであった。

妄想性障害の予後は様々であり、被害型においては、障害は慢性的であるが、妄想的確信へのとらわれがしばしば強くなったり弱くなったりする、他の例では、完全寛解の期間があった後に再発が続くこともあれば、疾患が数か月のうちに寛解し、再発を認めないこともしばしばあるとされる一方、被害型が発症の誘因となった出来事やストレス因子と関連している場合は予後がよいかもしれない、妄想性障害の予後はかつて考えられていたよりもよく半数程度は治療可能である、妄想性障害は、基本的に妄想対象以外に関する思考、行動については目立った症状を示さないことが多いので、妄想が消失するか、実生活に支障にならない程度に軽快すれば、労働能力は本件事件前と同程度に回復する可能性があるとの指摘もあるところ…鑑定では、Ｘについては、未だ病状が不安定であり、妄想による不安が活発である、今後の治療によってどの程度妄想や社会機能が改善されるのか、どの程度の症状が固定されたまま残るのか、労働能力がどの程度回復するのかを予測することは不可能である、精神医療の専門家の助言の下に、Ｙ２側からも安心の保証が与えられることが望ましく、今後の治療の成否、Ｘの労働能力の改善は、このような安心感の保証がどの程度に得られるかに依拠しているところが大きいとしつつも、Ｘの場合、発症の原因が明確である、発症が若年である、病前の適応がよい、精神科治療に通い続けているという治療に有利な点があること、抗精神病薬を主剤として積極的に増量する余地がある、妄想性障害に関する治療対応が集中的に行われたと仮定すれば、治癒する率は５０パーセント程度であり、病状の改善に１年、病前の労働能力の回復までにさらに１年程度が見込まれるとされている。

そして、Ｙ１やＹ２において、上記鑑定意見の趣旨を理解し、Ｙ１やＹ２が本訴の判決確定後に、Ｘに対し上記安心の保証をすることが期待できないではない。

以上からすると、Ｘの障害は、本訴判決言渡後の平成２０年１２月３１日ころには治癒する見込みが高いというべきである」。

「Ｘは、主治医等のＰＴＳＤとの診断結果と妄想性障害との鑑定の結果が異なることなどから、鑑定の結果に疑問を呈している。しかし、ＤＳＭ―〈４〉の外傷的出来事の基準Ａ〔１〕及び基準Ａ〔２〕に該当するとしても、Ｘの症状は、妄想性障害の増悪とともに出現し、次第に現実味を帯びたフラッシュバックに移行したものであり、また、Ｘの被害感情は、『Ｙ３による暴行被害と同じような怖いことが起きるのではないかという予期不安や、暴行がまた繰り返されているかのように感じるというＰＴＳＤにおけるフラッシュバックとは異なり、Ｙらが現在若しくは将来において、Ｘに危害を加えようとする意図を持ち、継続的に監視をし、迫害をしているというものである。つまり過去の個別の事例についての不安ではなく、個別の事例の背後に持続的な加害的意思を想定し、その意思の下に、今後Ｙらが自分に危害を加えることを確信している。』というものであり、心因性の被害妄想と判断されるものであることなどからすれば、ＸがＰＴＳＤに罹患しているとはいえない。そして、Ｘは、本件事件に際してもＹ３の不正を服務規律に従って指摘し、暴行に遭っても反撃することなく謝罪を求めるなど努めて論理的に対応しているなど、不正を見過ごすことができず、正義感が強いとの妄想性障害の素因となり得る性格傾向を有し、本件事件及びその後の刑事告発、労災保険給付申請等を巡っての交渉経過からＹ１への不信感を募らせた結果、上記妄想を強化させてきたものであり、上記事実はＤＳＭ―〈４〉及びＩＣＤ―１０のいずれの妄想性障害の判断基準にも合致しており、Ｘは妄想性障害に罹患したといえる。

また、Ｘは、鑑定後、約１年が経過し、鑑定の結果も踏まえた治療がされているにもかかわらず、症状の改善はなく、むしろ精神障害者障害等級はより重い等級となっていることからすると、鑑定後２年間の治療で病前の労働能力の回復が見込まれるとするのは誤りであり、長期間にわたる治療にもかかわらず、症状の改善がなく、もはや回復の見込みはないというべきである旨主張する。確かに、証拠…及び弁論の全趣旨によれば、Ｘの症状に改善は認められず、主治医に鑑定の結果を示した上で、ＰＴＳＤと妄想性障害への治療には共通するところが多いとの前提で治療を受けている様子が窺われる。しかし、Ｘが受けている治療の具体的内容は明らかではなく、むしろＸが本件訴訟においてＰＴＳＤとの主張を続けていることからすれば、治療方法に大きな変更はなく、鑑定の結果で指摘された『妄想に対する集中的治療』がされていない可能性もある。また、鑑定の結果によれば、『安心の保証』が必要であるとされているが、訴訟が継続している限りＸとＹらとの対立緊張関係は継続しているため、Ｘが『安心の保証』を得られたとの心境に至ることは困難である。したがって、今後、本件訴訟が終了するなどＸの状況に変化が生じ、適切な治療がされれば、Ｘの回復の見込みがないとはいえない。なお、１、

２審を通じて、Ｙらによって和解に向けての具体的提案がされ、速やかに本件訴訟を終了させ、『安心の保証』をすべく努力がされてきたところである。

さらに、Ｘは、平成１９年１０月以降、症状をＰＴＳＤと妄想性障害とする診断書２通…を提出する。上記診断書は、Ｘの現在の主治医によって作成されたもので、現在のＸの症状を的確に把握したものと認められる。しかし、診断書は、その性質上、主として治療目的のために作成されるものであり、損害賠償責任や損害額を明らかにするために作成されたものではない上、鑑定の結果においても、現在のＸの症状がＰＴＳＤの症状との類似性を有することは否定されていないのであるから、上記診断がされていることは、直ちに、上記妄想性障害との判断に影響を及ぼすものではない」。

（４）責任原因

「以上によれば、妄想性障害に起因するＸの損害は、それぞれ独立する不法行為である本件事件におけるＹ３の暴行とその後のＥの本件発言が順次競合したものといい得るから、かかる２個の不法行為は民法７１９条所定の共同不法行為に当たると解される。

したがって、Ｙ３は、本件発言以降のＸの損害についてもＥと連帯して責任を負うから、民法７０９条、７１９条に基づき、本件事件及び本件発言によってＸが被った損害の全部について賠償責任を負う。

また、Ｙ１は、Ｙ３及びＥの使用者であり、本件事件及び本件発言はその事業の執行に付き行われたものであると認められるから、７１５条、７１９条に基づき、本件事件及び本件発言によってＸが被った損害の全部について賠償責任を負う」。

（５）損害額

ア　治療費及び入通院費等　２５万４６８９円

イ　休業損害　２５２１万２６０７円

ウ　慰謝料　５００万円

「本件事件及び本件発言の態様、Ｘの傷病の内容・程度、治療経過、通院状況等本件に現れた一切の事情を斟酌すると、Ｘの慰謝料は５００万円が相当である」。

エ　後遺障害による逸失利益及び慰謝料　０円

「Ｘの障害は治癒が見込まれるから、後遺障害とはいえない。したがって、後遺障害による逸失利益及び慰謝料は認められない」。

オ　素因減額

「加害行為と発生した損害との間に因果関係が認められる場合であっても、その損害が加害行為によって通常生じる程度や範囲を超えるものであり、かつ、その損害の拡大について被害者側の心因的要素等が寄与している場合には、損害の公平な分担の見地から、民法７２２条２項の過失相殺の規定を類推適用し、損害の拡大に寄与した被害者側の過失を斟酌することが相当であると解される。

妄想性障害は、本人の特徴的な病前性格が論じられており、被害妄想を特徴とする場合、他人との関係に特に敏感であったり、正義感などの主張が強いといった特徴が指摘される…ところ、Ｘの障害の発生及びその持続には、不当な事柄に対して憤り、論理的に相手を問いつめるという性格的傾向による影響が大きいと認められる。

そうすると、上記認定の損害額合計３０４６万７２９６円から６０パーセントを減額するのが相当であるから、損害額は１２１８万６９１８円となる。

この点、Ｘは、素因減額について、Ｘの病前の性格傾向とされるものは、本件事件後に発生した病後の性格傾向である、仮にＸに正義感が強いなどの病前の性格傾向があったとしても、それは社会適応を困難とするようなものではないから、素因減額の対象としたり、素因減額において大きく考慮されるべきではない旨主張する。しかし、本件事件の際のＸの対応からして、Ｘには本件事件前から不正を見逃すことが出来ず、正義感が強いなどの性格傾向があったといえる。また、Ｘの性格傾向は社会適応を困難とするようなものではなくとも、本件事件によって生じた中心性脊髄損傷だけであればリハビリを含めた治療期間は約６か月であり、１年半程度で症状固定となったのであるから…本件事件後のＹらの対応に対する不満等の心理的要因によって、就労困難な状況が約９年間も継続していることが通常生じる損害であるとして、その責任をすべてＹらが負担すべきであるとするのは公平を失している。

また、Ｘは、Ｙ１のマニュアル教育の結果やＸの個性に応じた配慮を欠いたＹ１及びＹ２の対応がＸの症状の増悪に大きな影響を与えているなどと主張する。確かに、証拠…によれば、ＸがＹ１の経営理念やマニュアルに従った行動様式を修得していったことが認められる。しかし、例えば、Ｙ１の教育指導に従うとしても、Ｙ３の仕事上の責任を問う方法は、従業員間で情報を共有するとの目的で作成される店舗運営日誌に、問題点の指摘だけでなく『処理しておきましたが、どういうことですか？反省してください。』との表記までする方法によるかについては選択の余地があったのであるから…Ｘの行動がＹ１の教育指導の結果に直結しているとはいえないし、Ｘの個性に応じた配慮を欠いたと認めるに足りる証拠はない。

さらに、前記のとおりであって、本件発言などの本件事件後のＹらの対応がＸの症状の増悪に影響を及ぼしたとはいえるが、本件発言以外の対応が違法であったとまではいえない。また、Ｘにおいても、〔１〕診断書等の病状についての客観的資料の提出を拒み、〔２〕医師からＹ１と直接連絡することは治療上好ましくないとの助言を得ている旨口頭で伝えてはいるものの、自らＹ１担当者に電話を架け、長時間にわたり議論をしていることなど、一般的にはＸに休業しなければならないほどの精神的疾患があると認識するのは困難な対応をしており…このためＹ１の担当者の繰り返しの連絡や面談要求等の行為を誘発した面があることは否定できない。そうすると、Xの症状すべてをYらの責任とすることは相当とはいえない。

Xは、その性格傾向等は社会生活に支障が生じるようなものではなく、心的要因として考慮されるべきではない旨主張する。しかし、Xの指摘する最高裁判所平成１２年３月２４日判決（民集５４巻3号１１５５頁）は、被害者である労働者の業務の負担が過重であることを原因とし、労働者の性格傾向等及びこれに基づく業務遂行の態様が損害の発生又は拡大に寄与した事案についてのものである。本件は、Xの性格傾向が損害の発生・拡大に寄与した点では上記事案と共通するが、Xの業務の負担が加重であることなどのYらの継続的な行為を原因とするものではなく、本件事件及び本件発言という一回性の行為が原因となって発生・拡大したものであり、どの様な治療行為を受けるかは被害者の判断に委ねられていたのであるから、上記判決と本件とを同列に扱って、Xの性格傾向を心的要因として考慮すべきではないとはいえない。また、Xの指摘する最高裁判所平成８年１０月２９日判決（民集５０巻９号２４７４頁）は、特段の事情のない限り被害者の身体的特徴を損害賠償の額を定めるに当たり考慮することはできないとした事案であって、心的要因が損害の拡大に影響している本件に当てはめることはできない」。

カ　過失相殺

Yらは、「Xが侮辱・挑発するなどしてY３を刺激興奮させて暴力行為を誘発したとして、相当程度の過失相殺をすべき旨主張するが、本件事件に至る経緯及びその暴行態様等に照らせば、この過失相殺は相当ではない」。

キ　損害の填補

「Xは、平成１１年１２月２９日より平成１８年２月２２日までの労働者災害補償保険法の休業補償給付金として合計１０３８万３１２５円の支払を受けた…。証拠…によれば、Xは、平成１８年2月２３日から平成１９年９月１３日までの間、労災保険法による休業補償給付金として合計２６２万７０００円の支払を受けていることが認められる。以上の合計は１３０１万０１２５円となる。

労働者災害補償保険法による休業補償給付金は、上記Xの損害のうち休業損害のみから控除すべきところ（最高裁昭和６２年７月１０日第二小法廷判決・民集４１巻５号１２０２頁)、Xの損害１２１８万６９１８円のうち素因減額後の休業損害額全額に相当する１００８万５０４２円が控除されるから、Xの損害額は２１０万１８７６円となる」。

ク　弁護士費用　２０万円

「本件事件と相当因果関係のある弁護士費用は、２０万円と認めるのが相当である」。

ケ　相殺について

「不法行為に基づく損害賠償請求権を受動債権とする相殺は許されない（民法５０９条）から、抗弁…は失当である」。

5　日本土建事件・津地判平 21.2.19 労判 982 号 66 頁

【事実の概要】

（１）亡Ａは、Ｘ１（Ｑ建設株式会社代表取締役）とＸ２との子であり、平成１４年３月Ｚ大学工学部土木学科を卒業し、同年４月１日、Ｙに養成社員として入社した。Ｙでは、土木部の社員として勤務していた。

養成社員とは、Ｙにおいて、一般の社員のように退職まで勤務することはなく、建設業を行うに当たって一人前になるよう養成を受け、概ね四、五年で退職し、その後は父親などが経営する建設会社で跡継ぎとなる者をいう。採用に当たっては、面接試験などは受けるものの、基本的には業者間の信用などで採用されるものである。賞与は支給されず、昇級もなく、退職金規定が適用されないものの、その他の賃金や勤務時間などの面では、一般の社員と何ら区別はない。

（２）亡Ａは、研修などを受け、平成１４年５月２９日から、Ｙが旧Ｖ開発公団から受注した本件作業所に配属された。

本件作業所の人員体勢としては、W所長、Ｂ工事長、Ｃ（主任２級）、Ｇ及び亡Ａ（無資格）の５名であった。

当初、本件作業所における工事の工期としては、平成１４年３月１９日から平成１５年７月２１日までとされていたが、山岳地での工事であり到底この工期で完成することはできないものであり、事実、同年３月の時点では、予定では全体の８７パーセントできていなければならないところ、３９．７５パーセントしかできておらず、当初の工期の完成時期である同年７月時点でも全体の６１．３パーセントしかできておらず、工期を変更してもらい、最終的には工期が平成１６年２月までとなるほど、計画に無理がある工事であった。しかも、発注者からは、旧来の書面による納品だけでなく電子納品も行うよう指示されていたため仕事が２度手間になり、提出書類の指示が非常に多い上、電子納品を行うことが初めてであったにもかかわらず、Ｙでは研修等の指導はなく現場任せの状態であった。本件作業所は、W所長が今まで経験した中で最も過酷な工事現場であり、新入社員の亡Ａを本件作業所に配属するという話をＹの土木部長から聞いた際、新入社員では使いものにならないといって断ったほどであった。そのため、平成１４年度末には、Ｂ工事長及びＣからW所長に人員増員を求め、W所長は、Ｙ土木部長や次長にその旨要望した。その結果、平成１５年５月から１１月末までの間はＩが、同年１２月の１週間はKが、それぞれ応援に来て、平成１６年１月５日からはE（主任２級）が増員され、最終的には６名となった。なお、途中、Ｊが大阪の現場に呼ばれたことから替わりにD（主任１級、Ｃと同期入社）が配属されている。

（３）Ｂ工事長は、亡Ａが養成社員であり、本件作業所が初めての工事現場であったことから、同人に現場での人間の使い方、現場の采配の仕方などを数年間のうちに身につけさせるべく、Ｃに対し、亡Ａに現場での業務を覚えさせるべく指導するよう指示した。これにより、亡Ａは専らＣから直接の指導を受けることになり、同人と行動を共にすることになった。

しかし、Ｃは、入社間もない亡Ａに対し、「おまえみたいな者が入ってくるで、Ｍ部長がリストラになるんや！」などと、理不尽な言葉を投げつけたり、亡ＡがＱ建設株式会社の代表取締役の息子であることについて嫌味を言うなどといった対応をしていた。

（４）本件作業所における作業員の勤務状況は、上記のような工期自体に無理のある工事現場であったことから、全体的に残業時間が長く休日出勤もしなければならないような厳しいものであったが、特に新入社員で一から仕事を覚えなければならなかった亡Ａの勤務は、非常に過酷で毎日の帰宅が夜１２時以降であった。また、土曜日、日曜日は休日であったが、概ね土曜日は出勤しており、日曜日も出勤する場合があった。そのため、亡Ａは、疲労がたまり睡眠不足となり、休みの日曜日は昼過ぎまで寝ている状態であり、平日は風呂に入ることもなく就寝していることが多かった。

なお、本件作業所には、休憩室が２室あり浴室もあったが、布団は引きっぱなしで不衛生であったことから、亡Ａをはじめ作業員は、帰宅時間が遅くなったとしても、同所に宿泊するより帰宅することを望んでいた。

そして、昼休みには、上司の弁当を買いに行ったり、仕事をしなければならず、仮眠をとることもできなければ、通勤に使用する車のガソリンを入れる時間を作ることさえ、ままならない状況であった。

それだけではなく、亡Ａは、夜、本件作業所において残業をしていると、上司であるＣからはこんなこともわからないのかと言われ、物を投げつけられたり、机を蹴飛ばされたりしており、今日中に仕事を片づけておけと命じられて、遅くまで残業せざるを得ない状況であった。一方、仕事を命じたＣは、亡Ａを残して先に帰ってしまうことがあった。ほかにも、亡Ａは、他の作業員らの終わっていない仕事を押しつけられて、仕事のやり方がわからないまま、ひとり深夜遅くまで残業したり、徹夜で仕事をしたりしていた。このような状況について、亡Ａは、普段は愚痴をこぼすようなことはしないのに、Ｆに対し、養成社員として入社した身であるから仕方がないんだと愚痴をこぼしていた。また、亡Ａは、Ｃから勤務中にガムを吐かれたことがあり、ガムが亡Ａのズボンに付くのを見てＣは笑っていた。それに対して、亡Ａとしては、文句を言うこともできず、我慢して笑ってごまかした。

平成１５年３月１１日には、亡Ａは、Ｃに測量用の針の付いたポールを投げつけられ、それが足に刺さり全治約一週間程度を要する右足趾刺創の傷害を負った。翌日、病院に行くために休んだ亡Ａに対して、Ｃは、怪我の様子を心配するどころか怪我を負わせたことを口止めするような電話をしてきた。

亡Ａは、Ｃに対し、逆らわずに、怪我のことは誰にも言っていない旨伝えた。このため、Ｙにおいても、Ｃの投げつけたポールで亡Ａが負傷した事実を把握できていない状態であった。

（５）Ｙでは、平成１３年ころから管理職手当対象者以外の者に対して時間外労働の１か月の時間数について、基本的には２０時間で調整し、残業の多い現場では５０時間で調整するようにしていたが、Ｗ所長は、本件作業所では、残業は毎月５０時間で出勤管理表に計上させるようにしており、Ｃらにその旨伝えていた。また、Ｙでは、休日出勤については、月１日のみを出勤管理表に計上し、残りは後日振り替え扱いとすることが統一された処理となっていたため、それに従って処理されていた。そのため、Ｙでは、これを超える時間外労働割増賃金の支払はなされていなかった。

もっとも、Ｗ所長は、本件作業所における作業員の就業状況をふまえて、１月５０時間の残業代では不十分であるとして、不足分を遡って支払いたいとＹ土木部のＮ次長に相談していたが、この時には支払われていない。

Ｗ所長は、作業員に残業をしないで早く帰るよう声をかけることはあったものの、本件作業所が工期に無理のある工事現場であったことから、本当に残業しないで早く帰っていては実際の仕事が回っていかないことを十分わかっていたので、それ以上に、早く帰らせるための具体的な措置を講ずることはしていない。

（６）亡Ａは、スポーツに親しみ健康状態も良好であったにもかかわらず、体重がＹ入社時から十数キロも激減し、顔色が悪くなって、睡眠不足を訴えていた。このような様子を見たＸらは、亡Ａの体調を気遣い、亡Ａに仕事を休むよう促すなどしていたものの、亡Ａは、養成社員としてＹに入社していたことから、睡眠不足などから体調が悪いといって休みを取ると、上司からどんな悪口を言われるかわからないし、ひいてはＸ１の経営するＱ建設株式会社の名を辱めることになりかねないと考えて、本件作業現場の工事が完了するまで頑張らなければ、という思いで仕事に励んでいた。

亡Ａの体重が短期間に十数キロ減るほどの変化があれば、周囲で一緒に仕事をしている者であれば、その体調の変化にすぐに気づいてしかるべきであったが、亡Ａの体調を気遣う上司は１人もおらず、むしろ、昼休みに休んでいると、寝ている暇などないと怒鳴られるほどであった。

それでも、亡Ａは、仕事に専念し、交際をしていたＦに対しても、平成１５年１２月ころからは忙しくなるから夜１０時以降の電話は避けてほしい。いつ仕事をしているか休んでいるかわからないと言うほど仕事に集中していた。亡Ａは、Ｆに対して、「この仕事は将来ずっと残るからいいだろう。形になったら見せてあげる」と言うなど、Yにおける土木建築の仕事を誇りに思っており、強い責任感から仕事を精一杯こなしていた。

（7）X1は、平成15年11月ころ、Y土木部のH次長及びW所長が、衆議院議員選挙の選挙運動の一環でQ建設株式会社を訪れた際に、亡Aの残業時間が余りにも多いので改善するとともに、絶対に事故が起きることのないよう要望した。同時に、亡Aに対しても、Yに残業時間が多いことを訴えるよう促したものの、養成社員として入社していることから、Yにその旨訴えることはできない、との返事であった。

これを受けて、W所長は、毎週水曜日をノー残業デーにし、本件作業所の作業員にその旨伝えた。もっとも、ノー残業デーというのは、作業所内部でそう申し合わせただけであり、どんなに仕事が忙しくても残業できないようにするといった徹底はなされておらず、忙しい本件作業所では実効性の乏しいものであった。

（8）しかも、Yでは、本件作業所において、労働基準法第32条所定の労働時間を1日につき6時間、3か月につき168時間、1年につき672時間延長する旨書面による協定が、平成15年4月以降労働基準監督署に届け出られていないことを把握していないばかりか、本件作業所における作業員の就業時間・残業時間について、タイムカードはなく、工事日報も記載していなかったため、Y本社における勤務管理者であるP土木部長はもとより、本件作業現場の勤務管理補助者であるW所長でさえ、各作業員の正確な就業時間・残業時間について把握することが困難な状態であり、本件作業所の警備記録から推認するよりほか方法がないほど、社員の就業時間に関する管理は極めてずさんなものであった。

（9）平成16年1月になると、本件作業所で行っている工事の工期（同年2月）が迫り、発注者から最終の変更図面や工事数量の計算書を同月13日までに提出するよう指示があり、そのため、変更部分の数量計算の補助をしていた亡Aの仕事量も増え、さらに残業が増加し、水曜日のノー残業デーを守れるような状況ではなくなった。亡Aは、同年1月5日から連日のように深夜まで残業が続いた。

平成16年1月12日には、亡Aは徹夜でパソコン作業に当たっていたが、このとき、一緒に残業していたのは数量計算等を行っていたB工事長のみであり、他の作業員及びW所長は帰宅しており、亡Aの仕事を手伝うことはしなかった。

なお、W所長は、作業員が残業することが多い本件作業所において、勤務時間中にリフレッシュと称して度々パソコンゲームをしており、ほかの作業員の仕事を手伝っていた様子はうかがえない。

（１０）そして、翌１３日も、亡Ａは、通常勤務に就いたが、亡Ａが自宅に帰宅しなかったことを心配したＸ２が亡Ａに電話をしたところ、午前5時ころまで徹夜で仕事をしていたということであった。そして、同日も、午後6時半ころまで勤務していた。Ｘ１が亡Ａに対し、午後５時５０分ころ電話をして昨日は泊まりだったので今日は早く帰ってくるよう言ったところ、亡Ａは仕事があるので遅くなると言った。Ｘ１は、雪が降るとの天気予報であったことから、遅くなるのであれば休憩室に泊まってくるよう注意した。事実、当日は、三重県上野の天候は、夕方ころからしゅう雪ないし雪であった。

亡Ａらは、発注者への最終の変更図面や工事数量の計算書の提出を済ませたことから、W所長を除く５名で食事をすることになり、５名は、Ｄ運転の車で本件作業所から約９００メートル離れたR屋というお好み焼き屋で午後6時半ころから午後8時ころまで飲食した。

飲食後、Ｄは、４名を車に乗せ、翌朝の食事を買いたいというＢの求めによりコンビニエンスストアに寄ることにしたが、一方で、２軒目に飲みに行くので近くまで送ってほしいというＣらの求めがあったので、本件作業所の近くのコンビニエンスストアではなく、むしろ、本件作業所を通り過ぎるようなところに位置する本件作業所から約１．５キロメートル離れた２軒目のＳ苑という居酒屋が近くにある南青山駅近くのコンビニエンスストアまで行った。その付近で、Ｃ、Ｅ及び亡Ａは車を降りて南青山駅前のＳ苑に飲みに行き、ＢとＤは、そのまま、本件作業所の休憩室まで戻り、Ｂは休憩室で寝泊まりし、Ｄは自宅に帰宅した。

その後、Ｃ、Ｅ及び亡Ａは飲酒していたこともあって、居酒屋の経営者に本件作業所まで送ってもらった。ＣとＥは、休憩室で寝泊まりせず自宅に帰りたかったが、飲酒していた上に雪が降っていたので、自分たちの車で帰ることができなかったところ、スタッドレスタイヤを装着した亡Ａの車であれば、雪が降っていても自宅まで帰ることができると考え、亡Ａに対し、飲酒運転になることを承知で同人の車でそれぞれの自宅まで送るよう要求した。Ｃの自宅は久居市で、Ｅの自宅は津市であり、本件作業所からみるといずれも亡Ａの自宅である一志町より遠方であったが、亡Ａは、やむを得ず、スタッドレスタイヤを装着した自分の車を自ら運転し、ＣとＥをそれぞれ自宅まで送ることにした。

亡Ａは、平成１６年1月１３日午後１０時０８分ころ、三重県名賀郡青山町伊勢路１番地の国道１６５号線の直線道路を走行中、道路右側の畑に突っ込み、その先のコンクリート製の住宅土台部分に衝突して頭部顔面脳損傷により死亡した。同乗していたＣ及びＥも死亡した。事故原因については定かでない。

（１１）W所長及びＢ工事長は、平成１４年5月7日から平成１５年3月３１日までの間、本件作業所において、同作業所の労働者代表Ｃとの間で、労働基準法第３２条所定の労働時間を１日につき６時間、３か月につき１６８時間、１年につき６７２時間延長する旨書面による協定を締結し、α労働基準監督署に届け出ていた。にもかかわらず、法定の除外事由がないのに、平成１４年６月３日から平成１５年３月３１日までの間、同作業所において、亡Aに対し、〔1〕１日について同協定による延長時間を含む６時間の労働時間を超えて、１４回にわたり、最高１時間、最低３０分ずつ、合計１２時間３０分の時間外労働をさせた、〔2〕３か月について同協定による延長時間を含む１６８時間の労働時間を超えて３回にわたり、最高１１９時間、最低６１時間ずつ、合計２５２時間の時間外労働をさせた、〔3〕１年について同協定による延長時間を含む６７２時間の労働時間を超えて１９８時間３０分の時間外労働をさせたとして、また、Yは、W所長及びB工事長をして、法定の除外事由がないのに、平成１５年４月から平成１６年１月１３日までの間、同作業所において、亡Aに対し、〔1〕１７２回にわたり、１日の法定労働時間８時間を超えて最高１０時間、最低３０分ずつ、合計６７６時間の時間外労働をさせた、〔2〕３７回にわたり、１週間の法定労働時間４０時間を超えて、最高４５時間、最低８時間ずつ、合計８２８時間の時間外労働をさせるとともに、W所長をして法定の除外事由がないのに、亡Aに対し、平成１４年７月１日から平成１５年９月３０日までの時間外労働割増賃金及び深夜労働割増賃金並びに同年１０月１日から同年１２月３１日までの時間外労働割増賃金（土曜日分を除く）及び深夜労働割増賃金合計７８万３２３０円を支払わず、W所長及びP取締役土木部長をして、同年１０月１日から同年１２月３１日までの時間外労働割増賃金（土曜日分）合計１４万００８７円を、それぞれ支払わなかった（なお、後に、いずれもYから亡Aの相続人であるXらに弁済供託されている。）、として、平成１７年６月１日、Yは罰金２０万円、W所長は罰金２０万円、B工事長は罰金１０万円、P部長は罰金１０万円に処せられた。

亡AがYにおける違法な時間外労働及び上司によるパワーハラスメントにより被った肉体的精神的苦痛に対する慰謝料請求として、Yに対し、Xらは、Yと亡Aとの雇用契約上の付随義務として信義則に基づく勤務管理義務及びパワーハラスメント防止義務としての安全配慮義務違反による慰謝料請求、または、民法７０９条の不法行為に基づく慰謝料請求として、X１は、YとX１との準委任契約上の付随義務として信義則に基づく勤務管理義務及びパワーハラスメント防止義務としての安全配慮義務違反による３０００万円の慰謝料請求の一部請求として、それぞれ１００万円等の支払を求めた（なお、X１のYに対する準委任契約に基づく請求は、X１のその余の請求と選択的請求の関係）。

【判旨】

（1）時間外労働について

「亡Ａは、Ｙに入社して２か月足らずで本件作業所に配属されてからは、極めて長時間に及ぶ時間外労働や休日出勤を強いられ、体重を十数キロも激減させ、絶えず睡眠不足の状態になりながら、一日でも早く仕事を覚えようと仕事に専念してきたことが認められる。それにもかかわらず、Ｙでは、時間外労働の上限を５０時間と定め、これを超える残業に対しては何ら賃金を支払うこともせず、それどころか、亡Ａがどれほどの残業をしていたかを把握することさえ怠っていたことが認められる。Ｘ１から亡Ａの残業を軽減するよう申入れがあったことに対しても、およそ不十分な対応しかしていない。

このようなＹの対応は、雇用契約の相手方である亡Ａとの関係で、その職務により健康を害しないように配慮（管理）すべき義務（勤務管理義務）としての安全配慮義務に違反していたというほかない。したがって、この点に関し、Ｙには、雇用契約上の債務不履行責任がある。そして、同時に、このようなＹの対応は、亡Ａとの関係で不法行為を構成するほどの違法な行為であると言わざるを得ないから、この点についても責任を負うべきである。このことは、後に、Ｙが時間外労働割増賃金及び深夜労働割増賃金を全額弁済供託したからといって異なるところはない。もっとも、本件全証拠によっても、Ｙは、Ｘ１との関係で準委任契約を締結したとは認められないから、Ｙにこの点に関する責任までは認められない」。

（2）パワーハラスメントについて

「亡Ａは、長時間に及ぶ残業を行い、休日出勤をしてまでＹの本件作業所において仕事に打ち込んでいたところ、亡Ａの指導に当たったＣは、亡Ａに対し、『おまえみたいな者が入ってくるで、M部長がリストラになるんや！』などと、理不尽な言葉を投げつけたり、亡ＡがＱ建設株式会社の代表取締役の息子であることについて嫌味を言うなどしたほか、仕事上でも、新入社員で何も知らない亡Ａに対して、こんなこともわからないのかと言って、物を投げつけたり、机を蹴飛ばすなど、つらくあたっていたことが認められる。

また、亡Ａは、Ｃから今日中に仕事を片づけておけと命じられて、１人遅くまで残業せざるを得ない状況になったり、他の作業員らの終わっていない仕事を押しつけられて、仕事のやり方がわからないまま、ひとり深夜遅くまで残業したり、徹夜で仕事をしたりしていたことが認められる。

そのほか、Ｃからは、勤務時間中にガムを吐かれたり、測量用の針の付いたポールを投げつけられて足を怪我するなど、およそ指導を逸脱した上司による嫌がらせを受けていたことが認められる。

このような状況においても、亡Ａは、養成社員として入社した身であるから仕方がないんだと自分に言い聞かせるようにして、Ｃに文句を言うこともなく我慢して笑ってごまかしたり、怪我のことはＣに口止めされたとおりＷ所長らにも事実を伝えず、一生懸命仕事に打ち込んできたことが認められる。

本件交通事故が発生した日の前日も、亡Ａは徹夜でパソコン作業に当たっていたが、このとき、一緒に残業していたのは数量計算等を行っていたＢ工事長のみであり、他の作業員及びＷ所長は帰宅しており、亡Ａの仕事を手伝うことはしなかったことが認められる。なお、Ｗ所長に至っては、勤務時間中にリフレッシュと称して度々パソコンゲームをしており、亡Ａの仕事を手伝っていた様子はうかがえない」。

「これらの事実からすれば、亡Ａは、Ｙに入社して２か月足らずで本件作業所に配属されてからは、上司から極めて不当な肉体的精神的苦痛を与えられ続けていたことが認められる。そして、本件作業所の責任者であるＷ所長はこれに対し、何らの対応もとらなかったどころか問題意識さえ持っていなかったことが認められる。その結果、Ｙとしても、何ら亡Ａに対する上司の嫌がらせを解消するべき措置をとっていない。

このようなＹの対応は、雇用契約の相手方である亡Ａとの関係で、Ｙの社員が養成社員に対してＹの下請会社に対する優越的立場を利用して養成社員に対する職場内の人権侵害が生じないように配慮する義務（パワーハラスメント防止義務）としての安全配慮義務に違反しているというほかない。したがって、この点に関し、Ｙには、雇用契約上の債務不履行責任がある。そして、同時に、このようなＹの対応は、不法行為を構成するほどの違法な行為であると言わざるを得ないから、この点についても責任を負うべきである。もっとも、本件全証拠によっても、Ｙは、Ｘ１との関係で準委任契約を締結したとは認められないから、Ｙにこの点に関する責任までは認められない」。

「この点、Ｙは、Ｃが亡Ａに対してポールを投げたのは、Ｃが亡Ａに対し、夕方５時ころから測量を始めると言ったところ、亡Ａがこんな遅くからという感じでダラダラしていたので、Ｃが嫌ならやめとけと言って測量用のポールを亡Ａの方に放り投げたところ、弾みで亡Ａの足に当たったものであると主張しているが、そもそも、亡ＡがＹが主張するような態度をとっていたと認めるに足りる証拠はおよそないし、いずれにしても、Ｃが行った行為を正当化する理由となるものではおよそない。むしろ…認定事実のとおり、このような事実をはじめ、ガムをズボンに吐きつけられたり、昼休みも休むことを許されず、深夜遅くまで残業させられ、徹夜勤務になることもあったような過酷な職場環境であったことからすれば、亡Ａは、Ｙに入社後、間もなく配属された本件作業所において、先輩から相当厳しい扱いを受けていたことがうかがえる。このような扱いは、指導、教育からは明らかに逸脱したものであり、亡Ａがこれら上司の対応について自分に対する嫌がらせと感じたとしても無理がないものであったというほかない。

なお、Ｙは、亡Ａが足を怪我したことについては、時効が成立しているとの主張をしているものの、Ｘらは、個々の出来事を取り上げて債務不履行ないし不法行為に基づく損害賠償請求としての慰謝料請求をしているのではなく、亡ＡがＹに入社し、本件作業所に配属されてから、本件交通事故により死亡するまでの一連の亡Ａの上司らによる行為ひいてはそれに関するＹの対応を問題としてとらえていることからすれば、このＸらの請求に関する消滅時効の起算日は、亡Ａが死亡した平成１６年１月１３日とするべきである」。

（３）交通事故当日亡Ａを飲み会に出席させたこと及び上司を自宅まで車で送らせたことについて

「亡Ａは、本件交通事故当日である平成１６年１月１３日も午後６時半ころから午後８時ころまで、Ｂ、Ｃ、Ｄ及びＥとともにお好み焼き屋で飲食し、その後も、Ｃ及びＥと居酒屋に飲みに行っていることが認められる。

この点…亡Ａは、新入社員紹介の中で趣味として酒を飲むことを掲げていることが認められるが、これは、通常の健康状態を前提とするものであって、平成１６年１月５日から連日のように深夜まで残業が続いた上、同月１２日には徹夜勤務となり、２時間程度しか仮眠がとれていない状態で、亡Ａが酒を飲むことを積極的に望んでいたとは考えにくい面がある。むしろ、これらの飲食は、亡Ａとしては、つきあいとしてやむを得ず出席した面が強いものとも考えられる。

もっとも、この飲食には、W所長は全く参加していないし、ＢやＤもお好み焼き屋で飲食しただけでその後の居酒屋には行っていないことなどからすれば…亡ＡがＣらからパワーハラスメントを受けていたとしても、亡Ａに対して、Ｙの職務の一環としてこれらの飲食に参加しなければならないといった強制力があったとまでは認めることはできない。亡ＡがＣらからの飲食の誘いを断り切れなかったとしても、それは、Ｙの職務の一環としてではなく、個人的な先輩からの誘いを断り切れなかったと解するほかなく、亡Ａとしては、あくまで自由意思で参加したものというべきであり、Ｙの職務の一環として飲食をともにしたということまではできない。したがって、この点に関して、ＸらがＹに何らかの責任を問うことはできない。そして、この飲み会がＹの職務の一環であったとまでは認定できない以上、その帰宅方法について、ＸらがＹに何らかの責任を問うこともできない」。

「また…認定事実によれば、Ｃ、Ｅ及び亡Ａが居酒屋での飲酒後に本件作業所に戻った時点で、亡ＡがＣやＥから自宅まで車で送るよう求められたのに応じて自ら運転してＣやＥをそれぞれ自宅まで送ることにしたことが認められるが、これについても、先輩・後輩の関係から断り切れなかったことは容易に想像されるところであるが、これをＹの職務の一環であったということまではできない。したがって、これに応じて亡Ａが飲酒運転をした結果、本件交通事故を起こしたことについても、それ自体をＹの職務の一環ということはできず、この点に関して、ＸらがＹに何らかの責任を問うことはできない」。

（４）慰謝料について

「以上によれば、Ｙは、雇用契約における亡Ａが健康を害しないように配慮（管理）すべき義務（勤務管理義務）としての安全配慮義務に違反するとともに、Ｙの社員が養成社員に対してＹの下請会社に対する優越的立場を利用して養成社員に対する職場内の人権侵害が生じないように配慮する義務としてのパワーハラスメント防止義務に違反したことに伴う慰謝料及びこれらに関する不法行為に基づく慰謝料を支払うべき責任があることになる。

ただ、上記のとおり、亡Ａが、入社直後からあまりに過酷な時間外労働を、それに見合った割増賃金を支給されることもなく恒常的に強いられ、その上、養成社員という立場であったことからおよそ不平不満を漏らすことができない状況にある中で、上司からさまざまな嫌がらせを受け、肉体的にも精神的にも相当追いつめられていたなかで、本件交通事故が発生したことからすれば、Ｘら亡Ａの両親が、本件交通事故が亡Ａの飲酒運転が原因であるからＹには一切責任がないとするＹの態度に憤慨するのも至極当然である。すなわち、このことは、それだけ、亡Ａが強いられてきた時間外労働があまりに過酷で度を超したものであり、上司から受けたさまざまな嫌がらせが極めて大きな肉体的精神的苦痛を与えていたと考えられるほど、違法性の高いものであったことのあらわれである。

したがって、上記雇用契約の債務不履行及び不法行為に基づく慰謝料額を検討するにあたっては、このような違法性の高さを十分考慮する必要があり、本件にあらわれたすべての事情を総合的に考慮すると、亡Ａに生じたその慰謝料額としては、いずれの請求に基づく慰謝料としても、１５０万円をもって相当というべきである。したがって、これを各２分の１ずつ相続したＸらの請求は、それぞれ７５万円の限度で認められる」。

6　A病院事件・福井地判平21.4.22労判985号23頁

【事実の概要】

Ｙは、病院及び診療所を経営し、科学的でかつ適正な医療を普及することを目的として設立された財団医療法人であり、Ａ病院及び同附属診療所を開設し、これらを経営している。Ａ病院は、平成１９年５月２９日当時、内科、泌尿器科及び皮膚科の診療を行なっており、ベッド数は約５０床、職員数は、常勤医師７名、非常勤医師６名及びその他職員約１４０名であった。

Ｘは、昭和６３年３月、Ｂ医科大学医学部を卒業後、同年４月から１年間、同大学附属病院で研修医として、平成元年４月から１年間、Ｋ大学附属病院で医員としてそれぞれ勤務した後、平成２年４月から２年間、Ａ病院で内科の医員として勤務し、腎臓内科を中心とした内科の診療業務に従事した。その後、Ｘは、平成４年４月から１年間、Ｂ医科大学附属病院に勤務するかたわらＡ病院で週１回のアルバイトをしていたところ、平成５年４月、期間を定めることなくＹに雇用された。Ｘは、Ａ病院において、医局及び透析センターに属し、内科医長として主に透析患者（通院及び入院）の診療を行なってきた。

Ｘは、Ｙから、平成１９年４月分、５月分として各１２９万９０００円、同年６月分として１３１万９０００円の賃金（総支給額）を支給された。Ｙは、前月１１日から当月１０日までの賃金を当月２５日（ただし、同日が休日又は土曜日に当たる場合はその前日限り、前日が休日又は土曜日に当たる場合はその前日限り）に支給している。また、Ｘは、Ｙから、平成１８年６月、同年１２月及び平成１９年６月、各１２０万円の賞与を支給された。Ｙは、平成５年６月から平成１９年６月まで、毎年６月２５日及び１２月中旬（ただし、同日が休日又は土曜日に当たる場合はその前日限り、前日が休日又は土曜日に当たる場合はその前日限り）に賞与を支給してきた。

―――Ｙ就業規則抜粋―――

（服務の基本原則）

第３３条　職員は、この規則に定めるものの他、業務上の指揮命令に従い、自己の業務に専念し、作業能率の向上に努めるとともに、たがいに協力して職場の秩序を維持しなければならない。（以下省略）

（遵守事項）

第３５条　職員は、次の事項を守らなければならない

１ないし１１省略

１２．施設内で集会、演説、印刷物の配布、貼紙掲示その他これに類する行為を行うときは所属長を経て理事長に許可を得ること

１３．省略

（制裁の事由）
第４１条
〔１〕省略
〔２〕職員が次のいずれかに該当するときは、論旨解雇および懲戒解雇とする。ただし情状により減給、出勤停止にすることがある。
１．省略
２．本規則にしばしば違反し、再三にわたって注意を受けても改めないとき
３．省略
４．正当な理由なくしばしば欠勤、遅刻、早退を繰り返し、再三にわたって注意を受けても改めないとき
５及び６　省略
７．業務上の指揮命令にしばしば違反したとき
８．その他前各号に準ずる重大な行為があったとき
〔３〕制裁審査委員会の委員は、その都度理事長が委託し、理事および評議員から２名、職員代表２名をもって構成する。
（解雇）
第４２条
財団は、次の各号のいずれかに該当するとき職員を解雇することがある。
１．省略
２．職員の就業状況が著しく不良で、職員としてふさわしくないと認められたとき。ただし第４１条第２項の事由に該当すると認められたときは、同条の定めるところによる。
３及び４　省略
５．その他前各号に準ずるやむを得ない理由があるとき

―――Ｙ就業規則抜粋　以上―――

Ｙは、Ｘに対し、平成１９年５月２９日、下記の文面が記載された解雇予告通知書を交付するとともに、同年６月３０日をもってＸを解雇するとの意思表示をした（以下「本件解雇」）。

―――解雇予告通知書―――

記

解雇年月日　平成１９年６月３０日
解雇事由
１）勤務成績、業務能率が不良で、業務に支障が生じていること。
２）勤務態度、勤務状況が不良で、当財団医師としての職責を果たしえないこと。

以上に付き正当な理由がなく再三の注意・指導にもかかわらず改めることが見込めず、さらに、改善、向上の見込みもなく、また医師であるがために当財団の他の職務に転換できないため。

就業規則該当条文

就業規則第４２条の解雇事由に定める２号

就業規則第４１条の服務規律に定める〔２〕の２

―――解雇予告通知書　以上―――

Ｘは、Ｙによる本件解雇は無効であり不法行為に当たるなどと主張し、Ｙに対し、（１）雇用契約上の地位を有することの確認、（２）雇用契約に基づき医師として就労させること、（３）雇用契約に基づく平成１９年７月以降の賃金月額等の支払い、（４）雇用契約に基づく平成１９年１２月以降の賞与等の支払い、（５）人格権に基づくいわゆるパワーハラスメント行為防止のための措置を講じること、（６）いわゆるパワーハラスメント及び不当解雇が不法行為・債務不履行を構成することを理由とする損害（慰謝料３００万円及び弁護士費用３０万円等）の賠償を求めた。

【判旨】

（１）解雇事由の存否について

「Ｘは、Ａ病院の取決めに反し」、

・「業務上の必要がないにもかかわらず、午前９時とされている外来の診療開始時間をしばしば守らず」、

・「院長に連絡をとることが可能であり、かつ、緊急性がなかったにもかかわらず、院長に相談することなく保険適応外であるノロウィルスの抗原検査を行ない」、

・「分掌された血液透析患者の年金に関する書類の作成を相当程度怠り」、

・「必要な手続きを行なわずにカルテを借り受けたままにし」、

・「少なくとも平成１９年４月１３日から同月２７日まで、個人所有の端末機を無許可でＹのインターネット回線に接続し」、

・「Ｙの指示に反して駐車場所を変更しなかった」。

以上の「事実は、それぞれＸが服務規律に違反していたことを示すとともに、全体としてＹの服務規律に従おうとする姿勢がＸに欠けていたことを推認させるに十分なものである」。

「Ｘが、外来診療の開始時間につきＹから複数回是正の指示を受けた後もなおこれを改めなかったこと、理事長や事務長に反抗心を示す目的などから指示に反する駐車行為を継続したことからすれば、Ｘには、従業員として使用者であるＹの指揮命令に服する

義務があることの認識や、組織の一員としての自覚が著しく欠けていたものと認められる」。

「仮に、Xが、Yの決定事項や指示等に不合理な点があると考えたとしても、緊急の場合はともかく、通常の場合その是正はA病院内の職場秩序に即した方法で、すなわち、踏むべき手順を踏んで行なわれるべきであって、このような手順を踏むことなく頑なに指示等を拒否するといったXの姿勢は、職場秩序を顧みない自己中心的なものといわざるを得ない」。

「また、Xの患者あるいはその家族とのトラブル」、「不必要な検査の実施…及び処方の無断変更…については、患者と接する臨床医として、また、組織で医療行為を行なうA病院に所属する医師としての資質・能力に疑問を抱かせるに十分であり、就業状況が不良であったことを示すものである（Y就業規則４２条２号)」。

「そして、以上を総合的に判断すると、Xについては、就業状況が著しく不良で、Yの医師としてふさわしくないと認められ、少なくとも、Y就業規則４２条２号本文の解雇事由があるものと認められる」。

（2）解雇権濫用の成否について

ア　客観的かつ合理的な理由の欠如

「Xは、Yが解雇事由として主張する事実の多くは相当程度過去のものであるうえ、その内容も、時代錯誤の発想に基づくもの」や「医学上の無理解に基づくもの」が含まれるなどしており、「客観的かつ合理的な理由が欠如していると主張する」。

「確かに、Yが解雇事由として主張するものについては、平成１０年頃の出来事（書類作成の懈怠)、平成１５年頃の出来事（患者Cとのトラブル)、平成１７年頃の出来事（患者D、Gの家族とのトラブル)、平成１８年頃の出来事（保険適応外検査の無許可実施)、あるいは時期不詳の出来事（処方の無断変更）も含まれているが、継続的な出来事として診療開始時刻の不遵守、不必要な検査の実施、カルテ返却の懈怠が、さらに本件解雇直前の出来事としてインターネット回線への無断接続、車両の放置が認定されるのであって、これらを総合的に判断すれば…Xには、Y就業規則４２条２号本文の解雇事由に該当する客観的かつ合理的な理由があるものと認められる」。

「また、Xは、処方の無断変更、不必要な検査の実施につき、客観的かつ合理的な理由に当たらないと主張するが…Xの主張は理由がない」。

イ　社会通念上の相当性

「Xは、YがXに対して具体的な指導や注意をしたことがなく、懲戒処分としては、本件解雇の約１か月前の訓戒処分（しかも告知聴聞の機会が与えられていない無効なもの）がなされたのみであるから、本件解雇は社会通念上の相当性を欠くと主張する」。

確かに、「解雇事由に該当すると認定した事実について、YがXに対して行なった懲戒処分は、車両の放置に関する平成１９年５月１日の訓戒処分のみである」。「なお、この懲戒処分が無効なものでないことは上記…で認定判断したとおりである」。

「しかしながら、一般に、医業について高度な知識と技能を有し、患者の診療につき決定を下し責任を負う医師は、病院において他の職員とは異なる特殊な地位を有し、その立場や意見が尊重されている。実際、Ｘは、本件解雇時までのＹでの勤続年数も１４年と長く、内科医長として相当高額な報酬の支払いを受け、ＹにおいてＸに指揮命令できる立場にあったのは理事長と院長くらいであったと推認されるなど、Ｙ従業員の中では院長に次ぐ高い地位にあったと認められるのであるから、Ｘは、医師として、また、勤続年数の長い内科医長として、他の医師や職員らを指導しその模範となるべき立場にあり、その立場を踏まえて自己研さんに努め、自分自身で行動を規律することを求められていたということができる。

Ｘの置かれていた上記立場に照らせば、患者と接する臨床医として、組織で医療行為を行なうＡ病院に所属する医師として、適切な行動や診療行為を行なうことは当然の前提であって、改めて注意されるべき事柄ではないことからすれば、ＹからＸに対する具体的かつ明示的な注意や指導があまり行なわれてこなかったことを重視するのは相当ではない」。

「加えて、Ｙは、Ｘを直接名指しして注意をするのではなく、それを医局に対する指示等という形で、通常の理解力があれば何が問題となっているのかを容易に理解できる方法で提示し、その指示・指導を行なってきたものであり（診療開始時間に関する注意、保険適応外検査の無許可実施）、Ｘとしても改善の契機はあった。また、カルテ返却の懈怠、インターネット回線への無断接続については、Ｘは明らかにＹの取決めや決定に従おうとしていない。

また、患者あるいはその家族とのトラブルについてもその発生自体はＸも認識していたものであるから、ＹがＸの受持ち患者数の割合を減少させる措置を講じた事実から、その措置の理由に思いを致し、みずからの至らない点に気付いて反省し、改善する契機もあった。

これらの点からすれば、ＹはＸに対して注意や指導をなし、行動を改める契機を何度も与えてきたということができる」。

「以上を踏まえ、Ｘが医師であって、医業以外の職務に従事させることはできず、加えて、Ａ病院の組織規模では配置転換なども事実上できないことを勘案すると、本件解雇についてはなお社会通念上の相当性が認められるというべきである」。

「以上によれば、本件解雇は、解雇権の濫用に当たるとは認められず、有効である」。

「以上のとおり、本件解雇は有効なものと認められるから、Ｘの地位確認請求（請求１項）は理由がない。

また、Ｘの就労請求（請求２項）、賃金の支払請求（請求３項）及び賞与の支払請求（請求４項）についても、本件解雇が有効なものと認められる以上、その余の点について判断するまでもなくいずれも理由がない」。

（３）Ｙの不法行為・債務不履行責任について

「争いのない事実及び括弧内掲記の証拠によれば、次のとおり認めることができる」。

ア　受持ち患者数の減少

「Ｘは、ＹがＸの受持ち患者数を減少させたことが不法行為等を構成すると主張する」。

「Ａ病院内科の全入院患者数に占める、Ｘの受け持つ（主治医となる）患者数の割合は、平成９年から平成１４年までは概ね２５％から３０％で推移していたが、平成１５年には約１８％にまで減少し、平成１６年には約２５％に増加したものの、平成１７年には再び減少して約１９％となり、それ以降は本件解雇に至るまで僅かずつ減少してきた」。

「上記減少は、ＹがＸの受持ち患者数を意識的に減らしたことによるものであった（争いがない）」。

「Ｙは、平成１５年初め頃、大学の医局からＸに替わる別の医師の派遣を希望していた。すなわち、ＸにはＹを退職して大学の医局が紹介する別の病院へ就職してもらい、Ｙは大学の医局から紹介を受ける別の医師を新たに採用したいと考えていた」。

「そして、Ａ病院の院長は、平成１５年１１月頃、大学の医局との間で、Ｘに紹介する病院とＹが派遣を受ける新たな医師についてほぼ話をまとめていたものの、ＸがＹを退職して別の病院へ移ることを断ったため、Ｙの上記希望は実現しなかった」。

「そこで検討するに、Ｙは、Ａ病院に勤務する医師らにどのように患者を受け持たせるかを決する裁量権を有する。

そして、Ｘの受持ち患者数の減少程度は、半減といった著しいものではない。また、平成１５年頃の減少は、Ｘの異動話が具体的に進められるなかで行なわれたものであり、Ｘの退職に備えるという合理的理由に基づくものであったと認められる。さらに、平成１７年の減少は、その年に発生したＸと患者Ｇとのトラブルを背景に、患者とのトラブル防止という観点から行なわれたものと認められ、これについても合理的な理由があるということができる。

以上によれば、ＹがＸの受持ち患者を減らしたことについては、裁量権の逸脱・濫用があったとは認められず、これが不法行為ないし債務不履行を構成するものとは認められない」。

イ　序列逆転

「Ｘは、Ｙが行なった序列逆転等の措置が不法行為等を構成すると主張する」。

「Ｙは、平成１８年１０月、Ａ病院の透析センターに副センター長というポストを新設して、そこにＬ医師を就けた。また、Ｙは、平成１９年４月１日付けで、人事表上もＸ

とＬ医師の序列を逆転させた（争いがない)」。

「Ｌ医師は、平成７年に医師免許を取得し、平成１２年以降Ａ病院で勤務してきたものである（争いがない)。Ａ病院の内科は、血液透析を主たる業務としているところ、Ｌ医師は、血液透析に係るバスキュラーアクセスインターベンション治療をＡ病院に本格的に導入し、責任者として同治療の施行と指導にあたるなどしていた」。

「そこで検討するに、一般に、使用者の行なう人事上の評価は、公正妥当なものであることが求められ、また、Ａ病院のように常勤医師７名という規模の病院では、医師らの具体的な担当職務が異なるために客観的な基準を設けて評価することが困難な側面があることから、医師としての経験年数、Ａ病院における経験年数を基礎に評価するということにも一応の合理性はある。しかしながら、それが絶対的なものでないことも明らかであり、また、評価である以上、それを行なうＹ側に一定の裁量があることも否定できないところである。

ところで、Ｘは、医師としての経験年数及びＡ病院における勤務年数においてはＬ医師に優るものの、上記…のとおり、平成１８年１０月ころまでに解雇事由と評価できる事情が認められたところである。他方、Ｌ医師は、血液透析に係るバスキュラーアクセスインターベンション治療をＡ病院に本格的に導入し、責任者として同治療の施行と指導にあたるなど評価できる功績があったのであるから、経験年数・勤務年数を踏まえ、これら事情を評価した結果として、ＹがＬ医師をＡ病院の透析センターの副センター長に就け、平成１９年４月１日付けで人事表上もＸとＬ医師の序列を逆転させたことについて裁量権の逸脱・濫用があったとは認められない。また、これが不法行為ないし債務不履行を構成するものとも認められない」。

ウ　執拗な退職勧奨及びいじめ

「Ｘは、Ｙのパワーハラスメント（執拗な退職勧奨及びいじめ）により、労働契約終了についての意思決定の自由を侵害されたとしてるる主張する」。

「まず、Ｘは、平成１５年１１月１７日、Ａ病院の院長から退職を強要されたと主張し、それに沿う内容のメモ」を提出している。

「確かに、当時、ＹはＸに大学の医局が紹介する別の病院に移って貰いたいとの希望を持っており、そのために院長からＸに対して働きかけのあったことは推測されるところではあるが、その働きかけの程度・内容につき、ＹはＸの主張を否認しており、Ｘの主張を裏付ける客観性のある証拠はなく、したがって、上記メモから直ちにＸの主張する程度・内容の働きかけがあったものとは認め難く、他にこの事実を認めるに足る証拠はない」。

「次に、Ｘは、Ａ病院の事務長が本件解雇の意思表示後の平成１９年６月２２日、退職金を現金で持参してＸに受領するよう求めたことを指摘する。

Ｘ指摘の事実は当事者間に争いがなく、Ｘはその退職金の受領を拒絶した（争いがない)」。

「確かに、本件解雇の効力は、退職金を持参した日に後れる平成１９年６月３０日に生じるものではある。しかしながら、Ｙは既に解雇の意思表示を済ませていたうえ、解雇の効力発生に先立って退職金を支払うことも必ずしも退職手続に伴う一連の行為として不自然とはいえないことからすれば、退職金の持参行為に退職を受け容れて貰いたいとの希望が伏在していたとしても退職金持参行為それ自体が社会的相当性を欠く違法なものとはいえない。

したがって、Ｙの退職金持参行為がパワーハラスメントに当たるなどして不法行為等を構成するものとは認められないというべきである」。

さらに、「Ｘは、ＹがＸに無断で医師会退会届を作成・提出した行為を指摘する」。

「Ｙは、本件解雇以前、Ｘの医師会会費及び負担金をＸに代わって支払っていたところ、平成１９年６月２８日以降、Ｘに無断で、Ｘ名義の医師会退会届を作成し、医師会に提出した（争いがない)。

Ｙは、平成１９年７月２５日、Ｘの抗議を受けて…同月２８日には退会届を撤回したうえ、退会届提出の原因として、Ａ病院がＸの医師会会費及び負担金の代払いを中止するために必要があると誤解したことによるとの説明をＸに通知し、謝罪した」。

「以上の経緯と、Ｙは同年５月２９日には同年６月３０日をもって解雇する旨の本件解雇の意思表示をしていたことに照らすと、Ｙの上記説明には一応の合理性があり、過誤ではなくＸを害する目的を持って殊更になされたものとは認められない」。

「また、Ｙの上記行為によってＸの社会生活に具体的な支障が生じたことを認めるに足る証拠はなく、ＹはＸの抗議後遅滞なく退会届を撤回して謝罪していることからすれば、Ｘに損害が生じたとも認め難い。

したがって、Ｙによる医師会退会届の作成・提出行為がパワーハラスメントに当たるなどして不法行為等を構成するものとは認められない」。

「以上によれば、Ｙの退職金持参行為、医師会退会届の作成・提出行為が、Ｘに対するパワーハラスメントに当たるなどして不法行為等を構成するものと認められることはできない」。

エ　監視

「Ｘは、Ｙによる監視行為（パワーハラスメント）により、プライバシー権及び人格権を侵害されたと主張する」。

「Ｘは、Ａ病院において、院長室及び副院長室と同じ２階にある、医局の並びの１室を利用していた。Ｙは、平成１７年２月から平成１９年５月にかけて、合計１６台の防犯カメラをＡ病院内各所に順次設置し、同年５月１４日、そのうちの１台を、Ｘの使用する部屋のドア上部に取り付けた…このカメラは、階段及びエレベーター乗降口を視野に収めており、階段及びエレベーター乗降口を出入りする人の姿は映るが、Ｘの部屋のドアや、Ｘの部屋を出入りする人の姿は映らないものであった…また、上記防犯カメラのうち２台は、Ａ病院１階及び３階の、Ｘの使用する部屋のドア上部とほぼ対応する位置にそれぞれ取り付けられている」。

「Ｘは、Ｘの使用する部屋のドア上部に取り付けた防犯カメラが、Ｘの行動を監視するためのものであったと主張する。

しかしながら、Ｘの部屋のドア上部の防犯カメラは、階段及びエレベーター乗降口を視野に収めて、階段及びエレベーター乗降口を出入りする人の姿を映してはいるものの、Ｘの部屋のドアや、Ｘの部屋を出入りする人の姿を映してはいないこと、さらにこのカメラに先立ちＹが設置した防犯カメラ１５台のうちの２台が、Ａ病院１階及び３階の、Ｘの使用していた部屋のドア上部とほぼ対応する位置にそれぞれ取り付けられていることからすれば、ＹがＸの行動を監視するために防犯カメラを設置したとは到底認められない。

さらに、Ｘの部屋のドア上部の防犯カメラが映す範囲からすればＸに何らかの損害が生じているものとも認められない」。

「したがって、Ｙによる上記防犯カメラの設置がＸに対するパワーハラスメントに当たり、Ｘのプライバシー権及び人格権を侵害したとは認められない」。

オ　本件解雇

「Ｘは、本件解雇が無効であるのみならず、パワーハラスメントの延長としてなされたものであって不法行為等を構成すると主張する」。

「本件解雇が有効であることは上記…で認定判断したとおりである」。

「Ｘは、ＹがＸの妻に対して解雇予告の電話をすると述べて脅迫したと主張する」。

「Ｘと事務長らとの平成１９年６月１１日の会話に関する録音反訳書…によれば、同日、Ｘと事務長との間で次の会話（抜粋）がなされたことが認められる」。

事務長「すいません、奥様にはこのお話はされているんですか」
Ｘ「あのさ。人にこんだけ失礼なことしといてさ、嫁さんに言ってるかどうかってどういう意味よ」
事務長「いや、もしなんでしたら、こちらから１回電話させていただこうかなと」
Ｘ「はい。はい」「何のことを」
事務長「……この事情話を」
Ｘ「何でうちの家内にそんなことあなたがいうの。何の目的でそんな話を言うの。どういうこと。何が言いたいの」
事務長「お話はしておいた方がいいかと思って。いきなり先生、そんな、ねえ。明日から仕事ないんやって言われたかって。そりゃ奥さんかってどうしても困るでしょ」
Ｘ「ひとの家族に何でそんな電話するの」

事務長「いらないんならいいです」

「確かに、上記会話内容によれば、Ｘが事務長の発言に立腹したことには肯ける面があるものの、Ｘの応対内容に照らせば、この事務長の発言がＸに対する脅迫行為を構成する程度のものとは認められず、パワーハラスメントに当たるものとも認められない」。

「Ｘは、Ｙが平成１９年６月２３日の臨時の集まりにおいて、職員らに「Ｘは６月３０日で籍がなくなるのでＸの指示を聞かないように」と命じたと主張し、その主張に沿う内容の陳述書」を提出している。

「Ｙは、Ｘの主張を否認するうえ、Ｘの陳述内容を裏付ける的確な証拠はないのであるから、上記陳述書から直ちにＸの主張事実を認めることはできず、他にこの事実を認めるに足る証拠はない」。

「Ｘは、平成１９年６月２５日に支給されたＸの給与からＹが２か月分の社会保険料等を天引きした（争いがない）ことが、Ｙの嫌がらせ行為であったと主張するが、その行為内容と、既に本件解雇の意思表示がなされていたことからすれば、退職手続の一環として行なわれたものと認めるのが相当であって、それがパワーハラスメントに当たるとは到底認められない」。

「以上のとおり、事務長の発言内容は脅迫行為を構成する程度のものとは認められず、退職金の受領促しや２か月分の社会保険料等の天引きは退職手続の一環としてなされたものと認められ、さらに医師会退会届の無断作成・提出もＸへの害意に基づくものとは認められないことに照らすと、これらの行為がパワーハラスメントに当たり、Ｘに対する不法行為等を構成するものと認めることはできない」。

カ　「以上のとおり、ＹがＸに対して不法行為・債務不履行責任を負うものとは認められず、Ｘの損害賠償請求…は理由がない」。

「また、ＹのＸに対する不法行為・債務不履行行為が認められない以上、人格権侵害を根拠とする措置請求（請求５項）についても理由がないことに帰する」。

7　前田道路事件・高松高判平 21.4.23 労判 990 号 134 頁

【事実の概要】

亡Ａは昭和３６年生まれで、昭和６１年４月にＹに入社し、本店技術研究所に勤務した後、同年５月１５日高松営業所工務課に土木担当として、平成４年４月徳島工事事務所に土木担当として、平成９年４月宇和島工事事務所に土木主任として赴任し、平成１２年４月宇和島工事事務所の副所長に、平成１３年１２月にＹの四国支店の東予営業所の副所長に就任し、平成１４年９月香川営業所の副所長に転じた後、平成１５年４月東予営業所の所長に就任した。なお、Ｘ１は、亡Ａの妻であり、Ｘ２は、亡ＡとＸ１の子である。

Ｙは、土木建築工事の請負などを業とする株式会社である。Ｙは、業務運営のための事業単位として本店、支店、事業所、総合合材工場、営業所、地区営業所、出張所、作業所、合材工場等を置いている。平成１６年９月１日時点において、東予営業所には、営業課長としてＥ、工事課係長としてＦ、Ｇ、Ｈ及び事務員Ｉが配置されていた。管轄地域の営業活動及び工事施工の統括管理を担当する営業所は、独立採算を基本にしており、毎年２月から３月にかけて、翌年度の目標を立てて「年間の事業計画書」を作成していた。事業計画は、営業所ごとに過去の実績を踏まえて作成することになっており、支店では営業所から報告を受けた「年間の事業計画書」の内容を精査し、設定目標が低い場合などには改案の指導を行っていた。営業所にとって、事業計画は自分達が目標として掲げた数値でありノルマとなるから、その目標達成のために努力していくことになる。営業所では、年次計画を基に月間計画を立てて進捗状況を管理していた。また、月間計画やその結果は支店にも報告することになり、支店では、営業所からの報告を受けて営業所ごとに進捗状況を管理していた。

四国支店では、月１回程度行われる営業所長等を集めた定期会議の中で、営業所ごとの営業成績を評価する場合があり、営業成績が上がらない営業所所長に対して問題点を把握させ、改善の指導を行っていた。

亡Ａは、平成１６年９月１３日午前６時３０分ころ、東予営業所の試験室の東側及びプラント本体の北東側（建物等の死角に当たり人目に付きにくい場所）において自殺を図り死亡した。東予営業所２階の亡Ａの寮の部屋に置いてあったゴミ箱のゴミ袋の中程の位置から遺書が発見された。

―――記載内容―――

怒られるのも
言い訳するのも
つかれました。

自分の能力のなさにあきれました。

申し訳ありません。

X１へ

決して労災などで訴えないでくれ

ごめん

EさんF　G　Hへ

力のない上司で申し訳ない

———記載内容　以上———

東予営業所では、亡Aの前任者であったN所長時代には、赤字となったときには赤字のままで四国支店に報告をしており、「不正経理」は行っていなかった。亡Aは、東予営業所所長に就任した１か月後の平成１５年５月ころから、受注高、出来高、原価等といった営業所の事業成績に関するデータの集計結果を四国支店に報告する際に、営業事務を担当していたDに対し、現実の数値とは異なる数値を報告するように指示を行うことにより、「不正経理」を開始した。その後毎月、亡Aは、自らが月始めに四国支店に報告した実施計画を基にして「実施計画に近い数字で調整して送っておけ」とDに指示を行うことによって「不正経理」を継続した。具体的な「不正経理」としては、〔１〕実際には受注をしていない工事を受注したものとして受注額を計上する「架空受注」、〔２〕工事未施工分の出来高を当月に計上する「架空出来高」、〔３〕下請業者に対し請求書の発行を待ってもらったり、受領した請求書を意図的に止めておく「原価未計上」、〔４〕ある工事の原価を別の工事に付け替えるという「原価移動」などがあった。

Mは、平成１５年１月１日、四国支店工務部長に就任した。Mは、平成１５年６月、東予営業所が行っていた工事の変動費が４０や５０パーセント等という通常では考えがたい端数のない数字で報告されてくることが多かったことから、同年５月末時点の東予営業所の出来高と原価の数字のバランスに異常があることに気付いた。Mは、平成１５年６月ころ、東予営業所に赴き、亡Aに対し、「架空出来高」の計上の有無について確認を行った。亡Aが架空出来高の計上を認めたため、Mは、亡Aに対し、第７９期（平成１５年４月１日から平成１６年３月３１日まで）中間決算（平成１５年９月末）までに「架空出来高」を計上していない状況の出来高の数値に戻すように指示をした。Mは、東予営業所の運営は原則的には所長である亡Aの自主性に任せる方針であったこと、東予営業所現地に赴いて工事日報その他の工事関係書類を全て精査して「架空出来高」の詳細を調査することは困難であること等から、自ら個々の工事ごとに「架空出来高」の詳細な内容まで突き詰めることはしなかった。

Mは、平成１５年１０月ころ、亡Aに対し、「架空出来高」を解消したか否かを質問したところ、亡Aから、「架空出来高」を計上していない状況の出来高の数値に戻せなかったとの報告を受けた。Mは、亡Aから、１２月までには是正する旨の回答を得たことから、東予営業所の運営を亡Aの自主性に任せるという方針を継続した。Mは、亡Aに対し、平成１６年初めころ、「架空出来高」の是正状況を確認したところ、亡Aから、平成１５年１２月で「架空出来高」を是正したとの報告を受けた。Mは、亡Aの報告を信用し、それ以上に「架空出来高」に対する調査を行わなかった。

東予営業所の第７９期の計画は亡Aの前任者が作成したが、第８０期の年間計画は亡Aが作成した。東予営業所の８０期の事業計画においては、計画数に増減を指示するべきところは見当たらず、Mは東予営業所との間でヒアリングは行わず、四国支店から、事業計画の変更要請はなかった。亡Aは、平成１６年初めころ、Mに対し、「架空出来高」を是正したと報告していたが、実際には「架空出来高」は是正されておらず、東予営業所の第７９期決算は、受注高４億２０００万円、出来高３億５６００万円、粗利益５００万円で報告された。亡Aの死後に調査した結果、第７９期決算時の亡Aによる「架空出来高」の計上額は、合計１２０１万１０００円であった。

Mは、平成１６年４月、四国支店工務部長から四国支店長に就任した。また、Mの後任として、Y中国支店福山営業所長であったJが、四国支店工務部長に就任した。Jは、経理担当者から、平成１６年６月ころ、東予営業所から報告を受ける業績結果等の数字におかしい点がある旨の指摘を受け、東予営業所の各工事の内容を確認したところ、各工事の中には出来高と原価とのバランスが異常であり、原価の計上額が少なすぎる工事があることに気付いた。Jは、出来高の過剰計上を疑い、もしそうであれば早めに修正をかけておかないといけないと考え、亡A及びEを四国支店に呼んで事実確認をすることとした。J及び当時の四国支店総務部長のRは、平成１６年７月２日、亡A及びEを四国支店に呼び、東予営業所において「不正経理」が行われているかどうかの事実確認をしたところ、亡Aから、同年６月末時点で約１８００万円の「架空出来高」を計上しているとの報告を受けた。Jは、亡A及びEに対し、架空出来高の計上自体や架空出来高の金額について注意を行い、今後の架空出来高の解消法について話合いを行った。また、報告の席に同席したMは、亡Aに対し、「去年もやっていて注意していたのに、何やっているんだ」と注意した。亡Aが第７９期決算で報告した内容に照らすと、１８００万円の「架空出来高」は、決して少なくはない数字であったが、修正できない数字でもなかった。Jは、大幅な赤字を出して架空出来高を解消する方法だと、Y本社への報告が必要となるため、利益を予測しこれに基づいた「架空出来高」の解消計画を作成して計画的に「架空出来高」を解消していくという方法を採用した。

亡Aは、「架空出来高」を行っていたことを反省した様子で、「今後はきちっとやっていきます。自分が先頭になってやってきます」という回答を行った。なお、他の不正経理又は未払金の有無についてJ及びRが確認したところ、亡Aは、他にはない旨回答した。

Jは、平成１６年８月上旬、同年７月末時点の東予営業所の工事のうちの一部が赤字工事となっていることに気付いた。Ｊは、工事日報を確認しようとしたが、東予営業所では工事日報をつけていなかった。工事日報は、着工前実行予算作成、工事着工後の実発生原価の管理、変更（工事内容、数量）の管理、工事完了、入金という工事受注後の一連の業務の中で、特に、工事着工後の実発生原価の管理及び変更の管理を正確かつ迅速に行うために必要であるという重要な意味を有するものであることから、Ｊは、Ｆの日報のないとの上記回答につき改善の必要性があると認識した。Ｊは、平成１６年８月１１日、亡ＡとＦを四国支店に呼び、亡Ａ及びＦに対し、日報を書いて毎日報告するよう指導し、その後しばらくは、日報をファックスで送らせることとした。Ｊは、平成１６年８月１７日以降、東予営業所から送られてきた日報を見て、気付いた点がある日はそれをメモ書きして、主にＦに対し、その都度電話で、日報の内容の不明点に関する質問、変更を速やかに行うべきことの指示、原価管理等を丁寧に行うべきことの指導を行った。

この指導は、Ｆとともに、工事日報を最終確認する亡Ａに対して行われることもあった。すなわち、Ｊは、工事日報をファックスさせ始めた当初はＦに対して電話での指導をした際に亡Ａに電話を替わってもらい、Ｆの日報に対する確認に関する指導を行っていた。Ｆは、亡ＡがＪとの電話を切った後５分くらい、立ち上がれないような雰囲気で落ち込んで黙って考え込んでいる姿を見たことがあった。Ｆは、９月９日、日報報告の際、Ｊが亡Ａに対し、「この成績は何だ。これだけしかやっていないのか」と叱責しているのを電話越しに聞いた。亡Ａは、電話を切った後、「しょうがないよな。俺らが作ったんだからな」と言って、しばらく机で塞ぎ込んでいた。Ｊが亡Ａと電話で話す機会は、工事日報のファックスをさせ始めた８月中旬ころには多かったが、次第に亡Ａも確認すべき点を理解してきたことから８月下旬にはＪが東予営業所に電話をした時にもＦから亡Ａに電話を替わることはほとんど無くなっていた。

平成１６年９月９日、Ｍは亡Ａに対し、所長としての仕事方法を確立するよう直接アドバイスを行うと同時に、翌年１月にＦを転勤させることになったことを伝えた。なお、同月５日、亡Ａの部下のＨが東予営業所から高松の現場へ異動となっていた。

Ｊ、四国支店営業副部長Ｓ、四国支店工務製品部公務課兼製品課課長Ｔ、亡Ａ、Ｅ、Ｆ及びＧは、平成１６年９月１０日午後６時ころから午後８時ころまでの間、東予営業所において、業績検討会を行った。業績検討会は、営業所において月に３回開催され、売上げ、利益、営業成績、工事の進捗状況を確認するものである。Ｆは、亡Ａと業績検討会の資料を作成した。Ｆは当初、日報どおりの打ち込みをしていたが、亡Ａから利益が出ておらず、目標値に達してないので、数字を何か所かいじってそれらしいものにしておけ、という指示を受け、４か所程度数字を改竄した。Ｓは、業績検討会において、主に亡Ａから、１５分から２０分間、営業・受注に関して、当月の実績と翌月の予想についての説明を受けた。その後、Ｊは、主にＦから、具体的な工事の１本１本についての進捗状況の説明を受けて協議を行った。協議が進んだところで、検討会資料の予算変動費と日報の予算変動費とが異なることが判明したため、Ｊは、Ｆに対し、日報を見せるように指示をしたところ、Ｆは、その日報に係る工事が直前に亡Ａの指示で業務検討会資料の数値を適当に改ざんしたものであったことから、当該工事についての日報を提出すると業務検討会資料の数値が改ざんされていることが発覚してしまうため、日報の提出を若干ちゅうちょしたが、結局はＪの指示に従って日報を提出した。

これを見たＪは、業績検討会資料を作成したＦに対し、「言ってることと資料の内容が違うじゃないか」「こんな資料でみんなの貴重な時間を使ってやっているのに、資料の数字が違ったら意味ないじゃないか」「数字をきちってやっていかないといつまで立ってもこの営業所よくならないよ。こういういいかげんな資料で検討していても無駄だよ」「お前が資料作れないのであれば、他のものにやってもらったらどうか」等と言って注意した。亡Ａは、自らが部下に指示をした「不正経理」について、自分の面前でその部下が注意されるという状況にあった。

また、Ｊは変動費に通常と異なる点を見つけ、その工事の日報を見せるようにＦに指示したが、Ｆからは「日報はない」との回答を受けた。これは、実際は、検討会資料には記載されているものの現実に工事を行っていない工事であったため日報が存在しなかったものであった。Ｊは、Ｆに注意をした後、「東予営業所には１８００万から２０００万近い借金があるんだぞ」と現状を再確認した上で、「達成もできない返済計画を作っても業績検討会などにはならない」、「現時点で既に１８００万円の過剰計上の操作をしているのに過剰計上が解消できるのか。出来る訳がなかろうが」、「会社を辞めれば済むと思っているかもしれないが、辞めても楽にはならないぞ」と亡Ａを叱責した。また、「ここの営業所全員が力を併せていかないと、返せんのだから、無理な数字じゃないから、このぐらいの額だから、今年は皆辛抱の年にして返していこうや」「全員が力を併せて返していかんと返せんのだから、皆が力を併せて頑張ってやろうや」と言った。これに対して、亡Ａを含めた東予営業所員からは「はい、わかりました」と明確な回答があった。なお、業績検討会の雑談の際に、Ｆは、糖尿の気があって検査入院するよう病院から指示されていることについて、Ｓから、「１か月くらい入院してきたらどうか、でも帰ってきたらお前の席はないかもしれないな」と言われた。

Ｊは、亡Ａ及びＦに対し、検討会資料の予算変動費と日報の予算変動費の数値が異なっていたこと等から、業績検討会資料を正確に作り直すように指示をした。この時、Ｆは、正確な資料を作るということは今度こそ四国支店の上司に報告していない「原価未計上」等の「不正経理」を全て明らかにするということであり、従前までの隠蔽したものを正直に出さざるを得なくなり、会社を辞める等して責任を取らざるを得ないと考えた。業績検討会終了後、亡Ａは、東予営業所員らと雑談をしており、特に変わった様子はなかった。また、上記の業績検討会でＳは、東予営業所に鞄を忘れたことから、亡Ａに対し、電話で鞄に現金が入っているから保管しておくように依頼したところ、亡Ａは、みんな使っておきますと冗談を言っていた。亡Aは東予営業所を退社するときは東予営業所員らにいつもどおり「お先に」と元気に声をかけて退社した。

亡Aは、平成16年9月13日（月）午前6時30分ころ、東予営業所の試験室の東側及びプラント本体の北東側（物等の死角に当たり人目に付にくい場所）において自殺を図り死亡した。平成16年9月13日当日、亡Aは、夕刻から香川営業所で時短委員会が開催されそれに出席する予定であり、また、翌日には管理者研修が開催されそれに出席する予定であった。

なお、α労働基準監督署長は、亡Aの死亡を業務上の災害と認定し、平成17年10月27日、X1に通知した。

亡Aの自殺は、上司から社会通念上許容される範囲を著しく超えた過剰なノルマ達成の強要や執拗な叱責を受けたことなどにより、心理的負荷を受けてうつ病を発症し、又は増悪させたためであるなどとXらが主張し、Yに対し、主位的には不法行為（民法715条）に基づき、損害賠償金（X1においては7316万4397円、X2においては7206万4397円）等の支払を、予備的には債務不履行（安全配慮義務違反）に基づき、上記金額と同額の損害賠償金等の支払を求めた。原審（松山地判平 20.7.1 労判 968号 37 頁）は、Xらの主位的請求を一部認容した。これに対して、Xら及びYは、いずれも敗訴部分を不服として控訴した。

【判旨】

（1）亡Aの上司らの行為が不法行為に当たるか

「Xらは、亡Aの上司らが、亡Aに対し、社会通念上正当と認められる職務上の業務命令の限界を著しく超えた過剰なノルマ達成の強要及び執拗な叱責をしたと主張する」。

「しかしながら…Yの営業所は、独立採算を基本にしており、過去の実績を踏まえて翌年度の目標を立てて年間の事業計画を自主的に作成していたこと、東予営業所の第79期の年間事業計画は亡Aの前任者が作成したが、第80期の年間事業計画は亡Aが東予営業所の過去の実績を踏まえて作成し、四国支店から特に事業計画の増額変更の要請はなかったことが明らかであって、東予営業所における業績環境が困難なものであることを考慮しても、当初の事業計画の作成及び同計画に基づく目標の達成に関しては、亡Aの上司らから亡Aに対する過剰なノルマ達成の強要があったと認めることはできない」。

「他方で、亡Aの上司らからの約1800万円の架空出来高を遅くとも平成16年度末までに解消することを目標とする業務改善の指導は、従前に年間業績で赤字を計上したこともあったことなどの東予営業所を取り巻く業務環境に照らすと、必ずしも達成が容易な目標であったとはいい難い。さらに、Jは亡Aに対して、平成16年のお盆以降、毎朝工事日報を報告させ、工事日報の確認に関する指導を行っていたが、その際に亡Ａが落ち込んだ様子を見せるほどの強い叱責をしたことがあったことが認められる。

しかし…東予営業所においては、亡Ａが営業所長に就任するまでは、営業所の事業成績に関するデータの集計結果を四国支店に報告する際に実際とは異なる数値を報告するといった不正経理は行われていなかったが、亡Ａは、東予営業所長に就任した１か月後の平成１５年５月ころから、部下に命じて架空出来高の計上等の不正経理を開始し、同年６月ころ、これに気付いたＭから架空出来高の計上等を是正するよう指示を受けたにもかかわらず、これを是正することなく漫然と不正経理を続けていたため、平成１６年７月にも、Ｊ、Ｒ及びＭから架空出来高の計上等の解消を図るように再び指示ないし注意を受けていた。さらに、その当時、東予営業所においては、工事着工後の実発生原価の管理等を正確かつ迅速に行うために必要な工事日報を作成しておらず、このため、同年８月上旬、東予営業所の工事の一部が赤字工事であったことを知ったＪから工事日報の提出を求められた際にも、Ｊの求めに応じることができなかった」。

「このように、亡Ａの上司から亡Ａに対して架空出来高の計上等の是正を図るように指示がされたにもかかわらず、それから１年以上が経過した時点においてもその是正がされていなかったことや、東予営業所においては、工事着工後の実発生原価の管理等を正確かつ迅速に行うために必要な工事日報が作成されていなかったことなどを考慮に入れると、亡Ａの上司らが亡Ａに対して不正経理の解消や工事日報の作成についてある程度の厳しい改善指導をすることは、亡Ａの上司らのなすべき正当な業務の範囲内にあるものというべきであり、社会通念上許容される業務上の指導の範囲を超えるものと評価することはできないから、上記のような亡Ａに対する上司らの叱責等が違法なものということはできない」。

「これに対し、Ｘらは、控訴理由として、〔１〕…Ｙ内部では架空出来高等の経理操作が広く行われていたことが明らかであり、亡Ａのみが特異な方法で経理操作を行っていたものではない、〔２〕亡Ａが架空出来高の計上その他の不正経理を行っていたとする」Ｙ本店人事部所属の「Ｂの供述及び陳述書…や不正経理についての調査結果をまとめたとするＹ作成の資料…は客観的な裏付けを欠き、信用することができないなどと主張する。

確かに、Ｊらの供述等によれば、ＪやＭも過去に架空出来高の計上を行ったことがあり、Ｙ内部においてこのような経理操作がしばしば行われていたであろうことが認められる…。しかし、証拠…によると、Ｊらが行っていた架空出来高の計上とは、月内に施工予定となっていた工事が翌月にずれ込んだ場合などに、翌月に解消可能な１００から２００万円程度の金額の範囲内で、本来は翌月分として計上すべき当該工事の出来高を前倒しして当月分の出来高として計上するといったものであって、翌月には解消されるものであることが認められる。これに対し、亡Ａが行った架空出来高の計上は、平成

１６年７月２日に亡Ａが上司らに報告した額だけでも１８００万円と高額であって…平成１５及び１６年度の東予営業所の年間の出来高総額が３億５６００万円ないし３億８５００万円程度（月額平均２９６０万円ないし３２００万円程度）であることに照らすと、翌月に解消することが到底不可能な恒常的な不正経理であることは明らかである（なお、原判決の認定によれば、亡Ａが実際に行っていた架空出来高の計上額は１８００万円を大きく上回るほか、亡Ａは他の方法による不正経理も行っていた）。

したがって、亡Ａのみが特異な方法で経理操作を行っていたものではないとするＸらの主張は採用することができない。

また、証拠…によると、Ｙにおいて不正経理の調査を行うに当たっては、東予営業所だけではなく四国支店においても不正経理が行われていた可能性があったことから、本店人事部所属のＢが調査担当者として四国に派遣され、平成１６年９月２２日から同年１０月２日まで、四国支店や東予営業所において、Ｙ従業員や取引先業者からの聴取り調査等を実施し、その結果をＹ側が資料…としてまとめたものであることが認められ、上記の調査及び資料作成の経過について何ら不自然、不合理な点はない上、上記資料に記載された数値及びその算出根拠についても特段不合理な点は見当たらないから、これらを信用することができないとするＸらの主張は採用することができない」。

「以上のとおり、亡Ａの上司らが亡Ａに対して行った指導や叱責は、社会通念上許容される業務上の指導の範囲を超えた過剰なノルマ達成の強要や執拗な叱責に該当するとは認められないから、亡Ａの上司らの行為は不法行為に当たらないというべきである」。

（２）Ｙの安全配慮義務違反の有無

「Ｘらは、〔１〕恒常的な長時間労働、〔２〕計画目標の達成の強要、〔３〕有能な人材を配置するなどの支援の欠如、〔４〕亡Ａに対する叱責と架空出来高の改善命令、〔５〕業績検討会等における叱責、〔６〕メンタルヘルス対策の欠如等を安全配慮義務違反を基礎付ける事実として主張し、Ｙには安全配慮義務違反があるとする」。

「まず、上記〔１〕の点について検討すると、亡Ａの死亡前の直近６か月の亡Ａの所定外労働時間の推計は…平成１６年３月は８８．５時間から１０１．５時間、同年４月は６３時間から７３時間、同年５月は５０．２５時間から５９．７５時間、同年６月は７３．２５時間から８４．７５時間、同年７月は５２．２５時間から６０．７５時間、同年８月は５６．２５時間から６５．２５時間であり、その平均は６３．９時間から７４．２時間であって、亡Ａが恒常的に著しく長時間にわたり業務に従事していたとまでは認められない上、往復の通勤時間に約２時間を要することとなったのは、亡Ａが東予営業所長就任後に松山市内に自宅を購入したためである…から、これらの事情にかんがみると、Ｘらの上記〔１〕の主張は採用することができない」。

「また、上記〔２〕、〔４〕及び〔５〕の点については…上記…で判示したとおり、亡Ａ

の上司らが亡Ａに対して過剰なノルマの達成や架空出来高の改善を強要したり、社会通念上正当と認められる職務上の業務命令の限度を著しく超えた執拗な叱責を行ったと認めることはできないから、Ｘらのこれらの主張は採用することができない」。

「さらに、上記〔３〕の点についても、亡Ａが上司らに対して東予営業所の所員の補強を要請した事実は証拠上認められない上、平成１６年９月５日付けのＨの東予営業所から高松高速道路工事現場への異動は、東予営業所の粗利益の向上等を目的としたものであって、亡Ａもこれを事前に了解していたことは原判決認定のとおりであるから、Ｘらの上記〔３〕の主張は採用することができない」。

「上記〔６〕の点については、平成１６年５月１９日に四国支店において職場のメンタルヘルス等についての管理者研修が実施され、亡Ａを含む管理者が受講して」おり、「Ｙにおいてメンタルヘルス対策が何ら執られていないということはできない。

また、同年７月から９月ころにかけての亡Ａの様子について、東予営業所の亡Ａの部下らには、亡Ａに元気がないあるいは亡Ａが疲れていると感じていた者はいたものの、亡Ａが精神的な疾患に罹っているかもしれないとか、亡Ａに自殺の可能性があると感じていた者がいなかったこと…さらに、亡Ａの上司らは、亡Ａが行った架空出来高の計上額は約１８００万円であると認識していたのであって、これを遅くとも平成１６年度末までに解消することを目標とする業務改善の指導は、必ずしも達成が容易な目標ではなかったものの、東予営業所の業績環境にかんがみると、不可能を強いるものということはできないのであり、架空出来高の計上の解消を求めることにより亡Ａが強度の心理的負荷を受け、精神的疾患を発症するなどして自殺に至るということについては、亡Ａの上司らに予見可能性はなかったというほかない。

したがって、Ｘらの上記〔６〕の主張は採用することができない」。

「以上のとおり、安全配慮義務違反を基礎付ける事実としてＸらが主張する事実はいずれも採用することができず、Ｙに安全配慮義務違反があったと認めることはできない」。

（３）まとめ

「以上によれば、Ｙにつき不法行為又は債務不履行（安全配慮義務違反）が成立するということはできないから、その余の争点について判断するまでもなく、Ｘらの請求はいずれも理由がない」。

（４）結論

「よって、Ｘらの請求を一部認容した原判決は相当でないから、Ｙの控訴に基づき、原判決中Ｙの敗訴部分を取消してＸらの請求をいずれも棄却し、また、Ｘらの控訴はいずれも理由がないから棄却する」。

8　三洋電機コンシューマエレクトロニクス事件・広島高松江支判平 21.5.22 労判 987 号 29 頁

【事実の概要】

Ｘは、昭和５１年４月、Ｙ１に就職し、長男の出産を機に昭和５８年１１月２３日に一旦退職したが、昭和５９年６月２２日、契約期間が１年の「準社員」として再就職した。Ｘは、Ｙ１のデバイス事業本部（後のフォトニクスビジネスユニット）において製造及び品質管理の仕事に従事し、ＬＥＤ事業部の所属を経て、平成１６年４月からフォトニクスビジネスユニットの所属となり、製品製造業務に従事していた。なお、Ｙ１は、平成４年１２月１日、従前の「準社員」制度を廃止し、「新準社員」制度を実施し、従前の「準社員」は順次「新準社員」に切り替わり、Ｘも「新準社員」となった。

Ｙ２は、人事課長であり、Ｙ３は、フォトニクスビジネスユニット担当部長である。

Ｙ１のフォトニクスビジネスユニットにおいては、平成１６年ころから受注量の減少により業績が悪化し、余剰人員が発生したことから、他のビジネスユニットへの生産応援、異動を行っていた。また、Ｙ１においては、生産応援、異動等を行う一方で、自発的退職者に対する支援策として、一定の要件を充たす退職者に対して一時金の支給・転職準備期間相当の有給休暇付与等を内容とする「転進支援制度」を導入し、平成１８年３月２日、労使合意により「転進支援制度」の適用要件を緩和するとともに、「新準社員」も適用対象とする内容の改訂を行った。Ｙ１のフォトニクスビジネスユニットからは、マルチメディアビジネスユニットに約２０名が生産応援に行き、携帯電話製造の業務を行っていた。Ｙ１は、同年６月末に当時の携帯電話モデルの生産が終了するにあたり、会社内部間での応援では従業員が勤務する場所を確保することが困難なことから、労使協議を踏まえ、フォトニクスビジネスユニットからの応援者のうち４名について請負会社である株式会社Ｌ社に出向させ、京都府α市にあるＭ社β工場で勤務させることにした。Ｘは、上記県外出向の対象者ではなく、平成１７年１０月から平成１８年６月末までの予定で、Ｙ１のマルチメディアビジネスユニットでの生産応援として、携帯電話の製造作業に従事した。

Ｙ１の従業員のＣ及びＤは、平成１８年５月１０日、マルチメディアビジネスユニットでの勤務終了後の午後５時３０分ころ、女子ロッカールームで着替えをしているとき、Ｘが「Ａさんは以前会社のお金を何億も使い込んで、それで今の職場（マルチメディアビジネスユニット）に飛ばされたんだで、それでＹ２課長も迷惑しとるんだよ」と言うのを聞いた。Ａは、Ｃ及びＤからＸの上記発言内容を聞き、５月１１日、Ｂ課長及びＹ２に「全く身に覚えのないことで、許せない。何とかしてください」と涙ながらに訴え、相談した。Ａは、Ｂ課長らから、被害の具体的内容を文書で報告するように指示され、５月

１２日、女子ロッカールームでのＸの発言によって精神的苦痛を受けた旨のメールをＢ課長宛に送った。Ｂ課長らは、５月１６日、Ｃ及びＤから、５月１０日の女子ロッカールーム内でのＸの発言内容について直接確認したところ、両名は間違いない旨返答した。Ｙ３、Ｂ課長、Ｙ２の３名は、５月１８日及び５月２２日、Ｘと面談し、５月１０日の女子ロッカールームでの発言内容を確認したところ、Ｘは「ロッカールームには立ち寄っていないので、そのような発言はできない」、「そのような発言は一切していない」などと返答した。Ｙ３らがＸに対し、５月１０日の女子ロッカールームにおける行動、言動について、文書の提出を求めたところ、Ｘは「Ａさんの悪口を言った覚えはありません」と記載したメモを提出したが、同年５月１０日の行動については「子供を迎えに行きた日」と書いてあるだけで具体的な記載はなかった。Ｂ課長らは、６月５日、Ｃ及びＤに対し、改めて、５月１０日の女子ロッカールームでのＸの発言について文書の提出を求めたところ、両名はＸの発言内容に関する文書を提出した。Ｄが提出した文書には、「Ｃさん、Ａさんのロッカーはどの辺だあ？」「なあなあ、あの人会社のお金何億も使い込んで、こっちに飛ばされただけえ！Ｙ２課長も迷惑しとるだけえ！」と記載され、また、Ｃが作成した文書には、「Ｘが『さっきこの周りから帰って行ったＡさんは会社のお金を何億も使い込んでとばされた（職場を変わらされた）だよ』と言っていました」と記載されていた。なお、Ｘは、平成１１年４月から平成１６年３月までの間、フォトニクスビジネスユニットレーザー技術課でサンプル出荷の業務を担当していたところ、その後、平成１２年７月にレーザー技術課に異動してきたＡもサンプル出荷の業務に加わり、両名でサンプル出荷を担当するようになった。Ａは仕事の出来映えもよく、きちんとサンプル出荷をしていたが、Ｘは出荷を行う際に必要な帳簿への記載を適切に実施せず、上司から注意を受けていた。

Ｘは、平成１８年６月１６日午前７時ころ、Ｙ１のＥ取締役（経営企画ユニット担当）の携帯電話に電話をかけ、「話がしたい」旨述べた。Ｅ取締役は、同日、事務所の外でＸと話をした。Ｘは、Ｅ取締役に対し、「フォトニクスビジネスユニットでサンプルの不正出荷をしている人がいる」、「Ｘに対してＹ１が辞めさせるように言っている」、「人事担当者が従業員に県外出向を強要している」、「準社員や社員の中には、人事担当者をドスで刺すという発言をしている人がいる」などと述べた。これに対し、Ｅ取締役は、Ｘに対し、「本人が勤める意思があれば会社は辞めさせることはできない」、「会社の施策は会社と組合が協議した内容で進めているものであり、個人的な見解ではない」旨返答した。Ｅ取締役は、同日、Ｙ２に対し、上記内容を伝えた上、「不適切な内容なのでよく話を聞いて注意しておくように」などと述べた。

Ｙ２は、Ｃ及びＤからＸがＡを中傷する発言をしていたことを確認しているにもかかわらず、２度にわたる事実確認において上記中傷行為を否定し、さらに、フォトニクスビジネスユニットでサンプルの不正出荷をしている人がいるとＹ１の役員に述べるなど上記中傷行為について依然として反省の態度が見られないこと、従業員の県外出向については労使間の協議を経て、従業員の雇用確保のために会社が執った施策であるにもかかわらず、労使間のルールを無視してＹ１の役員に直接電話をかけ、かつ、脅迫的な言辞を用いて妨害・中止させようとしたことについては従業員として不相当な行為であるから注意、指導する必要があると考え、同日午後４時５５分ころ、ＸをＹ１の人事課会議室に呼び出し、Ｂ課長とともに本件面談を実施した。なお、Ｘは、本件面談の際、ボイスレコーダーで秘密録音していた。本件面談の際、Ｘは、終始ふて腐れたような態度を示し、横を向いていた。Ｙ２が、Ｘの態度に腹を立て、感情的になり、大きな声を出して叱責する場面もあった。

本件面談の際の会話内容は、概ね以下のとおりであった。

（Ｙ２）「雇用を確保するために、そういうものを探してやっているわけです。そういうことに対して、なぜＸさんが阻害しようとしているわけですか、妨害しようと。何の目的でやるんですか」

（Ｘ）「妨害じゃないですよ」

（Ｙ２）「会社の施策に対して、あなたは妨害しているんですよ」

（Ｘ）「妨害じゃないですよ」

（Ｙ２）「妨害だと言っているんだ。それがわからんのか」

（Ｘ）「私もこれから裁判所といま会う約束をしているんですよ」

（Ｙ２）「あのな、この間言った証言ももう証拠は取れているんだぜ。何らかの処分をせないかん、この状況では。それも１回ああいうことがあって、黙っていればいいのに、言動を避ければいいのに、正義心か何か変な正義心か知らないけども、会社のやることを妨害して何が楽しいんだ。あなたはよかれと思ってやっているかもわからんけども、大変な迷惑だ、会社にとっては。そのことがわからんのか」・・・「あなた、自分自身がばかにされるんだよ、そんなこと言ったら」・・・「いいかげんにしてくれ、本当に。変な正義心か何か知らないけど、何を考えているんだ、本当に。会社が必死になって詰めようとしていることを何であんたが妨害するんだ、そうやって。裁判所でもどこでも行ってみい」

（Ｘ）「わかりました」・・・

（Ｙ２）「だったら証拠出せよ、それを。証拠持ってこい。使い込んだ証拠持ってこい、何億円の」

（Ｘ）「何億円。一切知らないと言ったでしょう」

（Ｙ２）「言ったんだ。ちゃんと証拠取れているから。言ったって、事実証拠取れているから。発言内容の証拠取れているから、もう。出るとこに出ようか。民事に訴えようか。あなたは完全に負けるぞ、名誉毀損で。あなたがやっていることは犯罪だぞ」「自分は面白半分でやっているかもわからんけど、名誉毀損の犯罪なんだぞ」

（Ｘ）「面白半分でやっていませんよ。やったやったって」・・
（Ｙ２）「今回のαに行く件は、あなたは一切口を挟まないでくれ。迷惑だ、会社として。もうこれ以上続けると、われわれも相当な処分をするからな」「あなたがやっていることは犯罪なんだぜ」「それから誰彼と知らず電話をかけたり、そういう行為は一切これからはやめてくれ。今後そういうことがあったら、会社としてはもう相当な処分をする」「それから向こうに行く人に対して変に吹聴しないでくれ、会社がやっていることについて」「あなたは自分のやったことに対して、まったく反省の色もない。微塵もないじゃないですか。会社としてはあなたのやった行為に対して、何らかの処分をせざるをえない」「前回のことといい、今回のことといい、全体の秩序を乱すような者は要らん。うちは。一切要らん」・・・「何が監督署だ、何が裁判所だ。自分がやっていることを隠しておいて、何が裁判所だ。とぼけんなよ、本当に。俺は、絶対許さんぞ」「会社がやっていることに対して妨害し。辞めてもらう、そのときは。そういう気持ちで、もう不用意な言動は一切しないでくれ。わかっているのか。わかっているのかって聞いているだろう」
（Ｘ）「わかっていますけども、６時半には私は先に言ったように・・・」
（Ｙ２）「じゃあ、帰ってください」

Ｙ１とＸは、平成１８年６月２１日、契約期間を同日から平成１９年６月２０日までとする「労働契約書」を取り交わした。Ｙ１は、契約更新直前の１年間において、ＸにＡに対する中傷行為及び県外出向への妨害行為という問題行動があったことから、注意を喚起する必要があると考え、Ｘに対し、「新準社員就業規則の懲戒事由に該当する行為が見受けられた場合は、労使懲戒委員会の決定を受け、譴責以上の懲戒処分を下す。その処分の内容は、当該事由の程度によって判断するが、即時懲戒解雇も有り得る。（１）人格および名誉を傷つける言動をした時、（２）会社経営に関する虚偽事実を宣伝流布した時、あるいは誹謗・中傷した時、（３）その他、新準社員就業規則に定める懲戒事由に該当した時」と記載した「覚書」に署名押印を求め、Ｘは同日これに署名押印した。

Ｘは、平成１７年１０月からマルチメディアビジネスユニットでの携帯電話製造業務の作業応援をしていたが、平成１８年６月３０日でマルチメディアビジネスユニットでの携帯電話製造業務が終了することにともない、Ｙ１では、Ｘの新たな異動先を検討する必要が生じた。Ｘは、かねてから義母の介護のため午前８時２０分から午後４時１０分までの勤務時間で就労できる職場を希望していたところ、Ｙ１では、製造業務に就く場合、交替制勤務で行うことが多いことから、Ｘの就労場所を製造業務で見つけることが困難であった（フォトニクスビジネスユニットは半導体の事業であり、２４時間勤務体制【１班が午前９時から午後９時まで、２班が午後９時から午前９時まで】なので、昼間固定の従業員を入れると、夜の勤務を誰かが続けてやらなくてはならなくなり、負担が多すぎて現実には困難であった）。Ｙ１は、Ｘが希望する勤務時間に沿う新たな就労場所として、清掃業務を主たる目的とするＫ社に出向させ、Ｙ１の独身寮「吉方寮」の清掃業務を選定した。同年６月末の時点で、Ｋ社には３６名の正社員が出向しており、吉方寮にも３名の女性従業員が清掃業務に就いていた。Ｋ社に出向しても、Ｘの給与、待遇等の労働条件に変化はなかった。また、Ｙ１の給料体系では毎月１０日を給与計算事務の締め日としていることから、Ｙ１では異動等の発令日を１１日とすることが多く、Ｘについても同年７月１１日を発令日とすることにし、同年６月３０日、労働組合に対して異動通知（異動発令日の１０日前まで）を行った。

Ｙ１としては、Ｘが応援先のマルチメディアビジネスユニットからフォトニクスビジネスユニットに戻ってくる平成１８年７月３日から異動発令日の前日である同年７月１０日までの待機期間中にＸに就労させる通常の業務がなかった。Ｙ３は、Ｘには、上司や役員を「くん、ちゃん」付けで呼ぶ、自分がフォトニクスビジネスユニットの技術にいたときには歩留まり９０パーセントを維持していたが、自分が職場を異動させられた後は４０パーセント程度に落ちたなどと言いふらす、サンプルの不正出荷をして職場を変わらされた人がいるという話を流布する、「人事担当者をドスで刺すと言っている人がいる」と言って会社役員を脅迫するなどの職場のモラルや社員としての品位を著しく低下させる行為があり、次の職場でも問題を起こさないためにも上記待機期間中に就業規則等の社内規程類の理解を促す必要があると考え、同年７月３日午前、Ｘに対し、社内規程類を精読するように指示した。Ｘは、同年７月３日から同年７月７日まで、フォトニクスビジネスユニットの会議室において、社内規程類を精読した。Ｙ３は、１日１回は必ずＸの様子を見に行った。Ｙ３は、同年７月７日午前中、Ｘに対し、Ｋ社への出向の件を説明した。また、同日午後には、労働組合ＬＥＤ支部支部長がＸに出向に関する説明を行った。Ｘは、上記の説明に対し異議の申立等をすることもなかった。同年７月８日と９日は、土曜日と日曜日で休業日であった。Ｘは、同年７月１０日午前中、Ｙ１の人事担当者らから出向についての詳しい説明を受け、同日午後、人事担当者らの案内で新しい職場を見るために寮に出向いた。Ｘは、同年７月１１日、Ｋ社の事務所にＢ課長と一緒に行き、翌１２日から、寮での清掃業務に就いた。なお、その後、Ｙ１は、Ｋ社への異動発令日である同年７月１１日付けの労働契約書及び前記「覚書」と同趣旨の「覚書」に署名押印するように求めたが、Ｘはこれを拒否した。

Ｙ１においては、毎年、労働組合との間で「昇級に関する協定書」を締結し、給与額を決定している。平成１９年度給与については、「２００７年度昇級に関する協定書」を締結しているところ、同協定書には新準社員の給与額は勤続期間（号級区分）及び勤務評定の結果によって決定されるものとされていた。Ｘは昭和５９年６月の入社であり、平成１９年６月の時点で勤続２０年を超えていることから、号級区分は最上位の１２号であった。同協定書の別表３「２００７年度新準社員賃金表」によれば、１２号の基礎給は、〔１〕１５２、４００円、〔２〕１５０、９００円、〔３〕１４９、４００円、〔４〕１４７、９００円、〔５〕１４６、４００円の５段階に分かれていた。Ｘが平成１８年６月

２１日にＹ１と締結した「労働契約書」には、Ｘの基本給については月額１４９、４００円（日給月給制）と記載されていた

Ｘの人事評価について、平成１８年４月１日から同年７月１０日までのマルチメディアビジネスユニットでの製造応援時期分の「新準社員評価シート（出向者用）」（提出日平成１９年５月１０日）には、一次評価者のコメント欄に「実務能力は標準レベルと評価します。製造の仕事はチームワークが第一で、品質、コスト、納期の確保を重要視しておりますが、チームの中でリーダーの指示に従わず、独断で仕事を進める等の行為が見られ、要注意人物と考えておりました」と記載され、二次評価者のコメント欄に「印象深いのは、当社専務が工場で指導した際、友達感覚で仕事を中断して話しかけた行為は言語道断でした。他にもリーダーの指示に従わない他人を中傷する言葉があるなど、他の従業員へのストレス増加を懸念しております。社会人としてのモラルと他人を気づかう姿勢を勉強して頂きたい」と記載され、評価は５段階評価（Ｓ、Ａ、Ｂ、Ｃ、Ｄ）の「Ｃ」（上から４番目、標準はＢ）にマルが付けられている。また、Ｋ社出向後の分の「新準社員評価シート（出向者用）」（提出日平成１９年５月１０日）の一次コメント欄には、「（仕事の出来ばえ）経験年数が浅いとはいえ仕事に取組む姿勢積極性が不足。いわれたことだけ消化しているのが現状、創意工夫、効率性を加味した努力を期待する。（勤務態度）作業中の雑談が少し目立つ。他人の行動、規律性、言葉遣い等に人一倍関心があり、常に他人を監視することに興味を抱く。業務指導をすると誰がそういっているのかと反発がある。指導言葉を強く試した場合、その言葉は暴力だ、法律ではいくらの罰金で罰則何年だという敵対言葉ともとれる反発と、訴えてやるという言葉がそうした都度言葉として発せられる。（協調性）同僚とのコミュニケーションは今のところ問題なし。但し、館内部署の人間関係は最悪。寮監に指示されるとこれはあなたの仕事でしょうとまず反発から始まり口論となっている。言っていることは些細なことなので寮監の立場を考慮して、片付けてやればいいものを線引きしたがる（現状険悪状態）。（願い事）出向受入会社としては腫れものに触わるような感じであり、出来れば出向を解除の方向で検討賜りたい」と記載され、二次評価者のコメント欄には「出向である以上、出向先の組織の一員として出向先の社員と一丸となって業務を遂行しなければならないが、協調性、協力性という面が欠如しているように感じる。今後は、出向元として、出向先に迷惑を掛ける事のないように出向者に指導していきたい。評価については、０６年４月～６月はＭＭＢＵ製造応援、０６年７月～０７年３月はＫ社出向として総合評価とする」記載され、評価は５段階評価の「Ｃ」にマルが付けてある。

Ｙ１は、上記評価を踏まえ、平成１９年度におけるＸの総合評価を「Ｃ」とし、平成１９年６月２１日から平成２０年６月２０日までの１年間のＸの基本給を「２００７年度昇級に関する協定書」」の別表３の１２号〔４〕級が定める１４万７９００円と決定した。Ｘは、Ｘ代理人を通じて、Ｙ１に対し、１２号〔４〕級への減給に納得できない旨伝え

た。Ｙ１は、上記人事評価に基づき、平成１９年７月２５日から平成２０年６月２５日まで、毎月２５日に給与として１４万７９００円を支払った（なお、Xの基本給は、平成２０年７月２５日以降は、月額１４万９７００円となっている。）。

なお、Ｙ１においては、人事評価は３段階の評価を経て行うことになっており、三次評価者である「評価委員会」の構成については制度上明確な定めはなく、平成１９年５月当時ではＹ１経営企画ユニット管理部が三次評価を行っていた。一次あるいは二次の人事評価の結果について、上位の評価者が訂正すべきであると判断した場合、一次評価者（あるいは二次評価者）と協議の上、訂正することになっている。Xの出向先であるＫ社における人事評価については、出向先の責任者（Ｋ社のＧ支店長がこれに該当する）が一次評価者となり、二次評価者は出向元部署の責任者であった。Ｇ支店長が当初提出していた一次評価者コメント欄には「（仕事の成果）清掃業務の知識、出来ばえは経験年数からみて普通である・（責任感）指示したこと、又担当部分は責任をもってやっている。（勤務態度）作業中の雑談があるが許容の範囲と思われる。（協調性）同僚との協調はとれているが、寮監との協調が望まれる。・・・弊社の指導不足も反省しております」と記載されていた。しかし、Ｙ１の経営企画ユニット管理部は、現場監督者として吉方寮に勤務していたＫ社従業員のＪ及びＫ社に出向し吉方寮の寮監の業務を担当していたＨから、Xには上司の指導に対して反論するなど、勤務態度には問題がある旨の報告を受け、三次評価者として、Ｇ支店長が記載している上記一次評価は訂正されるべきであると判断し、Ｇ支店長と協議の上、その訂正を求め、Ｇ支店長が最終的に前記「新準社員評価シート（出向者用）」一次評価者のコメント欄のとおり記載したものであった。

平成２０年５月２８日付けの毎日新聞に「上司の罵倒、出向命令…ある女性の闘い」と題する鳥取支局記者による記事が掲載され、その記事中には、「鳥取三洋電機（現三洋電機コンシューマエレクトロニクス）で、「パワーハラスメント」（地位を利用した嫌がらせ）があり、鳥取地裁は女性従業員（５１）の訴えを認め、同社に３００万円の損害賠償を命じた。女性は０６年５月ごろ、同僚や上司に『伝票を切らずに帳簿に残らないように出荷して、代金を何億円も使い込んだ社員がいる』と内部告発した。これが始まりだった。間もなく上司に呼び出され、『偽証罪だ。会社はあんたの処罰を考えている』と、逆に責められたという。・・・」などと記載されている。

Ｙ１フォトニクスビジネスユニットは、平成１９年１月２３日、２４日、棚卸資産管理及びサンプル出荷管理について三洋電機株式会社監査室の監査を受けたが、その監査報告書である「ホットライン対応監査報告書には、サンプル品の不正出荷が確認された旨の記載は一切ない。

Xは、〔１〕平成１８年６月１６日、Ｙ１の従業員であるＹ２から、Ｙ１の人事課会議室において、Xの行動について大声で罵倒されたこと、同年７月３日、Ｙ１の従業員であるＹ３から、自己研鑽と称して、Ｙ１の社内規程を精読するように指示され、通常の業務に従事できなくさせられたこと、Ｙ３から、同年７月１１日、Ｋ社に出向し、清掃業務に従事するように指示されたことについて、Ｙ２及び同Ｙ３の上記行為はＸに対する不法行為を構成するとして、Ｙ１については民法７１５条１項前段に基づく使用者責任として、Ｙ２及び同Ｙ３については民法７０９条に基づく不法行為責任として、Ｙらに対して、連帯して、慰謝料８００万円等の支払いを、〔２〕平成１７年４月から平成１８年３月まで、正当な理由がなくＸの給与を少なくとも３万６０００円（＝１か月当たり３０００円×１２か月）減額させられたとし、Ｙ１に対し、債務不履行ないし不法行為に基づく損害賠償として、上記減額分３万６０００円等の支払いを、〔３〕Ｙ１が平成１７年１月から平成１９年３月まで毎月１００円を「政治活動」名目で給与から強制的に控除したことによって２７００円（＝１００円×２７か月）の損害を被ったとし、Ｙ１に対し、債務不履行ないし不法行為に基づく損害賠償として、上記控除分２７００円等の支払いを、それぞれ求めた。これに対し、Ｙらは、〔１〕Ｙ２及び同Ｙ３は、Ｘにつき他従業員を誹謗中傷するなどの問題行動があると認識し、Ｘに注意、指導を行い、反省を促したもので、平成１８年６月１６日の面談及び社内規程の精読指示はＸに対する不法行為を構成しないし、Ｋ社への出向も、平成１８年６月末でマルチメディアビジネスユニットでの携帯電話製造の業務が終了するのに伴い、新たなＸの就労先を検討し、Ｘの勤務時間等の意向に合致する職場として選定したのであり、Ｘに対する不法行為を構成するものではない、〔２〕ＸはＹ１労働組合に対し、平成１６年１２月１日、「電機連合政治活動委員会」に加入する旨届け出ており、Ｙ１は労働組合の申入れに応じて、月額１００円の控除をしたのであり、違法性はない、〔３〕Ｙ１がＸの給与を減額したのはＸの勤務成績に基づき決定したもので、裁量の範囲内であって不当ではないなどと主張して争った。原判決（鳥取地判平 20.3.31 労判 987 号 47 頁）は、〔１〕Ｙ２及び同Ｙ３の行為は、Ｙ１の従業員としてのＸの法的権利を違法に侵害するものであり、不法行為責任を構成するとした上で、Ｙ１も、Ｙ２及び同Ｙ３の使用者として、Ｘに対する不法行為責任を免れない、〔２〕Ｙ１が平成１７年１月から平成１９年３月まで、Ｘに支払うべき給与から毎月１００円、合計２７００円を控除し、労働組合に交付したのは、労働組合との合意に基づき、Ｘ自身が加入を届け出た団体の会費を給料から天引きしたもので、直ちに違法であるとはいえない、〔３〕Ｙ１が平成１７年４月から平成１８年３月までの間、Ｘに支払うべき給与を不当に減額したとまでは認められないと判示し、Ｘの本訴請求のうち、不法行為に基づく損害賠償として、Ｙらに対し、連帯して、慰謝料３００万円等の支払いを求める部分に限り理由があるとして認容し、その余を棄却した。これに対し、Ｙらが、原判決がＸの請求を一部認容したことは不服であるとして本件控訴を提起し、Ｘが、（１）Ｙ１が平成１９年５月１０日提出日とされているＸの人事評価において、ＹらがＸの給与を下げるため、Ｋ社に不当な評価を行わせたこと等も原審で請求した一連の不法行為（前記〔１〕の請求）の事実に含まれるとし、不法行為に基づく損害賠償として、Ｙらに対し、連帯して、慰謝料３００万円等の支払いを求め（請求減縮）、併せて（２）Ｙ１が上記の不当な人事評価に基づき平成１９年７月２５日から平成２０年６月２５日まで合計２万１６００円の給与相当額を不当に減額されたことは前記〔１〕の請求とは別個の不法行為に該当するとして、Ｙ１に対し、上記減額分２万１６００円及びこれに対する給与減額終了日の翌日である平成２０年６月２６日から支払済みまで民法所定の年５分の割合による遅延損害金を新たに追加請求する（請求拡張）旨の本件附帯控訴を提起した。なお、原審におけるＸの請求〔２〕及び〔３〕については、原判決でいずれも棄却されたところ、これに対するＸからの不服申立はないから、当審では判断の対象とはならなかった。

【判旨】

（１）面談の際のＹ２の発言行為について

「Ｙ２が、Ｂ課長とともに、Ｘを呼び、本件面談に及んだのは、直接的には、当日朝、Ｅ取締役から『…不適切な内容なのでよく話を聞いて注意しておくように』と指示を受けたためであるが、具体的には、Ｘが平成１８年５月１０日女子ロッカールームで『Ａさんは以前会社のお金を何億も使い込んで、それで今の職場（マルチメディアビジネスユニット）に飛ばされたんだで、それでＹ２課長も迷惑しとるんだよ』と述べ、Ａを中傷する発言をしたことについて、その発言を直接聞いた女子従業員２名から確認しているにもかかわらず、Ｘが２度にわたる面談で上記発言を否定した上、同年６月１６日にＥ取締役に『フォトニクスビジネスユニットでサンプルの不正出荷をしている人がいる』と述べるなど、上記中傷行為について依然として反省の態度が見られないこと、従業員の県外出向については労使間の協議を経て、従業員の雇用確保のために会社が執った施策であるにもかかわらず、労使間のルールを無視してＹ１の役員に直接電話をかけ、かつ、脅迫的な言辞を用いて妨害・中止させようとしたことについては従業員として不相当な行為であるから注意、指導する必要があると考えたことによるものであり、企業の人事担当者が問題行動を起こした従業員に対する適切な注意、指導のために行った面談であって、その目的は正当であるといえる。

なお、Ｘは、同年５月１０日に女子ロッカールームでＡを中傷する発言をしたことはないと主張するが、上記発言を直接聞いたというＣ及びＤの証言に不自然なところは見られず、反対尋問でも核心部分については揺らいでいないこと、Ｘ自身、本人尋問において、『Ａが伝票を切らずに、サンプルを出しているということを言ったことがある』旨供述し…Ａの不正に関する発言をしていたことを認めていること、平成２０年５月２８日付けの毎日新聞記事は、その記事内容からして、同記事中の『女性従業員（５１）』が

Ｘを意味していることは明らかであり、Ｘが、新聞記者に対して、平成１８年ころ、同僚や上司に『伝票を切らずに帳簿に残らないように出荷して、代金を何億円も使い込んだ社員がいる』との『内部告発』をした旨の話をしていることが窺われること等の事実からすれば、Ｘが同年５月１０日に女子ロッカールームで『Ａさんは以前会社のお金を何億も使い込んで、それで今の職場（マルチメディアビジネスユニット）に飛ばされたんだで、それでＹ２課長も迷惑しとるんだよ』とＡを中傷する発言をしたと認めるのが相当である。

しかしながら、Ｘの上記の中傷発言があったことを前提としても、本件面談の際のＹ２の発言態度や発言内容は、Ｘ提出のＣＤ―Ｒのとおりであり、感情的になって大きな声を出し、Ｘを叱責する場面が見られ、従業員に対する注意、指導としてはいささか行き過ぎであったことは否定し難い。すなわち、Ｙ２が、大きな声を出し、Ｘの人間性を否定するかのような不相当な表現を用いてＸを叱責した点については、従業員に対する注意、指導として社会通念上許容される範囲を超えているものであり、Ｘに対する不法行為を構成するというべきである。もっとも、本件面談の際、Ｙ２が感情的になって大きな声を出したのは、Ｘが、人事担当者であるＹ２に対して、ふて腐れ、横を向くなどの不遜な態度を取り続けたことが多分に起因していると考えられるところ、Ｘはこの場でのＹ２との会話を同人に秘して録音していたのであり、Ｘは録音を意識して会話に臨んでいるのに対し、Ｙ２は録音されていることに気付かず、Ｘの対応に発言内容をエスカレートさせていったと見られるのであるが、Ｘの言動に誘発された面があるとはいっても、やはり、会社の人事担当者が面談に際して取る行動としては不適切であって、Ｙ２及びＹ１は慰謝料支払義務を免れない。もっとも、Ｙ２の上記発言に至るまでの経緯などからすれば、その額は相当低額で足りるというべきである。なお、相当な慰謝料額については後述する」。

「Ｙらは、Ｙ２の上記発言は、Ｘに対する注意、指導のために行ったものであり、Ｘに対する不法行為を構成するものではないと主張するが、前記説示のとおり、Ｙ２が、大きな声を出し、Ｘの人間性を否定するかのような不相当な表現を用いてＸを叱責した点については、Ｘに対する不法行為を構成するというべきであり、Ｙらの上記主張は採用できない」。

（２）ＹらがＸに「覚書」への署名押印を求めた行為について

「Ｙ１とＸは、平成１８年６月２１日、契約期間を同日から平成１９年６月２０日までとする『労働契約書』を取り交わしたところ、Ｙ１は、契約更新直前の１年間において、ＸにＡに対する中傷行為及び県外出向への妨害行為という問題行動があったことから、注意を喚起する必要があると考え、Ｘに対し、『新準社員就業規則の懲戒事由に該当する行為が見受けられた場合は、労使懲戒委員会の決定を受け、譴責以上の懲戒処分を下す。その処分の内容は、当該事由の程度によって判断するが、即時懲戒解雇も有り得る。（１）人格および名誉を傷つける言動をした時、（２）会社経営に関する虚偽事実を宣伝流布した時、あるいは誹謗・中傷した時、（３）その他、新準社員就業規則に定める懲戒事由に該当した時』と記載した『覚書』に署名押印を求めたのであり、その記載内容は新準社員就業規則に照らして必ずしも不当であるとはいえず、裁量の範囲内の措置というべきものであって、Ｙ１がＸと『労働契約書』を取り交わすに際して、上記内容の『覚書』に署名押印を求めたことがＸに対する不法行為を構成するとはいえない。同様に、Ｙ１が、ＸのＫ社への異動命令発令日である平成１８年７月１１日付けで、前記『覚書』と同趣旨の『覚書』に再度署名押印を求めたことも、Ｘに対する不法行為を構成するとはいえない」。

「Ｘは、Ｙ１は従業員に対して通常は上記覚書のような書面に署名押印させることはないにもかかわらず、敢えてＸのみに署名押印させていること、法的に懲戒解雇事由があれば懲戒解雇され得るのは当たり前であるにもかかわらず、敢えて署名押印させるのは、Ｘを威嚇し、心理的に圧力をかけ、さらには、侮辱する以外の意味を持たないことから、Ｘに対する不法行為を構成すると主張するが、Ｙ１が上記覚書に署名押印を求めたことがＸに対する不法行為を構成するといえないことは前述のとおりであり、Ｘの上記主張は採用できない。原判決は、上記覚書について、『あたかもそれがあったことを受けたかのような書類』であると指摘し、かかる書類への署名押印を求めることをもって『重大な侮辱』になると判示しているが、失当である」。

（３）Ｙ３がＸに社内規定の精読を指示した行為について

「Ｙ１は、平成１８年６月３０日でマルチメディアビジネスユニットでの携帯電話製造業務が終了することにともない、Ｘの新たな異動先を検討する必要が生じ、Ｘが希望する勤務時間に沿う新しい就労場所として、清掃業務を主たる目的とするＫ社に出向させ、Ｙ１の独身寮『吉方寮』の清掃業務を選定したこと、Ｙ１の給料体系では毎月１０日を給与計算事務の締め日としていることから、Ｙ１では異動等の発令日を１１日とすることが多く、Ｘについても同年７月１１日を発令日とすることにし、同年６月３０日、労働組合に対して異動通知（異動発令日の１０日前まで）を行ったこと、Ｙ１としては、平成１８年７月３日から異動発令日の前日である同年７月１０日までの待機期間中にＸに就労させる通常の業務がなかったこと、Ｙ３は、Ｘには、上司や役員を『くん、ちゃん』付けで呼ぶ、自分がフォトニクスビジネスユニットの技術にいたときには歩留まり９０パーセントを維持していたが、自分が職場を異動させられた後は４０パーセント程度に落ちたなどと言いふらす、サンプルの不正出荷をして職場を変わらされた人がいるという話を流布する、『人事担当者をドスで刺すと言っている人がいる』と言って会社役員を脅迫する等の職場のモラルや社員としての品位を著しく低下させる行為があり、次の職場でも問題を起こさないためにも上記待機期間中に就業規則等の社内規程類の理解を促す必要があると考え、同年７月３日午前、Ｘに対し、社内規程類を精読するように指示したことの各事実が認められるのであり、これらの事実によれば、Ｙ３がＸに対して社内規程類の精読を指示したのは、Ｘに職場の規律を乱す問題行動が見られたことから、次の職場でも問題を起こさないためにも社内規程類の理解を促す必要があると考え、出向直前の待機期間における指導の一環として行ったものであり、懲罰の意図あるいは退職を促す意図に基づくものとまでは認め難く、社会通念に照らして相当な措置であって、Ｘに対する不法行為を構成するものであるとはいえない」。

「Ｘは、Ｙ３がＸに社内規程類の精読を指示したのは、会社に反抗して退職勧奨を受入れないＸに対して、精神修養を行わせたのであり、Ｘに対する不法行為を構成すると主張するが、前述のとおり、Ｙ３は、出向直前の待機期間における指導の一環として行ったものであり、懲罰の意図あるいは退職を促す意図に基づくものとまではいえないし、しかも、狭い部屋に監禁状態にして社内規程類を精読させたという状況であったのならともかく、そのような状況であったとの事実が窺われない以上、社会通念に照らして相当な措置であり、Ｘに対する不法行為を構成するとはいえない。

よって、Ｘの上記主張は採用できない」。

（４）Ｙ３がＸにＫ社への出向を指示した行為について

「Ｙ１は、平成１８年６月３０日でマルチメディアビジネスユニットでの携帯電話製造業務が終了することにともない、Ｘの新たな異動先を検討する必要が生じたところ、Ｘが希望する勤務時間に沿う就労場所を製造業務で見つけることができず、Ｘが希望する勤務時間に沿う新しい就労場所として、清掃業務を主たる目的とするＫ社に出向させ、Ｙ１の独身寮『吉方寮』の清掃業務を選定したこと、同年６月末の時点で、Ｋ社には３６名の正社員が出向しており、吉方寮にも３名の女性従業員が清掃業務に就いていたこと、Ｋ社に出向しても、Ｘの給与、待遇等の労働条件に変化はなく、Ｘのみを格別不利益に扱ったものではないこと等の事実が認められるのであり、これらの事実によれば、Ｙ１がＸに対してＫ社へ出向を命じたことは、Ｘを退職させようとの意図に基づくものではなく、Ｘの就労先確保のための異動であり、企業における人事施策の裁量の範囲内の措置であって、Ｘに対する不法行為を構成するものであるとはいえない」。

「Ｘは、電器メーカーであるＹ１に就職したＸにとって、清掃会社であるＫ社への出向は屈辱的なことであり、しかも、出向期間満了が見えない出向は、Ｘに多大な精神的苦痛を強いるものであるとし、ＸをＫ社に出向させたことはＸに対する不法行為を構成すると主張するが、仮に、Ｘが清掃会社に出向させられることが屈辱的なことであると感じたとしても、Ｙ１も営利企業である以上、Ｘが希望する勤務時間帯に沿う就労場所を製造業務で見つけることができず、Ｘの希望する勤務時間帯に沿う新しい就労場所としてK社に出向して清掃業務に就くことを命じることもやむを得ないのであって、企業における人事施策の裁量の範囲内の措置というべきである。加えて、Y1の『新準社員就業規則』の18条には『1　会社は、業務の都合上必要のある場合は、新準社員に対し異動を命じる。2　前項の異動を命じられた新準社員は、特に正当な理由のない限り、これを拒否することはできない』と規定されており、Y1がXに対して異動を命じることができることは就業規則上も明らかである。

よって、Xの上記主張は採用できない」。

（5）Y1が不当に給与を減額したかについて

「Y1においては、毎年、労働組合との間で『昇級に関する協定書』を締結し、給与額を決定し、平成19年度給与については、『2007年度昇級に関する協定書』を締結しているところ、同協定書には新準社員の給与額は勤続期間（号級区分）及び勤務評定の結果によって決定されるものとされていること、Xは昭和59年6月の入社であり、平成19年6月の時点で勤続20年を超えていることから、号級区分は最上位の12号であったこと、同協定書の別表3『2007年度新準社員賃金表』によれば、12号の基礎給は、〔1〕152、400円、〔2〕150、900円、〔3〕149、400円、〔4〕147、900円、〔5〕146、400円の5段階に分かれていたこと、Xの人事評価については、平成18年4月1日から同年7月10日までのマルチメディアビジネスユニットでの製造応援時期分の『新準社員評価シート（出向者用）』（提出日平成19年5月10日）の評価は5段階評価（S、A、B、C、D）の『C』（上から4番目、標準はB）とされ、また、K社出向後の分の『新準社員評価シート（出向者用）』（提出日平成19年5月10日）の評価も5段階評価の『C』とされていたこと、Y1は、上記評価を踏まえ、平成19年度におけるXの総合評価を『C』とし、平成19年6月21日から平成20年6月20日までの1年間のXの基本給を『2007年度昇級に関する協定書』の別表3の12号〔4〕級が定める14万7900円と決定したことの各事実が認められるのであり、これらの事実によれば、Xに対する人事評価は、Y1における人事評価制度及び労働組合との間で締結した『2007年度昇級に関する協定書』に定める基準に従ったものであるところ、Xへの『C』評価が不当であることを窺わせる事情は見当たらないことからすれば、企業における人事評価の裁量権を逸脱したものであるとはいえず、Xに対する不法行為を構成するとはいえない。

したがって、K社の一次評価に対するY1の介入が不法行為であることを前提とするXのY1に対する給料減額分2万1600円及びこれに対する平成20年6月26日から支払済みまで年5分の割合による遅延損害金を求める部分にも理由がない」。

「Xは、Y3が、K社の顧問であるI、Y1の人事担当者であるFとともに、一次評価者であるK社のG支店長に対して、評価が不適切であると評価シートを差し戻し、あたかもＸがＧ支店長から悪い評価を受けているかのような評価シートを作成させたとし、Ｙ３の上記行為は、Ｘの給与減額を根拠づけるための嫌がらせであり、Ｘに対する不法行為を構成すると主張する。

しかしながら、前記認定のとおり、Ｇ支店長が記載した一次評価者コメント欄をＹ１経営企画ユニット管理部が訂正するように求めたのは、Ｙ１においては、人事評価を3段階の評価を経て行うことになっており、三次評価者である『評価委員会』（なお、その構成については制度上明確な定めはなく、平成１９年５月当時ではＹ１経営企画ユニット管理部が行っていた。）が、一次あるいは二次の人事評価の結果について、訂正すべきであると判断した場合、一次評価者（あるいは二次評価者）と協議の上、訂正することになっていたところ、Ｘの日頃の勤務態度を間近で見る機会の多かった寮監のＨらからＸの勤務態度には問題がある旨の報告を受け、同報告を踏まえ、三次評価者として、Ｇ支店長が記載している上記一次評価を訂正すべきであると判断したことによるのであり、Ｙ１の上記措置はＹ１における人事評価制度に沿ったものであって、Ｘの給与減額を根拠づけるための嫌がらせであるということはできない。また、Ｘは、吉方寮におけるＸの勤務態度に問題がなかったことを裏付ける書証として、吉方寮でＸと同じく清掃業務に従事していた同僚が作成した陳述書を提出するが、その内容は甚だ曖昧であって、前記認定を左右するものではない。他に、前記認定判断を覆すに足りる証拠はない。

よって、Ｘの上記主張は採用できない」。

（６）損害額について

「Ｙ２が、本件面談の際、大きな声を出し、Ｘの人間性を否定するかのような不相当な表現を用いてＸを叱責した点については、Ｘに対する不法行為を構成するというべきである。もっとも、前述のとおり、本件面談の際、Ｙ２が感情的になって大きな声を出したのは、Ｘが、人事担当者であるＹ２に対して、ふて腐れ、横を向くなどの不遜な態度を取り続けたことが多分に起因していると考えられるのであり、原判決が認容する慰謝料額は相当な額であるとはいえない。

以上の事情及び本件に顕れた全事情を総合勘案すると、上記行為に対する慰謝料は１０万円とするのが相当である」。

（７）結論

「以上のとおり、Ｘの本訴請求は、不法行為に基づく損害賠償として、Ｙ１及びＹ２に対し、連帯して、１０万円及びこれに対する不法行為後の日である平成１９年6月２１日から支払済みまで年５分の割合による遅延損害金の支払いを求める限度において理由があるが、その余の部分には理由がない」。

9　医療法人財団健和会事件・東京地判平 21.10.15 労判 999 号 54 頁

【事実の概要】

Ｙは、病院、介護老人保健施設及び診療所の経営を目的として昭和３６年７月２０日に設立された財団法人である。Ｙは、Ｋ病院（以下「本件病院」）など３つの病院、６つの診療所、２つの歯科医院、その他の医療施設を経営し、関連する２０法人とともに、保健医療福祉協同組合に加入している。本件病院は、埼玉県三郷市に所在し、許可病床数は２５６床、診療科目は内科をはじめ多岐に亘り、Ｋクリニックが本件病院に隣接して設置されている。

Ｘ（昭和４８年生）は、平成８年に大学を卒業後、平成１０年までＱ共済会に勤務し広報・給付事務等を担当し、その後、平成１１年から平成１６年まで公益法人等で事務職に就き、平成１６年から平成１９年１月まで区立保育園で非常勤として保育補佐業務に従事した。Ｘは、平成１８年１２月１６日、Ｙに、総合事務職（常勤）として採用され、平成１９年２月１日から同年４月末までの３か月間を試用期間として、本件病院の健康管理室に配属された。

Ｘが主張するパワーハラスメントに至る経緯は、以下の通りである。

（1）平成１８年１２月、Ｘは、Ｙが加入している保健医療福祉協同組合の求人広告（事務総合職募集［中途採用］、業務／病院・診療所医事課・介護施設事務等、採用／常勤職員・３０歳位まで・要普通免許）を見て、これに応募し、同月１０日の一次採用試験及び面接を、同月１６日の二次採用面接を経て、同日付けで採用が内定され、同月１８日、採用内定通知を受領した。

Ｘは、同月２７日、Ｙから、入職について説明を受け、配属を本件病院の健康管理室、業務は健康診断に関する事務業務とされた。また、Ｘにはパソコンに関する実務経験がないことから、試用期間を平成１９年２月１日から同年４月３０日までの３か月とし、月に１回面接を行うこととされた。

（2）健康管理室は健康診断を業務とし、職員として、Ａ課長代理（常勤・看護師・保健師、以下「Ａ」）、Ｂ（常勤・看護師・保健師、以下「Ｂ」）、Ｘ（常勤・事務、平成１９年２月１日採用）、Ｃ（パート・事務、以下「Ｃ」）、Ｄ（派遣・事務、平成１９年１月採用、以下「Ｄ」）が配属されていた。

Ｙは、医療法人として医療事故の防止が絶対的な要請であり、健康管理室では、病気の早期発見のために、正確な測定と入力が求められている。そのため、健康管理室が所属する常勤職員には、〔１〕正確性・迅速性のある事務能力（パソコン入力、会計業務、請求業務）、〔２〕コミュニケーション能力（接遇、電話対応、相手の要求を正確に受け止め、答える。)、〔３〕問題解決能力（指示待ちではなく、自ら考え動く力)、〔４〕常勤事務として健康診断事務に精通し、事務（パートや派遣）をまとめる、といった能力が求められていた。

（３）Ｘは、平成１９年２月１日、本件病院の健康管理室で業務を開始した。

Ａは、同日午前中は、Ｘに対し、健康診断の業務の流れを図解した「図解　健診の流れと保健師業務」、健康診断の各業務についてそれぞれ業務の遂行方法や確認すべき事項及び注意点等が詳しく記載された「健診課業務」及び健康診断の所見データ入力画面を手順どおりにコピーしたものを渡し、上記資料等に基づいて事務処理等に関するオリエンテーションを行った。

Ａは、同日午後は、Ｘに、上記オリエンテーションに基づいて、所見データ入力画面への住所、計測及び問診等をパソコンに入力する業務を行わせた。

さらに、Ａは、Ｘに、同月２日及び５日、午前中は、Ｃの行う健康診断の身長、体重、聴力及び視力等の計測の見学を、午後は主にその入力を行わせ、同月６日及び７日、午前中は、Ｃが今度は後ろで見るなどの補助に付き、Ｘにメインで健康診断の計測を行わせ、午後は主にその入力を行わせ、同月８日からはＸ一人で健康診断の計測及び入力を行わせ、さらに同月１９日からは人間ドックの予約申込み及び入力業務を行わせるなどして、Ｘが徐々に業務に慣れるよう配慮した。

Ａとしても、健康管理室は、長年、常勤の事務が不在であり、臨床検査技師や看護師が事務作業に携わっていたため、従前から部署として常勤事務の配置要望を毎年のように出しており、今回、Ｘが配属されたことは待ち望んだ人員配置であった。そして、Ａは、Ｘに対し、健康管理室の業務については、基本的なところは、前記「図解　健診の流れと保健師業務」及び「健診課業務」であるが、様々なパターンや細かい事務処理上の点については、仕事をしていく中で覚えていくほかないこと、そのため分からないことは何度でも聞いてくれれば教えること、教えたことについてはその都度メモをとって自分なりに身につけていくよう指示した。

（４）Ｘには、平成１９年２月５日以降３月９日までの間に、以下のような事務処理上のミスや事務の不手際があり、Ａ又はＢからその都度、注意・指導がされた。また、Ｘが試用期間中であることから、Ｘの行った入力については、常勤者（Ａ及びＢ）において点検を行い、そのため同人らが行うべき通常の業務がＸ帰宅後にずれ込んでしまうことも多かった。また、常勤者による点検は通常１か月程度であったが、Ｘには以下のような入力ミスが重なったため、配属後一月を経過しても、常勤者による点検を継続せざるを得なかった。

ア　健康診断問診票の記載内容をコンピューターの所見データに入力するに当たり、ＡやＢは、Ｘに対し、「自覚症状」に○がついているものはそのまま○と入力し、受診者がコメントをした部分は、コメント通りに入力するよう指示したが、Ｘは○のついていないものを○と入力したり、○がついているものを飛ばしてしまったり、コメントの文章を短く要約して入力したりするなど正確性に欠けることが何度かあった。

イ　健康診断問診表のコメント欄（「その他、気になる症状がありましたらご記入下さい。」欄）が未記入の場合は、所見データへの入力は、未記入のままにするよう指示されていたにもかかわらず、Ｘは「なし」と入力したことが数回あった。

ウ　計測結果の所見データへの入力では、通常は、「身長・体重」欄が一番上に来るが、コースやオプションによっては、「身長・体重」欄が異なることがあるところ、Ｘは、それに気付かず、別の欄に「身長・体重」を入力してしまうことが数回あった。

エ　Ｙでは、健康診断の受診者に対し、２週間以内に（必着）結果を送っているところ、Ｘが受診者の住所を入力する際、「丁目・番地・号」をうった後にエンターキーで確定登録しなかったため、これらが抜けてしまい、検査結果の通知が返戻されてきたものが４通あった。

オ　人間ドックでは、眼科の眼底検査がある場合、順路案内表に「視力・眼圧」のゴム印を押した上で、診察の所見や眼底フィルムを貼付するための眼科の用紙を入れる必要があるが、Ｘはゴム印を押すことと眼科の用紙を入れることを失念したことがあった。

カ　Ｘは、健康診断の前日までに行うところの受診者が当日持って各種検査に回る順路案内表の事前準備において、受診者がオプションとして眼科検診を追加したことから、順路案内表には「＋眼科」と記載すべきところ、ＰＳＡ（前立腺癌検診の血液検査）の意味も知らずに、「＋ＰＳＡ」と記載したことがあった。

キ　聴力検査において、受診者が装着するヘッドホンの耳あて部分は、右側がＲと記載され全体が赤く、左側がＬと記載され全体が青くなっていて区別できるようになっていたところ、Ｘは、受診者ではなく、計測者であるＸの右左を基準にヘッドホンを受診者につけて計測したため、聴力について左右逆に計測したことがあった。ただし、Ｘは、計測記入用紙に左右逆に記録していたため、結果的にではあるが測定結果は合っていた。

ク　Ｘは、ＡやＢが、電話中であったり受診者と対応中であっても、「何をすれば良いですか？」と聞くことがあり、「対応中は受診者が優先なので少し待っていてね。」とたしなめられたことがあった。

ケ　Ｘは、レントゲンフィルムや心電図結果用紙等の入った病歴整理をする際、整理番号を書き間違えたことがあった。

コ　Ｘは、院外からの電話による問い合わせに対して、企業名や氏名等を聞き間違えたり、相手先の住所や電話番号を聞き忘れたり、Ｘが書いたメモをＸ自身が読めずに伝言内容が不明であったりしたため、その後の対応に手間取り、相手先から苦情が寄せられたことがあった。また、Ｘは、院内の電話に対しても、どの課の誰からのどんな内容の電話なのかを正確に聞き取った上で伝言することができずに要領を得ないことがあった。

（5）本件就業規則19条によれば、昼の休憩時間は正午から12時55分までの一斉休憩とするが、業務の都合により時差休憩を行うことができるとされている。健康管理室では、昼の休憩時間については、正午から12時55分までと、13時から13時55分までの各55分間について、上司と部下を組み合わせて部署内で時差休憩をとっていたが、午前中の仕事が長引き、休憩開始時刻の正午又は13時を過ぎてしまっても、休憩終了時刻である12時55分又は13時55分には休憩を終了して業務に戻るとの取扱いがいわば黙示の指示として従前から続いており、X以外の職員はすべてそのようにしていた。

しかし、Xは緊急を要する仕事が発生したのでなければ、早めに休憩を切り上げる必要はないと考え、この点についてAやBに何らの申入れも相談もすることなく、昼の休憩の開始時刻が正午又は13時を過ぎたときは、12時55分又は13時55分で休憩を切り上げることなく、休憩開始から55分間の昼休みを一人とっていた。Xは、非常勤職員（C又はD）から、他の職員と同様に12時55分又は13時55分には戻った方がよい旨忠告されたが、本件就業規則では55分間の休憩時間があるとの理由で同忠告には従わなかった。その結果、Xが12時55分を過ぎて休憩から戻ってきた場合、交替で13時から休憩に入るべきはずの職員が同時刻から休憩に入ることができず、そのため、Xは他の職員から反感を買うことがあった。

（6）Xは、平成19年3月9日、E事務次長（以下「E」）及びAから、試用期間中の1回目の面接（以下「第1回面接」）を受けた。

Xは、Eから、入職1か月を経過しての感想を聞かれたことから、毎日が楽しく、仕事もやさしいのから与えてくれているのでヒイヒイ言うほどではないこと、ミスが多いが命にかかわる仕事なのでミスを起こさないよう気を付けたい旨答えた。

次に、Aから、Xに対し、パソコンには慣れていないがワープロを打っていた経験があるだけに両手打ちはできること、他のスタッフと和気あいあいとやってくれていること等のプラスの評価が述べられた一方で、ミスが非常に多いこと、仕事は簡単なものを渡してペースを抑えているのに、このままミスが減らないようでは健康管理室の業務を続けるのは難しいこと、遅いのは問題ではないからミスのないように何度もチェックするなど正確にしてもらいたいこと、分からなければ分かったふりをせずに何度でも確認をしてほしいこと、先に入った派遣事務はすでに会計等の研修も始めているがXにはまだ任せられないこと、仕事を覚えようとの意欲が感じられないこと、仕事に関して質問を受けたことがないこと、学習して欲しいこと、スタッフが電話対応や受診者対応をしているのに、何かやることはないかと話しかけるなど周りの空気が読めていないこと、周りも働きやすいよう配慮しているからXもその努力をすべきこと、頼んだ仕事がどこまで終わったのかを報告せずに帰宅するというのは改善すべきこと、将来はパートや派遣に業務の指示出しをする立場になって欲しいことなどの指摘がされた上で、今後の課題として、ミスを減らすこと、学ぶ姿勢と意欲を見せること、メモは自宅で復習し自らの課題を確認することを行って業務に励むよう告げられた。

Ｅは、Ｘに対し、Ａから指摘されたことを自分のものとするよう、これから１か月間で努力すべき点は何かを聞いた。

しかるに、Ｘは、Ｅ又はＡに対し、そこまで迷惑をかけているとは思わなかった、自分でも努力はするがそこまで行けないと思う、これからどうなるのか、入ったばかりで自分がいなくなったら次の人も直ぐには見つからないであろうからさらに迷惑をかけることなどを述べた。

これに対して、Ｅは、そういうことを心配する必要はない、退職なんてことを考えるのは、この仕事が自分の人生の中で続けていくのはどうだろうと思ったときに考えればよい、今そんなことを言うのは早すぎる、まずは課題を頑張るようにと励まし、第１回面接は終了した。

（７）Ｘは、平成１９年３月１２日、健康診断の事前準備において、順路案内表中、内科診察を意味する「健診受付へ（内科）」との記載を消してしまうとのミスをした。

（８）平成１９年３月１３日、Ｘが出勤したところ、Ｘが業務中に他の職員から教えられたこと等をメモしたものを入れた机の引き出しに鍵がかかっており、開かなかった。Ｂによれば、Ｂが貴重品を入れていた机の鍵を紛失したため、合い鍵を探してＸが使用していた机の鍵も含めて色々と試していたときに、Ｘの机の鍵を施錠したまま鍵を紛失したようであるとのことであった。そこで、健康管理室の職員全員で机の鍵を探したが見つからず、Ａが、Ｘに対し、机の中に貴重品は入っているかを尋ねたところ、メモが入ってはいるが貴重品は入っていないとのことであり、Ｘから錠前屋を呼ぶようにとの要請もなかったことから、出入りの文房具屋に合い鍵を注文し、同月２７日に合い鍵が届いた。

しかし、Ｘは、自ら作成したメモを見ずとも、第１回面接以後は、同面接で指摘された入力ミスをなくすべく、入力の度に３回確認することによって、入力ミスを指摘されることはなくなった。

（９）Ｘは、前記（４）エのとおり、受診者の住所の「丁目・番地・号」の入力ミスをしたため、検査結果通知が受診者に届かずに本件病院に返戻されることが重なった。そこで、Ｘは、同年３月１６日、Ａから、インシデントアクシデントレポートの作成を指示されたところ、その作成が終業時刻後にわたったため、Ａに時間外手当の申請をした。しかるに、Aは、Xに対し、自分のミスで書いたミストラ（インシデントアクシデントレポート）については残業はつけられない旨説明し、Xの了解を得た。しかし、Aは、上記以外のXからの時間外手当の申請についてはこれを受理し、現実にYからXに時間外手当が支払われていた。ただし、Aは、Xが試用期間中であったため、なるべく時間外勤務をさせないよう配慮していた。

（１０）Xは、平成１９年３月２３日、E及びAから、試用期間中の２回目の面接（以下「第２回面接」）を受けた。

Xは、Eから、第１回面接でAから指摘された点についてどう頑張ったかを聞かれたことから、正職員としての自覚が足りなかったこと、ミスは起こさないよう気を付けたこと、周りの空気を読むようにしたことなどを答えた。

次に、Aから、Xに対し、ミスは減ったこと、どこまで終わったのか報告は来るようになったこと、周りに気を遣うようになったこと等のプラスの評価が述べられた一方で、相変わらず学習はしていないこと、任せる仕事を増やしていきたいが未だ入力内容をチェックしている段階で派遣事務との仕事内容に広がりが生じていること、ミスは減ったが５月以後受診者が増えたときにこのままの状況では健康管理室の業務に対応できないこと、昼休みを時間どおりにとって定時に帰って賞与も出て楽でいいとパートから不満が来ること、仕事を覚えるのが遅くても一生懸命やっているという周りを説得するだけの意欲が欲しいことが指摘された。

その後、Eは、Aに席を外させた上で、Xに対し、今回のAの評価を覆す上でも２週間これから頑張るよう励ました。

しかし、Xは、Eに対し、前回と今回の面接であのような評価をされたら頑張れない、そうなるとクビということなのかなどと述べた。

これに対し、Eは、Xに、クビではないこと、確かに健康管理室で緻密な数字を入力する事務には向いていないかもしれない、そうすると医事課の仕事も難しいこと、しかし、Xの人格を否定しているのではなく、清掃部門、医療・介護部門、福祉部門等、幅広くXの特性を生かせる場所があること、自分も以前は栄養課で働いていたが現在は事務職の仕事をしているので、再度言うけれどももう一度頑張って欲しいとの励ましの言葉をかけた。さらに、Eは、なおも「頑張れない、辞める、自分のあとはどうなるのか。」などと述べるXに対し、もっと頑張るというならばEからAに話をすることもできる、Xがもっと頑張るというのを聞きたかった、とにかく土日にゆっくり考えてまた月曜日に話をしようと提案した。

しかし、Xは、土日待っても同じで心は決まったなどと述べた。

そのため、Eは、Xに対し、そこまで言うなら、３月末まで頑張って欲しい旨述べた。そして、Xが、退職届の書式や記載方法を尋ねたことから、Eは、指定の退職届はないので自前の便せんに書くことになるが、届けは月曜日（同年３月２６日）にでもＡに渡してもらえばよい旨述べて、第２回面接は終了した。

（１１）Ｘは、第２回面接の終了後、その日のうちにＹ職員で組織する健和会労働組合（以下「健和会労組」）に加入し、第２回面接で退職強要を受けたとの相談をした。

その後、Ｘは、平成１９年３月２５日、Ｙ理事長に対し、第２回面接でＥ及びＡから解雇を自主退職の形で強いられたこと、健康管理室で勤務して以来、仕事を教えてもらえない、説明を早口で言われてメモをとってもメモを入れた机の引き出しに鍵をかけられてしまう、インシデントアクシデントレポート記入について残業申請を拒否される、サービス残業を強要される、Ａ及びＢから無視されるなどの労働環境にあるので、Ｙの考えを問う旨の手紙を送付した。

（１２）Ｘは、平成１９年３月２６日、健和会労組のＦ書記次長及びＧ書記次長とともに、本件病院会議室において、Ｈ事務長及びＥと面談した（以下「本件面談」）。

Ｘからは、第２回面接で、健康管理室には要らない、紹介があるとすれば清掃と言われて頑張れる人はいないこと、入ってからまともに教えられていない、マニュアル、パンフ的なものを渡されて教えたとはいえないこと、前線に置けないとか健康管理室では無理的なことを言われ、頑張っていこうねと言われても頑張れるか、Ａの主観でどうしてダメと言い切れるのか、自分は辞めないこと等を伝えた。

これに対して、Ｅは、縁があって管理室に入ったので頑張ってもらいたいこと、面接は退職勧告ではなく成長を願ってのことであること、試用期間はあと１か月間あること、退職強要をしたことはなく、退職届もＸが書き方等を教えて欲しいと言うから教えただけであること、Ｘに対しては、人とのコミュニケーションに長けている人、数字に強い人、営業に優れている人、色々いるが、Ｘの適性にあった場所として清掃や介護の場所もあるし、人格を否定しているわけではないと言ったはずであること、辞めないのであれば健康管理室を今のまま頑張って欲しい、悔しさをバネに意欲を見せて欲しい、残りの試用期間で成長を見せて欲しいこと等を伝えた。

結局、本件面談によって、Ｘは、Ｙを退職せず、引き続き試用期間中は、健康管理室で勤務し、その間のＸの勤務状況を見て、Ｙの要求する常勤事務職員の水準に達するかどうかを見極めることとなった。

（１３）Ａは、平成１９年３月２４日、Ｅから、Ｘが辞めることになった旨の話を聞いたことから、４月のシフトにおいて、Ｘを除外し、常勤職員数を一名減らした２名とするシフト表を作成した。

その後、Ａは、同月２６日、Ｅから、Ｘが退職強要を受けて職場でいじめ・冷遇があると訴えていること、本件面談の結果、Ｘが辞めずに健康管理室で今後も勤務することとなったと告げられた。そこで、Ａは、４月のシフトにおいてＸの名前を入れたシフト表を再度作成したが、その際、常勤職員数を一名加算して元の３名に訂正することを失念した。

（１４）Ｘは、平成１９年３月２６日の勤務終了後帰り際に、Ａから、「冷遇しているつもりはないが、あなたのためを思って仕事を絞っていたことがそう思わせたのであれば誤解です。」、「私も勉強中で、知らないことがたくさんある。Ｂさんも、若いから言葉が足らなかった。意欲があるということで、居てもらっていいことになった。意欲は、主観的。マニュアルはない。わからないこと聞いてもらえれば、何度も教えるから。私もＩさんに聞いている。その姿勢が意欲ってことに見える。Ｄさんが、それで何とかなっちゃったから。私も、前の人がワンマンで、家帰って泣いてた。経理も教えるし、会議にも出てもらう。」旨伝えた。

（１５）また、Ａは、平成１９年３月２７日ころ、平成１９年度入社式（同年４月２日）及び新入職員研修（同月２日及び３日）の案内をＹから受領し、これをＸに交付した。その際、Ａは、すでに同年２月２１日に、Ｘから同年４月２日の年休の申請を受けこれを許可していたことから、Ｘに対しては、入社式は出なくてもよいから新入職員研修から参加すればよい旨告げた。これに対して、Ｘからは、年休を取消して入社式に出席したい旨の申入れはされていない。

（１６）Ａは、平成１９年３月２７日、昼の休憩時間中に、Ｘも含め休憩していた職員と食事中、「前に勤めていた大学病院はＺ党系で、組合員立ち入り禁止と張ってあった。組合員って、権利、権利言うけど、患者の命を放っておいて、何が権利か」、「前の病院の後輩の話なんだけど、ある１人は、残業代を何で出さないのかと親が乗り込んで来た。残業代っていっても、教える人だって残ってるんだから。金、金言うけど、結局辞めた。」、「看護体験で、学生から、夜勤は大変か、給料は安いと聞くがどうかと質問された。どの仕事でも大変。お金のことを考えてるなら辞めた方がいいと答えた。仕事を、患者さんとどう関わるかを考えないで、お金のことしか考えてない。私って、うざいと思われるみたい。最近の若い人は、何かあると、何でもすぐ教育委員会とかに訴える。」旨の話をした。Ｘは、上記の話を聞くことを嫌って、席を外した。

（１７）Ｘは、平成１９年３月２６日から２８日は通常どおり健康管理室で勤務したが、同月２９日は出勤したものの具合が悪くなったために早退し、本件病院に隣接するＫクリニックに赴き、仕事に来ると解雇されるのではないかと追い詰められ頭がおかしくなるので、心療内科を受診したい旨述べた。Xは、応対した総師長から、同クリニックには心療内科はなく、今日は内科しかやっていないが、明日は精神科があるので診てもらいましょうと言われたが、明日までは待てないと述べたところ、同総師長から毎日やっている心療内科として、民医連のメンタルクリニックM及びNメンタルクリニックを紹介され、これらの受診案内を受け取った。Xは、同日、医療法人社団O病院を受診し、緩和精神安定剤のコンスタンを処方された。

（18）Xは、平成19年3月30日、E及びAに対し、体調が悪いので4、5日休む旨を電話で連絡した。そのため、Xは、同年4月3日及び4日の新入職員研修を欠席した。

Xは、同年4月3日、H事務長に対し、「期間平成19年4月5日（木）～体調不良が回復する迄」、「事由　退職脅迫等違法行為を受けたことによる体調不良のため」と記載した休職届を郵送で提出した。

Xは、本件病院に入職以来、仕事を指導してくれない、机の引き出しに鍵をかけられる、残業手当の申請を拒否される、無償残業を強要される、退職を面接で脅迫される、人格を傷つけられる、入社式の案内を直前まで知らされない、Kクリニックに診察を拒否されるなどの違法行為を受けているので大至急救済して欲しい旨の手紙を、同月4日から6日にかけて、Yの加盟する全日本民主医療機関連合会会長、東京民主医療機関連合会理事長、健和会労組の上部団体の日本医労連理事長及び健和会友の会会員2名等にそれぞれ郵送した。

Xは、同月6日、P大学病院の神経精神科を受診し、「診断名：適応障害　上記のため当分の間自宅療養を必要とする。」との診断を受け、同月9日、診断書とともに、休職届を再度Yに郵送で提出した。

（19）Yは、同年4月10日、Xに対し、「事務能力の欠如により、常勤事務としての適性に欠ける」ことを理由に、本件就業規則7条により、同月12日付けをもって採用を取り消すとの本件解雇の通知を発送し、Xは同月11日に同通知を受領した。

なお、Yは、本件解雇をするに当たり、同年3月28日にH事務長及びEからそれまでの事実の経過等を聴取したが、Xの直接の上司であるAからは事情等を聴取していない。

（20）Yによる X解雇

Yの就業規則（以下「本件就業規則」）には、以下の定めがある。

———Ｙ就業規則抜粋———

第７条（試用期間）

１　試用期間は１ヶ月とする。ただし、特別の事情がある場合は、３ヶ月の試用期間を設けることができる。

３　試用期間中、またはその満了の際、引き続き職員として勤務させることが不適当と認められた場合、及び前条の手続を故意に怠った場合は、採用を取り消すことがある。

第１７条

法人は、職員が業務上負傷し、または疾病にかかり療養のため休業する期間及びその後３０日間、並びに産前産後の女子の産休期間中、及びその後３０日間は解雇できない。

———Ｙ就業規則抜粋　以上———

Ｙは、平成１９年４月１０日、Ｘに対し、「事務能力の欠如により、常勤事務としての適正に欠ける」ことを理由に、本件就業規則７条により、同月１２日付けをもって採用を取り消す旨の意思表示を行い（以下「本件解雇」）、同意思表示は同月１１日にＸに到達した。なお、Ｘの給与は、平成１９年２月分及び３月分が支払われたが、同年４月２０日締め同月２５日に支払われるべき同年４月分以後の給与は支払われていない。

ＸはＹに対し、本件解雇が無効であるとして、雇用契約上の権利を有する地位にあることの確認等を求めるとともに、職場でパワーハラスメント及びいじめを受け、さらに違法な退職強要及び本件解雇を受けたために精神疾患にり患したとして、債務不履行（安全配慮義務違反）及び不法行為（民法７０９条）による損害賠償請求権に基づき、１１７１万６９４０円等の支払を求めた。

【判旨】

（１）パワーハラスメントの定義について

パワーハラスメント（以下「パワハラ」）については、「組織・上司が職務権限を使って、職務とは関係ない事項あるいは職務上であっても適正な範囲を超えて、部下に対し、有形無形に継続的な圧力を加え、受ける側がそれを精神的負担と感じたときに成立するもの」として「一応定義する」。

（２）本件解雇の有効性について

ア　本件就業規則１７条又は労基法１９条違反による無効について

後記の通り、「ＹのＸに対する職場でのパワハラや退職強要の事実は認められない。そのため、Ｘの精神疾患の発症と業務との間に相当因果関係があるとは認められないから、

Ｘの平成１９年４月４日以後の休業を、業務上の疾病にかかり療養のために休業する期間ということはできない。

したがって、本件解雇が、本件就業規則１７条又は労基法１９条に違反し無効ということはできない」。

イ　解雇権濫用による無効について

【事実の概要】の（３）の通り、「健康管理室において、Ａは、Ｘに対し、『図解　健診の流れと保健師業務』及び『健診課業務』等を渡し、事務処理等に関するオリエンテーションを行った上で、他の職員の業務を見学した後に実際にＸに業務を行わせるなど、Ｘが徐々に業務に慣れるよう配慮し、また、上記『健診課業務』もその内容は、健康診断における基本的な業務の遂行方法や確認すべき事項及び注意点等が詳しくほぼ網羅的に記載されており、それ以外の業務遂行上生ずる様々なパターンや細かい事務処理上の問題点については、仕事をしていく中で覚えていくこととされ、Ｘも指導・注意を受けた点についてはその都度メモにとっていたのであるから、Ｘの業務遂行について教育・指導が不十分であったということはできない」。

そして、同年２月５日以降３月９日までの間に、【事実の概要】の（４）アないしコの通り、Ｘには「事務処理上のミスや不手際があり、このうち、同ア及びイは健康診断の基礎データの入力として基本的な事項に関するミスであること（同ミスについて、Ｙの教育が不十分ないし不正確であることに起因する旨のＸの主張は、前述したところによれば採用できない。）、同ウについては入力データ画面の入力欄の記載を注意して見さえすれば間違わないようなミスであること（同ミスについて、Ｙがコースやオプションによって『身長・体重』の入力欄が異なることを教えなかったことに起因するとのＸの主張は到底採用できない。）、同エについてはパソコンでの文字・数字入力における基本的なミスであること（同ミスについて、Ｙがエンターキーを押すことを教えなかったことに起因する旨のＸの主張は失当であり、また、Ｘが他に入力した１００件を超える検査結果通知が返戻されていないことに照らせば、返戻された４通の検査結果通知の『丁目・番地・号』が記載されなかったのは、エンターキーを押し忘れた単純なＸのミスであることは明らかである。）、同オ及びケもＸの注意不足によるミスであり、同カについては医療従事者として業務上の用語で分からないものがあれば自ら調べるとの基本的な勤務姿勢に欠けるものであること（同ミスについて、Ｙが教えなかったからである旨のＸの主張は失当である。）、同キは正確な聴力検査を不能とする基本的なミスであるとともに、計測記入用紙に左右を間違えて逆に記録することもまた基本的なミスであること（同ミスについて、Ｘは、結果的に検査結果が左右正確に記載されて実害がない旨主張するが、検査結果が合っていたのは、偶然、ミスを２つ重ねた結果にすぎないのであって、これがＸの執務における注意力不足を顕著に示す事実であることは明らかである。）、同クは健康管理室で他の職員とともに業務を遂行することに慣れるに従って改善されるであろう不都合にすぎないと考えられること、同コは社会人として一般常識に属する事柄ができなかったことを示す事実であること（同ミスについて、Xは、落ち着いて仕事のできる状況に置かなかったことや院内の他部署とのつながりを教えなかったYの責任である旨主張するが、電話の応対は上記のとおり、一般常識に属することであることや…Xは第１回面接において、Eから入職１か月を経過しての感想を聞かれた際に、毎日が楽しく、仕事もやさしいのから与えてくれているのでヒイヒイ言うほどではない旨述べていることからすれば、落ち着いて仕事のできる状況に置かなかったYの責任である旨の前記主張は失当である。）が認められるが、これら同アないしキ、ケ及びコのXのミスないし不手際は、いずれも、正確性を要請される医療機関においては見過ごせないものであり、Xの本件病院における業務遂行能力ないし適格性の判断において相応のマイナス評価を受けるものであるということができる」。

しかしながら、【事実の概要】の（６）及び（１０）の通り、「Xは、第１回面接において、上記の点をAから厳しく指摘され、第２回面接までの間に、入力についてはその都度３回の見直しをするなどの注意を払うようになったため、少なくとも入力についてのミスが指摘されることはなくなり、周りの職員に対する気配りも一定程度するようになるなど、業務態度等に担当程度の改善が見られた。第２回面接においては、上記改善が確認されたものの、Xについては、未だ入力内容を常勤職員が点検している段階で、ほぼ同時期に入職した派遣事務のDと比較して仕事内容に広がりが生じていることや、５月以後に受診者が増えたときに健康管理室の業務に対応できないおそれがあるなど、未だYが常勤事務職員として要求する水準に達していないとして、Aから、この点が厳しく指摘された。そして、Xは、一度は退職する意向を示したものの、同年３月２６日の本件面談の結果、退職せずに、引き続き試用期間中は、健康管理室で勤務し、その間のXの勤務状況を見て、Yの要求する常勤事務職員の水準に達するかどうかを見極めることとなった。

しかるに、Yは、上記の経緯があるにもかかわらず、３月２８日にH事務長及びEからそれまでの事実経過等を聴取したにとどまり、直属の上司であるAからXの勤務態度、勤務成績、勤務状況、執務の改善状況及び今後の改善の見込み等を直接に聴取することもなく、また、勤務状況等が改善傾向にあり、Xの努力如何によっては、残りの試用期間を勤務することによってYの要求する常勤事務職員の水準に達する可能性もあ」り、さらに、【事実の概要】の（１１）及び（１８）の通り、「Xから、同年３月２５日にY理事長に宛てて退職強要や劣悪な労働環境を訴えた手紙が送付され、次いで、同年４月４日から６日にかけて全日本民主医療機関連合会会長その他に宛てて、Yのパワハラ等を訴える手紙が送付されたのであるから、YからXに対し、これらの手紙の内容が誤解であるならばその旨真摯に誤解を解くなどの努力を行い、その上で職務復帰を命じ、それでも職務に復帰しないとか、復帰してもやはりYの要求する常勤事務職の水準に達しないというのであれば、その時点で採用を取り消すとするのが前記経緯に照らしても相当であったというべきであり、加えて、第２回面接があった同年３月２３日の時点ではＡ及びＥのいずれもＸを退職させるとは全く考えていなかったこと…も併せ考えれば、試用期間満了まで２０日間程度を残す同年４月１０日の時点において、事務能力の欠如により常勤事務としての適性に欠けると判断して本件解雇をしたことは、解雇すべき時期の選択を誤ったものというべく、試用期間中の本採用拒否としては、客観的に合理的理由を有し社会通念上相当であるとまでは認められず、無効というべきである」。
ウ　「そうすると、ＸのＹに対する労働契約上の権利を有する地位にあることを確認する請求は理由がある」。

（３）職場のパワハラ・いじめ等に基づく損害賠償請求権について

Ｘは、Ｙが健康管理室において、必要な指導・教育を行わないまま職務に就かせ、業務上の間違いを誘発させたにもかかわらず、Ｘの責任として叱責した旨主張するが、先に検討したとおり、「Ｘの業務遂行についてＹによる教育・指導が不十分であったということはできず」、【事実の概要】の（４）アないしキ、ケ及びコにおけるような「Ｘの事務処理上のミスや事務の不手際は、いずれも、正確性を要請される医療機関においては見過ごせないものであり、これに対するＡ又はＢによる都度の注意・指導は、必要かつ的確なものというほかない。そして、一般に医療事故は単純ミスがその原因の大きな部分を占めることは顕著な事実であり、そのため、Ａが、Ｘを責任ある常勤スタッフとして育てるため、単純ミスを繰り返すＸに対して、時には厳しい指摘・指導や物言いをしたことが窺われるが、それは生命・健康を預かる職場の管理職が医療現場において当然になすべき業務上の指示の範囲内にとどまるものであり、到底違法ということはできない。

次に、Ｘは、平成１９年２月１０日ころからＸを無視して職場で孤立させるなどの謂れなき職場のいじめが始まり、日常的・継続的に繰り返された旨主張し、証拠…中には同主張に沿う部分がある」。しかし、【事実の概要】の（６）の通り、「第１回面接において、ＡからＸに対して他のスタッフと和気あいあいとやってくれているとの評価がされていること、Ｘが、Ｄから、第１回面接のあった同年３月９日に病歴室で長い間励まされたことや、同月１２日にも励まされたことは、Ｘが証拠…中において自認するところであることからすれば、Ｘを無視して職場で孤立させるようなことが行われていたと認定するのは困難であり、Ｘ主張に沿う前掲証拠部分は、反対証拠…に照らし措信し難く、他にＸの主張を認めるに足りる証拠はない。

次に、Ｘは、３月１３日にＡ又はＢが意図的にＸの机に鍵をかけた旨主張する。たしかに、Ｘのメモが入っていた机の鍵がかかった経緯については、Ａはその尋問において、Ｂの机に鍵がかかったので解錠するために合い鍵の束を持ってきて、各机毎に鍵を確認した旨証言するが、Ｂの机の鍵を開けるのであれば、合い鍵の束から一つずつＢの机に合う鍵であるか否かを確認すれば足り、あえてXの机に合う鍵かを確認する必要はないのであって、不自然な感を否めない。しかし、机の中にXのメモが入っていることを知っているA又はBが故意に鍵をかけることによって、Xがメモを見ることができずに仕事が停滞してしまうと、かえってXの仕事を点検しなければならないA又はBの事務負担が増えてしまうのであるから、あえてかかる嫌がらせをするとは想定し難いこと、また、Xに机の中のメモを見せないというだけのために、机の鍵をあえて紛失させて、その後に合い鍵を発注したり、健康管理室の職員全員で鍵を探したりまでするようなことをしたとは考え難いことから、A又はBが意図的にXの机の引出しに鍵をかけたとすることには多大な疑問がある。仮に、Aが、第1回面接において、Xに対し、メモは自宅で復習し自らの課題を確認することを指示したにもかかわらず、Xがメモを健康管理室の机に入れたまま帰宅して同指示に従っていないことに対する制裁として、Xの机の鍵をかけたとの事実があったとしても」、【事実の概要】の（8）の通り、「Aは、Xに対し、机の中に貴重品は入っているかを尋ねたところ、メモが入ってはいるが貴重品は入っていないとのことであり、それ以上に、Xから錠前屋を呼ぶようにとの要請もなかったこと、その後、Xは自ら作成したメモを見ずとも、入力ミスを指摘されることもなく業務を遂行していることからすれば、不法行為を構成するほどの違法性があるとまではいえない」。

また、第1回面接及び第2回面接において退職強要がされた旨をXは主張するが、【事実の概要】の（6）及び（10）によれば、いずれの面接も、その内容は、面接までの間のXの勤務態度及び勤務成績等に対するAの評価がされ（Aの評価は厳しいものではあるけれども、【事実の概要】の（4）、（5）、（7）で認定したXの勤務状況等に対する評価としては、合理性を有するものということができる）、「それを踏まえてXにさらに頑張るよう伝える内容のものであったことは明らかであり、加えて、A及びEは各面接においてXを退職させる意思も権限も有していなかったのであるから…上記各面接においてA又はEがXに対して退職強要をしたとの事実は、これを認めることができない。

さらに、Xは、同年3月26日以降も職場でのパワハラが続けられた旨主張する。たしかに、Aが、同月27日の昼の休憩時間の食事中に」、【事実の概要】の（16）の通りの「発言をした事実が認められるが、Aが同発言をした前後の経緯が何ら明らかでないために、同発言だけをもってXに対するパワハラと認定するには無理があるばかりか、同発言はAの経験に基づいた意見を述べているに過ぎないのであって、Xを非難するような内容のものとは解し難く、また、Aの第1回面接及び第2回面接並びに日常的な指導について、Xがこれを退職強要又はいじめ・冷遇と捉えていることに対して、Aが病院業務における職務の厳しさを諭す一例として話した可能性もあり、結局、Aの上記発言をもってXに対する不法行為と認定することはできない。

以上検討したように、Ｙには、安全配慮義務違反及び不法行為を構成するようなパワハラ及びいじめ並びに違法な退職強要の事実は、いずれもこれを認めることができない。

また、本件解雇は、客観的に合理的理由を有し社会通念上相当とはいえないことから無効ではあるけれども…Ｙにおいて、解雇事由が存在しないことを知りながらあえて解約権を行使したとの事実は特段認められず、また、解約権行使の相当性の判断において明白かつ重大な誤りがあるとまではいえないことからすれば、本件解雇が相当性を欠くことから無効であるとの評価を超えて、Ｘに対する不法行為を構成するほどの違法性を有するものとまで認めることは困難である。

以上によれば、ＸのＹに対する安全配慮義務違反（債務不履行）又は不法行為を理由とする損害賠償請求は、その余の点について検討するまでもなく理由がない」。

１０　東京都ほか（警視庁海技職員）事件・東京高判平22.1.21労判1001号5頁

【事実の概要】

Ｘは、平成１１年４月２日に警視庁海技職員として採用されＢ署に配属された者であり、Ｙ１からＹ１０はＢ署に勤務していた者らであり、Ｙ１１は東京都である。

（1）海技職員とＤ課

ア　海技職員について

海技職員は、船舶の運航及び機関の原理、構造、機能、取扱い等に関する専門的知識及び技術に基づいて、警備艇の操縦、機関の簡単な整備、修理等の業務を行うものとされている。海技職員の主要な任務は警備艇の操縦であり、そのため、海技職員の採用選考の受験資格として、海技士若しくは小型船舶操縦士（特殊を除く）の免許を有する者又は当該業務に必要な能力を有する者であることが必要である。なお、Ｘも一級小型船舶操縦士免許を有している。また、海技職員の任命権者は警視総監であり、海技職員は、刑事訴訟法等が規定する司法警察員及び司法巡査としての権限は有しないが、東京都の地方公務員として、法令等及び上司の職務上の命令に従う義務その他地方公務員法第３章第６節各条に定める義務を負うとともに、警視庁警察職員服務規程を遵守する義務を負っている。

イ　Ｄ課について

警視庁管内において、Ｄ課を設置している警察署はＢ署のみであり、海技職員は、他署へ転勤することなくＢ署で勤務を続け、Ｂ署内でもＤ課以外に配属されることはなかった。Ｄ課は、舟艇及び付属機器の保守管理及び整備に関する任務を担当する整備係、水路の調査に関する任務を担当する水路係及び警備艇の操縦を主な任務とする配船第１係から第４係によって構成されている。Ｄ課員は、第１当番（日中の勤務）、第２当番（夜勤）、非番、日勤のサイクルで４交代で勤務をし、原則として二名一組で、警備艇の操縦を行ったり、派出所において海上交通の監視に当たるなどしている。ちなみに、整備係及び水路係への配置については、これらの係の職務内容等との関係で、Ｄ課員としての一定の経験や専門的な知識技能を要することから、新任の海技職員は、まず配船各係に配置される運用になっていた。

（2）　Ｘの採用及び勤務開始後の言動等

ア　Ｘの採用

Ｘは、平成１０年１０月、海技職員の採用選考に合格し、平成１１年４月２日に採用され、同月７日にＤ課配船第３係に配置された。なお、Ｘは、平成１０年６月に東京都交通局路線バス運転手の採用選考にも合格しており、同年１２月に東京都交通局に採用されたが、研修期間中である平成１１年３月にこれを辞職している。

イ　勤務開始後のＸの言動等

ところが、Ｘは、配船第３係に配置された後間もなくのころから、警備艇の操縦が怖くて自信がないなどとして、これを拒否するようになったため、Ｘと二人一組で警備艇に乗務する相方の職員が警備艇の操縦を担当するとともに、Ｘに見張り業務を担当させるとの方策を講じるなどの担当職務への配慮が行われたが、その一方で、Ｘは、職場に多額の現金を持ち込み、これを他の職員にひけらかすような言動をとったり、平成１２年４月１９日に舟艇基地のけい船場の警戒勤務に就いた際に、書き損じたため破棄しようとしたけい船場活動記録表に「早く次の職を見付けて辞めた〜い。（もう警察、都交通局はヤダー）」、「操船は可能な限りしたくない」、「隅田川ＰＢは、ヤダ・ヤダ・ヤダ・ヤダ・ヤダ」と落書きしたりしたことがあった。こうしたことから、配船第３係の同僚の中には、Ｘと二人一組での警備艇乗務を嫌がる者が出たほか、Ｘの上記言動等が広まるに連れて他のＤ課員の中にも、Ｘが上司の指示命令に従わず、海技職員に不可欠な「船乗り」としての自覚や誇りを有していないのではないかとして、Ｘの勤務態度に対する不満を抱く者も現れるようになった。上記のようなＸの勤務態度やそのために生じる警備艇乗務の配置運用への支障等については、配船第３係の上司を通じて、Ｆ課長代理（以下「Ｆ代理」）やＹ３課長代理（以下「Ｙ３代理」）、更にはＤ課課長へと随時報告がされており、当初の段階では、Ｘが警備艇乗船業務に早く慣れて通常の職員と同様に警備艇を操縦することが可能となるよう、上記のとおり担当職務への配慮が行われたほか、配船第３係の上司のみならず、課長代理等からも直接Ｘに対する指導が行われていたものの、Ｘの勤務態度にはかばかしい改善は見られなかった。

（３）腰椎椎間板ヘルニア発病によるＸの休暇取得及び分限休職処分等

ア　休暇取得等

Ｘは、平成１２年６月５日、腰痛を訴えて、東京警察病院（以下「警察病院」）で受診し、腰椎椎間板ヘルニアのため約３週間の入院加療を要する見込みとの診断を受け、同月１４日から同年７月５日までの２２日間警察病院に入院し、退院後も警察病院に通院して治療及びリハビリテーションを受けるとともに、平成１４年２月からは針治療も受けていた。上記治療のため、Ｘは、平成１２年６月６日から同月２３日まで１３日間年次休暇を、同月２６日から同年１２月２２日まで１８０日間病気休暇をそれぞれ取得した。

イ　分限休職処分等

地方公務員が心身の故障のため長期の休養を要する場合にはその意に反してこれを休職することができる旨定められており（地方公務員法２８条２項１号）、東京都の職員の分限に関する条例によれば、上記規定により休職する場合にはあらかじめ指定医師による診断を行わなければならないとされ（３条２項）、休職の期間については、３年を超えない範囲内において休職を要する程度に応じ、個々の場合について任命権者（警視総監）が定めることとされ、休職期間が３年に満たない場合においては、休職した日から引き続き３年を超えない範囲内において、これを更新することができるとされている（４条１項）。そして、休職期間が満了すると当然に復職となるが（６条２項）、あらかじめ指定医師による診断を行った上で、心身の故障のため職務の遂行に支障があり、又はこれに堪えないと判断された場合には、分限免職処分となる（地方公務員法２８条１項２号）。

Ｘについては、前記アのとおり平成１２年１２月２２日まで１８０日間の病気休暇を経てもなお、腰椎椎間板ヘルニアの継続治療が必要であるとされたことから、警察病院及び警視庁健康管理本部（以下「健康管理本部」）の医師を指定医師として上司立会いの下でＸの診断が行われ、警視総監は、Ｘに対し、同月２３日から３か月間の分限休職処分を行った。その後も、３か月ごとに、指定医師である警察病院医師Ｇ（以下「Ｇ医師」）や健康管理本部医師Ｌ（以下「Ｌ医師」）らによる上司立会いの下でＸの診察が行われた結果、３か月間の自宅療養及び通院が望ましく、３か月間の休職延長を必要とするものと認められる旨の診断を得て、警視総監において、その都度３か月間の分限休職処分を行い、これによるＸの休職は、平成１５年１２月２２日まで３年間継続した。なお、Ｌ医師は、同年３月６日にＸを診察した際、Ｘに対し、これまでの経過を見ると、残りの休職期間で治癒することは考えにくい旨述べていた。また、Ｇ医師は、同年６月５日、Ｘについて、同月２３日から３か月間自宅療養及びリハビリテーションのため通院が望ましいと診断していた。

（４）　復職に至るまでの経緯等

ア　休職中のＸの言動等

Ｘは、分限休職中であった平成１４年１月、Ｙ３代理に対し、年賀状を送った。この年賀状には、「私は警病の先生や本庁の先生に診断書を上手く書いて仕事に復帰させて下さいと頼んでもダメで、又、課長、Ｆ代理、Ｍ係長、警務のＮ係長等に仕事に出させて下さいと、しつこく頼んでもダメなので困って居ます。このままクビになってしまうのでしょうか。数千万位なら、お金がかかっても良いので、何とかならないでしょうか」、「１月中に復帰させて頂ければ、右記のお金がかかっても良いので・・・」と記載されている。

Ｘが３か月ごとに指定医師の診察を受ける際に同道していたＦ代理は、Ｘに対し、このまま休職を続けるか転職をするかについての意思確認を行っていたが、Ｘは、その都度、期限が来て分限免職になるのは仕方ないが、自ら辞職する意思はない旨述べていた。

また、Ｆ代理が平成１５年６月５日にＸに対して分限休職期間が満了しても心身の故障のため職務の遂行に支障があるなどの場合は分限免職処分となるため家族等と相談して辞職するか否かについて結論を出すよう述べたところ、Ｘは、自ら辞職する意思はないが、これまでのことを考えれば、復職の可能性は低いと思う旨答えた。

イ　Ｙ２課長及びＹ３代理のＸに対する言動等（言動１）

Ｘは、平成１５年９月１１日、Ｙ２課長及びＦ代理と共に、警察病院に赴き、Ｇ医師の診察を受けた。その際、Ｇ医師は、Ｘらに対し、腰椎椎間板ヘルニアが通院治療を要するものの休職の必要はないとの診断書なら出すことができるが、腰椎椎間板ヘルニアが完治したとの内容の診断書を書くことはできない旨告げた。Ｘは、Ｇ医師に対し、腰椎椎間板ヘルニアが完治したとの内容の診断書を書いてほしいと依頼したが、Ｇ医師は、公文書だから嘘を書くことはできないと言って断った。受診後、Ｘ、Ｙ２課長、Ｆ代理の３人は、Ｇ医師の診断を前提とすると分限休職処分も復職もできないため分限免職処分がされることになるという認識の下、Ｘの今後の対応について話合いをし、そこでＸは辞職願を提出する意向を示し、辞職願の書き方を教えてほしいとの発言をした。このときのＸの考えとしては、休職期間を平成１５年１２月２２日まで延長する手立てを講じた上で、同年１１月末ころに辞職願を提出するつもりであった。その晩、Ｆ代理はＸ宅に電話をし、人事から、明日、日付を空白にした辞職願を作成させて預かるように指示があったから印鑑を持ってくるようにと伝えた。

Ｘは、平成１５年９月１２日午前１１時ころ、印鑑を持参してＤ課を訪れ、Ｙ２課長及びＦ代理と面談した。Ｘは辞職願を作成しようとはせず、Ｇ医師に腰椎椎間板ヘルニア治療のためになお３か月間の休職を要する旨の診断書を書いてもらうよう交渉すると主張した。Ｙ２課長らは、Ｇ医師に診断の変更を求めることは無理であること、このままでは分限免職処分となること等を説いて、辞職願を作成することを求めたが、Ｘは上記主張に固執した。このやりとりが約１時間続いた午後０時４分ころ、Ｙ２課長が「診断書が無けりゃ延長出来ねえんだよ。そうだろ、お前」と発言したのに対し、Ｘが「町医者に、じゃ、ほんと駄目でしょうか」と発言し、この発言に立腹したＹ２課長は「この野郎、ぶっ飛ばすぞ、この野郎。主治医じゃねぇじゃねえかよ。おちょくってんのか、おれを。えっ。さっきから言ってんじゃねえかよ。ばかやろ。お前の主治医は警察病院のＧ先生だろ。誰がみてんだよ。お前。医者が。ふざけんじゃねえよ、この野郎」と怒鳴った。その後の面談の主題はＸがその日に辞職願を作成しない理由に移った。Ｙ２課長は、今後の手続等を説明して辞職願の作成を求め、辞職願を作成できない理由があるならその理由を説明することを求めた。しかし、Ｙ２課長が様々な形で問いかけても、Ｘは何ら返答をしないか医師に再度の診断を求める従前の主張を繰り返すかして時間が経過し、午後０時４４分ころ、Ｙ２課長が「これだけお前３０分も理由を聞くからってお前、同じことばっかり言わせてて。無口で、お前。何も言わねえで怒るだろ誰だって。お前逆の立場になってみろ」と発言したのに対し、Ｘは、「課長今日失礼ですけど、今日５時に終わるんですか。帰られるんですか」と発言し、Ｙ２課長が「そんなのお前のしったことじゃねえよ。お前」と答えると、Ｘは「じゃ外で、聞いていただけないですか。お願いなんですけど」と発言したため、Ｙ２課長は「ふざけんじゃねえよ、お前。お前になんかつきあっていられるかよ、お前。この忙しい、お前、でっかい事件あってさ。てめえ１人が昼休みだけだ。もうあれだぞ、強制的に書かすからな１時にな、理由を言わなけりゃ、わかった、書かすよくあと文句言うんなら、お前、どこでも、裁判所でも訴えろ」と発言した。すると、今度はXは、辞職願を作成する前に相談したい人がいるから夕方まで待ってほしいと言い出し、相談相手として交際相手や休暇中の職員の名前を出した。これに対し、Ｙ２課長は組織上の相談相手はＦ代理になることを指摘した上、午後１時４分ころ、Ｙ２課長とＦ代理が口々に「理由を言えっていってるだろうが１時間も」「みんなが納得できる理由を言えば、課長だって言ってくれるっていってんだから、それを言えって」「このやろう。おちょくってんのか、俺を。１時間も理由を言えってお前」と問いかけると、Xは「ないです」と答えた。これを聞いてＹ２課長は立腹し、「ないなら書きゃいいじゃねえか、このやろ。書きゃいいじゃないか、自分が言ったんだから」と言いざま、Xのネクタイを掴んで引っ張った。Xは「イテテテ、イテ、イテ」「何すんですか」「止めて下さい」「イテテテテテ、止めて下さい、首、痛いつすよ」と応じ、Ｙ２課長がネクタイを放すと、Xはいすに座りこんだ。この場面で、Ｙ２課長は、「野郎、テメエ、おちょくってんのか、俺を」「じゃあ、書きやあいいじゃないか」「理由を言えよ早く、この野郎、おちょくってんじゃねぇ、１時間も聞いて待ってるからって、おう、立て、この野郎」と発言した。その後も約２時間２５分を費やしてXとＹ２課長及びＦ代理との面談が行われたが、その間、Ｙ２課長が一時退席した際にＹ３代理が面談に加わった。Ｙ３代理が面談に加わっていた際、午後１時２６分ころ、Ｆ代理が医師とのやりとりを含めた経過を確認した上で今後の見通しを述べたの受けて、Ｙ３代理が分限免職処分を受けると再就職の際に不利であり普通の退職の方が有利である旨発言し、Xが昨日の電話で初めて今日辞職願を書けと言われたことに納得できない姿勢を示したので、Ｆ代理が「それが流れがこうなったんで急遽そうなったっていうことだよ。だからそれじゃなきゃ、人事だって言ってこないよ」と述べると、Xは「それだったら分限なっても構いません」と発言した。この発言にＹ３代理は立腹し、「組織として上司としてみんなお前の一番いいかたちにしてあげたいと思うから、これだけ相談に乗ってやってきたわけだよ。それをなに、開き直って分限になったってかまわない。ふざけんな、なめたこというんじゃねえよ。なめんじゃねえよ、ほんとに。首根っこ掴まれるどころじやすまないぞ、お前今度は、俺のそばへ寄ったら」と発言した。Xは医師に会って交渉したい、相談したい、辞職願を書く前に交際相手と相談したいとの主張を崩さず、Ｙ３代理は、午後１時３５分ころ「早く辞表を書いて、出てけ、この部屋から」と、午後１時４１分ころ「今度、課長戻って来たら、お前、首根っこ掴まれるどころじゃすまねえぞ。本気で怒ってんだぞ皆。だから早く書けよ。３０歳になって１回位まともに書け、まともに人の言うこと聞け。課長だって命令だとも、そこまで言ってんだぞ。さっき命令だって言われたろ」と発言した。その後、D課に戻ったＹ２課長とＸとの間で、午後２時３２分ころ、Ｘの再度医師に相談したいとの主張に関する次のやりとりがあった。すなわち、Ｙ２課長「だから、お前な、医者に行くことは勝手だと」、Ｘ「だからそれまで待って下さい」、Ｙ２課長「だから、お前、待つ、だけど日にちが」、Ｘ「課長命令出すって言ってたけど、代理は強要したわけじゃないって言うんですよ」、Ｙ２課長「そりゃそうだよ、お前、自分の意思で、やるから」、Ｘ「２２日迄にやればそれはまあ、やってくれるってつったんで、一応１８日ですから行かして下さい」、Ｙ２課長「１８日じゃ間に合わないんだよ」、Ｘ「さつき、言ってる事が全然違うんですもん、代理の」、Ｙ２課長「何が」、Ｘ「いや、またこ、だから、お願いします」、Ｙ２課長「お願いしますつたって、お前、来週明けに、ね、書類を出来ないと、な、２２日で切れちゃうだろ」、Ｘ「…」、Ｙ２課長「お前が医者に行きました、１８日」、Ｘ「はい」、Ｙ２課長「な、次の、な、あー、何時だ、１９、２０、２１日、４日間じゃ」、Ｘ「はい」、Ｙ２課長「警視総監までの決裁が通んねえんだよ」、Ｘ「はい」、Ｙ２課長「そうすっと中（宙）ぶらりんになるじゃないか、診断書がねえんだから」、Ｘ「中ぶらりんに、なっちゃったら、どうなっちゃうんですか」、Ｙ２課長「ああ、懲戒になるんだよ、即」、Ｘ「懲戒免職」、Ｙ２課長「そうだよ。中ぶらりんにするわけねえから。お前がそういうふうに、俺が説得して、ね。そういうふうにやって」とのやりとりがあった。このやりとりの後も、ＸとＹ２課長との面談は雑談を交えて約１時間続いた。同日、Ｘは、病院を受診し、加療約１週間を要する後頭部打撲、頚部擦過傷の診断を受け、診察料及び文書料として合計７７７０円を支払った。

ウ　分限休職処分の延長

健康管理本部の医師Ｏは、平成１５年６月６日にＸについて更に３か月間の休業を要するとの診断をしていたところ、Ｇ医師も、同年９月１８日、Ｘにつき同月２３日から更に３か月間の通院加療を要する見込みであると診断し、健康管理本部の医師Ｉ（以下「Ｉ医師」）も、更に３か月間の休業を要するとの診断をした。そのため、警視総監は、同月２３日、Ｘに対し、同年１２月２２日までの３か月間分限休職を命じた。

エ　Ｙ４副署長のＸに対する言動（<u>言動２</u>）

Ｘは、平成１５年１０月１６日に、上司の立会いなくＧ医師の診察を受け、同日をもって腰椎椎間板ヘルニアが治癒した旨の診断を受け、同旨の診断書を交付してもらった。Ｘは、上記診断書をＢ署に提出しようとしたが、Ｂ署では、上司の立会いなく受けた診察結果に基づく診断書であることから、これを受領しなかった。

Ｘは、平成１５年１０月２４日（金）午後１時過ぎころから、上記診断書を持参してＹ４副署長と面談した。この面談には、Ｙ２課長及びＦ代理が同席した。この面談の中で、Ｘは、午後１時４０分ころ、同年９月１２日の経緯について、１１日に課長が休暇用の診断書がとれないなら診断書なしで行こうと話したのに同日午後７時ころにＦ代理から健康管理本部は診断書がないとだめだという話で翌日印鑑を持ってきなさいと命令され、

１２日は３、４時間署にいて、依願退職をしろ、辞表を書けと課長が強く話したとの説明をした上で、「最終的には辞表を書けと、て、いうことで、まあ、かなり強く言われまして。Ｙ２課長、お話して良いですか」「良いですか。言っても」「そん時にですね、私が書かなかった時には、あの、課長にネクタイを引っ張って、あの、引っ張られて書けということで脅されまして、ネクタイ切れました。一部ですけど。そいで、あの、首やって、まあ、ちょ、そん時にちょっと頭を、ちょっと壁かロッカーか分かりません、ちょっとぶつけた位ですけど。締められました、までして、そこまで、何で私の事を思ってやってくれている課長が、そこまでして、あの、なんて言うんですかね、まあ、はっきり言って、あの、記憶はあのうないんですけど、暴力だと思うんです」と述べた。この発言に続き、Ｘは、記録が重要だからポイントについて日記をつけていると述べたのに対し、Ｙ４副署長は、日記をつけて警察と争うのかと問うたところ、Ｘは、争うのではなく言った言わないの言葉があるからだと答えた。Ｙ４副署長は、「このまんま行けば」「あのー、分限免職」「間違いないです」と述べ、Ｘに対し、分限免職処分を受けるより任意退職の方が再就職に有利である旨の説明をし、その中で午後１時４６分ころ「退職というのと、免職というのでは、全然意味合いが違うでしょ」と述べた。Ｘが、午後２時５分ころ、持参した診断書を受領することをＹ４副署長に求めたところ、Ｙ４副署長は受領できないことを告げ、その診断書では必要な要件を満たしていないこと、現状では分限免職処分の手続が進むこと、そのため任意退職を勧めていることを説明した。すると、Ｘは、午後２時１６分ころ、Ｙ２課長に向かって９月１２日の出来事を持ち出し、「ネクタイが、どんな理由にして、引っ張ったのは課長認めますよね」と問いかけ、Ｙ２課長は「認めるよ」と答えた。この後も、Ｙ４副署長は、現状では分限免職処分の手続が進むこと、そのため任意退職を勧めていることを説明したが、Ｘは、治癒しているから退職する意思はないという姿勢を一貫してとり続けた。ＸとＹ４副署長との面談は午後３時過ぎまで続けられたが、その中で、次のとおりのやりとりがあった。午後２時２５分ころ、Ｙ４副署長「依願退職という形であれば」、Ｘ「はい」、Ｙ４副署長「その、この分限の」、Ｘ「はい」、Ｙ４副署長「手続に入る」、Ｘ「はい」、Ｙ４副署長「Ｘ何某という」、Ｘ「はい」、Ｙ４副署長「名前が」、Ｘ「はい」、Ｙ４副署長「記録に残らない訳でしょう」、Ｘ「はい」、Ｙ４副署長「手続き上も」、Ｘ「はい」、Ｙ４副署長「その方が、貴方の将来にとって」、Ｘ「はい」、Ｙ４副署長「非常に役に立つよと、有利になるよと、こういう意味なんだよ」、Ｘ「有利になるというよりも、ようするにそういうふうに辞めた方が、病気で辞めた記録、悪い記録が残らないから、あのう一番いいのは、やめないほうがそりゃ記録がいいでしょうけれども、あのう病気で分限退職というのをするよりも、世間の評価が依願退職というほうが、まあいいよということですね」、Ｙ４副署長「そういう、分かってるじゃないかよ」、Ｘ「分かってます」。午後２時５０分ころ、Ｘ「私は、体治っていると思いますんで、その人事の処分が始まるか分かりませんけど、そのときの本部の先生とあうわけですよね。私は法律のことは分からないんで、あのう、先生なら直接そのときに話をしてですね、それで、まあ、交渉って言ったら変ですけれども、あのう言葉での話し合いですね、してみるつもりでして、まあ私は、私はもう体治ってると、治ってると言い切っています。なおっ、治ってますんで、辞める必要はないと思いますんで」、Ｙ４副署長「うん」。午後２時５４分ころ、Ｘ「これが最終の意思確認なんですね」、Ｙ４副署長「そうですね。これがあと月曜日がタイムリミットだから、ね」、Ｘ「はい」、Ｙ４副署長「うん、あのう月曜日にあなたの電話がなければ、ね、Ｆ代理なりＹ２課長のところに電話がなければ、あとはもう粛々と、ね、あのう分限免職」、Ｘ「はい」、Ｙ４副署長「分限免職で、あのう事務を進めていきます」、Ｘ「分かりました。で、あのう一応、もしこんな事ないと思うんですが、課長と課長代理が両者ともですね、まあ、どっかでいなかったと、席外されていたと、そういうときは副署長に直接ですね、連絡してもよろしいでしょうか」、Ｙ４副署長「構いません。これは、あなたのあのう重要な分岐点ですから、分限免職となるか、依願退職とするか」、Ｘ「はい」、Ｙ４副署長「様は（要は）極端な事を言うならば、対警視庁と」、Ｘ「はい」、Ｙ４副署長「あの、戦うか、ね」、Ｘ「はい」、Ｙ４副署長「あるいは、あのー、それを敵に廻すか、あのー、どうするかという部分にもなってくるかと思いますんで、ね、重要な…」、Ｘ「戦うというのはどうやって戦うんですか」、Ｙ４副署長「うん、分かんないよ、それは」、Ｘ「課長の息子さん勉強されてますよね」、Ｙ４副署長「それはあのうＸ君、自分で考えなさい」、Ｘ「いや私知らないですから、ちょっと勉強不足で」、Ｙ４副署長「もうそれだったらもうそれは自分で考えなさい。あなたが辞めないという以上ね、それは私のほうとしては、先ほども言ったように、ね、温情を持って、えーどうのこうのと、いうことは言いません」、Ｘ「はい」、Ｙ４副署長「ね」、Ｘ「分かりました」。午後３時ころ、Ｘ「私も一応月曜日までに、よく考えますけれども、今日たぶん悩んで寝れないと思います。ですけれども、まあ副署長も当然今回の流れとして、私のその報告書っていうんですか、全てを見ていただいてるんですよね」、Ｙ４副署長「はい」、Ｘ「で、それにやはりその病院ですね、まあ課長とか、あのう疑っているわけではないんですが、自分のことにかかっていることですんで、最終的に…」、Ｙ４副署長「あの、Ｘ君ね、失礼な話なんだけど」、Ｘ「はい」、Ｙ４副署長「私がここへ来て」、Ｘ「はい」、Ｙ４副署長「貴方と話をする」、Ｘ「はい」、Ｙ４副署長「これは貴方の人生にとって」、Ｘ「はい」、Ｙ４副署長「９０度、あるいは３６０度」、Ｘ「はい」、Ｙ４副署長「変わる、あの、話なんですよ、そうでしょ」、Ｘ「依願退職か分限免職」、Ｙ４副署長「依願退職か分限免職か」、Ｘ「はい」、Ｙ４副署長「ね、そういう様な話というものは、貴方の人生にとっても、すごい大きな転機の話なの」、Ｘ「はい」、Ｙ４副署長「そんな重要な、ね、話を、ね、そんな易々としているわけではありませんのですよ」、Ｘ「いや、分かります。ですから、そうじゃなくて、あのう報告書をですね、で、最終的に人事が判断していただいて、今回も休職命令がでましたですよね」、Ｙ４副署長「はい」、Ｘ「それは、あのう、一応、健康管理本部長の、そのＩ先生が、あのう、一応、今回の休職に関しては、あの見込み出勤をするために休職の診断書を書くということで、それ全部報告書で代理は上げた…」、Ｙ４副署長「上げました」、Ｘ「で、見込み出勤をさせてやって、あのうさせてもらうって意思があったってこと報告書で上げてあると言ったんですが、やはりそういうふうになってて、なってるけれども」、Ｙ４副署長「聞いてます」、Ｘ「人事は、それでもあのう休職だけのそういうあのう、あれを指示を出した」、Ｙ４副署長「それを事実としてあなたが分限休職で３か月のあのう辞令が出て、あなたが受領してるんです」。このようなやりとりがあり、Ｘは、月曜日中に依願退職する気になれたら連絡して指示を受けますと述べて、Ｂ署を退出した。

オ　Ｘの腰椎椎間板ヘルニア治癒の診断

Ｘは、平成１５年１０月２５日（土）にこれまで受診していた警察病院とは異なる西東京警察病院を受診し、同病院のＨ医師の診察を受け、同医師から「現在、腰椎椎間板ヘルニアに伴う症状は認めず、治癒とします。警備艇での勤務に支障はないと診断します」との診断書の発行を得た。Ｘは、同月２７日（月）にＢ署を訪れ、Ｙ４副署長に上記診断書を交付しようとしたが、Ｙ４副署長は受理せず、本日午後５時１５分が選択の期限であり、どちらを選択するかはＸの判断である旨を改めて伝えた。ＸはＹ２課長に相談し、Ｙ２課長は、強制することはできないからどちらを選んでもいいよと話した。Ｘは、同年１１月６日、Ｇ医師の診察を受け、Ｇ医師は、Ｘの腰椎椎間板ヘルニアは治癒し、通常勤務が可能であると診断した。また、Ｉ医師も同日Ｘを診察し、Ｘの腰椎椎間板ヘルニアの症状は消失しており、復職後の通常勤務に備えるための出勤（以下「試み出勤」）を行うことが可能であると診断した。そのため、Ｘは、同月１１日及び１２日に勤務の準備をした上で、同月１３日から試み出勤を開始することとなった。

カ　試み出勤直前におけるＹ２課長のＸに対する言動（<u>言動３</u>）

警視庁においては、休職期間中の試み出勤を行う場合には、該当者から試み出勤期間中の通勤手当等の取扱いについて誓約書を作成させる運用をしており、警視庁担当部署からＢ署に対してこの運用どおりの指示があり、Ｂ署において「平成１５年１１月　日　Ｂ警察署長警視Ｊ殿　　Ｄ課主事Ｘ　　誓約書　　私は、腰椎椎間板ヘルニアで平成１５年１２月２２日迄休業中でありますが、同年１１月６日警視庁健康管理本部医師Ｉから、同日東京警察病院Ｇ医師の診断書のとおり経過良好で腰椎椎間板ヘルニアの症状も消失している。向後試み出勤を行うことが可能と診断されました。平成１２年６月５日発症し、以降休職している最中の試み出勤であることから通勤手当不支給、また通勤災害等不慮の事態に遭遇することも懸念されますが、細心の注意を払ってそのようなことがないように致します。万が一、不慮の事態が発生致しましても不服申立ては致しません。また主治医であるＧ医師、Ｉ医師から「再発の虞がないとはいえない」と聞かされました。よって上記病気が再発した際は、辞職願いを提出いたします。これらのことについて、異議の申立てはいたしません」との内容の誓約書案を起案し、B署署長J（以下「J署長」）は同誓約書案に決済印を押した。Xは、同年１１月１１日午後、試み出勤の準備のためB署を訪れた。Xは、Y２課長から、休職期間中に変更された新しい制服等を受け取り、試み出勤のスケジュールについて説明を受けた。次いで、Y２課長は、Xに上記誓約書案を示し、趣旨を説明して誓約書の作成を指示した。すると、Xは、上記誓約書案の内容に異議はないとしながら、同案末尾の「よって上記病気が再発した際は、辞職願いを提出いたします」の「上記病気」の前に「試み出勤中に」を挿入して「よって試み出勤中に上記病気が再発した際は、辞職願いを提出いたします」と記載したいと申し出た。Y２課長は、復職の際には改めて誓約書を作成するのであり、文面からここは試み出勤中に限ることは明らかであること、上記誓約書案は署長の決裁を経ているからY２課長やXの判断で表現を変更することは許されないこと、上記誓約書案のとおりに作成することが署長の命令であり、署長の命令に違反するなら辞職すべきことを繰り返し述べたが、Xは了解せず、上記挿入に固執した。このY２課長とXとのやりとりの中で、Y２課長は、午後１時２２分ころ、「これを書かさなけりや、受け入れないつってんだから、署長は」と発言した。この後、Xは上記誓約書案を書き写す形で誓約書を作成し、Y２課長が上記誓約書案を確認しながらXが誓約書を読み上げる作業をしたところ、午後１時５３分ころ、Xが誓約書末尾部分を読み上げた以降のXとY２課長のやりとりは次のとおりである。X「また主治医であるG医師、I医師って言うんですか」、Y２課長「Iだよ」、X「I医師から再発の虞がないとはいえないと聞かされました。よって。これ、ここ直さないとだめですか。今回の試み出勤期間中に…」、Y２課長「そんなの駄目だよ、お前」、X「上記病気が再発した…」、Y２課長「そんなの勝手にお前書き換えたんじゃ、駄目だよ。受け取れないよお前。そんなの勝手にこれと違うことを命令違反だもんそんなの。そういうふうに書いたんなら、帰れって。命令違反だから。お前の言ってることは。はい。お帰り下さい。もう」、X「持ってっていいですか。だめですか」、Y２課長「あげるわけねえよ、お前に、お前。そんなの。なんであげなきゃいけねえんだよ。これ命令だから。お前に渡す余地はないの。診断書じゃないんだから。はい、どうぞ。お帰り下さい。はい。命令違反だから署長に報告するよ。やれませんって。Pにも、人事にも言うよ。はい、どうぞお帰り下さい。明日から出てこなくていいよ」、X「はい」、Y２課長「明日から出てこなくていい」、X「ボールペンです。ありがとうございます」、Y２課長「うん。出てこなくていいよ。はい、お前につきあってらんないよ。これだけお前用意しても」、X「…」、Y２課長「勝手にお前人の文章を変えるなんてのはな」、X「いや、聞いてるんです。相談してるんです」、Y２課長「なにがだ、書いたじゃんお前。これ以上このとおり書けって。嫌なら帰れって何回も言ってるだろ。もう帰れよ。もう明日から一切、ここにも電話するなよ。な、お前は認めねえんだから。署長の命令聞かないんだから。うちの職員として認めねえんだから。命令違反なんだから。え。署長が一番偉いだから、その命令の通りに書けつってんのによ、それを書かねえんだから、ここにも一切電話すんなよ」、Ｘ「どうすれば、いいんすか」、Ｙ２課長「知らないよ、そんなの勝手にしる（ろ）よ、お前」、Ｘ「来るのは、どうですか、明日とか」、Ｙ２課長「電話しちゃいけねえってのに、来るんだって、お前、お前なんか、お前、追い出すよ、お前」、Ｘ「だって」、Ｙ２課長「署長、署長の命令を聞かない奴は、署に、い、入れさせないし、電話も受けない」。この後、Ｘがロッカーに入っている私物を日を改めて車で取りに来るのでそれは認めてほしい旨申し出たことから、ＸとＹ２課長との間でロッカー内のＸの私物の処理について会話がなされ、両名の会話はＸが復職した場合のＸの勤務内容、Ｘと他職員との関係、Ｇ医師はＸが西東京警察病院を受診したことについて怒っていたこと、Ｙ２課長が西東京警察病院のＨ医師に面会したところ、Ｈ医師はＧ医師が主治医であることは知らなかった、私もうかつだったと述べたことなどが話題となった後、Ｙ２課長はＸに帰るよう促したが、すると、Ｘは、午後２時１１分ころ、平成１２年４月１９日にけい船場活動記録表に上記の落書きをしたことを話題に持ち出した。そのやりとりは次のとおりである。Ｙ２課長「じゃ先生未だに主治医の名前は知りませんですかと俺聞いたよ。知らないと」、Ｘ「覚えていないだけだと思います。Ｇ先生っていうのは部長さんだっていうのは知っていましたから」、Ｙ２課長「だからじゃ俺に嘘言ったんじゃねえの、先生が」、Ｘ「忘れてたんじゃないですか、単に」、Ｙ２課長「そんなことは、まあそんなのどうでもいいんだけど。じゃいいよ帰れよ。そういうことだよ。結論は」、Ｘ「始末書もあるはずです。それは」、Ｙ２課長「始末書なんかっていってんじゃないんだよ。こういうことがみんなが８０名知っちゃったわけ」、Ｘ「ただ、ただいいですか」、Ｙ２課長「うん」、Ｘ「みんなが、私まず入ってきたじゃないですか。みんななんて言うんですか。なんでこんなとこきたのとか、そういうこと言う人はいっぱいいましたよ」、Ｙ２課長「だから、お前合わないと、お前自分から辞める…」、Ｘ「いや、そうじゃないですよ。行くとこねえからいるって言うような人、大勢いますよ」、Ｙ２課長「だってこんなこと書くのはお前しかいねえだろ」、Ｘ「普通思ったって書かないでしょうね。書いたって人の見えるとこに置いておかないでしょうね」、Ｙ２課長「うんだからお前証拠残してんだから、やめたいって言った奴をな、俺は病気は治ったと、みんな言ったよ。な、治ゆしたと」、Ｘ「はい」、Ｙ２課長「みんな、お前準備しようと。な。お前４年前だろ。服も替わってるしよ」、Ｘ「はい」、Ｙ２課長「一緒に勤務できねえから。それで制服若しくは活動服で勤務しろとＰから言ってんだから」、Ｘ「はい」、Ｙ２課長「な、遊びじゃねえんだから」、Ｘ「はい」、Ｙ２課長「いいじゃねえか、お前の古いんじゃ、お前、みんな色違いじゃ、活動服だってああいうお前、濃紺だろ今は、みんな着てんの。お前のやつブルーだろ」、Ｘ「はい」、Ｙ２課長「そういうふうにできねえから、全部替えてきたんだよ」、Ｘ「はい」、Ｙ２課長「こういうふうな。受け入れてやったってお前、な、俺は受け入れてやりたいよ、お前となんか一緒に勤務してねえし。な、だけどこういう前歴が全員８０何名知ってりゃ、何されるか分かんねえわけだよ。そうだろ、お前だって免許持ってんだから。海の怖さ、知ってっだろ」、X「はい」、Y２課長「お前にくっ付いている訳いかないから、お前勤務する時、な、みんなちゃんと、あの、治ってんだからって、こうやって、よ、用意して、全員が知ってる訳だよ。治ったことは」、X「はい」、Y２課長「な、試み出勤することも知ってるよ」、X「はい」、Y２課長「だ、試み出勤中だって何が起こるか分かんないよ。色んな奴がいるんだから、なー、そうだろう。とんでもねーと、も暴力だそういうのでやっちゃ駄目だと、新しくやんだぞつって、いくら気にいらなくたって、そういうふうに指示したって、お前、人の心なんか、お前、分かんないよ、どんなことするか、だから課長として船の、こ、俺だって免許持ってんだから、船の怖さ知ってるから、だから、そんな処で村八分になって、勤務するより、自分から、辞めて、で、再就職は、人材センターってあんだよ警視庁に」、X「はい」、Y２課長「知ってんだろう」、X「んー、聞いたことあります」、Y２課長「そこに、お前、副署長なり、俺が電話してやるから、自分に合うような仕事、見つ、見つけた方がいいじゃねえかよ。で、前もお前、絶対なんてないんだよ、面接したりな、試験受けたりして、だめだったらまた次の仕事世話して下さいって、こうやって努力していきゃ、いつかまたみっかるじゃねえか、お前。そのほうがいいぞって言ってるわけだよ。そうだろ、俺の言ってることは正しくねえか」、X「はい、正しいです。正しいと思います。ただ、ま、一応…」。この後、XとY２課長との会話は再びロッカー内のXの私物の処理が話題となり、午後２時１７分ころ、次のやりとりが行われた。Y２課長「荷物はお前、あのう…」、X「取りにきます」、Y２課長「え。いいよ」、X「今月中に取りにきます」、Y２課長「いい。今日もう片づけて全部やらせるから。お前ん家送る」、X「私のいや、私のものを…」、Y２課長「お前のものはちゃんとあれだよ」、X「さわらないで下さい」、Y２課長「えっ」、X「さわらないで下さい。今月中に取りにきます」、Y２課長「管理権で出来るんだよ、お前、え、管理権で出来るんだよ署長は、ロッカーだって、だから合鍵全部、持ってんだよ」、X「はい」、Y２課長「え」、X「鍵も返さなくちゃいけませんし…」、Y２課長「だからな、全員の合鍵も全部こっちだよな。署長管理で持ってるんだよ。個人にただ貸してるだけなんだよ。ロッカーっていうのは。だから合鍵、個人のどうのって分けてちゃんと送ってやるからいいよ、今日」。このやりとりを経て、Xはただちにロッカーの私物を整理することの許可を求め、Y２課長はそれを許可し、Xは更衣室に向かい、XとY２課長との面談は終了した。Y２課長は、終業後、既に帰宅していたＪ署長を公舎に訪ね、Xに係る事項を復命した。Ｊ署長は、Y２課長に対し、Xが試み出勤をする意思を有することを確認するとして、試み出勤をしたいが誓約書は書きたくないとの内容の書面をXに書かせるように命じた。

Xは、平成１５年１１月１２日午前８時２０分ころB署を訪れ、F代理と共にB署３階相談室に行き、そこでY２課長及びF代理と面談した。この日の面談は約８時間５０分に及んだ。冒頭、Y２課長は前日にＪ署長に復命した状況を説明し、Ｊ署長から、Xが試み出勤をする意思があるのかを確認するため、Ｘに「試み出勤はしたいです、ただし誓約書は書きたくありません」と書かせるように命じられた旨伝えた。これに続く午前８時３２分ころのやりとりは次のとおりである。Ｙ２課長「だから、試み出勤はしたいです。ただし、誓約書は書きたくありませんと」、Ｘ「はい」、Ｙ２課長「うん。書かせろと」、Ｘ「はい。誓約書は書きたくないとは言ってないです。ですから内容だけです」、Ｙ２課長「で、内容どう風に書くんだよ」、Ｘ「ですので、交通費がでないとか」、Ｙ２課長「うん」、Ｘ「通勤途中に事故あったら」、Ｙ２課長「うん」、Ｘ「あの、それは保障できないと」、Ｙ２課長「うん」、Ｘ「だから、Ｆ代理にこの間相談したら、どこで相談、病院か、あのう、あのう警視庁の本庁舎か分かりませんけど、したら自転車できてもいいかって言ったら、それは一番危険の少ない電車とか使って、歩きと電車使ってきたほうがいいんじゃないかなと、俺は思うよと。代理が言ってくれたんです」、Ｙ２課長「うん」、Ｘ「それは知ってますんで、そういう内容入れた誓約書はちゃんと書きます」、Ｙ２課長「うん。じゃだってどこが書きたくないんだよ」、Ｘ「ですが…」、Ｙ２課長「お前なんだ、出勤なんとかって、俺メモとったんだけど、お前が、言ってるときさ、試み出勤中っていうの入れてくれってさ、昨日言ったの、俺メモとってんだよ」、Ｘ「そうです。代理にも電話で伝えました」、Ｙ２課長「これを入れりゃいいのか」、Ｘ「入れてだから、さっき、さっきの内容で良ければ私が作った文章でもいいんでしたら…」、Ｙ２課長「それ見せてくれよ」、Ｘ「いやまだ、だから…」、Ｙ２課長「書いたじゃないか」、Ｘ「はい」、Ｙ２課長「書いたじゃないか。なにか」、Ｘ「いや、もうないですよ」、Ｙ２課長「え」、Ｘ「もうないです」。Ｘが昨日作成した誓約書は既に廃棄したと述べるため、Ｙ２課長は改めて誓約書の内容についてＸと話し合おうとした。これに対し、Ｘは、前日更衣室で挨拶したが皆にしかとされたとして、自分が戻りそうだから精神的に追い詰めて辞めさせたい人が上の方にいるのではないかと言い出し、Ｙ２課長は署長の言葉を伝えることでＸを納得させようとした。その際の午前８時４６分ころのやりとりは次のとおりである。Ｙ２課長「署長言ったのをさ、書いてこなけりゃ、それをどうしたって言うだろ、誰だって。な、よしそれはこういう理由で書きたくねえと」、Ｘ「はい」、Ｙ２課長「書きたくねえっていうならしょうがないと。だからじゃ、分かったと。本人は、な、Ｘ君は、試み出勤をしたいのかと、最初に言ったように」、Ｘ「はい」、Ｙ２課長「したいって言ってると。誓約書は書きたくないんだなと、そういう内容を俺あてに報告させろと、そんなら書けるだろ。お前の意思で」、Ｘ「はい」、Ｙ２課長「簡単じゃない」、Ｘ「署長としても、だから逆に私には誓約書を…」、Ｙ２課長「だから…」、Ｘ「誓約書を…」、Ｙ２課長「書かないでいいっていうことを言ってるわけだよ。署長は」、Ｘ「はい」、Ｙ２課長「な。だからその代わり、な、俺がこういうふうに書けって言ったのを、Ｘ君が書かないんだったら、書けないって。私は、ね、復職はしたいですけど、誓約書は書きたくありませんと。そういう風に書いて俺のとこ持ってこさせろと、こういう風に言ってるわけだよ。

書く、無理矢理お前書けと、署長だってこうやって書かせろっていう、ね、ハンコ押した手前、ね、折れてくれたんだよ、署長は。書きたくないものを無理矢理書かせるなと」、Ｘ「はい」、Ｙ２課長「これを変えろとか、うんぬんとかそういうことは言ってないんだよ」、Ｘ「それで出勤させて頂いている…」、Ｙ２課長「出勤させるよ。今日からだよ。いい」、Ｘ「はい」、Ｙ２課長「な」、Ｘ「ただ、どうなんですか、あのう、ようするに私それで戻ってきますよね」、Ｙ２課長「今日からだから…」、Ｘ「ですけど、ま、あのうわざとですね、私もなんて言うんですか、あのう前にいた○○さんとかが、あの人はしゃべりませんけど、あのう挨拶、あの人のこと挨拶するぐらいなんか逃げるように私なんかから消えちゃいましたけど」、Ｙ２課長「うん」、Ｘ「変なんですよ。前、向こうのほうがＸさんておはようだか言ったと思ったのに、逃げるように行っちゃって、ちゃんとしゃべんないんですけどね、○○さん。あの人は前でしょ。大部前にね、いじめられてるのとかも見てるんですよ。何回も」、Ｙ２課長「そんなの、俺がいるときなんか、お前が勤務中のことは知らないから俺は」、Ｘ「はい」、Ｙ２課長「な、そのときどうだったって言われたって、知らないよ、お前。一緒に勤務中のことやってないんだから」、Ｘ「はい」、Ｙ２課長「そうだろ、言われても、いじめられてるかどうかっていうのは、俺に言われたって、俺は、そのとき課長だったらさ、な、○○のこと誰かがいじめてるとか、報告あったり俺が見たり、そういうことできるだろ。勤務してないんだから、お前。その当時」、Ｘ「だって課長も昨日、私が、隅田川とか、中川が、嫌だからつって、書い、あの、あん時は隅田川って書いてありましたか、あれには」、Ｙ２課長「おう」、Ｘ「だからって言って、あの、そこに、つ、今度就けるって、わざと就けるとか言ったじゃないですか」、Ｙ２課長「わざとじゃないよ」、Ｘ「いや、だって、そういう風に書いてあってから就けると」、Ｙ２課長「わざとじゃないよ、皆、皆が」、Ｘ「たまたまですか」、Ｙ２課長「皆が、そういう風に言ってるっつったじゃねえ」、Ｘ「皆が」、Ｙ２課長「人のことよく聞いとけ、お前、皆が、ね、これがバレちゃっただろ、お前が書いたのが、Ｙ７が書いたかどうか知らないけどよー、それは、全員が」、Ｘ「バレたっていうか、誰かがバラしたんじゃないですか」、Ｙ２課長「知らないよ、そんなのは、だからこんな風に書く奴は、皆がね、嫌だ嫌だっていうところに課長ね、就けたらいいんじゃないですかって、言う奴がいる訳だよ、それ言っただけじゃねえかお前。なにも、お前。勤務命免するのは署長だもん。そういう風に言っただろ。そういう奴がいると」、Ｘ「そういうものを回覧、私のやつをそういうものを回覧したり、掲示したりなんかして、みんなが知るように誰かがしたんじゃないですかね」、Ｙ２課長「知らないよ、そんなの」、Ｘ「三係の人以外は、あとは幹部の人しか知らないはずですもん。係長クラスしか」、Ｙ２課長「だからそんなこと知らないって、そうしてか、お前。俺のお前、ね、Ｙ７から前にも言ったように、こういうのを書いたんですっていうのは、な、８月、記憶ないけど、８月の、から９月の間位だよ。課長こういうことやりましたって。それまで全然しらねえよ、そんな資料があるっていうのは。言ったじゃない、前に」、X「Ｙ７さん、Ｙ７さんとか係長、あのM係長とかも、許してくれましたし、Q課長も許してくれて、今度こんな馬鹿なことはもうみんな不機嫌なるから、みんなの気持ち考えてもうしませんと。あのう、で、許してくれたんです」、Ｙ２課長「そりゃそのとおりじゃ、そうだろ」、X「なのに、また、持ち出して」、Ｙ２課長「知らないってそういうことは、お前。俺だってお前、ついこの間だよ、お前。…知ったくらいだからよ」、X「それなんですけど、課長でしたらあの誰がやったか教えて下さい」、Ｙ２課長「俺、知らないよ。お前さっきから言ってるじゃない」、X「確認して下さい」、Ｙ２課長「だれが確認するんだよ、そんなこと」、X「課長命令だって言って」、Ｙ２課長「そんなことできないよ、お前。言うわけねえじゃねえか、お前。８０名に１人１人聞くのか。そんなこと言うわけないじゃん、誰だって」、X「前は、でも、あのう内部告発のときはみんな聞きましたよ」、Ｙ２課長「え」、X「１人１人呼ばれて」、Ｙ２課長「何も…。何のことか分かんないよ俺は」、X「副署長とか、前の副署長がそのときの」、Ｙ２課長「なんのことだか分かんないよ、俺聞いて内部告発なんか、知らないもん。何のことか」。この後も、Ｙ２課長とF代理は、Xの発言に応答しながらXが所定の誓約書又はJ署長の指示による文書を作成するのを待ったが、Xはとりとめもなく発言を続け、いずれの文書も作成しようともしなかった。Xの発言内容の一部を抜粋すると次のとおりである。午前９時２０分ころ、Ｙ２課長「Pで言ってるじゃん。そうやって。通常の勤務をやらせて、ね、ね、体を慣らして、すぐ復職できるようにするのが試み出勤だと。聞いてるだろ」、X「はい」、Ｙ２課長「それやればいいじゃないか」、X「じゃ、あのう、代理、あれあのう今、中古程度で、１００万も出せば買えるんですよ。１００万とか。それなら個人で、ここの保険に個人で保険なんかかけさせてくれないですよね」、Ｙ２課長「当たり前じゃん。そんなの」、X「だから、船買って、その１か月ちょっとだけ持つんなら、○船ていうのはありますよね。きっと。○○」、Ｙ２課長「買ってどうするんだよ」、X「買ってやってれば船にも乗れるし、」、Ｙ２課長「○○」、F代理「試み出勤しないってこと」、X「いやいや。それでね、自分でそのうもし船買ったら、それで試み出勤みたいのさせてもらう」、Ｙ２課長「馬鹿、お前何言ってるんだよ、馬鹿。警視庁の看板しょってる船しか乗れないじゃないかよ。お前、休みのとき買って練習すればいいじゃないかよ」、X「いやいやそんな無駄な、それじゃ保険おりないっていうなら、保険とか公務災害ならないっていうなら、極端なことを言えばですよ」、Ｙ２課長「うん」。午前９時５１分ころ、X「いったい誰、俺の味方誰がしてくれるんですか」、Ｙ２課長「知らないよ、そんなのは。彼女にでもしてもらえばいいじゃない」、X「してくれません」、Ｙ２課長「じゃ、別れりゃいいじゃないか、お前」、X「知らないです。金でくっついているのかもしれません」、Ｙ２課長「自分の女じゃねえのか…」、X「あっ、課長に言います。私が彼女のひもなのかと、」、Ｙ２課長「だってお前、貯金やなんか全然下ろさないで、何もやってないで食っていけるなあと。じゃひもじゃねえかと」、X「だから、じゃこういうのどうですか。あのう取引なんですけど、私が、私…」、Ｙ２課長「おまえが」、Ｘ「いや聞いて下さい。いや聞いて下さい」、Ｙ２課長「お前の彼女は…」、Ｘ「これやっていただければ、復職できなくてもいいです」、Ｙ２課長「なんだよ」、Ｘ「警視庁の今まで頂いたお金、税金で払った分は嫌ですけど、給料として手取りでもらった分、全部お返ししますんで、」、Ｙ２課長「うん」、Ｘ「私をあのう採用しなかったことにとりけせませんか。書類を全部。過去も」、Ｙ２課長「そんなことできるわけねじゃないか、お前、採用したの警視総監なんだから。お前、馬鹿なこと言ってんじゃないよ、お前」、Ｘ「そうすれば履歴書に書かないから、なんで公務員辞めたのって言われないと思うんです。この人は契約社員だったと言えば終わりますし」、Ｙ２課長「俺は、そんな警視総監じゃないんだから、そんなことお前…」、Ｘ「総監ならできるんですか」、Ｙ２課長「知らないよ、そんなのお前」。Ｙ２課長とＦ代理は、Ｙ３代理の同席を求めたりして、Ｘに対して所定の誓約書又はＪ署長の指示する文書を作成することを促したが、正午を過ぎてもＸはいずれの文書も作成しようとはしなかった。Ｙ２課長は、午後０時２０分ころ席を離れてＪ署長及びＹ４副署長に状況を報告し、同２４分ころ戻ってきた。同時刻から午後０時３５分ころにかけて、Ｙ２課長、Ｆ代理及びＸの間で次の内容のやりとりが行われた。午後０時２４分ころ、Ｙ２課長「署長も非常に怒っている。副署長はもうかんかん。〇〇。俺があれだけ譲歩したのに、ね。そういうふうには言わないよ、署長は」、Ｘ「はい」、Ｙ２課長「お前まだXのことで、お前どういうことだって。仕事が公務執行妨害だと言えって。俺はお前にかかってるだろ。こうやって」、Ｘ「はい」、Ｙ２課長「半日も。そういうふうに怒ってるよ。かんかんになって」、Ｘ「はい」、Ｙ２課長「署長が怒っているのにいられるのか、お前」、Ｘ「いられないですね」、Ｙ２課長「じゃ、辞めりゃいいじゃねえか。なんだ、何書くんだよ」、Ｘ「書けっていうから」、Ｙ２課長「ひな形あるのか、お前」、Ｘ「はい」、Ｙ２課長「ひな形持ってるの。辞職願いの。書き方知ってるのかよ、お前」、Ｘ「はい、覚えています」、Ｙ２課長「ふーん」、Ｘ「でもあのとおりじゃないと駄目なんですか」、Ｙ２課長「だってお前覚えているって。書けばいいじゃねぇか。覚えてるって今言ったんだろ」、Ｘ「署長が怒ってるんですよね」、Ｙ２課長「怒ってるよ」、Ｘ「怒ってるってことは、懲戒免なるんですよね」、Ｙ２課長「そんなこと知らないよ。ただ怒ってるだけだよ」、Ｘ「懲戒免じゃないんですか。署長が怒ったって」、Ｙ２課長「知らねえって、そんなことは」、Ｘ「この間のあれだと、説明だとそうかなと。懲戒免だけは嫌です」、Ｙ２課長「そんなことお前」、Ｘ「だって公務執行妨害だって」、Ｙ２課長「なぁに。そういうふうに言ったよ。いつまでXのことにかかってるんだ、お前。公務執行妨害だって言えって」、Ｘ「じゃ、妨害だと言われたら困るんで１人でこの部屋で考えています。トイレとあのう他の課は余計なところはいかないですから」、Ｙ２課長「俺は命じられてやってるんだから、署長に。これを書けと」、Ｘ「公務執行妨害と…」、Ｙ２課長「ここに書け、読んだだろ。上司の下命を受けて、指揮命令の下にやるって。副署長、課長は。俺は命じられているからお前に言ってるんだよ、こうやって。分かってるのかこのやろ。懲戒免なるかどうかなんか知らねえよ。署長が人事に言うかも分からないよ。署長が直接そういうふうに俺には言わないから、どう思っているか知らないよ。ただお前そういうふうに言えって言ったから言ってるだけだよ。馬鹿やろ。そんなのお前、署長がお前、自分でお前人事に電話して、このやろ、こういうことやってるって、懲戒免しろって言や。はい、懲戒免の上申上げて下さいって言えば、それで終わりだよ。そこまで聞いてねえよ、俺は。ばかやろ。懲戒免になりたくなけりゃ自分でや、辞めるしかねえじゃねえか。あほんだら。署長が怒ったら、お前、組織で生きていけねえんだよ、お前。俺がいくら助けてやっても。署長の命に従わなきゃなんねえって書いてあるだろ。読んだだろ、お前。警察署処務規定で」、X「はい」、Y２課長「馬鹿やろ。いいかげんにしろよ、このやろ。もう〇〇お前、署長がそういう考えだったら、お前全員、な、D課、な、試み出勤しようが、なにしようが、復職しようが、署長が、め、命ぜられたら、Xを皆イジメロって言われたら、仮にだよ、俺はそれに従わなくっちゃなんねえんだよ。分かってんのか、このやろ」。午後０時２６分ころ、Y２課長「テメエの彼女でも、お前のな、彼女のお、親、どっかの音楽大学だろ、教授か何かやってるんだろ、兄貴、社長やってんの全部言ってやるから、てめえの書いたやつを、見してやるよ、呼びつけて、こんな男、クズと付き合わさすなって言ってやるから、この野郎」、X「別れろって言うんですか」、Y２課長「言ってやるよ、お前」、X「関係ないつったじゃないですか、彼女」、Y２課長「関係なくねえよお前、言ってやるよ。この野郎、嫌いになったんだよ昨日から、全部言ってやるよ、そういうの、住所も電話番号も全部知っているよ」、X「止めて下さい」、Y２課長「めないよバカヤロウ。そんなの、関係ないよ、お前、てめえなんか」、X「いつ言うんですか」、Y２課長「いつ言おうと勝手じゃねえかよ。この野郎」。午後０時３５分ころ、F代理「だから、もう道は、さっきも言ったようにこれしかないんだよ、そのうちどれか１つに結論出しなさいって。俺言ってるじゃない」、Y２課長「いいよお前、お前結論今日出さなきゃ、明日から俺は回るから、全部電話して」、X「はい」、Y２課長「〇〇とか、親父とか、兄貴とか、全部回るよ、俺。説明しに行くよ。事実のことだ」、X「彼の、彼女の親に言ったら、兄貴には伝わりますよ。家に帰ってきてるんですから」、Y２課長「全部言うよ。会えない場合もあるんじゃねえかよ。直接１人１人言うよ。彼女にも、もちろん。事実なんだから、お前言っただろ。〇〇」、X「分からないすよ。何言ってるか」、Y２課長「俺の言ってること」、X「口入ってるから。よく分からないすよ。ただもう辞めるしかないということを言ってるじゃないですか、結論は。課長は」、F代理「今日結論が出なければって言ってるじゃない」、Y２課長「明日から回るよ」、F代理「〇〇、こういう根幹があって、それの結論しかないんだよって」、Y２課長「はやく〇〇くれってやんやん言ってきてるんだPから。明日にも〇〇書かされるよ、な、〇〇明日から回るよ。どんどん連絡とって。〇〇、こっちで試み出勤させたいと思ってね、これを持って、な、こういうの持って。署長がなハンコ押したのを持って。こうやって説明しても書かねえ。受け入れ態勢を準備しているのに。ね、それがこういうこと書くようにやってるから、ね、D課員は俺らみんな、８０名暖かく迎えてやろうって言っても、ね、中にはへそ曲がりいるから、こういうこと知ってるから全員が。ね、自分が不安で、ね、船乗ったら落っことしたり、蹴られたらどうするんだって、ね、全部説明してやるよ、前にお前に言ったの。録音聞かせて。今言ったの。○○よと。明日から回るから、事実なんだから、お前事実のこと言わないから。それで、署長も怒ってるんだからな、○○ことは。彼女に申し訳ないと、こういうふうな、俺は課長として、Ｘ君を、今度処務規定上、指導監督できないと。上司だから、言うよ。そうだろ、言うよ。お前の○○、名誉毀損でもなんでもやれよお前。裁判するなら。事実なんだから。飯食えよ、お前。昼休みなんだから。今、昼休み休憩って言ってるから。食えよ。他にもいっぱいやり方あんだ、もう一個教えてやろうか、お前の書いたのを、俺の知っているな、△△の編集長知ってんだよ。警視庁のキャンペーンやってんだよ。今悪い事した記事いっぱいやってるだろ、こういう奴もいるんだよつって、や、やりゃあ、お前出すよ、お前、記事、それも一つの方法、写真くれっつったら写真やるよ」、Ｘ「△△って、あの有名な」、Ｙ２課長「そうだよ」、Ｘ「本ですか」、Ｙ２課長「そうだよ、俺の知り、大学の同期だよ、編集長が。他にも一杯やり方あるんだよ、お前、テメエは、俺をナメンじゃねえぞ」、Ｘ「ナメテないですよ」、Ｙ２課長「オチョクッテばっか、やりやがって、コンニャロウ。俺は□□大学だよ、出身は。皆そういうとこ行っ、行ってる友達、一杯知ってんだよ。閻屋も知ってる、▽▽、なー、皆、大学の同期いるんだよ。○○の記者じゃねぇぞ、この年なってるから。みんなそれぞれの○○の編集長だけど。新米記者じゃねえんだぞ。もう定年間近だからみんな。全部やってやるよ。お前に暴力ふるったりそんなのことやるんじゃないんだよ。いいのかそれで」、Ｘ「やですよ」、Ｙ２課長「○○やるよ。もう頭きちゃったから本当に」、Ｆ代理「ここで結論出せばそれで済むことだろ」、Ｘ「そんな結論出したって、課長やるっていうから後でまた気が変わったらやるんじゃないですか」、Ｙ２課長「そんなの分かんないよ。○○なきゃ」、Ｘ「だからほら言ったじゃないですか。今書いたって」、Ｆ代理「だからここで結論がでなければそれするって言ってるんだよ」、Ｘ「いや、出たって分かんないって、今言いました」、Ｙ２課長「だから、自分から辞めれば、そんなことやんないよ」、Ｘ「こういうこと書いたってやるんですよね」、Ｙ２課長「えっ」、Ｘ「こういうこと書いたってやるんですよね」、Ｙ２課長「この通り書けばそんなことしないよ」このようなやりとりの後、Ｙ２課長とＦ代理は、再び時間をかけて、Ｘに対し、試み出勤はＸのことを配慮して行われることなどを説明した。これに対し、Ｘは、Ｙ３代理やＹ２課長が前にした発言にこだわる発言をしていたが、午後１時５６分ころ、誓約書を書き始める姿勢を示した。このときのやりとりは次のとおりである。Ｘ「書かないって言ってるんじゃないですから」、Ｙ２課長「だから書けって言ってるんだよ。○○書かないなんて聞いていないよ。

書けって言ってるじゃないかよ」、Ｆ代理「書くんだったら、○○書くんだったら、そう思って書くんだったら書けよって言ってるの」、Ｘ「分かった、課長なに思ってるか分かりました、ふと俺ひらめきですけど。違かったらごめんなさい」、Ｙ２課長「なんだよ」、Ｘ「お前がしがみついてるのは金かって言われたから、金、給料払わなくちゃいけないから」、Ｙ２課長「そんな事一言も、前言ったかもしれないけど、そんなこと今言わないよ。前に説明受けたから」、Ｘ「だから半年間給与…」、Ｙ２課長「だからそれはお前前に言ってあるから、お前が説明受けただろ、俺に。ああそれは俺は、そんなこと思ってないよ」、Ｘ「これだけは言います。賄賂とかじゃなくて、ちゃんと…」、Ｙ２課長「うるさいな、そんなことは聞いてないって言ってんだよ」、Ｆ代理「余計なことは言わないで書けっていうの」、Ｙ２課長「何で書かないんだ、お前夕方なっちゃうだろ、このやろ」、Ｘ「はい、すみません」、Ｙ２課長「この野郎」、Ｆ代理「あれだけ言われたんだからそのとおり一語一語書きゃいいんだから。直せって言われたとこだけ直せ」、Ｘ「はい」、Ｆ代理「そっちは間違えて書いてるからだめだぞ、こっちだぞ」、Ｘ「はい。折っていいですか」、Ｆ代理「いいよ」、Ｘ「この、のりしろ…」、Ｙ２課長「余計なこと言わないでそのとおり書きゃあいいだろ、お前何時間だ、お前。この野郎。もう彼女のところ、で、電話してやる」、Ｘ「止めて下さい」、Ｙ２課長「うるせえな」、Ｘ「書きますから」、Ｙ２課長「うるさいな、何だよこの野郎」、Ｘ「止めて下さい」、Ｙ２課長「命令だよ、そこにいろ」、Ｘ「だからかけないで下さい」、Ｙ２課長「うるさいな」、Ｘ「止めて下さい」、Ｙ２課長「止められないよ。言ったことは。アポイントメントとるよ」、Ｘ「止めて下さい」、Ｙ２課長「いいから入ってろ、馬鹿」、Ｘ「止めて下さい」、Ｙ２課長「うるさいな。はやく座って書け、早く」。このやりとりをしてＹ２課長は別室に行き、そこからＸが交際している女性のＣの職場に電話をかけた。Ｙ２課長は、電話に出た相手に対し、Ｃに電話をするように伝えて欲しいと依頼して、電話を切った。この間、Ｘは、残ったＦ代理に対し、誓約書を書いているからＹ２課長の行動を止めて欲しいとの発言を繰り返したが、実際には誓約書は書かなかった。戻ってきたＹ２課長は、Ｃの職場に電話をして、上記伝言を依頼した旨をＸに告げた。これに対し、Ｘは、「ひどい。まあ私の事でみんな迷惑かかえますね。第三者にまで」と述べた。その後は、試み出勤に関する会話が行われた。その中で、Ｘが、午後３時５分ころ、職場でいじめにあうことを心配していると話したことから、次の内容のやりとりがあった。Ｘ「だって課長がこの間それ言ったんですよ。わざとね、そんな奴か、性格もいいのか悪いのこんだけいればいるだろうと。何人かね、悪い奴もね。お前のことよく思ってなくて…」、Ｙ２課長「お前を殴ったり、なんかしたら俺は事件処理するよ。デカだから」、Ｘ「だけど、あのうもしかして外の波荒い…」、Ｙ２課長「○○いるだろ」、Ｘ「連れてって、ね、」、Ｙ２課長「落こったとする」、Ｘ「わざと落ちそうなとこ連れてってな、」、Ｙ２課長「うん」、Ｘ「お前のことをね、無理なことをさせて、お前泳げるのかって言ったじゃないですか」、Ｙ２課長「言ったよ、それだけ心配してるんだよ、俺は」、X「だから課長が、あのう係長とかにも伝えて、俺の意思はこうだっていうのを、もう１回お願い致します」、Ｙ２課長「やだよ、１回伝えたんだから、全員に」、X「もしいじめとかそういうのやられたら、報告したらやってくれると」、Ｙ２課長「いやです」、X「代理は課長にいいなさいと」、Ｙ２課長「うん」、X「Ｆ代理は」、Ｙ２課長「いじめが起きたら、そんな抽象的なことをね、やって、殴ったりしたりしたらやるよ」、X「はい」、Ｙ２課長「お前のことを、な、事件で、そんないじめなんかどういういじめするのか俺も想像できないよ。そんなこといちいち取り上げていたら仕事が、お前１人のために舟艇業務ができないよ。はっきり言って」、X「私守ってくれる人、嫌いでも守ってくれる人は１人もいないってことですね」、Ｙ２課長「そうだよ」、X「で、彼女にも嫌われて」、Ｙ２課長「それは知らないよ」、X「そんなこと言ったらもっと嫌われるに決まってます。今でもあのうＦ代理と同じです…」、Ｙ２課長「俺は、」、X「あきれ、あきれてました」、Ｙ２課長「俺は、ね、こういう奴で、ね、課長としてお前を部下にしたくないわけだよ。そういう理由で」、X「はい」、Ｙ２課長「だから彼女にその説明をするだけだよ。彼女お前愛してる彼女に、ね、どうですかと。こういう理由で、な、資料見せて相勤者いないんですからあぶなくてしょうがないと。万が一お前にね、波ががーんと当たって、お前が立っている間にお前、○○しねえで、落つこったとする、な、普通だったら助けんだろ、知らん顔して、真っ直ぐ行っちゃったらそのままじゃないかよ、知らなかったつったって証拠ねえないかよ。そうだろ。転舵してくれなきゃ船ってどんどんどんどん行っちゃうだろ。いや落っこちたの知りませんでしたって言えばそれで終わりじゃないか。気づかなかったって言ったらお前、しょうがないじゃないか。気づかないと。エンジンの音がそれで、わーって言ったかもしれないけど耳に入らなかったって言われれば終わりだろ」、X「それで課長、例えば私が海に落っこっちゃってて、ま携帯電話とか持って、それで、課長に連絡すれば助けにきてくれると」、Ｙ２課長「だから、夜なんかどうするんだよ、お前」、X「いやだから、それは連絡が入ったら…」、Ｙ２課長「もちろん助けるよ、お前、部下だから」、X「はい」、Ｙ２課長「だからどんなことやられるか想像できないよ、嫌がらせなんていうのは。だからそれをやって、やって、だから俺は嫌われているから辞めたほうがいいよってことなんだよ。なにもお前がね、辞める辞めないの問題じゃないんだよ。課長の立場として、そういうことやられて、な、お前が死んじゃったりなんかすりゃ大変なことになるだろ」、X「はい」、Ｙ２課長「分かってるのかよ。俺の言ってる気持ちを」、X「分かります」、Ｙ２課長「じゃ、辞めりゃいいじゃないかお前。だから今晩考えてよ。８０人がお前横向いて…」、X「今晩じゃ彼女と相談できません。日曜日が入らないと」、Ｙ２課長「じゃいいよ。明日でも」、X「日曜日です」、Ｙ２課長「だから、お前、彼女、彼女って言うけどさ、自分のことだろ、お前」、X「○○」、Ｙ２課長「じゃ服持ってこさせるから、受け取れよ」この後、Ｙ２課長、Ｆ代理及びXの間で、復職勤務についての会話や制服の説明などが午後５時１０分ころまで行われ、同時刻で三者の面談は終了してXは帰宅した。

キ　Xの試み出勤

Xは、同年11月13日、試み出勤を開始した。Xの試み出勤は、同月13日から同年12月22日までの間に、22日間計画されており、舟艇基地において上司と共に勤務し、警備艇の点検、清掃、乗船巡視のほか、復職後に備えて操船訓練も行う予定であったが、Xは、しばしば体調不良を訴えて、遅刻、早退、欠勤を繰り返し、午前8時30分から午後5時15分までの勤務時間どおりに勤務したのは2日間だけであった。

ク　本件ポスターの掲示（言動4）及びY2課長によるシンナーを用いた嫌がらせ（言動5）

Xが、同年11月26日に試み出勤のため出勤すると、D課執務室の出入口正面の壁に貼付された「本署を基点とする浬程所要時間一覧図」の上の高い位置に、A4版の紙の中央に大きく「Xの顔写真」が印刷され、その上に大きく「欠格者」、その下に赤字で「この者とは一緒に勤務したくありません！」、黒字で「D課一同」とそれぞれ印字され、上端と下端にピンク色のラインが引かれ、プラスチック製保護カバーに入れられたポスター（以下「本件ポスター」）が掲示されていた。Xは、直ちにY2課長に対して本件ポスターを剥がすよう頼んだが、Y2課長は、これを拒み、本件ポスターを剥がせば器物損壊罪になるなどと言った。また、Xが本件ポスターの掲示についてY2課長も認めているのか尋ねると、Y2課長は、自らも本件ポスターの内容には賛同しており、「D課一同」と書いてある以上、自分もその一員であるなどと答えた。Xが翌27日に出勤すると、Y2課長は、A4版の用紙の上半分に「Xの顔写真」並びに「欠格者」、「この者とは一緒に勤務したくありません！」及び「D課一同」の文字を縮小して印刷し、下半分にD課の各係である「庶務」、「水路」、「整備」、「配船1」、「配船2」、「配船3」及び「配船4」の名称を印刷した欄を設け、その各欄に各係に属する課員合計78名（「庶務」5名、「水路」3名、「整備」9名、「配船1」15名、「配船2」15名、「配船3」15名、「配船4」16名）の押印がされ、「Xの顔写真」の左にY2課長、F代理及びY3代理の押印がされた本件ポスターをXに示し、「見てみろ、皆、ほらハンコ押したぞ、この野郎、欠格者」と発言した。この合計81名分の押印がされた本件ポスターは、D課執務室内の連絡文書掲示用ホワイトボードに貼付された。合計81名分の押印がされた本件ポスターをXに示したのと同じ27日、Y2課長は、部下にシンナーを持ってこさせた上、これをXに示して「いい臭いすんな、ほら、この野郎、来い」などと言った。Xは、平成12年4月には、アルコール、シンナー及びアセトンなどの有機溶剤に対する接触皮膚炎やアナフィラキシーショックを起こす可能性が大きい体質であると診断されており、Y2課長らD課幹部職員はこの事実を承知していたのであり、Xは、Y2課長に対して、「それシンナーじゃないですか。止めてください」などと抗議したが、Y2課長は、Xに対し、「慣れる訓練しろよ。毎日やってやる」などと答えた。その後、Xが翌日の試み出勤において何をすればよいか尋ねたところ、Ｙ２課長は、「辞表を持ってこい。命令だよ」などと言った。同じころ、Ａ４版の紙の中央に大きく「Ｘの顔写真」が印刷され、その上に大きく「欠格者」、その下に赤字で「この者とは一緒に勤務したくありません！」、黒字で「Ｄ課一同」とそれぞれ印字された本件ポスターが、Ｘが使用するロッカーの扉に貼付された。この本件ポスターには、手書きで「キチガイ　辞めろ！」と記入されていた。その後、Ｄ課執務室に設置された冷蔵庫の上にホワイトボードが置かれ、一番最初にＤ課執務室出入口正面の壁に掲示された本件ポスターがそのホワイトボードに貼付され、同じホワイトボードに大きい紙に「“告”（朱色）」「早く退職して下さい　主事Ｘ殿　欠格者の君とは一緒に仕事をしたくありません　副主査代表Ｒ　主任代表Ｓ　主事代表Ｔ　Ｄ課員一同（「欠格者」の文字は朱色）」と毛筆で書かれた掲示が貼付された。Ｄ課内のその他の場所にも本件ポスターが貼付された。

ケ　シンナーを用いた嫌がらせ（言動６）

Ｘが同年１２月２日に試み出勤のため出勤すると、Ｄ課更衣室内のＸが使用するロッカーの中にシンナーが撒かれ、更衣室内全体に強いシンナー臭が漂う状態であった。Ｘは、着替えも困難であることをＹ１係長とＹ２課長に訴えたが、両名は特段の対応をしようとはしなかった。Ｘは、同月８日から１０日にかけて、Ｂ署のＤ課以外の職員や出入り業者に声をかけて、Ｄ課更衣室において強いシンナー臭がすることを確認してもらった。

コ　Ｙ２課長の週刊誌への記事掲載を告げる行為（言動７）

Ｙ２課長は、同年１２月２日、Ｘに対し、「週刊誌が、お前、今週中に書かすぞ」、「△△、締切りだよ、今週が、ゲラ刷りの」、「辞めなけりゃ、お前、出してやっからな、今週の一杯までだい」、「退職願書くんだよ」、「辞職願、今週一杯に持ってこい、この野郎」などと発言し、Ｘが辞職願を出さなければ、Ｘをひぼうする記事が週刊誌に掲載される見込みであることを告知した。さらに、Ｙ２課長は、同月１５日、Ｘに対し、Ｘをひぼうする内容の△△の記事の校正刷りの体裁をした印刷がされた紙を示し、「今日中にページ打って印刷所に持って行くんだよ、この野郎」、「今日一杯に辞表書かなければ、お前、出るよ」と発言し、退職願提出を迫った。Ｘは、「やめてくださいよ」「なんでこんなことするんですか」などと言って記事の掲載をやめるよう頼んだが、Ｙ２課長は、上記記事が掲載されたらこれに付せんを付けてＸの父親や交際している女性等に送る旨述べ、Ｘが退職願を提出しなければＸを誹謗する内容の週刊誌の記事をＸの周囲に頒布する意図であることを告げた。

サ　平成１５年１２月１５日、１８日の有機溶剤撒布等（言動８）

Ｘは、同年１２月１２日、Ｙ２課長に対し、「Ｙ２課長おはようございます、また別館更衣室、すっげーシンナーだかアセトンで臭いんです。と発言した。上記のとおり、同年１１月２７日にＹ２課長がＸの前でシンナーを示して臭いをかがせたことや、同年１２

月２日にＸが使用するロッカー内にシンナーが撒布されていたりしたことから、これまでＸやＹ２課長の発言の中に、「シンナー」の単語は頻出していたが、「アセトン」の単語が現れるのはこのときのＸの発言が初めてである（シンナーは、塗料をうすめ、塗装に適した粘稠度に調節する目的をもつ各種有機溶剤の混合物で、常温で引火しやすい。アセトン（ＣＨ３ＣＯＣＨ３）は、樹脂・塗料の製造等の用途がある有機化合物で、きわめて低温で引火し、蒸気は空気と混合し引火、爆発の危険があり、消防法上の危険物第４類第１石油類に指定され、蒸気を吸入すると粘膜を刺激し、咳、頭痛、息切れなどを生じる。したがって、両者は全く別の物質である）。Ｙ２課長は、同年１２月１５日、Ｘに対し、上記のとおりＸをひぼうする内容の週刊誌のゲラ刷りの体裁の印刷がされた紙を示して退職願の提出を迫ったが、そのやりとりが終わるころ、「シンナー持ってこい」などと言って部下に液体の入った容器を持ってこさせ、これをＸに示して「お前に掛けてやるよ」「嗅いでみろよ」と言った上、Ｘの目の前で内部の液体を数回撒布した。Ｘは、「何でシンナー、アセトンか何か、だ、掛けないで下さいよ」と応じた。このやりとりの直後、Ｘは、「アセトンと書かれたプラスチック容器が床に置かれている写真」、「Ｙ２課長が執務机の向こう側のいすに座り、執務机の手前側の床にアセトンと書かれたプラスチック容器が置かれている写真」、「Ｙ２課長がアセトンと書かれたプラスチック容器とおぼしき容器を右手にもって振っている写真」、「床に液体が薄く広がっている写真」を撮影した。Ｘは、Ｙ２課長に対し、「課長の撒いているの撮っちゃいましたから、借りてきたカメラで今、クセー。撮っちゃいましたから、借りてきたカメラで、今、クセー」と発言し、次いで、Ｙ４副署長のところへ赴いて、「課長が部屋にアセトン撒きました」、「あんなの、ま、毒劇物じゃないですか、撒くの止めさせて下さい」、「狂ってますよ、うちの課長」などと発言し、再びＹ２課長のところに戻り、「何でアセトンなんか撒くんですか、チキショウ。気持ち悪くなったから帰ります。いいですか」などと発言してＢ署庁舎を出た。Ｘは、同日午前１０時１４分ころ、Ｂ署庁舎を出ると、駐車場の植え込みのところに横になり、携帯電話で「きゅう、救急車お願いします。あ、港区の◇◇なんです、あの、Ｂ警察署の前です、え、すぐ前です、住所分かりません。あ、アセトン、アセトンみたいの掛けアセトン掛けられたんです。アセトンとか有機溶剤のアレルギーなんですけども。アセトン掛けられたんです、課長に。ちょっと来て下さいアレルギーなんです。はい、あのーちょっとまっ、Ｂ警察署のまえ、真ん前の、すぐ側です、来てくれれば分かります。お願いし、あー、いいです。お願いします。Ｘです。Ｘです、はい、そうです」と１１９番通報した。化学消防車及び救急車が同日午前１０時２３分に臨場し、臨場した隊員（以下「救急隊員」）がＸを発見した。このときのやりとりは次のとおりである。救急隊員「兄さん、兄さん」、救急隊員「水で洗って下さい、水で」、救急隊員「表は雨が降っている」、救急隊員「アセトン掛かってるの」、Ｂ署職員「いやー○○、うちの署員」、救急隊員「あ、署員ですか」、救急隊員「兄さん、兄さん」、Ｘ「あ」、救急隊員「起きてる」、Ｘ「あ」、救急隊員「どうした、どうしたの」、Ｘ「あ」、救急隊員「ね、〇〇やったの」、救急隊員「ちょいちょいそうゆう事あるの、ねー」、Ｘ「あ」、救急隊員「誰に掛けられたのよ、誰に掛けられたって言うのよ」、Ｂ署職員「頭きている、そんな１１９番、勝手にやってですね」、救急隊員「これ、あれだな、事実、事実無いんだろ、これ」、救急隊員「掛けられたの本当に」、Ｘ「掛けられてます」。この後、Ｘは警察病院が掛かり付けであることを告げ、救急車により警察病院に緊急搬送された。以上の経過の中で、Ｘ及びＹ２課長ほかのＤ課員において、アセトンの有害効果である粘膜刺激（咳、頭痛、息切れなど）を訴える者はなかった。警察病院においてＵ医師がＸを診察した。Ｕ医師が、Ｘに対し、今日の状況を尋ねると、Ｘは、ロッカーに有機溶剤を撒かれていること、今日は課長がアセトンと書いてあるものを課の部屋で撒いたこと、早く行かないと証拠が消されてしまうことを訴えた。Ｘが警察病院に救急搬送されたとことを知ったＸの父は、警察病院に赴き、その後Ｘと共にＢ署を訪れて、Ｙ２課長及びＹ４副署長と面談した。このとき、それまでＤ課執務室等に掲示されていた本件ポスターはすべて撤去されていた。Ｘに促され、同日午後３時１２分、Ｘの父が更衣室に赴き、Ｘが使用するロッカーの扉の隙間に鼻を付けると、隙間からシンナー臭をかぐことができた。Ｘは、この直後である同日午後３時１３分、室内環境検査を依頼する検体を採取するための器具をＸが使用するロッカー内に設置した。

シ　Ｙ３代理のＸをつねる行為（言動９）

Ｘは、同年１２月１７日午前８時半ころ、Ｄ課室において、Ｙ２課長に対し、Ｘの父がＢ署に来た際は本件ポスターが剥がされていたことやＸに関する記事の週刊誌への掲載について尋ねたが、Ｙ２課長は、これに対して「関係ないよ」、「知らないよ」と答えるだけで、Ｄ課室を立ち去った。すると、Ｘは、自席に座っているよう言われたにもかかわらず、机を叩くなどし、Ｙ３代理から「何叩いてんだよ」と言われると、「見て分からないですか」などと答えていた。その後、Ｙ３代理は、会議に出席するためＤ課室を出て署長室に向かったが、Ｘが「代理しかいないんですよ。お願いします」などと付いてこようとするため、Ｘに対し、「座れよ」、「行け、早く」などと言って付いてくるのをやめさせようとした。しかし、Ｘは依然として「お願いします」などと言いながら付いてきた。そこで、Ｙ３代理は、Ｂ署２階廊下において、Ｘの左上腕部をつねり、これによりＸは全治二、三日を要する軽度の左上腕部表皮剥離の傷害を負った。その際、ＸがＹ３代理に対し、「つねんないで下さいよ。痛いなあ」などと抗議すると、Ｙ３代理は、「お前が強引なことばっかりするからだろう」などと答え、さらに、Ｘは、「ついてくるとつねるんですか、ひどいですよ」と抗議した。この後、Ｘは、同日午前９時１０分、Ｘが使用しているロッカー内に設置した室内環境検査を依頼する検体を採取するための器具を回収した。Ｘは、午前９時３７分ころ退庁し、財団法人東京都予防医学協会に、回収した器具を提出し、測定物質を「トルエン」、「キシレン」、「パラジクロロベンゼン」、「アセトン」とする室内環境検査を依頼した。財団法人東京都予防医学協会は、Xに対し、同月２６日付け試験検査成績書を交付し、その検査結果は、トルエンの測定値は２２０３０μｇ／立方メートル（５．７６ｐｐｍ）、キシレンの測定値は１１８２０μｇ／立方メートル（２．６６ｐｐｍ）、パラジクロロベンゼンの測定値は２０μｇ／立方メートル（０.００３３ｐｐｍ）、アセトンの測定値は１１９μｇ／立方メートル（０．０４９１ｐｐｍ）であり、トルエンの測定値は室内濃度指針値の約８４倍、キシレンの測定値が約１３倍であるが、パラジクロロベンゼンの測定値は室内濃度指針値を下回り（アセトンの室内管理濃度指針値は設定されていない。）、トルエンの測定値は有機溶剤中毒予防規則における管理濃度の約８分の１、キシレンの測定値は同管理濃度の約１８分の１、アセトンの測定値は同管理濃度の約1万５０００分の1というもの（パラジクロロベンゼンの同管理濃度は設定されていない）であった。

ス　CとY４副署長らとの面談

Cは、Y２課長からB署に来るよう言われていたことから、同年１２月１８日、Xと共にB署を訪れて、Y４副署長と面談し、Y４副署長から、Xの勤務状況や職場環境について説明を受けた。Xは、面談の途中で入室したY２課長に対し、「写真がこの間、ここに貼ってあったのを」などと本件ポスターのことについて言及すると、Y２課長は、「なに夢みたいなこと言ってるんだよ」などと答えた。また、CがY２課長に対してXが有機溶剤アレルギーであると知っているか否かについて尋ねたところ、Y２課長は、知っていると答えた。その後、C、X、Y４副署長らは、D課更衣室に移動した。Cは、更衣室にあるXが使用しているロッカー付近の臭いを確認し、シンナーの臭いがする旨述べた。そこで、Cが、Y４副署長に対してロッカーの臭いを確認するよう申し入れたところ、Y４副署長は、ロッカーの臭いを確認した上、ちょっと臭いがするものの、洋服の臭いと防虫剤のような臭いであるなどと答えた。その後、Xは、第三者にもXが使用しているロッカーの臭いを確認してもらおうと考え、タクシーの運転手をB署内に入れようとしたが、関係者でないとの理由で立入りを拒まれた。

（５）　復職後の経緯等

ア　Xの復職後の勤務状況

Xは、平成１５年１２月１９日、健康管理本部の医師から復職可能との診断を受けたため、同月２３日から復職することとなった。警視総監は、同日、Xの復職辞令を発令し、Xは、同月２５日、復職の辞令書を受領した。Xは、配船第２係で勤務することとなり、その後、平成１６年２月に配船第３係に、同年１０月に配船第１係に配置換えとなった。もっとも、Xは、有機溶剤アレルギーであるため、警備艇の補修作業等に従事するには支障があるなど、その配置運用上制約があったことから、主として、舟艇基地及びB署E派出所（以下「E派出所」）に勤務することとなった。なお、Xは、後記シ（**言動**

１５）の警備艇上での転倒による受傷につき公務災害が認定され、その後、平成１８年１１月２５日に低髄液圧症を原因とする病気休暇を取得し、さらに、平成２０年７月２５日から病気休暇を取得して現在も休職中である。

イ　Ｘ復職時におけるＹ４副署長のＸに対する言動（言動１０）

Ｙ４副署長は、Ｘが復職した平成１５年１２月２３日、Ｘに対し、「私に言われた通り、誓約書書きなさいよ」などと述べ、「私は平成１５年１２月２３日から復職いたします。これまでヘルニアで職場の皆様には、多大の迷惑を掛けて参りましたが、健康も全快し、今後、警察職員として、都民の安全安心を守って行きたいと思います。そのため、警察職員としての仕事が出来ないような事があったり、ヘルニアで再び職場の皆さんに迷惑掛けるような事が発生した場合には、職を辞して責任を取るつもりであります」との内容の誓約書を作成するよう求めたところ、Ｘは、「最後の部分は書けないです」などと言ってこれを拒絶した。Ｙ４副署長は、Ｘに対してその後も誓約書を書くよう求めたものの、Ｘがこれを拒否し続けたため、「じゃあ、辞めて帰ればいいじゃないか。懲戒免でもう、退職金も何もなしで」、「おん出すぞこっから、全署員使って」、「Ｂ署にはもう入れないよ」「お前、おん出されたら、もう、二度とお前、Ｂ署には、お前、入って来ちゃ駄目だよ。建造物侵入で、お前、逮捕するからな」などと申し向けたが、Ｘは上記趣旨の誓約書の作成に応じなかった。こうして、Ｘは、次の内容の文書を作成して提出した。「平成１５年１２月２３日　Ｂ警察署長警視Ｊ殿　主事Ｘ　私は、平成１５年１２月２３日から復職致します。これまで腰椎椎間板ヘルニアで職場の皆様には多大なご迷惑を掛けて参りましたが、上記病症は治癒し、今後警察職員として、都民の安全、安心を守って行きたいと思います。今後、上位船舶資格取得の為の勉強も頑張りたいと思いますので宜しくお願い致します」

ウ　Ｘの警備艇における見張り業務（言動１１）

前記のとおり、Ｘの復職後の勤務場所はそのほとんどがＥ派出所であったため、Ｘは、Ｂ署とＥ派出所間の往復の際、警備艇に乗ることとなっていた。Ｘは、その際、見張りとして船のデッキの上で荷物を持って立つよう指示され、激しい雨の日でも船内には入れてもらえなかった。

エ　ＸのＥ派出所における泊まり勤務（言動１１）

Ｘは、平成１６年２月５日から同月６日にかけて、Ｅ派出所において、泊まり勤務に就いた。Ｅ派出所には、ストーブ２台及びエアコン３台があったが、本来常時給油されているはずのストーブ２台のタンクにはいずれも灯油が入っておらず、４日前に満タンであった補給用の灯油もすべて空になっており、エアコンも使用できない状態であった。Ｘは、厳冬下の泊まり勤務であることから、Ｂ署のＹ１係長に対して、５日午後７時４６分、午後８時４９分、午後８時５２分、６日午前２時３０分の４回にわたり電話をし、エアコンが壊れており、ストーブ２台のタンクが空で補給用の灯油もなく、使用できる暖房器具がないこと、非常に寒い状態であり風邪をひきかねないことを説明し、繰り返し灯油を持ってきてほしい旨述べた。これに対し、Ｙ１係長は、Ｘに対し、「冬は寒いに決まってんだろ」、「灯油なんかねえよ、こっちに、馬鹿野郎」、「死にやいいじゃない」などと発言し、灯油を手配することを拒絶した。Ｘは、６日午前７時５分にＹ１係長に電話をかけ、警備艇の巡視の際に早期に迎えに来てほしい旨依頼したが、迎えは午前１０時６分だった。Ｘは、Ｙ２課長に状況を訴えたが、Ｙ２課長は、「辞めりゃいいじゃないか」、「９月の時に言っているじゃねいか、相手にされないって」と応じた。

オ　Ｙ４副署長との面談

α弁護士は、同年２月６日、Ｘと共にＢ警察署に赴いて、Ｙ４副署長と面談し、非常に寒い時期にＸが夜間勤務をする際、故意にすべての暖房機器が使えないようにしたり、Ｘが有機溶剤アレルギーであることを知りながら、故意に有機溶剤を撒布したり、本件ポスターを掲示したりするなどの嫌がらせをやめるよう要請した。

カ　Ｙ６主任のＸに対する言動（言動１２）

Ｙ６主任は、同年９月２８日、Ｘを乗船させていた警備艇「△□」がレインボーブリッジ近くを航行しているとき、同艇の拡声器を用いて、「この船には馬鹿が乗っています」などと発言した。

キ　Ｄ課配船第１係配置時のＸの言動

配船第１係のＶ副主査が、同年９月２８日、同月１０日から同係に配置されることになったＸに対して警備艇の操縦が可能であるかと尋ねたところ、Ｘは、海技職員として採用されたにもかかわらず、「自分に操船は向いていないと思います」などと答えた。

ク　Ｙ６主任の唾を吐き掛ける行為（言動１３）

Ｙ６主任は、平成１７年１月２０日、Ｄ課更衣室等において、Ｘに向かって、数回唾を吐き掛けたほか、同年３月１３日、大地震の発生を想定して警視庁全職員で実施する訓練（総員参集訓練）の一環として行われたジョギングの際にも、Ｘに向かって唾を吐き掛けた。

ケ　ＸのＹ３代理に対する葉書

Ｘは、部外委託研修中であったＹ３代理が病気休暇中であると誤解し、同年１月３０日付けで葉書を送った。この葉書には、「病院に入院されて居られる様でしたら、是非私に知らせて下さい。お見舞いに行きたいと思いますので（課長や、他の人達には絶対に言いませんので）」、「Ｙ３代理が、きつい口調で、私に色々言っていたのは、今のＤ課長等が居る手前、仕方なく（立場上）言っていたものである事は、十分に理解しているつもりです」と記載されている。

コ　Ｙ５主任らによる拡声器を用いた嫌がらせ（言動１２）

Ｙ５主任は、同年５月２５日午後１１時３４分ころ、Ｘを乗船させていた警備艇「△○」がレインボーブリッジ近くを航行していた際、同艇の拡声器を用いて「Ｘの税金泥棒、辞めちゃえよ」などと話し、翌２６日午前９時１６分ころ、Ｘを乗船させていた同艇が大井埠頭近くを航行していた際、同艇の拡声器を用いて「税金泥棒、Ｘの税金泥棒、Ｘの税金泥棒」と話した。Ｙ９主任は、同年６月１１日午前８時２０分ころ、Ｘが勤務するＥ派出所に警備艇「△○」を接岸させる際、同艇の拡声器を用いて「アー、アー、アー、本日は晴天なり、本日は晴天なり。税金泥棒、Ｘ税金泥棒、恥を知れ」と放言した。Ｙ６主任は、同日午前９時５８分ころ、Ｄ課の拡声器を用いて「アー、アー、税金泥棒は」と言った。Ｙ６主任は、同月２９日午後４時２分ころ、Ｘを乗船させていた警備艇「○□」がＥ派出所近くの豊洲運河上を航行中、同艇の拡声器を用いて「ア、ア、ア、ア、ア、ア、税金泥棒のＸ君」と放言した。

サ　Ｙ３代理の火のついた煙草を当てる行為（<u>言動１４</u>）

Ｘは、同年７月２７日午後５時７分ころ、庁外勤務を終えてＤ課に帰ってきた。ＸはＤ課員と「お疲れ様でした」と声を掛け合い、待機室付近の換気扇の下で喫煙してＹ３代理に向かった。Ｙ３代理は、「なに、馬鹿。俺の顔見るんじゃないよ、気持ち悪いな。○○。やめちゃえ早く、税金泥棒」などと言ってＸを拒否する姿勢を示したが、Ｘは、「代理とより、よりもどすんです」、「今日も巡視きてくんないんです」などと言って、Ｙ３代理とＹ１０課長に向かってＸの休憩時間に合わせて巡視が来ないことの不満を語り始めた。この後のやりとりは次のとおりである。Ｘ「移動のときは、さしてくれって、Ｙ１０課長約束して、」、Ｙ１０課長「休憩、休憩のときにやる、行ってるんじゃないよ」、Ｘ「来てないです」、Ｙ１０課長「君が休憩のときに、３時間のときに」、Ｘ「来てないです、いやだから、巡視はきてますけど、休憩の時、交代の人…」、Ｙ３代理「お前は課員として切られてるの。そう言ってるだろもう。ずっと前から言ってるじゃん。お前は課員だと誰も思ってないんだよ。お前のこと好きで囲もうと思ってないんだよ、誰も」、Ｘ「職員だとは」、Ｙ３代理「消えろ早く」、Ｘ「職員だ…」、Ｙ３代理「税金泥棒」、Ｘ「だからその言葉辞めて下さいよ」、Ｙ３代理「税金泥棒辞めろ、早く」、Ｘ「代理が言うからみんな言うんですよ」、Ｄ課員「みんなと同じこと言ってんだよ」、Ｄ課員「全員そう思ってるんだよ」、Ｙ３代理「いいから早く。煙草の火でも、お前、擦り付けてやろうか」、Ｘ「嫌です、火傷しますから、嫌です」、Ｙ３代理「消えろ早く、馬鹿。空気悪くてしょうがないよ、お前。消えろ早く。消えろつうんだよ」、Ｘ「煙草、体に悪いっすよ」、Ｄ課員「税金泥棒、早く消えろ」、Ｘ「煙草か…」、Ｙ３代理「税金泥棒早く消えろ。お前のほうがよっぽど体に悪いよ。お前の顔見てるほうがよっぽど体に悪いよ」、Ｘ「フォローして下さいよ、○○。はー。お願いします」、Ｙ３代理「ほんと…だよ」。このとき、午後５時１８分ころ、Ｙ３代理が火のついた煙草をＸに向かって投げ、Ｘの制服の胸元に当たり、制服の表面に小さい焦げが生じた。この後のやりとりは次のとおりである。Ｘ「アチ、煙草の火なんか、何すんだよ、アチーなー」、Ｙ３代理「お前が俺に近付くからだよ、当たったんだよ」、Ｘ「投げたじゃないですか」、Ｙ３代理「投げてねえよ、当たったんだよ、お前が俺に、接近してくるから悪いんだよ」、Ｘ「あーあ、ちきしょう」、Ｙ３代理「煙草吸ってるところにお前寄ってくるから悪いんだよ。消えりゃいいんだよ」、Ｘ「はー。課長なんか仕事させて下さい」、Ｙ１０課長「君はちゃんと○○ＰＢで仕事してたからいいんだよ」、Ｘ「してません」、Ｙ１０課長「君は見張りを、水上面の見張りが君の仕事だよ」、Ｙ３代理「見張りもしないでな、なにを言ってんだよ」、Ｙ１０課長「水上面の見張りだよ、君の仕事は。分かった。あと何できるんだ君」、Ｘ「船磨けます」、Ｙ１０課長「えっ」、Ｘ「船磨けます」、Ｙ１０課長「船磨くのなんていいよ」、Ｘ「ワックスかけます。オイル交換します」、Ｙ１０課長「いいよ」。この後、Ｘは、Ｙ１０課長やほかのＤ課員と１５分程度会話をして、退庁した。

シ　Ｙ５主任による警備艇の乱暴な操縦等（<u>言動１５</u>）

Ｘは、同年７月２９日午前９時３８分ころ、Ｅ派出所での第２勤務（夜勤）を終え、迎えに来たＹ５主任が操縦する警備艇「××」に乗船したが、Ｙ５主任は、Ｘが船首に乗った直後に、同艇を急後退させて離岸させた。Ｘが、操縦席の窓の脇に立ったまま、「危ねえ危ねえ危ねえ、危ねえっすよ、Ｙ５さん」と抗議すると、Ｙ５主任は、窓越しにＸの右足を叩き、「早く行けよ。お前はよー」などと言って、後部デッキでの見張り業務に行くよう指示した。これを受けてＸは、後部デッキ上で、左手に私物の手提げかばんを持ち、右手で船室入口扉右側にある手摺を掴んで立って見張り業務に就いたが、その直後の午前９時４３分ころ、Ｙ５主任は速力を上げて運航中の同艇を急転舵させた。このため、Ｘはデッキ上に仰向けに転倒し、後頭部を打撲し、左上肢肘部に挫創を負った。Ｘが「いい加減にしろよ、おめえ、ふざけんなよ、怪我しただろ、コノヤロー」と抗議すると、Ｙ５主任は、「知らねーよ、ゴミ避けたんだよ」などと答えたのみならず、「ウッセイよ。お前なんか死んじまいやいいんだよ、だから笑ったんだよ、死ねコノヤロー」などと答えた。これに対し、Ｘが「何で離岸すっ時も、思いっきり急後退しやがって、ゴミ浮いてるんなら、急後退しないでしょ」と反論すると、Ｙ５主任は、「お前がゴミだよ。死ね」と言い放ち、Ｘが「怪我したから」と言うと、Ｙ５主任は「良かったねー」、同乗するＹ８主事は「バーカ」などと言った。警備艇がＢ署に近づくとＹ５主任は操船をＹ８主事と替わり、怪我の治療のために下船しようとするＸを、「何だよ。降りんじゃねーよ」と制止し、Ｘが「怪我したんだよ。消毒させろよ」と下船させるよう求めたのに対し、「後ろ行けっつってんだよ」とこれを妨害した。Ｘが、「ふざけんなよ。落っこったらどうするんだよ」などと抗議すると、Ｙ５主任は、「死ね。落っこって、お前、この船でひいてやるよ」などと言った。警備艇が接岸するとＹ５主任は降船したが、Ｙ５主任の指示でＹ８主事が同艇を離岸させたため、Ｘは直ちに上陸することはできなかった。Ｘは、同日午前１０時２７分ころ、Ｙ５主任がＤ課において報告書を作成する場に居合わせたが、そのとき、次のとおりのやりとりがあった。Ｘ「Ｙ５さん」、Ｙ５主任「何だよ」、Ｘ「何でさっき左切ったつったのに、今度は右になってんですか○○」、Ｙ５主任「右だろう、お前、左切ったらお前、ぶっ飛んでんだろう」、X「さっきは、さっきは違うよ言ったの」、Y５主任「お前右だろ」、X「さっき、慌て、慌て、慌てた時は、あの、ゴミ有って左に慌てて避けたってつったじゃないですか」、Y５主任「お前左側にぶっ飛んだだろう、お前」、X「だからそんなのに何で」、W主事「揚げ足取る様な事言ってんなよ、くだらねえ事を、右だの左だのって」、Y５主任「お前、右切ったら、お前海に落っこってるよ。アホかお前」、X「ハアー」、Y５主任「小学生だって分かんぞ、そんなの」、X「右切ったら落っこってんの、だって右って書いてあんじゃん」、「アーおかしい。右に切ったら落っこってるって今はっきり言ったじゃん、おかしいな」、Y５主任「アレ」、D課員「アッハッハッハッハッハッハッハッハッハッ」、Y５主任「チャンチャン、原因違うから」、D課員「アッハッハッハ」、X「ちきしょう。ふざけんなよ」。Xは、同日、東京大塚医院Z医師の診察を受け、通院加療約１か月間を要する頭部打撲、左前腕打撲・挫創、左第５指打撲、頚椎捻挫の傷害と診断された。Xは、同年８月１日午後２時３３分ころ、Y１０課長と面談し、その際、次のとおりのやりとりがあった。X「はっきり言って前あの、Y１０課長がですね」、Y１０課長「うん」、X「はっきり言って前Y２課長がいる時は」、Y１０課長「うん」、X「あの上からの指示でね」、Y１０課長「うん」、X「君の事を、まあ、辞めさせようと思ってイジメてた事もあったよ、と」、Y１０課長「うん」、私「だけど、あの、今はそういう事俺は今命令してないから、と」、Y１０課長「うん」、X「Y１０課長、おっしゃったじゃないですか」、Y１０課長「うん、そうだそうだ」。Xは、同月３１日、上記Z医師作成の診断書をY１０課長のところに持参するとともに、公務災害認定請求書を作成して提出した。Xが提出した上記診断書には、問診所見として「H１７．７．２９．ボートの上で転がされ、後頭部を打撲、左前腕を挫創す.」と記載されていたため、後日、Y１０課長は、X提出に係る書類に記載された災害発生の状況の内容が不十分であるとして、災害発生状況の補足説明書を提出するよう指示した。これを受けて、Xは、災害発生状況の補足説明書を提出したが、Y１０課長から更にこれを書き直すよう指示されたため、これ以上書けないとして、その指示を断った。もっとも、その後Xの上記受傷については公務災害として認定された。

ス　Y３代理のいすをぶつける行為等（言動１６）

Xは、同年８月１１日、D課執務室にビデオ撮影機材を持ち込み、執務室中央にある通路が撮影できる位置に撮影機材をセットし、撮影を開始した。これにより撮影された映像には次の状況が記録されている（撮影時間１６秒）。画面右側（通路右端）に立つくわえ煙草のY３代理が「くるんじゃねぇっていってんだよ」と発言し、左側にあるキャスター付きいすを左手で掴むのと同時に、画面左側（通路左端）に頚部にコルセットを装着したXが現れる。XはY３代理の方に向かって真っ直ぐ進み、Y３代理は「オラ」と言いながらいすを通路に引き出し、そのままXに向けて押し出す。XはY３代理の直前で足を止め、腰を落とし下半身をやや左に向け、いすの座面が足に当たる打撃を受ける。

Xは、「イテッ、やめて下さい」と言い、右側を前に出す防御姿勢を取りながらＹ３代理の左側（画面右側）に回り、３列に並べられた長机の間に入り込む。Ｙ３代理は、いすを左側のＸに向け、Ｘはいすから距離をとり、Ｙ３代理「来るな、気持ち悪いな」、Ｘ「何ですよ」、Ｙ３代理「お前が来るから悪いんだろ。邪魔なんだよお前は、本当によー」と言葉でやり合う。別のＤ課員が間に入ると２人はすぐに背を向け、Ｙ３代理は画面右側（通路右端）に向かって、Ｘは画面左側（通路左端）に向かってそれぞれ歩き出し、画面外に出る。次いで、Ｘは、Ｙ３代理の執務机を撮影できる位置に撮影機材をセットし、撮影を開始した。これにより撮影された映像には次の状況が記録されている（撮影時間１２秒）。画面中央のＹ３代理の執務机にＹ３代理が正面を向いて着席し、着席したＹ３代理の画面右側（Ｙ３代理から見て左側）でＹ３代理に近接した位置に頚部にコルセットを装着したＸが立ち、Ｙ３代理に向かって何事か発言をしている。Ｙ３代理が「お前なんかこっから離れてるんだよ」と言うと、Ｘは半歩退くがすぐに元の位置に立ち、Ｙ３代理が「うるせえんだよ」と言って左手で払う仕草をするが、Ｘは立つ位置を変えず、発言を続ける。Ｙ３代理がいすから立ち上がるが、Ｘは立つ位置を変えない。Ｙ３代理は左手でＸの襟首を掴み、「しつこい奴だな、本当に」と言いながら前に押し出す。襟首を掴まれたＸは下がって後方の執務机に当たり、バランスを崩しそうになる。Ｙ３代理は掴んだ襟首を引き寄せてＸが倒れないようにし、Ｘの身体が執務机から外れて通路に出るように前に出て、通路に出たＸは「お願いだ」と言いながら、バランスを取り戻して両足で立つ。Ｙ３代理がＸの襟首を左手で掴んだ状態のまま、２人は画面右側に移動し、画面外に出る。

セ　Ｙ１０課長のＸに対する言動（言動１７）

Ｘは、同年１０月２７日午後４時半ころ、Ｄ課執務室においてＹ１０課長と面談した。このとき、Ｘが持参した診断書は、当初通院していた東京大塚病院とは別の病院の診断書であり、記載内容も、Ｘが医師に申告した内容のみで、他覚症状が記載されていないものであった。Ｙ１０課長は、Ｘに対して転院の経緯を尋ねたが、Ｘは質問をはぐらかすばかりで転院の経緯を説明しようとしなかった。Ｙ１０課長は、当初の診断書では全治１か月との診断となっているのに３か月経っても治らないことを指摘して、「仮病じゃねえのか」などと述べた。そうすると、Ｘは、Ｙ３代理やＹ５主任が自分のことを嫌っていることやＹ８主事らから警備艇の拡声器で「税金泥棒」などと言われたことをＹ１０課長に繰り返し訴え出した。Ｙ１０課長は、Ｘの訴える事実を承知していなかったが、Ｘが同じ事を繰り返す述べるため、「お前みたいな税金泥棒が居ることを、本当の事を言っちゃ駄目なのか」などと答えた。また、ＸがＢ署に技能職である海技職として採用され、警備艇を操縦することが仕事であるにもかかわらず、交番勤務を希望してみたり、病気が治ったら出勤して警備艇を操縦するし、仕事ができなくても座っているなどと言ったりしたため、Ｙ１０課長は、午後５時ころ、Ｘに対し、「警備艇の操船ができない体調で出てきては困るんだよ。海技職は船を操船してなんぼなんだよ。お前みたいな、仕事もしないでここんとこに居座られたら、新しい職員も採用できないし、賃金カットがいつまでも続くんだよ」、「税金泥棒め。何か言ってみろ」「早く辞めろ」などと述べた。

Ｙ１０課長は、午後５時２９分ころ、Ｘが最近は収入が保証される職種が少ないとの発言をしたの受けて、次のとおりの発言をした。Ｙ１０課長「今年収３００万時代なんだよ」、Ｘ「はい」、Ｙ１０課長「ほとんどフリーターが、大学生が出て粋のいい一流大学を出て、高校生とか、そういう者の仕事がないんだよ。だから、物事リスクがあるんだよ。危険な仕事でないと、６０万なんて、５０万、６０万って高い給料もらえないの。バスの運転手で業過傷の犯人となるかどうか毎日事故起こさないようにやるか、警備艇も同じ事なんだよ。他の船と○○しないか、難破してしまうのか、全てリスクは背負うんだよ。高い給料もらうために。保証の引き替えに」、Ｘ「タクシーなんかもし運転したって、後ろから刺されたりって事故おおいじゃないですか。強盗にあったり」、Ｙ１０課長「それは仕方ないんじゃない。警察官と同じだもん。警察官だって○○たり、あのー、危ないからって言って飛び、飛び込まなかったら俺は、後ろから撃つからな、命令を無視してアノー、突っ込まなければ、な、言う事をきかなかったら俺、首を絞めてエー、警備艇から落とすからな」、Ｘ「誰をですか」、Ｙ１０課長「命令を聞かない奴だよ、撃ち殺すかもしんないし」、Ｘ「ピストルでですか」、Ｙ１０課長「そうだよ」、Ｘ「何でですか」、Ｙ１０課長「何でじゃないよ、命令きかなかったら、そうゆうもんだよ、組織ってのは」、Ｘ「警察って、そういうとこですか」、Ｙ１０課長「そうですよ。おれのオウムのところに行って、○○で突っ込むにしても、第６サティアンに行くにしても、泣き言言って行きたくないっていう奴はいましたよ、ビビッて。お前みたいなやつが。だけども今まで高い給料もらってきてて、それで○○行って、オウムの第６サティアン行ったときは、○○とかそういうときだけ俺行かないなんて泣き言は許さない。そいつも引きづって行きましたよ。これまで高い給料もらってて、危険なとこだけ私は行きませんなんて言うことは、そういう奴がいたら俺は後ろからけん銃で撃ってやる」、Ｘ「私言ってないです」、Ｙ１０課長「お前もそんなこと言ってるんだよ」、Ｘ「今言って課長と約束しています」、Ｙ１０課長「何をお前はいずれにせよ、お前はそんな臆病者はうちの会社にいらないんだよ。てめえは怖いとか恐ろしいとか。みんな○○にあう確率なんか同じだよ。警察官でいる以上は。警察職員でいる以上は。だから船に大楯を積んだりなんかしてるんだよ」、Ｘ「はやてとか、たまにしか動かさない船の操縦したり整備したり…」、Ｙ１０課長「お前みたいなそんな、そんなの用務員のやる仕事だよ。警備艇の操船だよ」

その後、Ｙ１０課長は、午後７時ころまで、Ｘに対し、バイク便の仕事をした方がいいと述べたり、Ｂ署を辞めて違う仕事をするよう勧めたりした。

Ｙ１０課長は、同年１１月９日午後４時過ぎころからＤ課執務室において、Ｘと面談した。その中で、午後４時３７分ころ、次のやりとりがあった。Ｘ「私がコルセットをして」、Ｙ１０課長「うん」、Ｘ「首辛いのに」、Ｙ１０課長「うん」、Ｘ「あの揺れてもね、辛いのに」、Ｙ１０課長「うん」、Ｘ「何で課長代理が今日いらっしゃらないって言ったんで、来たんですけど、安心して来たんですけど」、Ｙ１０課長「うん」、Ｘ「何であんな、つったら、課長、あの私の首を掴んで」、Ｙ１０課長「うん」、Ｘ「暴力振るったの」、Ｙ１０課長「うん」、Ｘ「あんなの暴力じゃないって課長おっしゃいましたよね」、Ｙ１０課長「俺、俺に言わせりゃあんなの暴力じゃないよ」、Ｘ「じゃあ、どういうの暴力って言うんです」、Ｙ１０課長「警察官のいう暴力は、本当に殴ったり蹴ったり、あのーそのー」Ｘ「私、警察官じゃありません」、Ｙ１０課長「ああそうか。まああんなもん、小突いた程度のことなんか暴力にいったらきりないんだ。俺に言わせるとね。あんなもの暴力じゃない。それじゃあ被害届入れてくれ」、Ｘ「あんな事、あんな事、あんな事やられたら、治りかけてたって治りません」Ｙ１０課長「まあ、そっか」。その後、午後４時５５分ころ、次のやりとりがあった。Ｘ「今、操船より、Ｙ３代理とかのが怖いです」、Ｙ１０課長「まあ、何でもいいけどさ」、Ｘ「本当です」、Ｙ１０課長「そんな君の感想を聞いてる様な○○○」、Ｘ「だから、ああいう事は止め、ああいう事は止めさせて下さい、やったら逮捕して下さい」、Ｙ１０課長「何で逮捕すんだよ」、Ｘ「警察官じゃないすか」、Ｙ１０課長「何で警察官逮捕」、Ｘ「やってください」、Ｙ１０課長「俺は容認してる、勧める位のつもりでいるんだけど」、Ｘ「ハイッ」、Ｙ１０課長「ウーン、ほんとにもう頑張れ頑張れって、言いたい位だ」、Ｘ「暴力を振るうのをですか、私に」、Ｙ１０課長「そうだ」。その後も、Ｙ１０課長は、同日午後６時半ころまで、Ｘに対して退職を勧め、Ｘの再就職先に関する話をした。

（６）Ｙらに対する告訴等

Ｘは、平成１９年１２月、原判決別紙告訴事実一覧表「被告訴人」欄記載の者を被告訴人とし、同表「内容」欄記載の行為を告訴事実とした告訴状を東京地方検察庁検察官に提出した。上記告訴を受理した東京地方検察庁検察官は、平成２０年５月７日、被告訴人となった者をいずれも嫌疑なしとして不起訴処分にした。

Ｘは、Ｙ１１を除くその余のＹら（以下「Ｙ２ら」）が職場においてＸに退職を強要する意図で日常的に暴行や脅迫を含む嫌がらせ等をしたと主張し、Ｙ１１については国家賠償法１条１項又は民法７１５条に基づく損害賠償請求として、Ｙ２らについては民法７０９条に基づく損害賠償請求として、Ｙらに対し、連帯して３００万円等、Ｙ１１・Ｙ２・Ｙ３・Ｙ４及びＹ１に対しては、上記金員のほかに、連帯して８００万７７７０円等の支払を求めた。原判決（東京地判平 20.11.26 労判 981 号 91 頁）は、ＸのＹ１１に対する請求は、３００万７７７０円等の支払を求める限度で理由があるとしてその限度でこれを認容し、Ｙ１１に対するその余の請求及びＹ２らに対する請求は理由がないとしてこれをいずれも棄却した。Ｘは、原判決中Ｘ敗訴部分を不服として控訴を申し立てた。Ｘは、当審において、Ｙ５のした暴行による後遺障害に基づく新たな損害が発生したと主張し、上記法条に基づき、Ｙ１１及び同Ｙ５に対し、連帯して、６７７万７６１２円等の支払を求める請求を追加した。Ｙ１１は、Ｘの控訴に附帯して、原判決中Ｙ１１敗訴部分を不服として控訴を申し立てた。

【判旨】

（１）言動１について

「平成１５年９月１２日に行われたＸとＹ２課長らとの面談は、前日１１日にＹ２課長及びＦ代理が同行してＸが主治医である警察病院のＧ医師の診察を受け、Ｇ医師が、腰椎椎間板ヘルニアが通院治療を要するものの休職の必要はないとの診断書なら出すことができるが、腰椎椎間板ヘルニアが完治したとの内容の診断書を書くことはできないと告知したことから、このＧ医師の告知を前提とするとＸに対し分限免職処分がされることになるという認識の下、Ｘは辞職願を提出することに応じる意思を示し、人事担当部署の指示に基づき、Ｆ代理が、Ｘに日付を空白にした辞職願を作成するために印鑑を持参するよう指示し…Ｘが印鑑を持参してＢ署に登庁した場面で行われたものであり、この面談において、Ｙ２課長及びＹ３代理は、Ｘに対して辞職願を作成することを求める発言をしているが、これは上記状況に置かれたＸが辞職願の作成に応じないことに対し、Ｘにとって分限免職処分がされるより辞職願を提出する方が有利であるとの趣旨で行われたものであることが明らかであって、これをもってＸの権利又は法律上保護すべき利益を違法に侵害するものということはできない。また、Ｙ２課長がＸのネクタイを掴んで引っ張った経緯は…Ｙ２課長らがＸに辞職願を作成しない理由を問うても１時間にわたりＸはその理由を明らかにしないでいて、その挙げ句、Ｘが理由はないと答えたことに立腹したＹ２課長がＸのネクタイを掴んで引っ張ったが、直ちに手を離し、Ｘはそのままいすに座り込んだというもの（このときにＸが頭部を打ったと認めるに足りる証拠はない。）であって、Ｙ２課長が上記行為をするに至る経緯を全体として考察し、その態様、有形力の程度及びその結果に照らしてこれを評価すると、これをもってＸの権利又は法律上保護すべき利益を違法に侵害するものということはできない」。

（２）言動２について

「これまで分限休職に係る診断書は上司が立ち会う診察の下で作成されていたところ、Ｘは上司の立会いなしの診察に基づき作成されたＧ医師作成の診断書をＢ署に提出しようとしたことから、ＸとＹ４副署長との面談が行われることとなり、この中で、Ｘは、平成１５年９月１２日の出来事について、Ｙ２課長は辞職願作成を強要してＸのネクタイを引っ張り、この際Ｘは頭をぶつけたとの事実と異なる説明をしたものであって、これに対するＹ４副署長及びＹ２課長の応答をもってＸの権利又は法律上保護すべき利益を違法に侵害するものということはできないし、当日のＹ４副署長の発言は、Ｘにとって分限免職処分がされるより辞職願を提出する方が有利であるとの趣旨で行われたものであることが明らかであって、これをもってＸの権利又は法律上保護すべき利益を違法に侵害するものということはできない」。

（３）言動３について

「平成１５年１１月１１日の事実については、Ｘは、同年１０月２５日の主治医ではない西東京警察病院のＨ医師による腰椎椎間板ヘルニア治癒との診断を得ていたが、同年１１月に入り、相次いで主治医である警察病院のＧ医師及び健康管理本部のＩ医師から、腰椎椎間板ヘルニアの症状消失、治癒となり、通常勤務に備えた試み出勤可能との診断を得たことから、Ｘに対し同月１３日から試み出勤を実施することとなり、Ｙ２課長らは、Ｘの休職期間中に変更された新しい制服等を準備して、同月１１日に試み出勤の準備のために登庁したＸに対し、必要な書類作成等を求めたところ、定型の誓約書の文言が『平成１５年１１月　日　Ｂ警察署長警視Ｊ殿　Ｄ課主事Ｘ　誓約書　私は、腰椎椎間板ヘルニアで平成１５年１２月２２日迄休業中でありますが、同年１１月６日警視庁健康管理本部医師Ｉから、同日東京警察病院Ｇ医師の診断書のとおり経過良好で腰椎椎間板ヘルニアの症状も消失している。向後試み出勤を行うことが可能と診断されました。平成１２年６月５日発症し、以降休職している最中の試み出勤であることから通勤手当不支給、また通勤災害等不慮の事態に遭遇することも懸念されますが、細心の注意を払ってそのようなことがないように致します。万が一、不慮の事態が発生致しましても不服申立ては致しません。また主治医であるＧ医師、Ｉ医師から「再発の虞がないとはいえない」と聞かされました。よって上記病気が再発した際は、辞職願いを提出いたします。これらのことについて、異議の申立てはいたしません。』となっているのに対して、Ｘが、『よって上記病気が再発した際は、辞職願いを提出いたします。』を『よって試み出勤中に上記病気が再発した際は、辞職願いを提出いたします。』にしたいと言い出し、誓約書の趣旨から試み出勤中のことであることは明らかであって、Ｘが希望する文言とする合理的理由も必要性もないにもかかわらず、これに固執し続けるＸに対し、署長の決裁を受けた文案の文書を自分の判断で変更することはできないと説明するＹ２課長と文言の変更を求めるＸとの間のやりとりの経緯の中での出来事であって、これをもってＸの権利又は法律上保護すべき利益を違法に侵害したものと認めることはできない。

翌１２日の事実…については、Ｘが定型の誓約書を作成することを拒絶したことの報告を受けたＪ署長から『試み出勤はしたいが誓約書は書きたくない。』との文書を作成させるように命じられたＹ２課長が、同日登庁したＸに対し、その趣旨の文書を作成することを求めたのに対し、Ｘはこれに応じるとも応じないとも態度を明確にしないまま、誓約書やＪ署長が作成を命じた上記文書とも無関係な事柄について延々と話を続けているのであって、この日のやりとりについてＹ２課長がＸに対し誓約書の作成を強要したとみる余地はなく、この日のやりとりをもってＸの権利又は法律上保護すべき利益を違法に侵害したものと認めることはできない。なお、Ｙ２課長が、Ｘの交際相手の勤務先に電話をしたこと…は不適切な行動といわざるを得ないが、午前８時２０分に始まって午後１時５６分まで上記のように延々とこう着状態が続く中、Ｘがいったんは誓約書を作成する姿勢をみせながら再びはぐらかす態度をみせたため、これに立腹したＹ２課長がＸの交際相手の勤め先に電話をして、電話があったことの伝言を依頼したというものであって、これをもってＸの権利又は法律上保護すべき利益を違法に侵害したものと認めることはできない」。

（４）言動４について

「本件ポスターの掲示は、その記載内容及び掲示の態様から、客観的にみて、Ｘの名誉を毀損し、Ｘを侮辱するものであることは明白であって、本件ポスターの記載内容及びＹ２課長の言動からして、本件ポスターの掲示は、試み出勤を経て復職を希望するＸに対し、心理的に追いつめて圧力をかけ、辞職せざるを得ないように仕向けて放逐する目的で、Ｘの名誉を毀損し、Ｘを侮辱するために行われたことは明らかであって、Ｘの権利又は法律上保護すべき利益を違法に侵害するもので、不法行為が成立するというべきである」。

（５）言動５について

「アルコール、シンナー及びアセトンなどの有機溶剤に対する接触性皮膚炎やアナフィラキシーショックを起こす可能性が高い体質であると診断されているＸに対し、シンナーを用いた嫌がらせを行うことを示して辞職を強要したものであって、Ｘの権利又は法律上保護すべき利益を違法に侵害するもので、不法行為が成立するというべきである」。

（６）言動６について

「Ｘは、アルコール、シンナー及びアセトンなどの有機溶剤に対する接触性皮膚炎やアナフィラキシーショックを起こす可能性が高い体質であると診断されているのであるから、Ｘのロッカーにシンナーが撒布されていると認識される以上、Ｂ署の庁舎の管理権者及びこれを補助する幹部職員においては、Ｘのロッカーに撒布されたシンナーを除去して、Ｘが残留するシンナーのガスや臭気による健康被害を受けないように配慮して執務環境を良好に保つべき義務を負うというべきところ、これを怠ったものであるし、上記（4）及び（5）に摘示した事実及び判断の結果を併せると、Xが辞職するように仕向けるために、執務環境が作為的に悪化されたままにして上記シンナーを除去すべき義務を故意に怠ったものと推認することができ、Xの権利又は法律上保護すべき利益を違法に侵害するもので、不法行為が成立するというべきである」。

（7）言動7について

「Y2課長は、Xが辞職するように仕向ける意図で、Xの名誉に対し害悪を加えることを告知したものであって、これは脅迫に該当し、Xの権利又は法律上保護すべき利益を違法に侵害するもので、不法行為が成立するというべきである」。

（8）言動8について

「Xが、D課執務室内で『アセトンと書かれたプラスチック容器』を写真撮影したり、アセトンを掛けられた旨の119番通報をした事実は認められる。しかし、アセトンは、きわめて低温で引火し、蒸気は空気と混合し引火、爆発の危険があり、消防法上の危険物に指定され、蒸気を吸入すると粘膜を刺激し、咳、頭痛、息切れなどを生じる有機化合物であり、だからこそ、Xの通報を受けて、救急車と共に化学消防車が臨場し、救急隊員は、Xに対して、アセトンを掛けられた部分を水で洗うことを指示しているものであるところ、当日現場において、粘膜刺激（咳、頭痛、息切れなど）を訴える者はなく、消防法上の危険物であるアセトンを除去する措置が講じられた形跡もない。Xが依頼した室内環境検査によってもアセトンの測定値は有機溶剤中毒予防規則における管理濃度の1万5000分の1というものであった…上記臨場した救急隊員は、臨場後早期にアセトン撒布の事実を疑うに至っている。すなわち、平成15年12月15日当日、B署においてアセトンが撒布されたのであれば当然存在するべき客観的痕跡が皆無というべき事実関係なのであり、頭書事実をもってアセトンが撒布されたことを認めることはできず、他にアセトン撒布の事実を認めるに足りる証拠はない。そうすると…Xの主張は、同月18日の事実に関する主張を含め、前提となる事実を欠く」。

（9）言動9について

「Xが、Y2課長が退室した後に机を叩くなどし、会議に出席するために署長室に向かうY3代理に付いていこうとしたため、Y3代理がこれを制止してD課執務室にとどまるよう指示したのに、Xは指示に従わずにY3代理に付いてくることから、Y3代理はこれを制止するためにXの左腕部をつねったものであり、上記行為に至る経緯及び行為の結果（全治二、三日を要する軽度の左上腕部表皮剥離）に照らし、これをもってXの権利又は法律上保護すべき利益を違法に侵害したものということはできない」。

（１０）言動１０について

「Ｙ４副署長は、Ｘに対し、定型の誓約書の作成を求めたところ、Ｘがこれを拒絶したため、Ｘに対してＸの主張に係る発言をしたことは認められるものの、結局Ｘは自己の考えるとおりの誓約書を作成し、Ｙ４副署長はそれを受領しているのであるから、Ｙ４副署長の上記発言は穏当ではないが、これをもってＸの権利又は法律上保護すべき利益を違法に侵害したものということはできない」。

（１１）言動１１について

「Ｘが置かれた状況及びＸの訴えに対する応答に、これまでに認定したＢ署におけるＸに対する退職するように仕向ける行為等の具体的事実を併せ考慮すると、組織の計画的、統一的な意思により、Ｘの執務環境をわざと劣悪にすることによって退職するように仕向けたものと推認することができ、Ｘの権利又は法律上保護すべき利益を違法に侵害するもので、不法行為が成立するというべきである」。

（１２）言動１２について

「Ｂ署におけるＸに対する退職するように仕向ける行為等の具体的事実を併せ考慮すると、Ｙ６主任、Ｙ５主任及びＹ９主任が、退職するように仕向ける目的で、本来はそのような目的で使用してはならない拡声器を不正に用いてＸの名誉を毀損する行為をしたものというべきであって、Ｘの権利又は法律上保護すべき利益を違法に侵害するもので、不法行為が成立するというべきである」。

（１３）言動１３について

「Ｂ署におけるＸに対する退職するように仕向ける行為等の具体的事実を併せ考慮すると、Ｙ６主任は、退職するように仕向ける目的で、Ｘに対する嫌悪感を示してＸの人としての尊厳を否定してＸを侮辱する態度を唾を吐き掛けるという下劣な行為で示したものというべきであって、Ｘの権利又は法律上保護すべき利益を違法に侵害するもので、不法行為が成立するというべきである」。

（１４）言動１４について

「Ｙ１０課長に対し執務環境の改善を訴えているＸに対し、Ｙ３代理は、Ｘは職場全員から嫌悪されている等と述べて辞職を迫り、Ｘが更に執務環境の改善を訴えると、火の付いた煙草をＸの制服の胸元めがけて投げたのであって、これまでに認定したＢ署におけるＸに対する退職するように仕向ける行為等の具体的事実を併せ考慮すると、Ｙ３代理は、退職するように仕向ける目的で、Ｘに対する嫌悪感を示してＸを侮辱したものというべきであって、Ｘの権利又は法律上保護すべき利益を違法に侵害するもので、不法行為が成立するというべきである」。

（１５）言動１５のうち、平成１７年７月２９日の事実について

「転倒し傷害を負ったＸに対するＹ５主任らの対応及び報告書作成の場におけるＹ５主任の発言に、これまでに認定したＢ署におけるＸに対する退職するように仕向ける行為等の具体的事実を併せ考慮すると、Ｙ５主任は、退職するように仕向ける目的で、Ｘが乗船している警備艇『××』を急転舵させてＸを転倒させてＸに傷害を負わせたものと推認することができる。なお…Ｘが転倒する事故が発生した後に警備艇『××』の点検が行われ、油圧操舵装置の受動部を台座に固定する４本のボルトのナットについて、３本のボルトのナットが外れて台座に落ち、残りの１本のナットが緩んでいるとの結果であったことが認められるところ、①Ｙ５主任は、上記転倒事故発生の当日は一貫して急転舵の原因として『ゴミを避けた。』と説明しているのであって、操舵に支障があったことに触れる発言はしていないこと、②Ｙ５主任は、当日、警備艇『××』を操船してＢ署からＥ派出所に向かい、同派出所でＸを乗船させると、上記認定のとおり急発進し、その直後に急転舵をしているのであり、この間の操船に関して操舵に支障があったことをうかがわせる事情はないものであることから、上記点検の結果は上記判断を左右しない。他に上記判断を左右するに足りる証拠はない。Ｙ５主任の上記行為は、Ｘの権利又は法律上保護すべき利益を違法に侵害するもので、不法行為が成立するというべきである」。

（１６）言動１５のうち、平成１７年７月３１日以降の事実について

Ｘが平成１７年７月３１日に行われたと主張するＹ１０課長との面談は同年８月１日に行われたものと認められるが、「Ｙ１０課長について、Ｘの権利又は法律上保護すべき利益を違法に侵害する行為があったと認めることはでき」ない。

（１７）言動１６について

「Ｙ３代理は、Ｘの足に向けていすを押し出してＸの足に当てる行為及びＸの襟首を掴んで前に出るという行為をしたことは認められるが、上記各行為に先立ち、Ｘは、あらかじめＹ３代理に向けてビデオ撮影機材をセットして撮影を開始した上で、近づくことを拒絶していすを手に取るＹ３代理に向かって進み寄ったり、離れるように言うＹ３代理に発言を続けるなどしているのであって、ＸはＹ３代理による有形力の行使を映像として記録する目的でＹ３代理が有形力を行使するように仕組んだ上、有形力の行使を誘発した計画的なものと認められるのであって、Ｙ３代理がＸに対してした上記各行為は上記認定の程度にとどまることを併せ考慮すると、これをもってＸの権利又は法律上保護すべき利益を違法に侵害したものということはできない」。

（１８）言動１７のうち平成１７年１０月２７日の事実などについて

「Ｘが持参した診断書が、作成した病院がこれまでの病院と異なり、他覚症状の記載もないものであったため、治療経過の疑問点を含めてＹ１０課長がＸに事情を問いただしたのに対し、Ｘはいずれの質問に対してもこれをはぐらかす態度を示したことから、Ｙ１０課長は、『仮病じゃねえのか。』と発言したものであり、その後もＸはＹ１０課長の質問に答えることなく、Ｙ１０課長が着任する前の出来事について不満を述べることを繰り返し、これに対し、Ｙ１０課長は、事実を知らないことを明らかにした上でＸの発言に対する応答をしていたものであり、Ｙ１０課長の発言内容に不適切なものも含まれていることは否めないものの、これをもってＸの権利又は法律上保護すべき利益を違法に侵害したものということはできない」。

（１９）言動１７のうち平成１７年１１月９日の事実について

「上記（１７）で説示したとおりＹ３代理の平成１７年８月１１日の行為が不法行為とならない以上、これに対するＹ１０課長の上記発言がＸの権利又は法律上保護すべき利益を違法に侵害したものとなることはない」。

（２０）ア　「ところで…東京都の職員の分限に関する条例によれば、職員につき最長３年の分限休職の期間が満了すると当然復職となるのが原則であるが、休職期間が満了しても、心身の故障のため職務の遂行に支障があり、又はこれに堪えない場合には、あらかじめ指定医師による診断を行った上で、当該職員に対し分限免職処分を行うことができるものとされているところ、Ｘは、Ｂ署Ｄ課の海技職員として採用、配置された者であるが、着任後間もなくのころから、その専門的知識及び技術に基づいて行う主要な任務である警備艇の操縦に消極的な姿勢を示すなどしたことから、上司の指導を受けるなどしたものの、その勤務態度にははかばかしい改善が見られず、けい船場活動記録表への落書きの内容等から、Ｘと二人一組での警備艇乗務を嫌がる者が出たほか、Ｘが上司の指示命令に従わず、海技職員に必要な『船乗り』としての自覚や誇りに欠けるところがあるのではないかとして、Ｘの勤務態度に不満を抱く者も現れ、危険と隣り合わせの勤務である警備艇乗務に最も必要とされる同僚らとの信頼関係を構築することができないまま推移していたところ、採用後約１年２か月を経過した平成１２年６月から３年半余にわたり、腰椎椎間板ヘルニアを理由とする病気休暇や分限休職処分により職務から離脱していた（そのうち、平成１２年１２月２３日から分限休職処分となっており、平成１５年１２月２２日の経過により、最長の３年間の分限休職期間が満了することになっていた。）が、平成１５年１１月上旬に至り、２名の主治医が相次いでＸの腰椎椎間板ヘルニアが症状消失、治癒となり、通常勤務に備えた試み出勤可能と診断したことから、分限休職期間の満了に際してＸが上記疾病のために職務の遂行に支障があり、又はこれに堪えないと診断されて分限免職処分となる可能性は乏しくなり、休職期間の満了によりＸが復職する可能性が大きくなり、ＸがＤ課の職場に復帰してくるということが現実味を帯びてきた状況下にあったということがいえる」。そして、これらの客観的状況の下において行われた上記不法行為と評価される事実、すなわち、「本件ポスターの掲示」の事実（言動４）及び「Ｙ２課長によるシンナーを用いた嫌がらせ」の事実（言動５）、「シンナーを用いた嫌がらせ」の事実（言動６）、「Ｙ２課長の週刊誌への記事掲載を告げる行為」の事実（言動７）、「Ｘの警備艇における見張り業務」の事実（言動１１）、「ＸのＥ派出所における泊まり勤務」の事実（言動１１）、「Ｙ６主任のＸに対する言動」の事実（言動１２）、「Ｙ５主任らによる拡声器を用いた嫌がらせ」の事実（言動１２）、「Ｙ６主任の唾を吐き掛ける行為」の事実（言動１３）、「Ｙ３代理の火のついた煙草を当てる行為」の事実（言動１４）、「Ｙ５主任による警備艇の乱暴な操縦等」の事実（言動１５）のうち平成１７年７月２９日の事実を総合して考慮すると、「Ｄ課の職員やＢ署の幹部において、Ｘの休職前の勤務態度にかんがみて、休職期間満了により復職するであろうＸの職場復帰を積極的に受け入れるというよりは、むしろ、Ｘには任意に退職してもらって職場の平穏と円滑な業務の遂行を維持する方がＤ課ないしＢ署としてはより望ましいという考えの下に、Ｘに対し、依願退職を働きかけていこうという合意が、少なくとも暗黙のうちに多数の意思によって形成され、上記不法行為と評価される事実として掲げた行為が行われたものと認めるのが相当である。そして、上記意思はＸが復職した後も維持されていたと認めるのが相当である」。

イ　「しかしながら、上記の事情を考慮しても、前記の（１）、（２）、（３）、（８）、（９）、（１０）、（１６）、（１７）、（１８）及び（１９）において検討した事実については、上記説示のとおり、Ｘに対する不法行為を構成するものということはできないと判断するのであるが」、このうち、言動１について補足して説明すると、次のとおりである。「すなわち、Ｙ２課長及びＹ３代理がＸに対して辞職願を作成するように述べる発言をしたのは、Ｇ医師の診断を前提に推移するとＸが分限免職処分を受けることになるとのＸとの共通の認識の下で、Ｘにとっては分限免職処分を受けるよりは、自ら辞職した方が履歴（賞罰歴）上、次の就職に有利であるとの趣旨でこれをしたことが明らかであって、当初は辞職願を提出する意向を示したＸが、Ｇ医師に診断の変更を求めるか、あるいは指定医でない医師（Ｘは『町医者』と発言している。）に改めて診断を求めたい旨、およそ例規上通用しない言い分を持ち出してこれに固執し、約１時間以上にわたるやりとりの後、Ｘが辞職願を作成しない態度に転じたことが明らかとなったことから、今度は、Ｙ２課長が辞職願を作成しない理由を尋ねてその理由を説明するように求めても、何も答えないか、あるいは医師の診断を再度受けたい旨の主張に固執してその説明をしないまま時間が経過し、ＸがＹ２課長に対し、執務時間終了後は外で聞いてもらえないかとか、相談したい人がいるなどと発言したりして一向に話が前に進まないでいたところ、Xが辞職願を作成しない理由はない旨の発言をするに至ったため、もともとは、Xの立場を考慮して、Xの再就職のために、分限免職の履歴が残らないようにするとの配慮に基づいて説明や説得をしていたＹ２課長が、遂に堪忍袋の緒が切れてXのネクタイを掴んで引っ張ったというものであって、その経緯から偶発的に生じた事実と評価されるのであり、２名の主治医が相次いでXの腰椎椎間板ヘルニアが症状消失、治癒となり、通常勤務に備えた試み出勤可能と診断した平成１５年１１月上旬よりも前に生じた事実であるから、不法行為と評価される上記各事実のように、Xには任意に退職してもらって職場の平穏と円滑な業務の遂行を維持する方が望ましいという考えの下に、Xに依願退職を働きかけていこうという合意が形成され、その合意に基づき又はそれを背景として生じた事実、あるいは計画的な事実とみる余地はないのであって、この点からもＹ２課長の上記行為がXの権利又は法律上保護すべき利益を違法に侵害するものと評価することはできないのである」。

（２１）Ｙ１１の責任

「本件ポスターの掲示」の事実（言動４）及び「Ｙ２課長によるシンナーを用いた嫌がらせ」の事実（言動５）、「シンナーを用いた嫌がらせ」の事実（言動６）、「Ｙ２課長の週刊誌への記事掲載を告げる行為」の事実（言動７）、「Xの警備艇における見張り業務」の事実（言動１１）、「XのＥ派出所における泊まり勤務」の事実（言動１１）、「Ｙ６主任のXに対する言動」の事実（言動１２）、「Ｙ５主任らによる拡声器を用いた嫌がらせ」の事実（言動１２）、「Ｙ６主任の唾を吐き掛ける行為」の事実（言動１３）、「Ｙ３代理の火のついた煙草を当てる行為」の事実（言動１４）、「Ｙ５主任による警備艇の乱暴な操縦等」の事実（言動１５）のうち平成１７年７月２９日の事実について、「不法行為が成立するから、Ｙ１１は、国家賠償法１条１項に基づき、Xに対し、後記損害を賠償する義務を負う」。

（２２）Ｙ２らの責任

「当裁判所も、Ｙ２らは、個人としてXに対し損害賠償責任を負うことはないと判断する」。

（２３）損害

「本件ポスターの掲示」の事実（言動４）及び「Ｙ２課長によるシンナーを用いた嫌がらせ」の事実（言動５）、「シンナーを用いた嫌がらせ」の事実（言動６）、「Ｙ２課長の週刊誌への記事掲載を告げる行為」の事実（言動７）、「Xの警備艇における見張り業務」の事実（言動１１）、「XのＥ派出所における泊まり勤務」の事実（言動１１）、「Ｙ６主任の

Ｘに対する言動」の事実（言動１２）、「Ｙ５主任らによる拡声器を用いた嫌がらせ」の事実（言動１２）、「Ｙ６主任の唾を吐き掛ける行為」の事実（言動１３）、「Ｙ３代理の火のついた煙草を当てる行為」の事実（言動１４）、「Ｙ５主任による警備艇の乱暴な操縦等」の事実（言動１５）のうち平成１７年７月２９日の事実の各不法行為の内容に照らし、「Ｘが上記各不法行為により被った精神的損害に対する慰謝料としては１５０万円をもって相当と認める。この損害に対して相当因果関係を有する弁護士費用として１５万円を認める。なお…Ｙ２課長がＸのネクタイを引っ張った行為を不法行為と認めることはできないことは上記説示のとおりであるから、これに係る診察料及び文書料の合計７７７０円を損害と認める余地はない」。

「Ｙ１１は、Ｙ２らが行った各不法行為の違法性は希薄であるから損害賠償責任は認められるべきではないし、認められるとしても賠償額は減額されるべきである旨主張するが、上記…検討により不法行為と判断される各行為の違法性は決して希薄であるということはできない」。

「Ｙ１１は、過失相殺の法理を適用ないし準用して、その賠償額は減額されるべきである旨主張するが」、「本件ポスターの掲示」の事実（言動４）及び「Ｙ２課長によるシンナーを用いた嫌がらせ」の事実（言動５）、「シンナーを用いた嫌がらせ」の事実（言動６）、「Ｙ２課長の週刊誌への記事掲載を告げる行為」の事実（言動７）、「Ｘの警備艇における見張り業務」の事実（言動１１）、「ＸのＥ派出所における泊まり勤務」の事実（言動１１）、「Ｙ６主任のＸに対する言動」の事実（言動１２）、「Ｙ５主任らによる拡声器を用いた嫌がらせ」の事実（言動１２）、「Ｙ６主任の唾を吐き掛ける行為」の事実（言動１３）、「Ｙ３代理の火のついた煙草を当てる行為」の事実（言動１４）、「Ｙ５主任による警備艇の乱暴な操縦等」の事実（言動１５）のうち平成１７年７月２９日の事実の各不法行為については、「Ｘに損害額を定めるにつきしんしゃくすべき過失があったということはでき」ない。

（２４）Ｘが当審で追加した請求について

「Ｘが当審で追加した請求は理由がない」。

１１　日本ファンド事件・東京地判平 22.7.27 労判 1016 号 35 頁

【事実の概要】

Ｘ１は、平成１５年９月、Ｙ１に入社した。

Ｘ２は、平成１７年２月、Ｙ１に入社した。

Ｘ３は、平成１５年１２月、Ｙ１に入社した（以下、Ｘ１、Ｘ２及びＸ３を併せて「Ｘら」）。

Ｙ２は、昭和６２年１０月にＹ１に入社して以降、平成２１年１２月に同社を退職するまで、同社の部長職にあった。

Ｙ１は、消費者金融を営む会社である（以下、Ｙ１とＹ２を併せて「Ｙら」）。

ＸらとＹ２は、新宿の高層ビル（以下「本件ビル」）の一角にあるＹ１の事務所（「本件事務所」）において勤務していた。

（1）Ｘ１は、平成１５年９月にＹ１に入社してから平成１９年７月まで、Ｙ２が部長であった第２事業部に所属して債権管理及び債権回収の業務を担当していた。Ｘ２は、平成１７年２月に、Ｘ３は、平成１５年１２月に、Ｙ１にそれぞれ入社して以降、第１事業部に所属して債権管理及び債権回収の業務を担当していた。

Ｙ２は、昭和５４年にＤ日本支社（以下「Ｄ社」）に入社し、昭和６２年１０月にＤ社の関連会社であるＹ１に入社し、第２事業部の部長を務めていた。

Ｙ１における職務体制は、社長及び副社長の役職の下に第１事業部の部長及び第２事業部の部長がいるというものであったが、平成１９年７月に第１事業部と第２事業部が統合され、その後は、Ｙ２が統合後の事業部の部長となった。

（2）Ｙ２は、第２事業部において、Ｙ１が設定した回収目標より高い回収目標を設定した上で、部下がその目標を達成できなかった場合には、他の従業員が多数いる前で、「馬鹿野郎」、「会社を辞めろ」、「給料泥棒」などと言って当該従業員や当該従業員の直属の上司を叱責することがしばしばあった。また、Ｙ２は、平成１７年４月又は５月ころには、部下を自らの席に呼び出して叱責するとともに、その部下の頭を定規で殴打したり、電卓を投げつけたりしたことがあった。

Ｙ２は、部下の従業員に対して、回収目標に届かないことについて問いただして、従業員から休日出勤をする旨の言質をとるなどしており、Ｙ１には残業や休日出勤に対する手当は存在しなかったにもかかわらず、第２事業部に所属する従業員においては、早出出勤や残業を行うこと、代休を申請することなく休日出勤を行うことが通常となっていた。

（3）Ｙ２は、平成１６年８月ころから、部下の従業員に対して、業務時間中に、Ｅ新聞を購読するよう勧誘し、従業員がこれを断ると、従業員を呼び出した上で叱責したり、また、勧誘により同新聞を購読していた部下に対し、同新聞の紙面の内容を理解しているかどうか確認するなどしていた。

Ｙ２は、平成１７年５月、Ｘ１に対しＥ新聞の購読を勧誘したが、Ｘ１はこれを断った。

（4）Ｙ２は、同年９月ころ、Ｘ１がＹ２の提案した業務遂行方法を行っていないことを知ると、Ｘ１から事情を聞いたり、Ｘ１に説明を求めたりすることなく、「俺の言うことを聞かないということは懲戒に値する」と強い口調で叱責し、Ｘ１の上司であった副店長も呼び出した上で、Ｘ１と共に始末書を提出させた。

Ｙ２は、Ｘ１から提出された始末書に、「今後、このようなことがあった場合には、どのような処分を受けても一切異議はございません」との文言をＸ１に加筆するよう命じ、Ｘ１は始末書にそのとおりの文言を入れた上で、Ｙ２に提出した。

（5）Ｙ１の従業員であったＦは、Ｙ２からのＥ新聞の購読勧誘を断っていたところ、Ｙ２により別の部門に異動させられた上、Ｙ２から暗に休日出勤を迫られたり、退職勧告を受けたなどとして、平成１８年３月３１日にＹ１を退職した。

Ｆは、退職に際して、Ｙ１の関連会社であるＧ株式会社の総務、人事及び経理を統括するＨ部長から呼び出されて事情を聞かれた際に、Ｙ２からＥ新聞の勧誘を受けたことやそれを断った後にＹ２から嫌がらせをされたこと、第２事業部においてサービス残業や無給での休日出勤が常態となっていることなどを述べた。

Ｙ１においては、同年４月１日、就業規則が改訂されたところ、同規則には、「パワーハラスメントの禁止」との項目が新たに加えられて、「職務上の地位を利用して、他の従業員に不利益や不快感を与えたり、就業環境を悪くすると判断される行動等を行ってはならない」との規定が定められ（１８条）、「服務規程」の項目に、「政治あるいは宗教的なビラを会社の物件に貼りあるいは社内で配布し、勤務中に政治的あるいは宗教活動や集会に参加したりしないこと」という規定（１４条（１４））が加えられるなどした。

Ｙ２は、上記の就業規則改訂の後に、Ｅ新聞を購読するよう勧誘した部下の従業員に対して、同新聞の購読代金を返金した。

（6）平成１９年６月のある日、毎週定例の会議において、Ｙ２が「何か意見はないのか」と各人に意見を求めたところ、Ｘ１は、Ｘ１の担当する業務を円滑に行うため他部門への指導を行ってほしいという趣旨で、「みんな自分の担当する顧客の回収に必死なのはわかりますが、電話が鳴っても電話をあまりに取らないので、電話に出るよう指導をしてほしい」旨の意見を述べた。するとＹ２は、激しく怒り出し、Ｘ１に対し、「お前はやる気がない。なんでここでこんなことを言うんだ。明日から来なくていい」などと述べた。

（７）平成１９年７月、Ｙ１において第１事業部と第２事業部が統合され、Ｙ２が統合後の事業部の部長となったことにより、それまで第１事業部に所属していたＸ２及びＸ３においては、Ｙ２が新たに上司となった。

Ｙ２は、同月ころ、統合後の事業部における債権回収方法について、顧客に電話をかけて催促するという第２事業部が従来行っていた債権回収方法に統一することとし、顧客に請求書を送付して催促するという第１事業部が従来中心としていた債権回収方法を行わないよう、事業部全体に対して伝達した。

（８）Ｘ２は、平成１９年３月から、Ｙ１の顧客の担当を一部前任者より引き継いだところ、Ｘ２が担当することとなったある顧客について、平成１２年に債務は存在しない旨の民事調停法１７条による決定がなされ、確定したものの、Ｙ１においては、信用情報機関に対しその報告を行っていなかったものがあった。そして、当該顧客からＹ１に問い合わせがされたことにより、当該顧客の信用情報に係る上記報告が信用情報機関に行われていないことが発覚した。

Ｙ２は、平成１９年８月８日、Ｘ２を個室に呼び出した上、「馬鹿野郎」、「給料泥棒」、「責任をとれ」などと申し向けてＸ２を叱責し、Ｘ２の直属の上司であるＩ次長に対し、「Ｉ、てめえこの野郎」、「お前の責任をどうとるんだ馬鹿野郎」などと叱責するとともに、Ｘ２に始末書を提出するよう命じた。

Ｘ２は、「私の不本意な判断により会社にご迷惑をかけてしまいました。今後は視野を広げ担当案件の見直を徹底することを誓約いたします。今後の過失については如何なる処分も受け入れる覚悟です」との文言を記載した「念書」と題する文書を作成したところ、Ｉ次長から「私の不本意な判断により」という文書を「私の職務怠慢により」との文言に訂正させられるとともに、「誠に申訳ございませんでした」との文言を加えさせられた上で、当該文書を提出させられた。当該文書の提出を受けたＹ２は、Ｉを通じてＸ２に対し、文書の宛名としてＹ２と記載するとともに、「給料をもらっていながら仕事をしていませんでした」という文言を入れるよう指示し、Ｘ２は、そのとおりの文言を加筆した上で、本件念書をＹ２に提出した。

（９）Ｘ１は、同年１１月中旬ころ、Ｊ次長と酒を飲みに行った際、Ｊから、Ｙ２は、まもなく契約更新を迎えるＸ２及びＫと契約更新をしないとの意向を有している旨の話を聞いた。

Ｘ１は、同年１２月１日、Ｈ宛に匿名の嘆願書を送ったが、当該嘆願書には、Ｙ２が、不可能な目標を掲げて、それが達成できないことを理由に退職を強要しており、このことはパワーハラスメントにあたる旨の記載や、Ｙ２が「すべてお前ら（契約社員）のせいだ」、「普通の人だったら、自分から去っていく」、「会社から約束通りの給料をもらっておきながら、お前らは何もしていない」、「明日から来なくていい」などの発言をした旨の記載や、「過去には、強制残業、強制休日出勤させていましたが、今では、俺は強制していないと、知らぬ存ぜぬです。また、宗教勧誘についても、同じです。有給休暇も契約社員には、まったく使うことを許さず、家族サービスをしたくても、我慢しているにもかかわらず、Ｙ２は、どんどん有給休暇を取得していきます」ということなどが記載されていた。

同月３日、Ｘ２は、ＩとＬ室長に会議室に呼ばれ、雇用契約の更新はしない旨を告げられた。Ｘ２は、自分から辞める意思がない旨を述べ、書面をもって雇用契約を更新しないことを通告してほしいと要請するとともに、Ｙ２と１対１の面談を行うよう強く要望した。

Ｘ２は、その数日後に、Ｙ２と１対１で面談した際、Ｙ２に対して、「成績順にふるいにかけたときに一番底にいたのが自分であったのでしょうか。それなら受け入れます」と言ったところ、Ｙ２は、「君の後ろには君だけではなく、君の家族の姿が見えてしょうがない」などと言った。

その後、Ｘ２の契約は更新されたが、従来は１年単位で契約が更新されていたのが、３か月単位で契約が更新されることとなった。

Ｙ２は、同月７日、部下の従業員を会議室に呼び集めた上で、自分を密告するメールが届いた、Ｙ１が赤字で状況が悪いので人を減らさなくてはならない、Ｍ筆頭副社長からはもっとスマートに人を辞めさせろと言われている旨を発言するとともに、「Ｎ次長は、よく風邪を引いて、人に迷惑をかけているので、今度風邪を引いたら、自ら去ってもらう。また、Ｏ店長は、顧客に対する話し方が悪く、クレームになるかもしれないので、次回、何か問題を起こしたら、自ら去るようにＭ筆頭副社長に伝えてある」旨の発言をした。

（１０）Ｙ２は、同年１１月６日、Ｘ３ともう一人の従業員と共に昼食に出かけた際、Ｘ３が当時風邪を引いてマスクをしていたことについて、「君らの気持ちが怠けているから風邪を引くんだ」などと発言し、さらに、Ｘ３の配偶者に言及して、「よくこんな奴と結婚したな。もの好きもいるもんだな」と発言した。

同月３０日、本件事務所において、従業員の退職に伴って席替えが行われたところ、Ｙ２は、席替えが行われる前から「静かにやれ」などとしきりに言っていたが、席替えが行われている最中に、「うるさい」と言いながら立ち上がって、Ｎ次長の腹部を拳で殴打し、その直後、その側に立っていたＸ３の背中に、右腕の肘から先の部分を振り下ろして殴打した。さらに、Ｙ２は、別の従業員の背中を同様に殴打した上で、Ｊ及びＩに対して、「お前らもやれ」と言った。

Ｙ２は、同年１２月２８日、Ｙ１において御用納めの昼食として寿司が出された際に、Ｘ３は体質的に寿司が食べられなかったことから別の弁当を食べていたところ、Ｙ２は、「寿司が食えない奴は水でも飲んでろ」などと発言した。

Ｙ２は、平成２０年１月２５日、Ｘ３を自席に呼びつけて、貸付金の回収額がどうしたらよくなる、よくならないと君らが職を失うだけだ、お前ら言い訳ばっかりだ、駄目だったら追い出すからなどと一方的に発言した上で、「お前」などと言いながら、椅子に座った状態からＸ３の左膝を右足の足の裏で蹴った。

（１１）本件ビル内は禁煙であったが、Ｙ１においては、喫煙する従業員は、休憩時間や帰宅時に、本件ビルの１階の外にある喫煙場所で喫煙することが認められており、喫煙者であるＸ１及びＸ２は喫煙場所で喫煙することがあった。

Ｙ２は、平成１４年ころから、冠攣縮性狭心症及び不整脈（心室性期外収縮）の持病を患い、心臓発作に備えてニトログリセリン薬を携帯しており、たばこの臭いが心臓病に悪影響を及ぼすとしてたばこの臭いを避けていた。

Ｙ２は、平成１９年６月ころから、喫煙する従業員に対して、たばこ臭いと再三なじったり、たばこをとるか会社をとるかという趣旨の発言をしていた。

本件事務所は、同年９月、本件ビル内においてオフィスを移転したが、移転後には、Ｘ１とＸ２の席は、Ｙ２の席から３メートルほどの距離のところに位置することとなった。

上記移動の前後を通じて、本件事務所においては、２、３台の扇風機が置かれており、夏ころの気温が高い時期には、空気を循環させるため扇風機を回すことはあったが、冬の寒い時期に扇風機を回すことはなかった。

同年１２月中旬のある日の午前１０時ころ、Ｙ２は、Ｘ１及びＸ２がたばこ臭いと言って、本件事務所に設置されていた扇風機１台を約１．８メートルの高さから斜め下向きに、固定して回し始め、これにより、扇風機の風がＸ１及びＸ２に直接当たることとなった。扇風機は、午後５時ころにＹ２が帰るまで回されていた。

Ｙ２は、同月から平成２０年１月にかけて、数日おきに、これと同じ態様で扇風機１台を回し、これにより、扇風機の風がＸ１及びＸ２に直接当たった。

Ｙ２は、同月２９日及び３０日、たばこ臭いなどと言いながら、扇風機３台を約１．８メートルの高さから斜め下向きに、固定して回し、これにより、扇風機の風がＸ１及びＸ２に直接当たった。

Ｙ２は、同年２月４日、７日、２１日、２５日、２７日及び２９日にも、これと同じ態様で扇風機を回し、これにより、２台の扇風機の風がＸ１及びＸ２に直接当たった。

同年３月６日、Ｘ１が本件事務所に出社して着席すると、Ｙ２は「ニコチン臭い奴がやってきた。どうにかしろ」などと言って、扇風機３台を固定して回し、これにより、２台の扇風機の風がＸ１及びＸ２に直接当たった。その後、Ｙ２は、Ｘ１とＸ２が臭いなどと言って、Ｘ１とＸ２に扇風機の風が更に強く当たるよう扇風機の向きを調整した。

同月７日の朝から、Ｙ２は、扇風機１台を、Ｘ１とＸ２の机の真後ろ数十センチのところに移動させた上で、約１．２メートルの高さから風向きを固定して強風で回すとともに、その他にも２台の扇風機を固定して回し、これにより、２台の扇風機の風がＸ１及びＸ２に直接当たった。

同日、Ｘ１が出社して３０分程経過してから、Ｙ２は、Ｘ１の髪の毛が扇風機の風であおられているのを見て、「お前の頭がすごいことになっているぞ」と笑った上で、少しぐらいなら扇風機を上げてもいい旨の発言をしたことから、Ｘ１は、扇風機の高さを少し上げて、風の強さを「弱風」に変更した。

Ｙ２は、同月１０日、１１日及び１３日にも、上記と同じ態様で扇風機を回し、これにより、２台の扇風機の風がＸ１及びＸ２に直接当たった。

Ｙ２は、同月３１日、扇風機１台を回し、これにより扇風機の風がＸ１に直接当たった。

Ｘ２は、同年４月１日付けで、Ｇ社へ配置転換された。

同年４月から５月にかけてしばしば、Ｙ２は、扇風機３台を固定して回し、これにより、２台の扇風機の風がＸ１に直接当たった。

（１２）Ｘ１は、同月２６日、Ｙ２が帰宅した午後７時ころ、Ｊに対し、扇風機の風を当てられてもう身体が持たないかもしれない旨を訴えたところ、Ｊは、Ｘ１の席に座り、扇風機の風を浴びた上で、「なんだ、涼しくて気持ちいいじゃないか」、「マフラーでもしてくれば」などと言った。

Ｘ１は、同月２７日及び２８日、有給休暇を取得して、Ｐクリニックの心療内科を受診した。

なお、Ｘ１は、それまでは、Ｙ１に入社して以降、インフルエンザを理由に１日病欠し、祖父の死亡を理由に２日の休暇を取得した以外に、休暇を取得したことはなく、電車の遅延を理由とするもの以外に遅刻をしたことはなかった。

Ｘ１及びＸ２は、同年３月ないし４月ころから、Ｄ社日本支社労働組合（以下「本件組合」）にＹ２の行為について相談していたところ、本件組合は、Ｘ１から扇風機による風当てについての相談を受けて、同年６月２日午前中、Ｘ１及びＸ２が本件組合に加入したことをＹ１に通告するとともに、Ｘ１に対して扇風機の風を当てるのを止めるよう団体交渉の開催をＹ１に申入れた。

Ｙ２は、同日の昼ごろから、本件事務所において、扇風機の向きを上に向けて、首振りをしながら回すようになった。

Ｘ１は、同月３日にＰクリニックにおいて、抑うつ状態であることを理由に１か月間の自宅療養を必要とする旨の診断を受け、同月５日にＱクリニック（内科）において診療を受けた後、同月１０日から同年７月９日までの１か月間Ｙ１を休職し、これに伴い、１５日の病休と７日の有給休暇を取得した。

Ｘ１、Ｘ２及びＸ３は、Ｘらの上司であるＹ２から暴行や暴言を受けたと主張して、Ｙらに対し、不法行為又は債務不履行による損害賠償請求権に基づき、慰謝料等の支払いを求めた。

【判旨】

（１）Ｘ１及びＸ２に対して扇風機の風を当てた行為について

「Ｙ２は、平成１９年１２月以降、従来扇風機が回されていなかった時期であるにもかかわらず、Ｘ１及びＸ２がたばこ臭いなどとして、扇風機をＸ１及びＸ２の席の近くに置き、Ｘ１及びＸ２に扇風機の風が直接当たるよう向きを固定した上で、扇風機を回すようになった。そして、Ｙ２は、Ｘ２に対しては平成２０年４月１日にＸ２が他社に異動するまで、Ｘ１に対しては同年６月に本件組合が中止を申し入れるまで、しばしば、時期によってはほぼ連日、Ｘ２及びＸ１に扇風機の風を当てていた。

Ｙ２によるこれら一連の行為は、Ｙ２が心臓発作を防ぐためたばこの臭いを避けようとしていたことを考慮したとしても、喫煙者であるＸ１及びＸ２に対する嫌がらせの目的をもって、長期間にわたり執拗にＸ１及びＸ２の身体に著しい不快感を与え続け、それを受忍することを余儀なくされたＸ１及びＸ２に対し著しく大きな精神的苦痛を与えたものというべきであるから、Ｘ１及びＸ２に対する不法行為に該当するというべきである」。

「Ｙらは、平成２０年４月２日付けの本件組合作成の『書記局便り』と題する文書…においては、本件組合が問題としていたＹ２の行為の中に、Ｘ１及びＸ２に対して扇風機の風を当てる行為についての記載はなかったこと、また、同年６月以降に行われた本件組合とＹ１との団体交渉においては、Ｘ１に対して風を当てる行為のみが問題となっており、Ｘ２に対して風を当てる行為が問題とされていなかったことを理由として、これらの事実は存在しなかった旨主張する。

確かに、平成２０年４月２日付けの本件組合作成の上記文書には、Ｙ１の部長によるパワハラに係る事実として、『ある宗教の機関誌の定期購読を強要され、それを断った場合には、公然の場で根拠のない叱責、恫喝をする。』、『無理な目標を掲げ、達成しなければ、公衆の面前での異常なまでの叱責、そして退職を強要。』、『２００７年１１月３０日

１５：１５頃、机を移動していた部下三名の腹部を拳で殴打。その後、ほかの管理職にも、暴力の強要をした。』、『会社の業績を上げるために、意見を述べたが、それが気に入らなかったらしく、人間性を否定する罵倒をする。』旨の記載があるが、扇風機による風を当てる行為についての記載はなく…また、平成２０年６月以降の本件組合とＹ１との団体交渉においては、本件組合は、Ｘ１に対して扇風機の風を当てる行為を問題としており、Ｘ２に対する行為は問題としていなかったことが認められる…」。

「しかしながら、仮に本件組合が上記文書作成の時点でＹ２による扇風機を用いた行為について問題提起すれば、Ｘ１及びＸ２が本件組合に相談していることが特定され、Ｙ２から更なる嫌がらせを受けるおそれがあることを懸念して、本件組合は、当該文書に扇風機の風当てに係ることを記載しないこととし…また、同年６月の時点では、Ｘ２は既に本件事務所に在席しておらず、本件事務所においてはＸ１に対して風を当てる行為が継続されていたことから、本件組合は、Ｘ１に対する当該行為を止めるよう緊急に申入れ、そのような経緯から、その後も、Ｘ１に対する行為を問題にしていた…のであるから、Ｙらの主張する事情をもってこれらの行為がなかったということはできない」。

（２）Ｘ１に対するその他の行為について

「Ｙ２は、平成１７年９月ころ、Ｘ１がＹ２の提案した業務遂行方法を採用していないことを知って、Ｘ１から事情を聴取したり、Ｘ１に弁明の機会を与えることなく、Ｘ１を強い口調で叱責した上で、Ｘ１に『今後、このようなことがあった場合には、どのような処分を受けても一切異議はございません。』という内容の始末書を提出させた。また、Ｙ２は、平成１９年６月の部門会議において、Ｘ１が業務の改善方法についての発言を行ったのに対し、『お前はやる気がない。なんでここでこんなことを言うんだ。明日から来なくていい。』などと怒鳴った。

これに対し、Ｙらは、仮にこれらの行為が存在したとしても、Ｘ１の業務上の怠慢に対する業務上必要かつ相当な注意である旨主張する。

しかしながら、これらの行為は、Ｘ１による業務を一方的に非難するとともに、Ｘ１にＹ１における雇用を継続させないことがありうる旨を示唆することにより、Ｘ１に今後の雇用に対する著しい不安を与えたものというべきである。そして…Ｙ２は、第２事業部において、他の従業員が多数いる前で、部下の従業員やその直属の上司を大声で、時には有形力を伴いながら叱責したり、手当なしの残業や休日出勤を行うことを強いるなどして、部下に対し、著しく一方的かつ威圧的な言動を部下に強いることが常態となっており、Ｙ２の下で働く従業員にとっては、Ｙ２の言動に強い恐怖心や反発を抱きつつも、Ｙ２に退職を強要されるかもしれないことを恐れて、それを受忍することを余儀なくされていたことが認められる。このような背景事情に照らせば、Ｙ２によるＸ１に対する上記の行為は、社会通念上許される業務上の指導を超えて、Ｘ１に過重な心理的負担を与えたものとして、不法行為に該当するというべきである」。

（３）Ｘ２に対するその他の行為について

「Ｙ２は、平成１９年８月８日、Ｘ２が担当していた顧客の信用情報に係る報告が信用情報機関に行われていなかったことについて、『馬鹿野郎』、『給料泥棒』、『責任をとれ』などとＸ２及びその上司を叱責し、さらには、Ｘ２に『給料をもらっていながら仕事をしていませんでした。』との文言を挿入させた上で本件念書を提出させた。

これについて、Ｙらは、Ｘ１の業務上の怠慢に対する業務上必要かつ相当な注意指導であるから違法性は認められない旨主張する。

しかしながら、これらの行為は、そもそも７年以上Ｙ１において当該顧客に係る適切な処理がなされていなかったことに起因する事柄について、Ｘ２を執拗に非難し、自己の人格を否定するような文言をＹ２に宛てた謝罪文として書き加えさせたことにより、Ｘ２に多大な屈辱感を与えたものというべきである。そして、上記（2）のとおり、Ｙ２の下で働く従業員が、Ｙ２の一方的かつ威圧的な言動に強い恐怖心や反発を抱きつつも、Ｙ２に退職を強要されるかもしれないことを恐れて、それを受忍することを余儀なくされていたという背景事情にも照らせば、Ｙ２によるＸ２に対する上記の行為は、社会通念上許される業務上の指導の範囲を逸脱して、Ｘ２に過重な心理的負担を与えたものと認められるから、Ｘ２に対する不法行為に該当するというべきである」。

「次に…Ｙ２は、第１事業部と第２事業部の統合後、第２事業部で用いられていた架電による催促を中心とする債権回収方法を行うこととし、第１事業部で用いられていた書面による催促を中心とする債権回収方法を行わないよう事業部全体に命じたことが認められる。

この点について、Ｘ２は、当該指示は上司の権限を濫用して部下の業績と賃金を引き下げる不合理な業務を命じたものであるから違法である旨主張する。

しかしながら、Ｙ２による当該指示は、事業部統合に伴い、事業部間で異なっていた債権回収方法を統一するため、事業部の次長らとの協議の上で行われたものであり…当該指示の後には事業部の全員が当該方法による債権回収を行っている…ことに照らせば、業務上の必要性と相当性が存在したことが認められるから、Ｙ２による当該指示は、正当な業務上の指導ないし指示の範囲内にあるものというべきである。

したがって、Ｙ２による当該指示に違法性は認められない」。

（４）Ｘ３に対する行為について

「Ｙ２は、平成１９年１１月３０日、本件事務所における席替えの際に、立っていたＸ３の背中を突然右腕を振り下ろして１回殴打し、また、平成２０年１月２５日にＸ３と面談していた際にも、Ｘ３を叱責しながら、椅子に座った状態からＸ３の左膝を右足の裏で蹴った。

Ｙ２によるこれらの行為は、何ら正当な理由もないまま、その場の怒りにまかせてＸ３の身体を殴打したものであるから、違法な暴行として不法行為に該当するというべきである。

この点について、Ｙらは、静かにするよう注意するためＸ３の背中を掌でポンと軽く叩いて注意したにすぎない、また、仮にＹ２の足がＸ３の足に当たったとしても、Ｙ２が足を組み替えた際に偶然に当たったものであるとして、これらの行為を暴行と評価することはできない旨主張する。

しかしながら、Ｙ２自身、本件事務所の席替えの際に、Ｎの下腹部付近を掌で押し、その後、Ｘ２の背中を叩いたことを自認しているところであって…職場において静かにするよう注意するために他人の腹部を掌で軽く押すなどということは通常考え難いことからすれば、Ｙ２は、席替えによる騒音に腹を立ててＮの腹部を殴打したものと認められ、その直後、Ｎの近くにいたＸ３を殴打したものと推認できる」。また、Ｙ２とＸ３が座って面談していたならば、「両者の間にはある程度の距離があったと推測されるところであって、座った状態から足を組み替えることにより偶然に足の裏が当たったなどということは、通常考え難い。したがって、Ｙらの主張は、信用できない」。

「また…Ｙ２は、平成１９年１１月６日、Ｘ３と昼食をとっていた際、Ｘ３の配偶者に言及して、『よくこんな奴と結婚したな。もの好きもいるもんだな。』と発言した。

これについて、Ｙらは、いい奥さんが結婚してくれたねという趣旨のごく普通の会話をしたにすぎない旨主張する。

しかしながら、上記主張に沿うＹ２の供述は信用することができない。そして、上記（２）のとおり、Ｙ２の下で働く従業員が、Ｙ２の一方的かつ威圧的な言動に強い恐怖心や反発を抱きつつも、Ｙ２に退職を強要されるかもしれないことを恐れて、それを受忍することを余儀なくされていたことに照らせば、そのような立場にあるＹ２の当該発言により、Ｘ３にとって自らとその配偶者が侮辱されたにもかかわらず何ら反論できないことについて大いに屈辱を感じたと認めることができる。そうすると、Ｙ２による当該発言は、昼食時の会話であることを考慮しても、社会通念上許容される範囲を超えて、Ｘ２に精神的苦痛を与えたものと認めることができるから、Ｘ２に対する不法行為に該当するというべきである」。

「また…Ｙ２は、同年１２月２８日の御用納めの昼食の際、体質的に寿司を食べられず、寿司以外のお弁当を食べていたＸ３に対し、『寿司が食えない奴は水でも飲んでろ。』との趣旨の発言をしたことが認められる。

この発言について、Ｘ３は、Ｘ３を侮辱するものとして不法行為に該当すると主張する。

しかしながら、Ｙ２の当該発言は、言い方にやや穏当さを欠くところがあったとしても、Ｘ３の食事の好みを揶揄する趣旨の発言と解するのが相当であって、Ｘ３には寿司以外の弁当が用意されていたことも考えると、当該発言が、日常的な会話として社会通念上許容される範囲を逸脱するものとまで認めることはできないから、違法とは認められない」。

（５）Ｘらの損害について

ア　Ｘ１について

「Ｘ１は、平成１９年１２月から平成２０年５月にかけて、Ｙ２から扇風機の風を頻繁に当てられ、これにより苦痛を被っていることについて、同月２６日に、Ｊに相談したにもかかわらず、Ｊが真摯に対応しなかったことから、精神的に限界を感じて、同月２７日以降、心療内科及び内科に通院することとなり、抑うつ状態により１か月の治療が必要と診断されたことから、同年6月１０日から同年7月９日まで休職した。

以上の経緯に照らせば、Ｘ１による上記の心療内科等への通院及び休職は、Ｙ２による扇風機の風当てによるものとして相当因果関係が認められるというべきである」。

「Ｘ１は、Ｑクリニックにおける診療費として１１７０円…薬剤に係る医療費として９９０円…Ｐクリニックにおける治療費として３２７０円…を支出したことが認められるから、これらの合計額５４３０円についてはＹ２の上記不法行為による損害として認められる」。

「また…Ｘ１は診察及び休職にともない、１５日の病休及び９日の有給休暇を取得したものである。これによる休業損害は、Ｘ１の月額給与が３２万５０００円、休職に係る１か月の所定労働日が２２日である…ことから、１日当たりの賃金額は１万４７７３円と算出できることに照らすと、合計３５万４５５２円と認められる」。

「そして…Ｙ２によるＸ１に対する扇風機を用いた風当て及び過重な叱責という不法行為の態様、Ｘ１がそれに起因して通院及び休職を余儀なくされたこと等を総合すると、Ｙ２の不法行為によるＸ１の精神的苦痛を慰謝するための慰謝料は、６０万円をもって相当と認められる」。

「よって、Ｙ２の不法行為によりＸ１が被った損害は、９５万９９８２円と認められる」。

イ　Ｘ２について

「Ｘ２は…平成１９年１２月から平成２０年３月末にわたってＹ２から扇風機の風を不法に浴びせられるとともに、本件念書の提出を強いられたものである。

Ｙ２によるこれらの不法行為の態様等を総合すると、Ｙ２の不法行為によるＸ２の精神的苦痛を慰謝するための慰謝料は、４０万円をもって相当と認められる」。

ウ　Ｘ３について

「Ｘ３は…Ｙ２から、2回にわたって殴打されるとともに、侮辱的な中傷を受けたものである。

Ｙ２によるこれらの不法行為の態様等を総合すると、Ｙ２の不法行為によるＸ３の精神的苦痛を慰謝するための慰謝料は、１０万円をもって相当と認められる」。

（６）Ｙ１の使用者責任

「Ｙ２のＸらに対する不法行為は、いずれもＹ２がＹ１の部長として職務の執行中ないしその延長上における昼食時において行われたものであり、これらの行為は、Ｙ２のＹ１における職務執行行為そのもの又は行為の外形から判断してあたかも職務の範囲内の行為に属するものに該当することは明らかであるから、Ｙ１の事業の執行に際して行われたものと認められる。

したがって、Ｙ１は、Ｙ２のＸらに対する不法行為について、使用者責任を負う」。

１２　学校法人兵庫医科大学事件・大阪高判平 22.12.17 労判 1024 号 37 頁

【事実の概要】

Ｘは、昭和４９年３月にＳ大学医学部医学科を卒業した後、同年５月に医師免許を取得し、同年７月からＳ大学医学部附属病院Ｚ科に勤務するようになり、その後、Ｔ病院Ｚ科、Ｕ病院、社会福祉法人（後に医療法人財団）Ｖ病院に勤務した後、平成２年７月１日にＹ１のＺ科に医員として採用され、平成３年９月１６日に助手、平成１９年４月１日に学内講師となり、現在までその地位にある。

Ｙ１は、教育基本法及び学校教育法に従って、学校教育を行い、有能有為な人材を育成することを目的とし、Ｈ大学等を設置する学校法人である。

Ｙ２は、平成６年１１月から現在まで、Ｙ１のＺ科教授の地位にあり、また、Ｙ１が設置するＨ大学病院（以下「Ｙ１病院」）のＺ科診療部長として、所属職員を指揮監督すべき地位にある。

Ｙ１のＺ科においては、「耳グループ」、「鼻グループ」、「めまいグループ」、「腫瘍グループ」等のグループが設けられていた。

Ｘは、後述する教授選への立候補の後、Ｙ１病院における診察を全く担当させられなくなり、手術をすることもなくなった。また、Ｘは、平成６年１０月ころから、臨床、ポリクリ（医学部の学生の病院実習）などの教育の担当もなくなった。そのような状況は、Ｙ２が平成６年１１月にＹ１の教授となってからも変わらなかった。

Ｙ１においては、医師を関連病院に派遣して診察をさせることがあり、Ｘも、平成６年ないし９年には、県立Ａ病院、Ｂ病院に派遣されていたが、県立Ａ病院については平成８年ころ、Ｂ病院については平成１１年１１月ころからその割当てがなくなった。

Ｘは、Ｙ２やＹ１上層部に対し、臨床を担当させるように強く要求しており、その結果、Ｙ１上層部がＹ２に対しＸに臨床を担当させるよう指示を与え、Ｘには、平成１６年８月から、Ｙ１病院の外来のうち月曜日の再診が割り当てられるようになった。

Ｘは、平成１８年１月ころから診療法実習のポリクリを担当するようになった。

Ｘは、Ｙ１理事長、同学長、同病院長に事態の改善を要求していたところ、平成１９年４月１１日、団体交渉において、Ｙ１から、今後のＸの職務について、以下のようなＹ２の方針が伝えられた。

〔１〕診察については、毎週水曜日、初診及び再診患者をＣ准教授と一緒に診る。

〔２〕耳グループに属して、Ｙ２、Ｃ准教授らと協力して耳診察に当たる。

〔３〕手術は耳を中心にする。鼻は症例があれば鼻グループの承諾の下に行う。

〔４〕頭頸部腫瘍の手術は頭頸部グループに任せる。

〔５〕外来診察・耳グループの手術ともに患者のことを第一に考え、耳グループ各人と協力して、独断で手術を行わない。

Ｘは、平成１９年５月から、毎週水曜日に初診を受け持つことになった。

Ｙ２（Ｚ科教授）によるＸに対する処遇

Ｘは、昭和４９年５月に医師免許を取得した後、複数の病院勤務を経て、平成２年７月、Ｙ１病院のＺ科の医局員となった。その後、Ｘは、当時のＺ科のＤ教授（以下「Ｄ前教授」）の下で、同科において分類されていたグループのうち、当初は頭頸部腫瘍グループ、次いで耳グループに所属し、他の医師と同様の臨床（診察、手術等を含む、以下同じ）を担当していたところ、平成３年９月には同科の助手になった。なお、Ｙ１病院に勤務する医師は、Ｘを含め、Ｙ１病院の臨床を担当するだけではなく、定期的に県立Ａ病院等の関連病院に派遣（以下「外部派遣」）されていた。

Ｙ１では、平成５年１２月、平成６年３月をもって定年退職するＤ前教授の後任教授を選出するための公募制による教授選が行われることになり、Ｚ科の医局からはＰ助教授が推薦され、Ｙ１の外部からはＹ２（当時、Ｖ大学医学部附属病院の講師）が応募をしてきた。その一方で、当時助手であったＸが、Ｄ前教授に断りなく、上記教授選に立候補をした（なお、同じ医局から複数の立候補者が出ることは、医局内がまとまっていないことを意味するので、好ましいものとはされていなかった）ことから、Ｄ前教授はこれに激怒し、平成６年１月以降、Ｘを医学部の学生に対する教育担当及びＹ１病院におけるすべての臨床担当から外したが、外部派遣については、従前どおり、Ｘも担当することとされた。その後、上記教授選では、Ｙ２が後任教授として選出され、Ｐ助教授は、平成８年１月をもってＹ１病院を退職した。

Ｙ２は、Ｚ科の教授就任に際し、Ｄ前教授から、Ｘをすべての臨床担当から外している旨の引き継ぎを受けたが、同科の事務掌理者として、そのような処遇の当否について、Ｘからあらためて事情聴取をすることもなく、従前どおりの処遇を継続するものとし、Ｘに対しては、引き続き、Ｙ１病院において一切の臨床を担当させなかった。

Ｘは、上記のような経緯によって、Ｙ１病院におけるすべての臨床担当を外れたが、自主的な研究活動は続ける一方で、外部派遣についても引き続き担当していたところ、平成８年ころ、外部派遣先の一つである県立Ａ病院への派遣担当から外され、次いで、平成１１年１１月をもって、外部派遣先の一つであるＢ病院への派遣担当からも外され、その結果、すべての外部派遣の担当から外れることになった。なお、Ｙ２は、平成８年ころ、Ｘに対し、県立Ａ病院からＸの診療態度等についてクレームが寄せられている旨伝えたものの、その事実関係を確認したり、クレームの具体的内容を説明したりすることはなく、また、平成１１年１１月をもってＸをすべての外部派遣の担当から外すにあたっても、Ｘに対し、その弁解を聴取したり、上記クレームの原因となるような言動ないし態度を改めるように指導することはなかった。このようにして、Ｘは、Ｙ１病院において、自主的な研究活動以外に担当する職務を有しないことになったところ、その一方で、Ｙらは、Ｘに対し、Ｙ１病院を離れて他の病院等に転出することを勧め、転出先の病院を具体的に紹介するなどしたが、Ｘはこれに応じなかった。

その後、Ｘは、Ｙ１の理事長が交代した際などに、Ｙらに対し、何度も臨床担当に復帰させてほしい旨要望したが、Ｙらはこれを拒否し続けた。その主な理由は、ＸがＹ１病院におけるすべての臨床担当から外された後の平成１０年ころ、Ｙ２に対し、他大学の教授選に立候補するためにも臨床を担当させてほしい旨述べたことがあったことから、そのような動機によって臨床に復帰させるのは相当でないというものであった。なお、日本Ｚ科学会においては、平成４年に医療法が改正され、大学病院が特定機能病院として制度化されたことに伴い、大学病院における臨床系の教授選考の基準として、多数の臨床経験に基づく高度な診療能力を有することを重視すべきであり、特にＺ科の教授には、外科的技能とともに内科的な診療能力を兼ね備えることが要求される旨提言されていたことから、Ｘとしては、臨床の機会が与えられなければ、他大学を含めて教授に選出されることは極めて困難な状況にあった。

Ｘは、平成１６年６月、Ｙ１の理事長が交代した際、Ｙらに対し、あらためて、臨床担当に復帰させることを要望したところ、同年８月、毎週月曜日に再診の患者を診察する担当が与えられたが、Ｘ宛ての紹介状を持参した患者以外の患者の割当を受けることはほとんどなかった上、手術担当の機会も与えられなかったほか、Ｙ１のＺ科において分類されていたグループ（「耳」、「鼻」、「めまい」、「頭頚部腫瘍」等）のいずれかに所属するよう命じられたり、その希望が聴取されることはなかった。

Ｘは、平成１６年８月にＹ１病院の臨床担当に一部復帰した以降も、Ｙらに対し、自らの処遇改善を求めていたところ、Ｙらは、平成１９年４月１１日、Ｘに対し、その担当職務について、以下のような方針とする旨伝えた。

〔１〕診察については、毎週水曜日、初診及び再診の患者をＣ准教授とともに担当する。

〔２〕耳グループに所属し、Ｙ２及びＣ准教授と協力して耳診察に当たる。

〔３〕手術については耳を中心に担当し、鼻の手術については、症例があれば、鼻グループの承諾を受けて行う。

上記方針に基づき、Ｘは、平成１９年５月になって毎週水曜日に初診の患者を診察するようになったが、耳グループに所属することには消極的であったことからこれを断り、結局、現在に至るまで、どのグループにも所属していない。なお、Ｘは、平成１９年４月１日付けで、助教（旧助手）からＹ１病院Ｚ科の学内講師となったが、学校教育法上の身分は助教のままであり、その給与（基本給）は従前と変わりはなかった。

Ｘは、Ｙ２から違法な差別的処遇を受けた旨主張し、Ｙ２に対しては民法７０９条に基づき、Ｙ１に対しては民法７１５条に基づき、連帯して１５００万円等の支払いを求めた。原審（神戸地判平 21.12.3 労判 1024 号 45 頁）は、Ｘの請求について、Ｙらに対し、連帯して１００万円等の支払いを求める限度で認容したところ、Ｘがこれを不服として本件控訴を提起し、Ｙらも本件附帯控訴を提起した。Ｙらは、当審において、下記主張を追加した。すなわち、仮に、Ｙらが、Ｘに対し、不法行為責任を負うとしても、本件訴訟が提起された平成２０年１０月８日の時点において、不法行為終了時（遅くとも平成１６年８月まで）から３年以上が経過している。そこで、Ｙらは、平成２２年７月２１日の当審第２回口頭弁論期日において、Ｙらが負うべき損害賠償債務について、消滅時効を援用する旨の意思表示をした。なお、Ｘは、Ｙらが、平成６年１月以降１０年以上（外部派遣については平成１１年１１月以降）という長期にわたって医学部の学生に対する教育担当及びすべての臨床担当から外したのは違法な差別的処遇であり、その結果、Ｘは、医師として臨床技術を維持向上することができず、教授等に昇進したり他病院の医師に転出する機会を奪われ、人格を著しく侵害された旨を主張した。

【判旨】

（１）Ｙ２がＸに対し違法な差別的処遇を行ったかについて

「Ｙらは、Ｘには他の医師及び職員との協調性がなく、患者とトラブルを起こすなど大学病院に勤務する医師としての資質に欠けていたことから、すべての臨床担当から外すことにしたものであり、人事権の行使として著しく不合理であるとはいえない旨主張する。

しかしながら、Ｘは、Ｙ１病院に赴任するまで１５年以上の間、主に勤務医師として働いてきた（複数の病院においてＺ科部長として勤務した。）経験を有するのであるから、Ｙ１としても、そのようなＸを採用しておきながら、その後において、Ｘが大学病院に勤務する医師としての資質に欠けていると判断したのであれば、Ｘに対し、そのような問題点を具体的に指摘した上でその改善方を促し、一定の合理的な経過観察期間を経過してもなお資質上の問題点について改善が認められない場合は、その旨確認して解雇すべきところ、本件全証拠を検討しても、Ｙらが、上記のような合理的な経過観察期間を設けた改善指導等を行って、その効果ないし結果を確認したなどの具体的事実は見当たらない。そうすると、Ｙらは、Ｘに対する具体的な改善指導を行わず、期限の定めのないまま、Ｘをいわば医師の生命ともいうべきすべての臨床担当から外し、その機会を全く与えない状態で雇用を継続したというものであって、およそ正当な雇用形態ということはできず、差別的な意図に基づく処遇であったものと断定せざるを得ない。

これに対し、Ｙらは、〔１〕Ｘは他の医師及び職員との協調性に欠け、患者とトラブルを起こすことが多かった上、〔２〕平成６年から平成１０年にかけて、外部派遣先の病院から、Ｘの勤務態度等について複数のクレーム…が寄せられていた旨主張する。しかしながら、上記〔１〕の事実が常習的に存在したことを裏付けるに足りる的確な証拠はなく、また、上記〔2〕のような事実が存在したとしても、証拠上窺われる外部派遣先の病院からのクレームは3件程度にとどまること…からすると、平成6年1月以降、Y1病院におけるすべての臨床担当から外さなければならない程度の事情があったとまでは認めるに足りないところ、仮に、Y1病院の内外及び具体的なクレームの件数如何にかかわらず、Xについて深刻な資質上の問題点が存在したというのであれば、Yらとしては、前記説示のとおり、Xに対し、その旨具体的に指摘した上で合理的な経過観察期間を設けてそれを改善するように指導すべきであって、そのような指摘及び指導をすることなく、すべての外部派遣の担当から外したというのは、Y1病院に勤務する職員に対する人事権の行使がYらの裁量に委ねられていることを考慮しても、合理的な裁量の範囲を逸脱したものというほかなく、前記認定判断を左右するものではない。

なお、Yらは、XがY1病院の外来診療等に復帰した平成16年以降、Y1病院に勤務する他の医師及び職員から、Xとは一緒に仕事をしたくない旨の意見が多数寄せられているとして、それらの意見が記載された『嘆願書』等と題する書面…を提出するところ、これらによれば、上記医師等からは、Xの診療態度等について、Xは他の医師及び職員との連携意欲に乏しく、医療技術及び医学的知識に不足があり、安心して診療を任せられないなどの問題点が指摘されていることが認められる。しかしながら、本件訴訟において検討すべき事項は、平成6年1月以降のYらのXに対する処遇の違法性であって、前記認定事実のとおり、Xが、10年以上の長きにわたり、Y1病院において臨床を担当する機会が全く与えられてこなかったことを考えれば、Xに上記のような問題点があったとしても、そのことはXに対するそれまでの処遇に起因する側面もあるというべきであり、上記各書面…は、必ずしもXに対する平成6年1月以降の処遇の当否を判断するのに的確な資料とはいえない」。

「したがって、Yらが、平成6年1月以降、XをY1病院におけるすべての臨床担当から外すものとし、平成11年11月以降、Xをすべての外部派遣の担当からも外すものとしたこと（以下『本件処遇』という。）は合理的な裁量の範囲を逸脱した違法な差別的処遇というべきであるから、Yらは、Xに対し、本件処遇によって受けた精神的苦痛について、不法行為に基づく損害賠償責任を免れることはできない。

なお、Xは、平成6年1月以降、医学部の学生に対する教育担当から外されたことについても、違法な差別的処遇である旨主張するが、医師として医療に従事するのが職務であるのは当然であるとしても、大学病院に勤務しているとはいえ、教育に従事することが必要不可欠であるとまではいえない上、教育という性質を考えると、学生に対する教育担当者の適正判断についてはY1の理念及び方針に基づく独自かつ広範な裁量に委ねられるものというべきであるから、上記教育担当から外されたことが著しく不合理な処遇であったということはできない。また、Xは、Y1病院における臨床担当に一部復帰した平成16年8月以降の処遇（他の医師と比較して昇進が遅れていることを含む。）

についての不満を主張するが、前記認定の事実関係等によれば、それ自体を独立した不法行為ではなく、本件処遇の延長として捉えた上で、損害額の算定事情として考慮するのが相当である」。

（2）Xの損害額について

「次に、Xの損害額（Xが本件処遇によって受けた精神的苦痛に対する慰謝料の額）について検討すると、Xが大学病院に勤務する医師とはいえ、臨床担当の機会を与えられなければ、医療技術の維持向上及び医学的知識の経験的取得を行うことは極めて困難といわざるを得ず、そのような期間が長期化するほど、臨床経験の不足等から、Y１病院において昇進したり、他大学ないし他病院等に転出する機会が失われるであろうことは容易に推測されるところ、前記認定説示のとおり、違法な差別的処遇である本件処遇が１０年以上という長期に及んだものであったことからすると、Xが本件処遇によって受けた精神的苦痛は相当に大きいというべきである。そして、Xは、平成１６年８月以降、外来診療等の一部を担当するようになったとはいえ、Y１病院のZ科において専門的な診療を継続的に担当するのに必要であることが推認されるグループ（『耳』、『鼻』、『めまい』、『頭頚部腫瘍』等）のうち耳グループに所属するよう命じられたのが平成１９年４月であったことを考えると、少なくともそれまでの間は十分な臨床の機会が与えられたものとはいえず、Xの上記精神的苦痛が解消されたものということはできない。

もっとも、前記認定事実によれば、Xとしても、平成５年１２月以降に行われたY１病院のZ科の教授選において、上司であるD前教授に何ら相談することもなく独自に教授選に立候補するような行為が当時の実情としては人事的に一定の不利益を生じさせる可能性のあったことは容易に認識し得たというべきであるし、その一方で、Yらは、Y１病院においてXがすべての臨床担当から外れるようになった後、Xに対し、Y１病院を離れて他の病院等に転出することを勧め、転出先の病院を具体的に紹介するなどしたが、Xはこれに応じないまま、自らY１において研究活動に従事することを選択したことが認められる。さらに、証拠…及び弁論の全趣旨によれば、平成６年から平成１０年ころにかけて、外部派遣先の病院からXの勤務態度等について複数のクレームが寄せられていたことが認められ、また、平成１６年８月にY１病院における臨床担当に一部復帰した以降であるとはいえ、Y１病院の他の医師及び職員からYらが指摘するような不満…が出ているのも事実であることを併せ考えると、Xとしても、大学病院という組織に所属する以上、人事をはじめとする円滑な運営等に配慮したり、外部派遣先の病院並びにY１病院の他の医師及び職員との協調を心がけるなど組織内において円満な人的関係を維持するように柔軟な対応が求められていたにもかかわらず、自己の考え方に固執し、これを優先させる余り、組織の一員として配慮を欠くような行動傾向があり、そのために周囲との軋轢をかなり生じさせたことは否定できないところである」。

「そこで、以上のような事実関係等のほか、本件に現れた一切の事情を総合考慮すると、Ｘが違法な差別的処遇というべき本件処遇を受けたことについて、Ｙらから支払いを受けるべき慰謝料は２００万円と認めるのが相当である」。

（３）消滅時効の成否について

「前記認定事実によれば、Ｘは、本件処遇がなされる以前、Ｙ１病院Ｚ科の頭頚部腫瘍グループあるいは耳グループにおいて他の医師と同様の臨床を担当していたものであったところ、平成１６年８月以降、同科の臨床担当に一部復帰したものの、その当初は毎週月曜日に再診の患者を診察するにとどまるものであったことが認められる。そうすると、１０年以上臨床を離れていたＸを直ちに他の医師と同様の職務に復帰させるのは患者を診療するという臨床医療の性質に照らして慎重にならざるを得ないとしても、Ｙらが主張するような遅くとも平成１６年８月までに本件処遇による不法行為が終了したものと認めるのは相当でない。もっとも、前記認定事実のとおり、Ｘは、平成１９年４月、Ｙ１病院のＺ科において専門的な診療を継続的に担当するのに必要であることが推認されるグループ（『耳』、『鼻』、『めまい』、『頭頚部腫瘍』等）のうち耳グループに所属するよう命じられたことからすると、その時点をもって、本件処遇がなされる以前と同質的な処遇にまで改善され得る機会が付与されたものということができるから、本件処遇に基づく不法行為が終了したのは、Ｙらから上記耳グループに所属するように命じられた平成１９年４月であったと認めるのが相当である。

したがって、本件訴訟が提起された平成２０年１０月８日の時点において、消滅時効の期間が経過しているものとは認められないから、Ｙらの消滅時効の抗弁は理由がない」。

（４）結論

「よって、Ｘの請求は、Ｙらに対し、連帯して２００万円及びこれに対する訴状送達日の翌日である平成２０年１０月２２日から支払済みまで民法所定の年５分の割合による遅延損害金の支払いを求める限度で理由があるところ、本件控訴に基づき、原判決を一部変更するとともに、本件附帯控訴は理由がないからこれを棄却」する。

１３　トマト銀行事件・岡山地判平 24.4.19 労判 1051 号 28 頁

【事実の概要】

Ｘは、昭和３０年生まれの男性であり、昭和５５年に大学を卒業後、α信用金庫に就職し、昭和５７年３月にはβ印刷株式会社に就職し、昭和５８年４月にはγ信用金庫に就職し、平成２年にδ信用組合に就職し、平成１４年７月８日にＹ１に入行した者である。

Ｙ１は、昭和６年１１月９日に設立され、本店をε県に有する銀行である。

Ｙ２は、Ｘが平成１８年１０月１日から平成１９年４月３０日までの間にＹ１のζ支店に在籍していたときの上司（支店長代理）である。

Ｙ３は、Ｘが平成１９年５月１日から同年９月３０日までの間にＹ１営業本部お客様サポートセンター（以下「サポートセンター」）に在籍していたときの上司（センター長）である。

Ｙ４は、Ｘが平成１９年１２月１４日から平成２１年３月３１日までの間にＹ１人事総務部に在籍していたときの上司（部長代理）である。

Ｘは、平成１８年４月２８日、脊髄空洞症等に罹患したことにより、同日から同年７月１５日までの期間、Ｋ大学附属病院に入院した。

Ｘは、退院後、自宅療養を経て、平成１８年９月に職場復帰をした。その後のＸの勤務状況は以下のとおりである。

〔１〕平成１８年１０月１日から平成１９年４月３０日まで　Ｙ１のζ支店融資係

〔２〕平成１９年５月１日から同年９月３０日まで　サポートセンター（単身赴任）

〔３〕平成１９年１０月１日から同年１２月１３日まで　Ｙ１リスク統括部現金精査室（単身赴任）

〔４〕平成１９年１２月１４日から平成２１年３月３１日まで　Ｙ１人事総務部（単身赴任）

Ｘは、平成１９年１１月１６日、脊髄空洞症による左肩関節、左肘機能の著しい障害により身体障害者等級４級と認定された。

Ｘは、平成２０年１２月５日から平成２１年３月１３日までの間、不安抑うつ状態によりＫ大学附属病院に４回通院した。

Ｘは、平成２１年２月に、上記不安抑うつ状態とインフルエンザにより職場を欠勤し、同年３月１３日にＹ１に対し辞表を提出し、同月３１日付でＹ１を選択定年退職した。

Ｘは、平成２２年３月１日から、ＪＡζ・ζ農協信用部ローンセンターの嘱託社員として、住宅ローンの営業の業務を行っている。

（1）Ｙ２による言動について

時期は不明であるが、Ｙ２は、ミスをしたＸに対し、「もうええ加減にせえ、ほんま。代弁の一つもまともにできんのんか。辞めてしまえ。足がけ引っ張るな」、「一生懸命しようとしても一緒じゃが、そら、注意しよらんのじゃもん。同じことを何回も何回も。もう、貸付は合わん、やめとかれ。何ぼしても貸付は無理じゃ、もう、性格的に合わんのじゃと思う。そら、もう１回外出られとった方がええかもしれん」、「足引っ張るばあすんじゃったら、おらん方がええ」などと言った。

また、Ｙ２は、上記言動とは別の時に、延滞金の回収ができず、代位弁済の処理もしなかったＸに対し、「今まで何回だまされとんで。あほじゃねんかな、もう。普通じゃねえわ。あほうじゃ、そら」、「県信から来た人だって…そら、すごい人もおる。けど、僕はもう県信から来た人っていったら、もう今は係長…だから、僕がペケになったように県信から来た人を僕はもうペケしとるからな」などと言った。

Ｙ２は、平成１９年３月ころ（正確な時期は不明）、ミスをしたＸに対し、「何をとぼけたこと言いよんだ、早う帰れ言うからできん。冗談言うな」、「鍵を渡してあげるからいつまでもそこ居れ」、「何をバカなことを言わんべ、仕事ができん理由は何なら、時間できん理由は何なら言うたら、早う帰れ言うからできんのじゃて言うたな自分が」などと言った。

さらに、Ｙ２は、Ｘに対し、Ｆという者以下だという趣旨の発言をしていた。

（2）Ｙ３、Ｙ４による言動について

下記【判旨】で言及するような言動がＹ３ないしＹ４によりなされたとＸが主張しているものの、Ｙ３ないしＹ４によるＸへの言動は、特段認定されていない。

Ｘは、Ｙ２～４によるパワーハラスメントにより退職を余儀なくされたとして、当該上司らを被告として不法行為に基づく損害賠償を求めると共に、Ｙ１に対しても、各上司についての使用者責任を追及し、さらに、Ｙ１が、雇用する労働者の業務の管理を適切に行い、心身の健康を損なうことがないよう注意する義務を負っているにもかかわらず、その注意義務を怠ったとして、不法行為に基づく損害賠償等を求めた。

【判旨】

（1）Ｙ２について

「認定事実によれば、Ｙ２は、Ｘのミスに対し不満を募らせ、強い口調でＸを責めていたことがうかがえること」、及びＸの主張するところの一定の言動（平成１９年２月２７日にＸの仕事のミスに対し大声を張り上げ机やキャビネットをガンガン蹴飛ばし「辞めてしまえ」と激高するなど激しい言動を長時間行ったこと、同年３月１日に１階応接室において１時間以上にわたって仕事のミスについて説教したこと、同月６日に支店長から見えない２階応接室に連れて行き「融資係にいてもらわない方がいい」と強い口調で発言したこと、同年４月１１日に１階応接室において「能力がないから仕事ができない」と強い口調で発言したこと、同月１６日に支店長から見えない２階応接室にＸを連れて行き仕事のミスについて「どうなっているんだ」と暴力をふるうような口調で恫喝をしたこと）についても、それがあったものと推認できる。

一方、平成１８年１０月２０日及び同月２７日にＸがＫ大学附属病院に通院するために有給休暇消化の願いを出したところＹ２が「休みやこうとれんやろうが」と発言したというＸの主張については、その存在を認めることができない。

また、Ｙ２の尋問の結果等からすると、「Ｙ２は気が高ぶってくると、口調が早くて強くなっていく傾向があると認められる」。

「Ｙ２の尋問結果によると、Ｙ２は、Ｘの病状、体調について、退院されて職場復帰した以上、通常の業務はできる体で来ていると思っていたとして、ほとんど把握も配慮もしていなかった」。

「以上を前提に判断するに、Ｙ２は、ミスをしたＸに対し、厳しい口調で、辞めてしまえ、(他人と比較して)以下だなどといった表現を用いて、叱責していたことが認められ、それも１回限りではなく、頻繁に行っていたと認められる」。

「確かに…Ｘが通常に比して仕事が遅く、役席に期待される水準の仕事ができてはいなかったとはいえる。

しかしながら、本件で行われたような叱責は、健常者であっても精神的にかなりの負担を負うものであるところ、脊髄空洞症による療養復帰直後であり、かつ、同症状の後遺症等が存するＸにとっては、さらに精神的に厳しいものであったと考えられること、それについてＹ２が全くの無配慮であったことに照らすと、上記Ｘ自身の問題を踏まえても、Ｙ２の行為はパワーハラスメントに該当するといえる」。

（２）Ｙ３について

「Ｘが主張する、Ｙ３が、仕事が遅いとことあるごとに言っていたという事実については、これを裏付ける事実はＸの供述以外になく、特に、Ｙ２、Ｙ４についてはメモに記載があるが、Ｙ３についての言動についてのメモは提出されていないことからすると、当該事実の存在を認めるに足る証拠はないといえる」。

「また、債権処理紛失の責任をＸに押しつけたと主張するが、報告書…の記載からすると、紛失の原因究明と、再発防止の検討を行っており、責任を押しつけようとしていたとは考え難い。また、このミスにより、Ｘが何らかの不利益処分を受けたとは証拠上認められない」。

「さらに、Ｙ３が、Ｘの居眠りについて注意したこと、Ｘは取り上げられた、Ｙ３は手伝ったという認識の違いはあるが、Ｘの仕事を持って行ったことがあることは争いがないところ…Ｘの主張するような恫喝等がなされたとは認められない。

なお、仮にＹ３が寝ていたのかと強い口調で言ったり、Ｘから貸せと言って書類を取上げた事実があったとしても、Ｘを含め部下が働きやすい職場環境を構築する配慮も必要ではあるが、仕事を勤務時間内や期限内に終わらせるようにすることが上司であり会社員であるＹ３の務めであると考えられること、本件でＹ３の置かれた状況に鑑みれば、多少口調がきつくなったとしても無理からぬことなどによれば、Ｘの病状を踏まえても、それだけでパワーハラスメントに当たるとはいえないと解する」。

（３）Ｙ４について

「Ｙ４が、Ｘに対し、どこに行っていたとの質問をしていたことは当事者間に争いがない。もっとも、Ｘが勤務時間内に勤務場所にいなかったために、Ｙ４が同質問を行っていたと考えられるところ、このことは業務遂行上必要な質問であると言え、仮に厳しい口調となっていたとしても、これをもってパワーハラスメントとは認められない。

次に、仕事がのろいとＹ４が言っていたとの点は、Ｘのメモ…の平成２０年１１月１２日に記載がある（ただし、『仕事が遅い』である。）ものの、それ以外はそのような記載があるメモは提出されていないことからすると、仕事が遅いと言ったと認められるのはこのときだけである」。

「また、確かに、Ｘのメモ…の平成２０年１２月１６日の欄には、インフォメーションの示達に関し、ＸがＹ４らに予め文書を見せた上で回覧するという手順を行わなかったこと（手順を踏まずに示達したことについては、当事者間に争いがない。）につき、『ウソをついた』『予め文書を見せなかった』といって物を投げたり、机をけとばしたり、ボールペンを机に突き立てたりして威嚇した旨の記載がある。

しかしながら、同メモにも記載されているとおり、尋常とは思えないＹ４の行動について…Ｘが人事担当者やＹ４の上司に相談したというような事実は認められない。また、Ｘは、Ｙ４が暴れたと主張する３日後の平成２０年１２月１９日に心療科の診療を受けている…が、Ｘは、異常な行動であり、かつ叱責という心療科としては重要と考えられるＹ４の行動について、医師に話していない。

このことに加え、Ｙ４が暴れた現場の状況を示す証拠（写真や、録音媒体）が全くないことからすると、Ｙ４がＸを注意する際に、Ｘの主張…のような行動をとったとは認められない。

なお、上記メモによっても、『ドメスティックバイオレンスに該当』と記載があるだけであり、しかも同メモの記載では、その他のＹ４の発言はカギカッコで表現されているのに、上記記載はカギカッコがついていないことなどからすると、少なくともＹ４がＸに対し、『これはパワハラだ。』という言い方をしたとは認められない」。

「そして、上記認定した事実に、本件でＹ４らが認めるＸへの注意内容を加えたとしても、Ｙ４の行動は、注意、指導の限度を超えたものということはできないから、パワーハラスメントに該当するとは認められない」。

（４）「以上によれば、Ｙ２の行為については不法行為を構成すると認められるものの、Ｙ３、Ｙ４については否定される」。

（５）使用者責任について

「上記のとおり、Ｙ２の行為はパワーハラスメントに該当するといえる。

そして、本件においては、Ｙ１は、その被用者であるＹ２らに不法行為責任が発生しないことのみを使用者責任が発生しない根拠として主張しており、選任、監督に相当の注意をした（民法７１５条１項ただし書き）こと等責任発生を阻害する他の事情を主張していないから、Ｙ１に使用者責任が認められる」。

（６）配転について

「Ｙ１としては、Ｘが病気明けであることを踏まえ、外勤から内勤へと異動させ、次いでＸの事務能力、Ｙ２との関係（…かかる関係については人事総務部長も把握していたと認められる…）及びＹ１ξ支店の繁忙度などから、本店のサポートセンターへの異動を行い、残業や情報処理能力の問題の解消のため現金精査室へ異動させたが、Ｘの体調面の問題から、最後に人事総務部への異動となったものといえる。

確かに、短期間で各部署へ移されている上、その結果、各部署で不都合が生じたことから次の異動を行ったという場当たり的な対応である感は否めないものの、Ｙ１が能力的な制約のあるＸを含めた従業員全体の職場環境に配慮した結果の対応であり、もとより従業員の配置転換には、被用者にある程度広範な裁量が認められていることにも鑑みると、Ｙ１に安全配慮義務違反（健康管理義務違反）があるとして、不法行為に問うことは相当ではないと解する。

また、内示が急に告げられることについては、Ｙも争っていないところではあるが、Ｘにだけ特別（不利益な）扱いをしたなどの事情の認められない本件においては、このことが不法行為を構成するとは考えられない。

よって、この点のＸの主張には理由がない」。

（7）損害額について

ア　逸失利益

「以上検討したところによると、Ｙ１に責任が認められるのは、Ｙ２のパワーハラスメントに対する使用者責任となること、ＸがＹ２とともに勤務していたのは平成１９年４月３０日までであり、その後退職までは２年近くの期間があることからすると、Ｙ２及びＹ１の行為によりＸが退職を余儀なくされたとまでは言い難い。

また、ＸはＹ１に対して送った『感謝』と題する書面…で、退職の理由を記載していないだけでなく（会社に対して出すため、本音は書けなかったということがあり得るとしても）、Ｘがうつ状態の診断を受けた際の外来診療録…にも、不安事項は、痛みやそれによる不眠により仕事上、社会生活上の大きな支障を来しており、失職（解雇）の可能性があること、それによる家庭の崩壊などが記載されているのみであって、上司のパワーハラスメントや、会社の対応の問題が記載されていない。

加えて、Ｙ１は、Ｘを本店へと異動させているが、これは残業をしなくてすむようにという配慮だけでなく、Ｙ２とＸとの関係に問題があったことから、その解消のためという意図もあったと考えられる。なお、その場合、Ｘではなく、Ｙ２をく支店に残した判断は、事務能力などを考慮して決定したと考えられ、Ｙ１の人事裁量を逸脱するものではないといえる。

これらのことからすると、本件で認められる不法行為と、Ｘの退職との間に相当因果関係があるとまでは認められず、本件では、逸失利益まで損害に含めることは相当ではない」。

イ　慰謝料

Ｙ２（及びＹ１）について、「本件に顕れた諸般の事情を考慮すると、Ｘの精神的苦痛を慰謝するには、１００万円を支払うことが相当である」。

ウ　弁護士費用

「上記検討してきたところによると、本件の弁護士費用としては、１０万円が相当である」。

エ　過失相殺

「本件で現れた諸般の事情に照らすと、本件で過失相殺を行うことは相当ではないと思料する」。

オ　合計

以上より合計「１１０万円」。

カ　Ｙ１への損害賠償請求権とＹ２への損害賠償請求権との関係

「なお、本件は、途中で併合されたため訴え提起段階では両者の関係につき主張がなされていないが、Ｘの主張するＹ１の責任は、使用者責任か、共同不法行為に該当するといえるから、いわゆる不真正連帯債務となる」。

（８）結論

「以上によれば、本件では、Ｘの請求は、Ｙ２及びＹ１に対し、連帯して１１０万円及びこれに対する平成２１年４月１日から支払済みまで民法所定の年５パーセントの割合による金員の支払いを求める限度で理由があるから、これを認容し、その余は理由がないから棄却する」。

１４　ザ・ウィンザー・ホテルズインターナショナル事件・東京高判平 25.2.27 労判 1072 号 5 頁

【事実の概要】

Ｙ１は、北海道虻田郡に所在するウィンザーホテルの運営会社である。平成２０年１月当時、Ａ本部長が、Ｙ１の営業部全体を率いていた。

平成２０年３月３日、Ｙ２は、営業部次長としてＹ１に入社し、個人向け営業を担当した。直属の上司はＡ本部長であった。Ｘは、同月１０日、Ｙ１に入社し、営業本部セールスプロモーション部門に配属された。直属の上司は、営業部次長のＹ２であり、個人向け営業を担当した。

ＸのＡＬＤＨ２遺伝子多型は、Ｇ／Ａ型すなわち低活性型で、飲酒により不快又は有害な症状が出現する。Ｘは、平成２２年７月１６日、アルコールによるアナフィラキシー様反応があり、アルコール飲用は禁忌であると診断された。とはいえ、Ｘは、平成２０年５月当時、全く酒を口にしなかったわけではなく、自ら少量の酒は飲んでいたものと認められる。

Ｙ１は、平成２０年４月１５日、近くの中華料理店において、Ｘなど新しく入社した社員のための歓迎会を開催した。このとき、Ｘは、付き合いのために少量のビールを飲み、歓談しており、他の社員と打ち解けた様子であったため、Ａ本部長も、Ｘが酒を飲むことができない体質であるとは認識していなかった。

ウィンザーホテルでは、平成２０年５月１０日に同ホテルで開催される結婚式に出席するため香港から多くの客が宿泊する予定になっていた。Ｙ１は、香港からの上記招待客らに対し、ウィンザーホテルでのウェディングプランをＰＲするため、英文のパンフレットを作成した上、これを宿泊客の部屋に設置することとし、まず上記英文パンフレットを手配する担当者であったＸを、次いで営業部次長のＹ２とＸの同僚であるＢを、同ホテルへ出張させる計画を立てた（以下「本件出張」）。

Ｘは、平成２０年５月７日、ウィンザーホテルに赴いたところ、発送依頼の手違いにより上記英文パンフレットがまだ届いていないことが判明し、急ぎ対処したものの、同パンフレットは、当初の予定よりも遅れて到着した。Ｘは、ウィンザーホテルの総支配人、フロント係や客室係にも協力を依頼し、同ホテルの客室へのパンフレットの配布を済ませ、事なきを得た。この件について、東京本社にいたＹ２からＸに対し、今後連絡を密にする必要がある旨のメールが送信された。

平成２０年５月１１日、Ｙ２とＢがウィンザーホテルに到着し、Ｘと合流した。Ｙ２、Ｘ及びＢ（以下「Ｙ２ら３名」）は、同日午後９時過ぎ頃、上記英文パンフレットの件の反省会を兼ね、洞爺駅付近の居酒屋に赴いた。Ｙ２ら３名は、同居酒屋においてカウンター席に座り、最初に生ビールで乾杯をした。Ｙ２は、ビールと焼酎のお湯割りを注文し、一人飲み始めた。Ｂは、風邪気味であったためソフトドリンクを注文した。Ｘは、ウーロン茶を注文した。

しばらくして、Ｙ２は、Ｘにビールを勧めてきた。Ｘは、グラスを手でふさぎながら、「飲めないんです。飲むと吐きますので、今日は勘弁して下さい」などといって、これを断った。しかしＹ２は、「少しぐらいなら大丈夫だろ」「お前、酒飲めるんだろう。そんなに大きな体をしているんだから飲め」「俺の酒は飲めないのか」などと語気を荒げ、執拗にビールを飲むことを要求し、Ｘが少し口を付けると、再び酒を注がれる状態であった。英文パンフレットの件で負い目を感じていたＸは、その要求を断り切れず、柔道の話などをしながら、Ｙ２からの飲酒の誘いに応じていたが、気分が悪くなりトイレへ駆け込んでおう吐した。そして、トイレから戻って来て、Ｙ２に対し、「すみません。次長、戻してしまいました」と言うと、Ｙ２は、「酒は吐けば飲めるんだ」などと言い放ち、さらにＸのコップに酒を注いだ（判旨における「**パワハラ１－〔1〕**」）。Ｘは、閉店までＹ２の飲酒に付き合ったが、その酒量は全体としてコップ３分の２程度に抑えた。

Ｙ２ら３名は、日付の変わった５月１２日午前零時頃、上記居酒屋から宿泊先のウィンザーホテルへ戻ったが、Ｘが携帯電話を紛失したことに気付き、乗ってきたタクシーの会社に問合わせをし、その返答を待つためもあって、同ホテル内のバーで飲むことになった。Ｙ２からは飲酒に付き合うよう言われ、Ｘは小さめのコップにして３分の１程度の分量を飲酒した。Ｙ２ら３名は、同日午前１時頃、上記バーを出て、Ｙ２の部屋へ行き、Ｙ２は、冷蔵庫に備え付けてあったアルコール類を飲んだ。Ｘも、Ｙ２からコップにアルコール類を注がれ（判旨における「**パワハラ１－〔2〕**」）、そのコップに口を付けた。その後、Ｘは、Ｙ２から言われて、Ｘの部屋の冷蔵庫からアルコール類を持って来たが、その後酔いつぶれてしまい、Ｙ２の部屋にあるベッドで眠り込んでしまった。

Ｙ２ら３名は、同日（平成２０年５月１２日）午前９時半頃、レンタカーで、ウィンザーホテルを出発し、前日飲食した居酒屋へＸが置き忘れた携帯電話を受け取るために立ち寄り、あるいは営業活動を行った後、同日夕方、新千歳空港に到着した。その間ほとんどＢがレンタカーを運転していたが、夕方になってコンビニエンスストアに寄った際、Ｙ２は、「レンタカーはお前の名義で借りているのだから、運転を代わってやれ」と、運転をＢからＸに代わるよう命じた。昨夜の飲酒で体調が悪かったＸは、「昨日の酒が残っていますので、運転はできません」と述べたが、Ｙ２は、「もう少しで着くから大丈夫だ」などと言い、そのままＸにレンタカーを新千歳空港まで運転させた（判旨における「**パワハラ２**」、なお「**パワハラ３**」については判旨参照）。

Ｘは、本件出張後の平成２０年５月１３日と１４日は通常どおりＹ１本社に出社したものの、同月１５日の通勤中、めまいに襲われ、出社することができなくなり、有給休暇を取得した。翌１６日も、通勤中に気分が悪くなり、慈恵会医科大付属晴海トリトンクリニック（以下「晴海クリニック」）の内科を受診したところ、血圧が非常に高く、ホルモンのバランスを欠いている疑いがあると診断された。Ｘは、有給休暇を取得し、翌１７日から同月２６日まで欠勤したが、その間の同月２３日、「急性肝障害」にり患していることが判明し、依然、高血圧の状態が続いているとの結果が出た。Ｘは、同日、Ｙ２に対し、メールで、上記血液検査の結果を報告し、同月２７日、一旦、Ｙ１に出社したが、体調が良くなく午後には帰宅した。以降、Ｘは、同月２８日から同年６月１５日までの間、欠勤した（以下「本件長期欠勤」）。

Ｘは、平成２０年５月２１日、精神的にもかなりの負担感を感じ、Ｊ大学附属病院本院の精神神経科を受診した上、入眠剤の処方を受けるとともに、本件長期欠勤中の同月２３日から同年６月６日まで、同病院の精神神経科や晴海クリニックの精神神経科を受診し、安定剤等の処方を受けたことから、同月９日、Ｙ２に対し、メールを送り、「今まで、こんなに体調が悪くなったことはなく、自分でも体調がどうなっているのか不安で仕方ありません。不安で眠ることができず、先週の金曜日には、病院でメンタルケアを受診し気持ちを落ち着かせる薬を頂いて飲んでいます」などと連絡している。

Ｘは、平成２０年６月１６日、職場に復帰した。Ｘは、Ａ本部長に対し、本件出張に際してＹ２から飲酒を強要されたことを報告したが、Ｙ２による飲酒強要と本件長期欠勤との関係については言及しなかった。

Ｘは、入社当初から、度々、取引先への回答等を遅延することがあり、各種期限を遵守できないことが少なくなかった。また、Ｙ１の就業規則によれば、いわゆる直行直帰は原則として禁止されており、Ｃ人事部長代行（当時、経営企画室次長。以下「Ｃ代行」）も、直行直帰の禁止について、定期的に社内メールや朝礼、又は各部門の上長を通して従業員に周知させており、Ｘが入社した平成２０年３月以降も注意を喚起していた。

Ｙ２は、平成２０年７月１日、午前中から外出していたＸに対し、あらかじめ直帰せずに一旦帰社するよう指示していたが、Ｘは、同指示に従わず「直帰する」旨の伝言メモを残していた。Ｙ２は、午後６時ころ、Ｘに連絡を取り、一旦戻るよう指示したが、Ｘは、既に自宅近くまで来ていることを理由に、Ｙ１に戻ることを拒否した。これに憤慨したＹ２は、同日午後１１時少し前に、Ｘに対し、「Ｘさん　電話出ないのでメールします。まだ〇〇です。うらやましい。僕は一度も入学式や卒業式に出たことはありません」との内容のメールを送り、さらに同日午後１１時過ぎ２度にわたってＸの携帯電話に電話をし、その留守電に、「えーＸさん、あの本当に、私、怒りました。明日、本部長のところへ、私、辞表を出しますんで、本当にこういうのはあり得ないですよ。よろしく」、「Ｘさん、こんなに俺が怒っている理由わかりますか。本当にさっきメール送りましたけど、電話でいいましたけど、明日私は、あのー、辞表出しますので、でー、それでやってください。本当に、僕、頭にきました」と怒りを露わにする録音（本件７・１留守電）をした（判旨における「**パワハラ４**」）。

Ｙ２は、平成２０年７月４日、Ｘに対し、深夜に携帯電話をかけたりメールを送信したこと、語気激しい言い方をしたことにつき謝罪した。

Ｘは、本件長期欠勤からの復職後は、平常どおり勤務し、上司であるＹ２等に体調不良等を訴えることもなかった。しかし、実際には、平成２０年７月４日、同月１８日、同年８月２日及び同月８日に晴海クリニックの精神神経科（同月２日は内科）を受診し、不安・緊張を除去し、気分を安定させるための錠剤や血圧を下げる錠剤の投与を受けていた。

Ｘは、夏季休暇を平成２０年８月１５日から同月１９日まで取得することとし、同月２３日から同月２９日まで、香港のブライダル業者との折衝や企画提案を目的とした香港出張を予定していた。

Ｙ２は、平成２０年８月１０日から同月１４日まで夏季休暇を取得する予定であったため、同月４日、Ｘと日程調整を行い、香港出張のための打ち合わせをＸの夏季休暇予定の同月１５日に、最終確認を同月１８日に実施することを提案した。同月６日、Ｘ７からＹ２やＸらに対して、メールで、営業部のシフト表が配信されたが、同表にはＸの夏季休暇が同年８月１５日から１９日までとされていた。Ｙ２は、同月８日の取引先との酒席後、Ｘに対し、「打ち合わせよろしく」などと述べたところ、Ｘは、特に異議等を述べなかった。

Ｙ２は、平成２０年８月１５日、夏季休暇を終え出社したところ、Ｘは夏季休暇中ということで出社していなかった。Ｙ２は、直ちにＸに対し、電話をかけ、香港出張前に提案書を点検する必要があること、提案書にはホテルが提供する宿泊プランや価格も掲載するため間違いがあっては困るので、夏季休暇中でも一度出社して点検のための打ち合わせをするよう求めた。しかしＸは、これを断り夏季休暇明けの同月２０日に打合せを行うことを提案した。これに対し、同日は既にＹ２の予定が詰まっていたため、Ｙ２は、再度Ｘに対し、夏季休暇中の出社を求めたが、Ｘは、自らが同月１５日から１９日までの間夏季休暇を取ることはシフト表やホワイトボードからも明らかであるとして、Ｙ２の上記要請を受け付けなかった。そのためＹ２は、準備時間が足りなくなり、出張料金についての社長決裁を得られず、上記香港出張については不十分な企画書のまま対応せざるを得なくなった。

Ｘの対応に腹を据えかねたＹ２は、怒りを抑えきれなくなり、同日（平成２０年８月１５日）午後１１時少し前頃、Ｘに携帯電話をかけ、その留守電に、「出ろよ。ちぇっ、ちぇっ、ぶっ殺すぞ。お前、Ｄとお前が。お前何やってるんだ。お前。辞めていいよ。辞めろ。辞表を出せ。ぶっ殺すぞ、お前」と語気荒く話して録音し（本件８・１５留守電）、Ｘに対する激しい怒りを露わにした（判旨における「**パワハラ５**」、なお「**パワハラ６**」及び「**パワハラ７**」については判旨参照）。

Ａ本部長は、平成２０年８月２５日、本件８・１５留守電の件を踏まえ、Ｙ２とＸとの間の業務上の指揮命令関係を解消し、当面Ｘを直接の部下とした。ただし、Ｘの座席は、平成２１年１月３１日までＹ２の隣に置かれたままであった。もっとも、Ｘ及びＹ２の周りには他にも多くの社員の席があった。その後、Ｘから、Ｙ２の威圧的態度について具体的な苦情等が出されたことはなかった。

Ｙ２は、平成２０年９月上旬当時、ウィンザーホテルがＶＩＲＴＵＯＳＯ（世界の高級ホテルが加盟する旅行代理店組織）の一員となれるように加盟の申請等を行う業務を行っていた。そして、ＶＩＲＴＵＯＳＯに影響力を及ぼし得る人物の推薦を得るため、その人物をウィンザーホテルへ招待するプロジェクトに取り組み、それについてはＹ１の社長の承認も得ていた。ところが、Ｙ２が、同月１８日、その招待費用について、経理部部長に決裁を求めたところ、同部長から、上記費用に関する決裁権限を有する総支配人の承諾がなければ決裁をすることはできないと言われ、Ｙ２は、社長と総支配人の間で板挟みとなり、胃けいれんと吐き気に襲われたため早退し、同月１９日は病院で検査を受けるため欠勤した。

その際、Ｙ２は、Ｙ１内で唯一英語が出来たＸに対し、経理部に提出する依頼書１枚の振込先と金額の記入を依頼した。それ以外にＹ２がＸに業務の後始末を押し付けるような行為をしたことはない。

Ａ本部長は、平成２０年１２月、経営企画室を新設するに当たって、社長の要望により、Ｙ２を上記経営企画室に異動させた。

Ｙ１では、営業企画会議に先立つプレ会議が経営企画室の主催で設けられ、Ｘも営業部門のウェディング業務の担当として参加していたが、Ｃ代行は、結婚情報誌への広告出稿は時期尚早であると考えていたため、Ｘが企画していた広告出稿の計画について、プレ会議において再三にわたり広告出稿をしないよう伝え、Ｘもその都度「まだ動いていません」と回答していた。しかし、平成２１年１月７日のプレ会議終了後、Ｃ代行において、Ｘが置き忘れた紙袋の中身を確認したところ、既に出稿直前の最終段階の校正原稿を発見し、同広告には、キャンペーン中、ドレス試着が無料なだけではなく、婚礼の料理を無料で提供するなどＹ１に多額の費用負担が発生する内容が記載されていた。この広告出稿には１５９万５０００円の費用が発生した。Ｃ代行が調べたところ、Ｘにおいて社長の決裁を得ず独断で出稿手続を進めていたことが判明した。驚いたＣ代行は、早速広告を掲載するリクルートに連絡を取り、出稿自体は中止することができないので、その内容を変更することとし、原稿締め切り寸前に、ブライダル相談会のサービス内容をドレス試着無料にとどめた新しい原稿案を作成してもらって出稿することとし、Ｙ１の損害を最小限に抑えた。

Ｙ１は、同月、上記のとおり無断で広告出稿を進めていながら、他方でＣ代行らに虚偽の返答を続けていたＸをウェディング業務から外し、年俸を５０万円減額して４５０万円とすることに決定した。同年３月１９日、Ｃ代行らは、Ｘと面談した上、その減額の経緯を説明し、その了解を取り付け、Ｙ１の賃金規程２０条２項に基づき、同日付でＸの平成２１年度の年俸を改定した。

Ｘは、平成２０年３月に入社して以来、ウェディング業務に従事していたが、Ｙ１からの業績評価は低く、しかも、先述のように社長決裁を経ないまま無断で広告出稿をしようとした非違行為が発覚したことから、Ｙ１は、ウェディング業務の担当からＸを外し、ウェディング業務の立て直しを図った。すなわち、Ｙ２が所属する経営企画室がウェディング業務の一部を行い、その他のウェディング業務の大部分をウィンザーホテルで行うことにした上、ブライダルドレスを専門に扱うアールユキコとの業務提携を企図することにした。

Ｘは、上記ウェディング業務を担当していた際、エージェント各社に、Ｙ１と顧客との相談窓口業務を行ってもらうための業務提携を進める職責を担っていたが、これらのエージェントの中には、経営企画室が提携を企画していたアールユキコと競争関係にあるものも含まれていた。そのため、Ｘがどの程度これらのエージェントとの業務提携の話を進めていたのかを明らかにした上で、既に業務提携を行う方向で話が進められているエージェントに関しては、アールユキコとの業務提携に支障が出ないように対応する必要があった。

そのため、Ｙ２は、経営企画室の一員として、上記エージェントの情報を収集すべく、平成２１年２月３日以降、メールで、Ｘに対し、関係先エージェントの連絡先やキーマン等の資料の提供及び進行状況の報告を求めた。その内容は、期限を付して資料提出を求めたものであったが、Ｘは、上記資料提出の期限を守ることができなかった。そこでＹ２が連日にわたり催促したところ、Ｘは、同月１０日になって上記資料の提出に応じた。

その後、Ｘは、平成２１年３月２５日以降、有給休暇を消化し、体調不良による自宅療養の必要から休職した。

Ｙ１から休職期間満了による自然退職扱いとされたＸは、Ｙ２から飲酒強要等のパワハラを受けたことにより精神疾患等を発症し、その結果、治療費の支出、休業による損害のほか多大な精神的苦痛を受けた等と主張して、Ｙらに対し、不法行為（Ｙ２については更に労働契約上の職場環境調整義務違反）に基づく損害賠償金４７７万１９９６円等の連帯支払を求めるとともに、上記精神疾患等は業務上の疾病に該当するなどとして、休職命令及びその後の自然退職扱いは無効である旨主張して、Ｙ１に対し、労働契約上の権利を有する地位にあることの確認及び上記自然退職後の賃金の支払を求めた。原審は、Ｙらに対し、不法行為に基づく慰謝料７０万円等の連帯支払を求める限度でＸの請求を認容したが、その余を棄却した。Ｘ及びＹらは、それぞれその敗訴部分の判断を不服として控訴した。Ｘは、当審において、Ｙ１に対する上記地位確認及び賃金支払の各請求が認められないときは、Ｙ１に対し、債務不履行（安全配慮義務違反）に基づき、賃金請求権を喪失した損害の一部として１０００万円及びその遅延損害金の支払を求める旨の請求を予備的に追加した。

【判旨】

（１）本件出張中のパワハラ１－〔１〕、〔２〕、パワハラ２の有無等

「Ｘは、少量の酒を飲んだだけでもおう吐しており、Ｙ２は、Ｘがアルコールに弱いことに容易に気付いたはずであるにもかかわらず、『酒は吐けば飲めるんだ』などと言い、Ｘの体調の悪化を気に掛けることなく、再びＸのコップに酒を注ぐなどしており、これは、単なる迷惑行為にとどまらず、不法行為法上も違法というべきである」（パワハラ１－〔１〕）。「また、その後も、Ｙ２の部屋等でＸに飲酒を勧めているのであって」、パワハラ１－〔１〕に「引き続いて不法行為が成立するというべきである」（パワハラ１－〔２〕）。さらに、Ｙ２は、その翌日、「昨夜の酒のために体調を崩していたＸに対し、レンタカー運転を強要している。たとえ、僅かな時間であっても体調の悪い者に自動車を運転させる行為は極めて危険であり、体調が悪いと断っているＸに対し、上司の立場で運転を強要したＹ２の行為が不法行為法上違法であることは明らかである」（パワハラ２）。

（２）本件パワハラ３の有無等

「Ｘは、平成２０年６月１６日、Ｙ２から『何でこんなに長い間休んでいたんだ。今後、精神的な理由で会社を休んだらクビにするぞ』などと言って脅迫された旨主張」するが、本人の供述等の他に「これを裏付ける客観的な証拠はなく、上記供述等はにわかに採用することはできない」。

（３）本件パワハラ４の有無等

「本件７・１留守電やメールの内容や語調、深夜の時間帯であることに加え、従前のＹ２のＸに対する態度に鑑みると、同留守電及びメールは、Ｘが帰社命令に違反したことへの注意を与えることよりも、Ｘに精神的苦痛を与えることに主眼がおかれたものと評価せざるを得ないから、Ｘに注意を与える目的もあったことを考慮しても、社会的相当性を欠き、不法行為を構成するというべきである」。

（４）本件パワハラ５の有無等

「Ｙ２が本件８・１５留守電に及んだことは明らかであり、深夜、夏季休暇中のＸに対し、『ぶっ殺すぞ』などという言葉を用いて口汚くののしり、辞職を強いるかのような発言をしたのであって、これらは、本件８・１５留守電に及んだ経緯を考慮しても、不法行為法上違法であることは明らかであるし、その態様も極めて悪質である」。

（５）本件パワハラ６の有無等

「Ｘは、『平成２０年８月１８日から平成２１年１月上旬まで、Ｙ２は、Ｘの隣の席にいたため、頻繁ににらみつけるなど威圧的な態度に出たほか、ＶＩＲＴＵＯＳＯに関連して、ウィンザーホテルの経理責任者に対する説得を途中で投げ出し、Ｘにその後始末を押しつけるなどの無責任な責任転嫁行為に及んだ』旨主張」するが、「Ｙ２がＸを頻繁ににらみつけたことを裏付ける客観的な証拠はない。また、Ｘは、ＶＩＲＴＵＯＳＯに関連して、Ｙ２がウィンザーホテルの経理責任者に対する説得を途中で投げ出した旨主張する」が、認定事実によれば、「Ｙ２が、社長と総支配人の間で板挟みとなり、胃けいれんと吐き気に襲われ、病院で検査を受けるため欠勤を余儀なくされたため、Ｙ１内で唯一英語が出来たＸに対し、経理部に提出する依頼書１枚の振込先と金額の記入を依頼したものであって、やむを得ない事情があったというべきであり、違法なものとはいえない」。

（６）本件パワハラ７の有無

「Ｘは、『Ｙ２が、ウェディング業務の引継と称して、本来、Ｙ２において処理すべき業務やＸに処理させても意味のない業務を押しつけて処理させ、Ｘの業務を過重なものにした』旨主張する。

しかしながら、前記認定事実によれば、〔１〕Ｙ１は、ウェディング業務の担当からＸを外し、ウェディング業務の立て直しを図ったこと、〔２〕経営企画室がウェディング業務の一部を行い、その他のウェディング業務の大部分をウィンザーホテルで行い、ブライダルドレスを専門に扱うアールユキコとの業務提携を企図することにしたこと、〔３〕しかし、Ｘがウェディング業務を担当していた際の協力会社の中に、経営企画室が提携を企画していたアールユキコと競争関係にあるものも含まれていたため、Ｘがどの程度これらのエージェントとの業務提携の話を進めていたのかを明らかにした上で、アールユキコとの業務提携に支障が出ないように対応する必要があったこと、〔４〕Ｙ２において、経営企画室の一員として上記エージェントの情報を収集すべく、平成２１年２月３日以降、メールでＸに対し関係先エージェントの連絡先やキーマン等の資料の提供及び進行状況の報告を求めたこと、〔５〕その内容は、期限を付して資料提出を求めたものであったが、Ｘは、資料提出の期限を守らず、Ｙ２が連日にわたり催促する結果になったこと、以上の事実が認められる。

そうだとすると、Ｘの業務が引継資料の作成などで一時的に繁忙になったことは認められるけれども、これはＹ１の業務建て直しのために必要な措置（Ｘに苦痛を与えることを目的としたものであることを認めるに足りる証拠はない。）によるものであり、他方、

Ｘの業務負担が過大というべき程に増大したことを認めるに足りる証拠はないから、Ｙ２の行為を違法とはいえない」。

（７）パワハラとＸの精神疾患等の発症との因果関係

「Ｘは、『Ｙ２の継続的なパワハラ行為によって、急性肝障害及び適応障害等の精神疾患にり患した』旨主張する。

Ｘは、本件出張のすぐ後に本件長期欠勤となり、その間の平成２０年５月下旬、初めて病院でメンタルケアを受診し、安定剤等の処方をしてもらうようになり、本件長期欠勤後も、不安・緊張を除去し、気分を安定させるための錠剤や血圧降下を目的とする錠剤の処方を受けているほか、平成２１年４月上旬、Ｙ１に対し、精神疾患（適応障害）にり患している旨の診断書を提出した。また、本件８・１５留守電後、直ちにＡ本部長を訪れ、その善処方を申し出た。

しかしながら、Ｘは、〔１〕Ａ本部長に対して、Ｙ２から本件出張時に飲酒を強要されたことを報告しているが、飲酒強要と本件長期欠勤との関係については言及していないし、Ｙ２に対し、『今まで、こんなに体調が悪くなったことはなく、自分でも体調がどうなっているのか不安で仕方ない』などと述べるにとどまり、この際、Ｙ２の飲酒強要の責任を追及又は示唆したことを認めるに足りる証拠はないこと、〔２〕本件長期欠勤後は、本件７・１留守電や本件８・１５留守電後も欠勤に陥ることなく、香港出張に出かけていること、〔３〕Ｙ１に勤務中、適応障害にり患したことをうかがわせる言動は見当たらず、本件７・１留守電や本件８・１５留守電との前後で処方を受けていた薬剤の種類や診療回数等に大きな変化が認められないこと、〔４〕入社時から業務上のミスが多く、無断で直行・直帰をしたことで上司から度々注意を受けたり、平成２１年１月には、上司の指示に反し、社長決済を受けないままＹ１に大きな負担をさせる広告を出稿しようとしたことが発覚し、従来のウェディング業務を外された上、次年度の年俸が減額される不利益処分を受け、さらには入社以来頼りにしていたＡ本部長が退職したこと、〔５〕このため、Ｘは大きなストレスを感じ、職場での孤立感を深め、もともとの健康状態が良好ではなかった（健康診断では要精密検査であった。）ことも手伝って、職場又は担当業務に対する適応不全を惹起させたとみる余地もあること（このことが、Ｙ１の不法行為又は安全配慮義務違反とまではいえない。）、以上の事情に鑑みると、Ｘが発症した適応障害等がＹ２のパワハラ行為によるものであると認めることは困難である」。

（８）Ｙらの損害賠償責任

「Ｙ２は、本件パワハラ１－〔１〕、〔２〕、本件パワハラ２、本件パワハラ４及び本件パワハラ５について不法行為責任を負う。そして、これらは、本来の勤務時間外における行為も含め、いずれもＹ１の業務に関連してされたものであることは明らかであるから、Ｙ１は、民法７１５条１項に基づき使用者責任を負うというべきである」。

（９）Ｙらの不法行為によって生じたＸの損害額

「本件パワハラ１－〔１〕、〔２〕は、Ｘが仕事上の失敗もあり上司であるＹ２からの飲酒要求を拒絶し難いこと及びＸが酒に弱いことを知りながら飲酒を強要したものであって、これによって、Ｘは多大な不快感及び体調の悪化をもたらされたもので、Ｘの受けた肉体的・精神的苦痛は軽視することができない。また、Ｘの本件長期欠勤に間接的な影響を与えた可能性も否定することができない。さらに、本件パワハラ２は、体調の悪いＸに短時間とはいえ自動車運転を強要したことは、社会通念上も決して許される行為ではない。本件パワハラ４は、Ｘの規律違反があるものの、深夜にＸを不安に駆り立てる目的で行ったものといわざるを得ず、これによってＸは大きな不安にさいなまれた。もっとも、Ｙ２は、その後、この件につきＸに謝罪しているから、この点は慰謝料額においてしんしゃくすべきである。本件パワハラ５は、社会的相当性の範囲を大きく逸脱しており、これによってＸに生じさせた精神的苦痛は大きいというべきである。さらに、本件８・１５留守電後、Ｙ１において、ＸとＹ２の指揮命令関係を解消させたものの、両名を隣席のまま数か月にわたり放置し、Ｘに精神的苦痛を増大させたものといえる」。

「以上の点を考慮すると、Ｘの肉体的・精神的苦痛を慰謝するための金額としては、１５０万円が相当である」。

１５　アークレイファクトリー事件・大阪高判平25.10.9労判1083号24頁

【事実の概要】

Ｘは、株式会社アクセス（以下「派遣会社」）との間において、平成２１年７月１日、派遣会社が派遣する会社において、Ｘが労働に従事することを約し、これに対して、派遣会社が報酬を与えることを約する旨の合意（以下「雇用契約」）をした。

Ｙは、医薬品、医薬部外品、動物用医薬品、診断用試薬、その他の試薬並びに化学薬品の輸出入及び製造販売等を業とする会社であり、本店所在地に、工場（以下「本件工場」）を置き、派遣会社から派遣された者を従業員として働かせていた。

Ｘは、平成２１年７月６日から同年９月５日まで、雇用契約に基づき、派遣会社から、Ｙに派遣され、本件工場内にある製造センターＳＣ第２チーム（以下「本件チーム」）において、試薬の製造に伴う機械操作及び付帯作業を内容とする労働（以下「本件労務」）に従事した後、数度、派遣期間の更新を繰り返して、継続して、本件チームにおいて、本件労務に従事しており、平成２２年１１月１日からも、同年１２月３１日を派遣期間（以下「本件派遣期間」）として、本件チームにおいて、本件労務に従事した。

本件チームには、正社員のほかに、契約社員、嘱託社員、パート、派遣社員がおり、複数の製造ラインが設置されていたが、正社員は、製造ラインの責任者に任命され、作業担当者に対する作業指示・監督業務も行っていた。

Ｙの従業員であるＥは平成２年に、また同従業員であるＦ（なお、以下でＥ及びＦを総称するときは「Ｆら」ということがある）は平成１５年に、いずれも正社員としてＹに入社したものである。Ｆらは、ＸがＹにおいて就労を開始した平成２１年７月初めから平成２２年１２月末までの間、本件チーム内の同じ製造ラインに所属しており、いずれも、正社員として、製造ラインの責任者に任命され、通常製造業務のほかに、作業担当者に対する作業指示・監督業務も担当していた。上記製造ラインは、Ｆ及びＥのほか、派遣社員であるＸ及びＧが作業を行っていた。

Ｘが、本件労務に従事していた当時、Ｙにおける本件チーム従業員らの本件労務における勤務時間は、８時４５分から１７時３０分までの昼勤務と、１９時から翌日３時４５分までの夜勤務の二交代のシフト制で、Ｘも、そのシフトの中で、当初、昼夜交代勤務に従事していたが、次第に、同じ派遣労働者のＧ氏とペアを組み、Ｇ氏が昼勤務を担当し、Ｘが夜勤務を担当することが多くなった。なお、本件労務に付随して、Ｘは、Ｆらから、ゴミ捨てなどの雑用を命じられることがあった。

Ｆは、主に、昼勤務、Ｅは、主に、夜勤務を担当していたところ、Ｘは、夜勤務に際して、Ｆから、日中に行われた作業の引き継ぎを受け、指示された作業を行うと、Ｅから、時間がかかるので、同作業をやめて、別の作業を行うよう指示されることがあり、そのような場合、事後、Ｆから、「命令違反だ。」などと言われることがあった。

Ｘは、本件労務を始めて１か月程後の平成２１年８月ころ、Ｅが休暇をとった際、Ｆから、Ｅがしていた仕事をするよう言われたが、その仕事内容をきちんと理解していなかったことから、失敗し、Ｆから、叱責を受けることがあった。

Ｘは、平成２１年１０月２３日に実施された資格認定試験に合格し、同人の作業内容である分注工程の作業について、手順書等に従い独立して操作できるようになった。

Ｘは、体調不良で休暇をとった際、その翌日である平成２２年１月２７日、Ｆから、パチンコに行っていたのではないかと言われたことがあった。

Ｘは、Ｙにおいて、従業員らを対象として、作業効率を上げ、歩留まりを上昇させた者に、その成果に応じて、一定の報奨金を支給する改善プロジェクトを実施していた平成２２年２月ないし３月ころ、Ｆから、わざと生産効率を落とすように言われたことをきっかけとして、本件労務中のＦらとの会話を録音しようと考えて、以後、本件労務中、服の胸ポケットの中に、録音機（ＩＣレコーダー）を入れておくようになった。

Ｆらは、同年４月９日、昼勤務から夜勤務への作業引き継ぎの際、同月２９日に有給休暇を取得する意向を示したＸに対し、Ｆが、「生産あるから。」と出勤を促す発言をした直後に、Ｅが、「来んでもいいで。」と逆の指示をして、Ｘを困惑させ、「それは困ります。」と言ったＸに対し、更に、「休んどけ。」と指示して、休暇をとれば、Ｆらの機嫌を損ね、今の雇用を喪失することになるのではないかといった不安を与える言動を行った上、Ｘが当時、通勤に使用し、所有していた自動車（車名はコペン、以下「Ｘ車」）に損傷を加える旨の言動をした。

Ｆは、平成２２年４月２３日、別の品物を製造するために、工程の（分注）プログラムを変更しておくよう指示したにもかかわらず、その変更方法が分からなかったことから、変更せず、そのまま本件労務を継続していたＸに対し、「殺すぞ。」などと発言した上、Ｘ車に損傷を加える旨の言動をした。なお、Ｘは、上記言動を受けた後、何者かにより、Ｘ車の車体に傷を付けられる被害を受けたことがあった。

Ｆは、平成２２年５月１４日、その２日前に、Ｘが本件労務中に、機械にこぼした洗剤の拭き取りが不十分であったことから、機械に腐食が生じたことに関して、Ｘに対し、「殺すぞ。」、「あほ。」などと発言した上、前日に、Ｘが体調不良で休暇をとったことを咎める言動をした。

Ｆは、同年８月１８日、Ｘに対し、突然、Ｘ車が壊れたか否かを尋ねる言動をしたり、同月２４日、朝の挨拶をしてきたＸに対し、返事をせず、咳き込む態度を示したりした。

Ｘは、平成２２年９月１５日、派遣会社にＹ従業員らからパワハラ行為を受けている旨の申告をし、Ｙは派遣会社からの苦情申出（以下「本件苦情申出」）により、同年１０月１５日、このことを認識した。Ｙは、派遣会社に担当者２名を差し向けて、派遣会社に対し、Ｘの申し出た内容について事情聴取を行った。Ｙは、Ｘの苦情申出の内容を把握したものの、従前、Ｘ以外のＹの従業員らから、同様の苦情を聞いたことがなかったことから、直ちに、Ｆらを含むＹの従業員らに直接、事情聴取することはせず、同年１０月１５日以降、責任者によるＸが従事していた本件労務に関する見回り回数を１日１ないし３回程度から、１日５ないし６回程度に増加させる措置をとったが、その見回りの際、Ｘを含む派遣労働者に対し、Ｆらが、威圧的、脅迫的な言動を行う場面を見受けることはなかった。

同年１１月１６日、Ｘが滋賀県紛争調整委員会にあっせん申請を行い、同月１９日、Ｙにその旨の通知が到達した。あっせん申請書には、同年１月２７日の行為（体調不良により欠勤した翌日、パチンコに行っていたと疑いを掛けられ、診断書を提出するように言われた）と同年９月６日から１０日の行為（２交代で１２時間労働をした後、交代要員が来ても帰らせてもらえず、３０分ほど仕事もないのにその場で拘束を受け、「崖から落ちろ」と言われた）について記載されていた。Ｙ内の総務チーム責任者として人事労務部門管理を行っていたＩは、同年１１月２２日、製造ラインの責任者Ｈから事情聴取を行い、翌日の同月２３日、Ｆらから事情聴取を行ったが、あっせん申請書の前半につき、Ｆはパチンコについてはよく話題に上るため、このときのものとしては記憶がなく、仮にあったとしても冗談で言った、欠勤について診断書は要求していない旨述べ、あっせん申請書の後半につき、Ｅは、引継が終わるまでは待っているように指示したことはあるが、同書面指摘に係る発言はしていないと述べ、いずれも入社当初は厳しく指導したことはあったが、現時点では職場環境は良好であると述べた。同月２５日、Ｉは、Ｘから事情聴取を行ったが、Ｘは、記載内容は真実であると述べた。Ｉは、監視を強化したが、Ｘの苦情内容に沿う事実は見受けられなかった旨、及び今後も共に仕事をしていくのだからＩやＨに相談してもらいたい旨述べた。

Ｘは、これ以上、Ｆらがいる本件チーム内における本件労務を続けられないと判断し、その旨を派遣会社に告げ、同年１２月３１日をもって、本件労務に従事することを辞めた上、同日、派遣会社を退職するに至った。

滋賀紛争調整委員会は、Ｘからの申請に基づくあっせんにつき、平成２３年1月１２日付けの書面をもって、Ｘに対し、当事者双方に妥協点を見出すことができず、これ以上あっせんを継続しても紛争の解決が見込めないとして、あっせんの打ち切りを通知した。

その後、Ｘは、平成２３年６月１６日より、他の勤務先に、就労した。

Ｘは、Ｙ従業員ら（Ｆら）からいわゆるパワーハラスメントに該当する行為を受け、Ｙでの派遣就労を辞めざるを得なくなったと主張して、Ｙに対し、使用者責任及びＹ固有の不法行為に基づく損害賠償として、慰謝料２００万円（但し、当審において請求減縮後のもの）等の支払を求めた。原審（大津地判平 24. 10. 30 労判 1073 号 82 頁）は、Ｘの本件請求（請求減縮前の４４２万４０８５円等）のうち、Ｙの従業員ら（Ｆら）２名の言動は、いずれも悪質であるとして慰謝料５０万円、控訴人が被控訴人の苦情申出までに上記従業員らを指導教育していなかった点を固有の不法行為に該当するとして３０万円、弁護士費用として計８万円等の限度で認容し、その余を棄却したので、これを不服としたＹが控訴し、Ｘが附帯控訴した。

【判旨】

（1）Ｙの従業員らによる不法行為の成否

「認定事実に基づき、Ｙ従業員であるＦ及びＥの態度を個別に検討すると以下のとおりである」。

「まず、Ｆらが、Ｘに対し、ゴミ捨てなどの雑用を命じていたことは認められるが…他の仕事が出来ないと決めつけて、あえて行わせたことがあった…とまで認めることはできない」。

「また、Ｘが日中の業務引継ぎでＦから指示された業務を夜勤務においてした際、Ｅの指示に基づきこれを止めたところ、Ｆからは命令違反といわれて非難されたという事実…については…その事実を認めることができる。この経緯につき、当初のＥ…の指示には別の意図があり、Ｆの命令違反との言葉…が軽い気持ちで言われたものであったとしても、Ｘにその点が伝わっていたとはいえず、指導監督を行う立場の者であれば、業務命令の適切な遂行を期するためには、監督される立場の者、特に契約上の立場の弱い者を理由なく非難することのないよう、命令違反との重大な発言をする前に事情聴取を行うべきであったから、発言としては不用意といわざるを得ない」（言動Ａ）。

「さらに、Ｘが体調不良で欠勤した際、仮病でパチンコに行っていたと疑いを掛けられる等して非難されたという事実…Ｘが体調不良で休暇をとったことを咎める言動をしたという事実…についても、原判決を引用して認定説示したとおり、認めることができる。Ｆらは、上記発言は冗談であり、Ｘはその真意を認識し得たと述べるものの、Ｘには、仮にＦが冗談で述べているものとしても、労務管理事項や人事評価にも及ぶ事柄でもあり、監督者が監督を受ける者、特に契約上立場の弱い者の休暇取得事由を虚偽だと認識している可能性というものが、全くの冗談で済む事柄かどうかは監督を受ける者の側では不明なのであり、通常、監督者にそのような話をされれば非常に強い不安を抱くのは当然であるから、不適切といわざるを得ない」（言動あ）。

「Ｘが、Ｆから、派遣労働者のせいで生産効率が下がったと上司に説明した後に自分が作業改善して生産効率が上昇すれば自分の成果にできるとして、わざと生産効率を落とすように言われたことがあったという事実についても、原判決を引用して認定・説示したとおり、少なくともＦが、わざと生産効率を落とすように述べた事実が認められる…この発言が、Ｘが労務中のＦらの発言を録音する契機となったところをみると、Ｘが Ｆの上記発言に極めて強い不安を抱いたものであろうことが推認できるところである。

Ｆは、その真意について、Ｘを褒める趣旨であったなどと供述するが…工場ラインにおける労務遂行上、生産効率はその中心的課題というべきものであり、仮に冗談であってもそのようなことを監督者から言われた場合には、監督を受ける者としては、上司に自分が生産効率の悪い派遣労働者として報告されるなどして自分の評価にも響く可能性も否定できない重大な事柄なのであるから、その真意を測りかねて、不安や困惑を抱くに至るのが通常であり、監督者としては、そのことも当然に予想し得たものというべきであり、指示・監督を行う立場の者の発言としては極めて不適切で違法といわざるを得ない」（言動Ｂ）。

さらに、Ｆは、以下ア～カのような言動をしているところ、これらについての評価は下記のとおりである。

ア　平成２２年４月９日における言動（「今日、派遣が一人やめましたわ」、Ｘ車への「塩酸をこうチョロ、チョロ、チョロと」などといった発言）について

「この発言は、Ｘがゴールデンウイーク中の祝日に休む予定である旨Ｅに持ち掛け、Ｆが同日は生産予定であるとの話を聞いたとし、Ｅも相談したい旨述べたものであり、一応休日中の出勤についてチームとして相談しようとしたようである。Ｆらの発言では…出勤すべきか否かが判断できなかったため、Ｘが『それは困ります』と当惑を口にしたのに対し、Ｆは一応の配慮を見せているものの、その直後にＦは『派遣が一人辞めた』という話題に及んでおり…Ｘはこうした会話の流れを考えて不安を抱くに至ったものと考えられる。しかし、この発言の前後の趣旨からすれば、ゴールデンウイーク中の休日の出勤について、諸般の事情を考慮し、飽くまでも不確定要素を含め、Ｅの意見を踏まえつつ話し合ったものであり、話の進め方としてやや不用意な側面があったとしても、度を超しているとまではいえない。Ｆが、派遣が一人辞めた話に及んでいる点も、Ｆに悪意や他意があるとまではうかがわれないから、極めて不適切で度を超した発言であるとまではいえない」。

「ところが、その後、Ｇをめぐって冗談を述べ合ううちに、Ｆらは、Ｘが大事にしている所有車両に言及し…各種の方法で同車両に危害を加えるかのようなことをふざけて述べているのであり、Ｘは、Ｆらの悪ふざけを明らかに嫌がっている発言も…何度もしているのに、そうした中で話をエスカレートさせており、Ｆらのこのような発言は著しく不適切といわざるを得ない」（言動い）。

イ　平成２２年４月２３日における言動（「殺すぞ」、「むかつくわコペン。かち割ったろか」などといった発言）について

「この発言は、分注プログラムの変更作業を指示通り行っていなかったとして、ＦがＸを叱責したというものであるが、『殺すぞ』という言葉は、仮に『いい加減にしろ』という意味で叱責するためのものであったとしても、指導・監督を行う者が被監督者に対し、労務遂行上の指導を行う際に用いる言葉としては、いかにも唐突で逸脱した言辞というほかはなく、Ｆがいかに日常的に荒っぽい言い方をする人物であり、そうした性癖や実際に危害を加える具体的意思はないことをＸが認識していたとしても、特段の緊急性や重大性を伝えるという場合のほかは、そのような極端な言辞を浴びせられることにつき、業務として日常的に被監督者が受忍を強いられるいわれはないというべきである。本件では、もとより上記のような緊急性や重大性はうかがわれない」（言動Ｃ）。

「加えて、Ｆは、その直後に、再び、Ｘの大事にしている所有車両に言及し…不快の念と損壊を加える旨述べるのであり、上記の経緯に照らせば、純粋に私人同士の関係において述べられたものではなく、指導に従わない、ないし従う能力のない者に対し怨念や私憤をぶつけるものと受け取られるおそれのある言葉であり、監督を受ける者としては当惑するというほかはない。確かにＸは、当惑しつつもその冗談に合わせようとしていることが見てとれるが、それは立場の弱い者が上位者との決定的対立を避けようとしたものにすぎず、真意ではないというべきであり、Ｘがこのような態度を取ったからといって、業務の延長としてこのような言葉を受忍することを強いることはできない」（言動う）。

ウ　平成２２年５月１４日における言動（「殺すぞ」、「あほ、お前もっとキレイに拭いて帰れや、あほ」などといった発言）について

「この発言は、Ｘが、分注機の清掃の際に洗浄液をこぼした上、これを丁寧に拭き取らず、機械の腐食や不良製品製造に繋がるような事態を生じさせたため、Ｆがこれを咎め、唐突に『殺すぞ』『あほ』という発言を続けて述べたというものであるが、『殺すぞ』については、上記と同様に労務遂行上の指導を行う際に用いる言葉としては唐突で極端であり、続く『あほ』に至っては口を極めて罵るような語調となっているのであり、これに対し、Ｘが一応反論や弁解を述べることが出来ているとしても、このような言葉は、事態に特段の重要性や緊急性があって、監督を受ける者に重大な落ち度があったというような例外的な場合のほかは不適切といわざるを得ないところ、本件では、Ｆは重要な事態であった旨述べるものの…そうであれば、何故上記のような極端な言辞を用いての指導を行うのか、その趣旨ないし真意と事態の重要性をＸが理解できるように説明すべきであるといえる。本件では、用いられた言辞に相応しい緊急性、重要性のある事態であったといえるかは疑問であるというほかはないから、不適切といわざるを得ない」（言動Ｄ、なお後半発言＝言動え）。

エ　平成２２年８月１８日における言動（「コペン壊れた？」「コペンボコボコになった？」などといった発言）について

「この発言は、Ｆが、業務遂行中、職場の機械の故障音になぞらえて、Ｘの大事にしている所有車両の故障に言及したというものであるが、この発言が単独で述べられたものであれば、単なる冗談というのが相当であるかもしれないが、普段から、Ｘが既に上記話題に関するこの種の冗談ないし軽口に当惑したり嫌がる態度を示しているにもかかわらず、あえて何度も言及するというのは、嫌がらせに近いものとなってきており、不適切である」（言動お）。

オ　平成２２年８月２４日における言動（ＸがＦに挨拶した際にＦが「ごほ、ごほ、ごほ」と応答したことなど）について

「この発言は、Ｘが挨拶をしているのに、咳き込んであえて無視したと主張しているのであるが、経緯や態度等になお不明な点もあり、これのみを抜き出し、あえてＦがＸを無視した会話内容であるとまで認めるには足りない」。

カ　平成２２年９月２８日における言動（「頭の毛、もっとチリチリにするぞ」、「ライターで」などといった発言）について

「この発言は、分注装置にセットするシートに位置ずれが生じた場合の対応をめぐり、まずはバルブのメンテナンスによりシート位置の微妙な調整を行うのが通常であるところ、Ｘがその作業を行わずに、直接タッチパネルの操作により座標を動かすことでシートの位置ずれを変更しようとしたことに端を発し、ＸがＦの指導に対し、自分の意見を述べているものとみられ、これに対しＦが『頭の毛チリチリにするぞ』と述べたものであるが、他方でＸは、その後の指示に対してもさらに複数回自分の意見を述べているのであり、その前後の遣り取りを通じてみると、上記発言は冗談であるとして受け流されているものとみられ、極めて不適切とまではいえない」。

キ　「まず、Ｘに対する指導としてなされたと主張される」上記の言動Ａ～Ｄについては、「そもそも、労務遂行上の指導・監督の場面において、監督者が監督を受ける者を叱責し、あるいは指示等を行う際には、労務遂行の適切さを期する目的において適切な言辞を選んでしなければならないのは当然の注意義務と考えられるところ、本件では、それなりの重要な業務であったとはいえ、いかにも粗雑で、極端な表現を用い、配慮を欠く態様で指導されており、かかる極端な言辞を用いるほどの重大な事態であったかは疑問であるし、監督を受ける者として、監督者がそのような言辞を用いる性癖であって、その発言が真意でないことを認識し得るとしても、業務として日常的にそのような極端な言辞をもってする指導・監督を受忍しなければならないとまではいえず、逆に、監督者において、労務遂行上の指導・監督を行うに当たり、そのような言辞をもってする指導が当該監督を受ける者との人間関係や当人の理解力等も勘案して、適切に指導の目的を達しその真意を伝えているかどうかを注意すべき義務があるというべきである」。

次に、「指導に付随してなされた軽口ともみえる発言のうち」上記の言動あ～おについては、「それが１回だけといったものであれば違法とならないこともあり得るとしても、Ｘによって当惑や不快の念が示されているのに、これを繰り返し行う場合には、嫌がらせや時には侮辱といった意味を有するに至り、違法性を帯びるに至るというべきであり、本件では、上記にみるとおり、監督を受ける者に対し、極端な言辞をもってする指導や対応が繰り返されており、全体としてみれば、違法性を有するに至っているというべきである」。

（２）Ｙの使用者責任の成否

「Ｙは、Ｆらを正社員（従業員）として使用する者で、Ｆらによる前記…不法行為は、Ｆら及びＸが、Ｙの業務である本件労務に従事する中で、Ｙの支配領域内においてなされたＹの事業と密接な関連を有する行為で、Ｙの事業の執行について行われたものであるから、Ｙは、使用者責任を負うと認められる」。

「これに対し、Ｙは、Ｆらにつき、いずれも、本件作業に関する経験が豊富で、Ｘ以外の後輩に対する監督・指導を行ってきたが、本件以外にトラブルを起こしたことはないことや、Ｙでは、安全衛生管理規程…を定め、年間安全衛生計画を立ててこれを実施しており、Ｙの従業員らが、日常安心して作業に従事できる職場環境を確立する体制をとっていることを理由に、Ｆらの選任・監督に相当の注意をし、過失はなく、使用者責任は免責されるというべきである旨主張するが、本件苦情後は、ともかく、それ以前において、少なくとも、Ｙが、同体制を維持するため、Ｆらの選任や監督につき、相当の注意をしていたことを認める証拠が何らないことから、同主張を認めることはできない。

かえって、Ｆらは、指導・監督を行う立場にある者として、業務上の指導の際に用いる言葉遣いや指導方法について、Ｙの同人らの上司から、指導や注意及び教育を受けたことはなかったことを自認しており…Ｙが、その従業員であるＦらの選任・監督について、その注意を怠ったと認めるのが相当である」。

（３）Ｙの使用者責任に対する過失相殺の成否及びその割合

「Ｙは…Ｆらの不法行為につき、Ｘの就業態度等に起因するもので、過失相殺が認められるべき旨主張する。

確かに、Ｘは、Ｙの仕事に従事する他の派遣労働者と比較して仕事を覚えるのが遅く、製造中に不具合が生じたときに、すぐに報告しなければならないにもかかわらず、翌日に報告したり、Ｆらが指示した手順に従わず、勝手な手順で作業を進めるなどのミスや問題を起こすことがあったこと、例えば、Ｘが、経験を要するとまではいえないプログラムの変更作業を、指示どおりに行っていなかったことから…Ｆの『殺すぞ』という発言が生じたこと、これに加えて、Ｘが、清掃の際に、洗浄液をこぼした上に、こぼした洗浄液を綺麗に拭き取らないという、機械の腐食や不良製品の製造に繋がる事態を生じさせたことから…Ｆの『殺すぞ』、『あほ』等の発言が生じたこと、は各認められる…。

しかしながら、そうであったとしても、Ｘの前記就業態度等が、不誠実で、横柄なものであったとか、敢えて、Ｆらの指示に背いたり、意図的に、トラブルを生じさせたりしたものとまでいえず、Ｆの『殺すぞ』、『あほ』などといった発言につき、Ｘの前記就業態度等から見て、憤まんを押さえることができず、やむを得ずなされた同情の余地がある発言であったとも、言い難いことからすると、Ｙの主張どおり、過失相殺を認めることはできない」。

（４）Ｙ固有の不法行為責任

前記のとおり、「Ｙは使用者責任を負うものと判断するところであり…Ｙは、正社員であるＦらを製造ラインの監督責任者として選任し、作業担当者らを監督する業務を担当させるに当たり、業務上の指示・監督を行う際の指導方法、指導用の言葉遣い等について何らの指導を行っていなかったことが認められるが、この点は、Ｆら従業員の不法行為責任についてＹが使用者責任を負う以上に別途の評価を行うに足りるＹ独自の違法行為があったとまでは認められないというべきである。

次に…Ｙは、派遣会社からの本件苦情申出を通じ、平成２２年１０月１５日にＸがパワハラ行為を受けた旨の申告があったことを知り、派遣会社への事情聴取と監視の強化を行い、同年１１月１９日にあっせん申請の事実を知った後は、数日内に製造ライン責任者や、申告に係る行為者であるＦやＥから事情聴取を行ったことが認められるものの、Ｘからの事情聴取は同月２５日になってようやく行われたものである。これらの事実経過に照らすと、確かにＸからの事情聴取が苦情申出の認識以後、迅速に行われたとは言い難いが、他方、ＦやＥからの事情聴取の結果、同日時点での職場環境は良好で、具体的な問題が起きていなかったというのであり、Ｙの当時の認識からすれば、Ｘの受け止めの問題とも解する余地があったということもでき、苦情申出の事実認識後１か月のうちに、Ｘから事情聴取を行わず、監視強化を行うに止まったこと、あっせん申請書到達後、まずはＸから事情聴取を行わなかったことが、直ちにＹ固有の不法行為を構成するとまで断定するのは困難であり、また、上記によれば、Ｉが、Ｘに対し、仕事を続けたければそれ以上いうなとの発言をしたとまでは認めることができないから、Ｙ固有の不法行為に基づく請求部分は理由がない」。

（５）損害（慰謝料等の金額）

ア　慰謝料について

「慰謝料の金額につき、上記のとおり、Ｆらの言動は、Ｘに対し、指導を行うに当たって、唐突で極端な言葉を用いて臨む部分があり、Ｆらはその真意について弁解し、Ｘには普段の和気あいあいとした交友関係の状況からすれば当然その真意が十分伝わっていたはずであるとの趣旨のことを述べているが、ＦらとＸとの間に、普段からうち解けた会話ができるような和気あいあいとした交友関係が形成されていたことを認めるに足りる証拠はないし、むしろ、各…会話の内容からは、Ｆらが正社員でＸが派遣社員であることも手伝って、両者の人間関係は基本的に反論を許さない支配・被支配の関係となっていたということができるのであって、上記に説示したとおり、本件では、職場において適切な労務遂行のために必要な言辞としては、度を超す部分があるというほかはないものである。これらの会話において、Ｘが性格的に不器用で、言われたことを要領よくこなしたり受け流したりすることのできない、融通の利かない生真面目なタイプであることがうかがわれ、Ｆらに何とか調子を合わせようとする様子は散見されるものの、総じてこれらの軽口を受け止め切れていないことは容易に認められるところである。そして、これらの言辞を個別にみるときには不適切というに止まるものもあるが、中にはＸがその種の冗談は明らかに受入れられないとの態度を示しているのに、繰り返しなされている部分があるのであって、上記のような一方的に優位な人間関係を前提に、Ｘの上記のような性格を有する人物に対する言辞としては、社会通念上著しく相当性を欠きパワーハラスメントと評価することができるといわざるを得ない。

他方、Ｆらの発言は監督者として、態様及び回数において、以上のような不注意な逸脱部分はあるものの、Ｘに対する強い害意や常時嫌がらせの指向があるというわけではなく、態様としても受け止めや個人的な感覚によっては、単なる軽口として聞き流すことも不可能ではない、多義的な部分も多く含まれていることも考慮すべきである。これらを総合すると、慰謝料額としては全体として３０万円と認めるのが相当である」。

イ　弁護士費用について

「Ｘは、弁護士費用の実費を認めるべきであると主張するが、本件事案の難易、訴訟物の訴額、認容額等を勘案すると、このうち、Ｙ従業員らの不法行為と相当因果関係のある弁護士費用は３万円と認めるのが相当である」。

ウ　合計額

「以上の合計額は、３３万円となる」。

「ＸのＹに対する本件請求は、３３万円及びこれに対する不法行為の後である平成２２年１２月３１日から支払済みまで民法所定の年５分の割合による遅延損害金の支払を求める限度で理由があるからこれを認容し、その余は理由がないから棄却すべきである。

よって、これと異なる原判決をＹの控訴に基づいて上記のとおり変更し、Ｘの本件附帯控訴を棄却する」。

１６　メイコウアドヴァンス事件・名古屋地判平26.1.15労判1096号76頁

【事実の概要】

Ｘ１は、亡Ａの妻であり、Ｘ２、Ｘ３及びＸ４は、いずれも亡Ａの子である。

Ｙ１は、愛知県日進市において、金属琺瑯加工業及び人材派遣業を営んでいた株式会社であるが、現在は、金属琺瑯加工業を止め、人材派遣業のみを営んでいる。

亡Ａは、平成１５年１０月２７日、合資会社明光琺瑯工業所に入社し、平成１６年３月１日、Ｙ１に転籍した。亡Ａは、Ｙ１において、搬入された鉄部品を琺瑯加工する前の脱脂、酸洗い、ニッケル処理、中和・乾燥等の前処理業務に主に従事しており、その他、製品の検査、梱包等に従事することもあった。

Ｙ２は、Ｙ１の代表取締役であり、Ｙ３は、Ｙ１の監査役である。また、Ｙ３は、Ｙ２の妹である（以下、Ｙ２とＹ３を併せ「Ｙ２ら」）。

亡Ａは、平成２１年１月２６日午前４時ころ、愛知県瀬戸市α所在の春雨墓苑内公衆トイレにおいて、自殺した。死亡当時、亡Ａは、５２歳であった。

亡Ａの死亡について、Ｘ１は、名古屋東労働基準監督署長に対し、平成２１年5月２５日、遺族補償年金及び葬祭料の支給を申請したが、同署長は、平成２２年2月２６日、いずれも不支給とする旨の決定をした。

しかしながら、名古屋東労働基準監督署長は、前記各不支給決定後に実施した事情聴取等を踏まえ、平成２４年1月６日、前記各不支給決定を取消し、改めて、遺族補償年金及び葬祭料を支給する旨の決定をした。

（１）亡Ａは、Ｙ２について、当初は、頭が切れる社長であると評価していたが、平成１９年夏ころから、Ｘ１に対し、仕事でミスをすると、Ｙ２から、「ばかやろう」、「てめえ」等の汚い言葉で叱られたり、蹴られたりすると言うようになった。

（２）Ｙ２による亡Ａに対する暴言、暴行

亡Ａは、Ｙ１での仕事において、設備や機械を損傷するという事故を含むミスをしばしば起こした。

Ｙ２は、亡Ａが仕事でミスをすると、「てめえ、何やってんだ」、「どうしてくれるんだ」、「ばかやろう」などと汚い言葉で大声で怒鳴っていたが、あわせて亡Ａの頭を叩くことも時々あったほか、亡Ａを殴ることや蹴ることも複数回あった。

Ｙ２は、亡Ａ及び亡Ａの同僚Ｈに対し、同人らがミスによってＹ１に与えた損害について弁償するように求め、弁償しないのであれば同人らの家族に弁償してもらう旨を言ったことがあった。また、Ｙ２は、亡Ａ及びＨに対し、「会社を辞めたければ７０００万円払え。払わないと辞めさせない」と言ったこともあった。

（3）亡Aの体調等の変化

亡Aは、平成２０年８月ころ以降、「今辞めたら、金払わなくちゃいけないからな」とつぶやいていたことがあった。

亡Aは、平成２０年秋ころ以降、〔1〕週に２回ないし３回、夕食後、「マックに行ってくる」と言って、出掛けるようになる、〔2〕テレビに目を向けているようでいて、「うーん。うーん」とうなって、テレビを見ていない様子が見られるようになる、〔3〕夜じゅう、何度もトイレに行ったり、うなされたりするようになる、〔4〕「この仕事に向いていないのかな。昔はこんな風じゃなかったのに」などと口にするようになる、〔5〕日曜の夜になると、「明日からまた仕事か」と言い、憂鬱な表情を見せるようになるなどの変化があった。

（4）亡Aの自殺直前の状況

Y２は、亡Aに対し、平成２１年１月１９日、大腿部後面を左足及び左膝で２回蹴るなどの暴行を加え（本件暴行）、全治約１２日間を要する両大腿部挫傷の傷害を負わせた。

平成２１年１月２３日、Y２は、亡Aに対し、退職願を書くよう強要し（本件退職強要）、亡Aは退職届を下書きした（以下、同退職届の下書きを「本件退職届」）。本件退職届には、「私Aは会社に今までにたくさんの物を壊してしまい損害を与えてしまいました。会社に利益を上げるどころか、逆に余分な出費を重ねてしまい迷惑をお掛けした事を深く反省し、一族で誠意をもって返さいします。２ヶ月以内に返さいします」などと記載され、また、「額は一千万〜１億」と鉛筆で書かれ、消された跡があった。なお、Y２は、亡Aがミスをした際に、亡Aに対して損害賠償を請求し、亡Aにおいて支払えないようであれば、家族に請求するという趣旨のことを述べたことがあった。

亡Aは、平成２１年１月２３日、同僚のKと焼き肉を食べに行った。その際、亡Aは、本件退職届のようなものをKに見せ、Y２から今までの分を弁償するように言われたと述べ、いつも以上に落ち込んだ様子であった。

亡Aは、平成２１年１月２３日の深夜に帰宅した際、X１に対し、もう駄目だ、頑張れない、会社を辞めるなどと述べ、本件退職届をテーブルに置き、X１はその内容を見た。その後、X１は、亡Aに対し、風呂に入るよう勧めたところ、亡Aの両足の後ろ側に大きな黒いあざがあるのを見つけたため、亡Aに事情を聞き、本件暴行があったことを知った。

X１と亡Aは、平成２１年１月２４日の土曜日に病院で診断書を取った後、瀬戸警察署へ行き、約６０分間、警察に相談した。亡Aは、相談中、落ち着きがなく、びくびくした様子であった。同警察署においては、被害届は、Y１の工場所在地を管轄する愛知警察署に届け出ること、労働契約についての相談は、労働基準監督署に相談することを教示されたため、Ｘ１が、亡Ａに対し、週明けの月曜日に愛知警察署及び労働基準監督署へ行くことにしようと言ったところ、亡Ａは、「仕返しが怖い」と不安な顔をしていた。

平成２１年１月２５日、Ｘ１が、午後１０時ころに仕事から帰宅した後、亡Ａは、絨毯に頭を擦り付けながら、「あーっ！ちょっと気晴らしに同僚に会ってくる」と言って、出掛けた。

亡Ａは、平成２１年１月２６日午前４時ころ、愛知県瀬戸市α所在の春雨墓苑内公衆トイレにおいて、自殺した。

亡Ａは、Ｘ１に対して遺書（以下「本件遺書」）を残しており、同遺書には、「Ｘ１へごめん！！オレがいると、みんなに迷惑が掛かるので死ぬしかないと思う。オレ自身借金もあるし、プロミス、アコム、アイフル　いろいろお金を使い込んでしまったので支払もたいへんだと思う。会社にも迷惑ばかり、かけて物を壊したり、ミスをおかしてトラブルばかりしているのでこの先、会社へ行って、仕事をしても、また同じ失敗をくり返すだろうと思うじ、死んで償いをします。」などと記載されていた。

亡Ａの相続人であるＸらが、亡Ａが自殺したのは、Ｙ２及びＹ３の亡Ａに対する暴言、暴行あるいは退職強要といった日常的なパワーハラスメント（以下「パワハラ」）が原因であるなどとして、主位的には、Ｙ２らに対し、不法行為に基づき、Ｙ１に対し、会社法３５０条及び民法７１５条に基づき、それぞれ損害賠償金等の連帯支払を求め、予備的には、Ｙ１に対し、債務不履行（安全配慮義務違反）に基づき、損害賠償金等の支払を求めた。

【判旨】

（１）Ｙ２による亡Ａに対するパワハラの有無について

「Ｙ２の亡Ａに対する暴言、暴行及び退職強要のパワハラが認められるところ、Ｙ２の亡Ａに対する前記暴言及び暴行は、亡Ａの仕事上のミスに対する叱責の域を超えて、亡Ａを威迫し、激しい不安に陥れるものと認められ、不法行為に当たると評価するのが相当であり、また、本件退職強要も不法行為に当たると評価するのが相当である」。

（２）Ｙ３による亡Ａに対するパワハラの有無について

「Ｙ３については、Ｘらの主張及び当事者尋問等におけるＸ１の供述自体、Ｙ３が、亡Ａに対し、日常的に暴言、暴行をしたことがあるという抽象的なものにすぎない上、Ｋの供述も、亡ＡがＹ３から蹴られたという話を亡Ａから聞いたことがある、Ｙ３も汚い言葉でヒステリックに叫んでいたことがよくあったというものにすぎず…Ｈの供述も、Ｙ３もＹ２と同じように暴言、暴行をしていたというものにすぎない…のであるから、

Ｙ３が、亡Ａに対し、日常的に暴言や暴行を行っていたということを認めるに足りる証拠はない。

よって、Ｘらが主張するＹ３のパワハラを認めることはできない」。

（３）Ｙ２らの関連共同について

「Ｘらは、〔１〕Ｙ３とＹ２の血縁関係、〔２〕Ｙ２らのＹ１内の地位、〔３〕Ｙ２らの亡Ａに対する暴言、暴行は、Ｙ１内で業務時間中に行われていたことから、Ｙ２らは、互いの暴言、暴行を認識しており、本件暴行及び本件退職強要についてもＹ３は認識し得る状況にあったので、本件暴行及び本件退職強要を直接行っていないＹ３についても、Ｙ２と客観的に関連共同していると認められると主張するが、上記各事実をもって、Ｙ３が、Ｙ２と関連共同していたことを認めることはできず、他にこれを認めるに足りる証拠はない。

よって、Ｙ２らの関連共同を認めることはできない」。

（４）Ｙ２らのパワハラと亡Ａの自殺との因果関係について

「〔１〕亡Ａが仕事においてミスが多くなると、Ｙ２は、しばしば、汚い言葉で大声で怒鳴っており、平成２０年夏以降については、亡Ａがミスをした時に亡Ａの頭を叩くという暴行を時々行っていたこと、及び、〔２〕亡Ａは、同年秋ころ以降、『この仕事に向いていないのかな。昔はこんな風じゃなかったのに。』などと口にするようになり、日曜の夜になると、『明日からまた仕事か。』と言い、憂鬱な表情を見せるようになったことが認められるところ、上記〔２〕の亡Ａの各言動の時期及び内容に照らすと、同言動は、上記〔１〕のＹ２の暴言や暴行が原因となっていたものであり、同年秋ころ以降には、亡Ａは、仕事でミスをすることのほかに、ミスをした場合にＹ２から暴言や暴行を受けるということについて、不安や恐怖を感じるようになり、これらが心理的なストレスとなっていたと解するのが相当である。

さらに、亡Ａは、その後も、ミスを起こして、Ｙ２から暴言や暴行を受けていたと認めるのが相当であるから、本件暴行を受けるまでの間に、亡Ａの心理的なストレスは、相当程度蓄積されていたと推認できる」。

「そして…亡Ａは、自殺７日前に、全治約１２日間を要する傷害を負う本件暴行を受けており、その原因について、たとえ亡Ａに非があったとしても、これによって負った傷害の程度からすれば、本件暴行は仕事上のミスに対する叱責の域を超えるものであり、本件暴行が亡Ａに与えた心理的負荷は強いものであったと評価するのが相当である」。

「さらに、亡Ａは、自殺３日前には、本件退職強要を受けているところ、その態様及び本件退職届の内容からすれば、本件退職強要が亡Ａに与えた心理的負荷も強いものであったと評価するのが相当である」。

「以上によれば、短期間のうちに行われた本件暴行及び本件退職強要が亡Ａに与えた心理的負荷の程度は、総合的に見て過重で強いものであったと解されるところ…亡Ａは、警察署に相談に行った際、落ち着きがなく、びくびくした様子であったこと、警察に相談した後は、『仕返しが怖い。』と不安な顔をしていたこと、自殺の約6時間前には、自宅で絨毯に頭を擦り付けながら『あーっ！』と言うなどの行動をとっていたことが認められることに照らすと、亡Ａは、従前から相当程度心理的ストレスが蓄積していたところに、本件暴行及び本件退職強要を連続して受けたことにより、心理的ストレスが増加し、急性ストレス反応を発症したと認めるのが相当である。

以上の経緯と…本件遺書の記載内容を併せ考えると、亡Ａは、上記急性ストレス反応により、自殺するに至ったと認めるのが相当である。

したがって、Ｙ２の不法行為と亡Ａの死亡との間には、相当因果関係があるというべきである」。

（５）Ｙ１の責任について

「Ｙ２はＹ１の代表取締役であること、及び、Ｙ２による亡Ａに対する暴言、暴行及び本件退職強要は、Ｙ１の職務を行うについてなされたものであることが認められるのであるから、会社法３５０条により、Ｙ１は、Ｙ２が亡Ａに与えた損害を賠償する責任を負う」。

（６）Ｘらの損害について

ア　逸失利益

（ア）基礎収入

「亡Ａは、平成２０年度において、３６５万４７６３円の給与収入があったことが認められる」。

（イ）生活費控除

「亡Ａは、Ｘ１、Ｘ３及びＸ４を扶養していたと認められるから、生活費控除率は３割とするのが相当である」。

（ウ）ライプニッツ係数

「亡Ａは、死亡当時５２歳であり、６７歳まで１５年間就労可能であったと認められるから、ライプニッツ係数は、１０．３８０である」。

（エ）逸失利益

「以上によれば、亡Ａの逸失利益は、２６５５万５５０７円（３６５万４７６３円×０．７×１０．３８０＝２６５５万５５０７円（小数点以下切り捨て））である。

なお、上記金額は、Ｘら主張の逸失利益１４５２万１３８７円を上回るが、他の費用と合計した金額が、Ｘらの請求額の範囲内に収まる限り、処分権主義あるいは弁論主義違反の問題は生じないというべきである」。

イ　精神的損害

「亡Ａが自殺するに至った経緯、亡Ａの扶養状況等、諸般の事情を考慮すると、亡Ａの死亡慰謝料は、２８００万円が相当である」。

ウ　損益相殺

「Ｘらは、年金として５０６万８３４９円、特別年金として２６万６１４９円の支給を受けたことが認められ、これらは損益相殺の対象になるというべきである」。

エ　Ｘらの損害額

以上によれば、Ｘらの損益相殺後の損害額は、以下のとおりである。

（ア）Ｘ１　２４６１万０５０４円

（イ）Ｘ２、Ｘ３及びＸ４　各８２０万３５０１円

オ　弁護士費用

「本件と相当因果関係がある弁護士費用は、Ｘ１については２４６万円、その余のＸらについては、各８２万円と認めるのが相当である」。

カ　損害額

「以上によれば、Ｘ１の損害額は、２７０７万０５０４円、その余のＸらの損害額は、各９０２万３５０１円と認められる」。

（７）予備的請求についての判断

「Ｘらの主位的請求は、Ｘ１については、２７０７万０５０４円、その余のＸらについては、各９０２万３５０１円の限りで認められるところ、Ｘらの予備的請求における損害額…は、主位的請求における認容額を超えるものとは認められないから、予備的請求に係る争点については、いずれも判断する必要はない」。

１７　鹿児島県・曽於市（市立中学校教諭）事件・鹿児島地判平 26.3.12 労判 1095 号 29 頁

【事実の概要】

亡Ａは、昭和４９年生まれの女性であり、平成１８年１０月２８日、３２歳で死亡した。Ｘ１は、亡Ａの父であり、Ｘ２は、母である。

Ｙ１（曽於市）は、γ中学校を設置している。

Ｂ（以下「Ｂ校長」）は、平成１６年４月から平成１９年３月まで、γ中学校の校長であり、Ｃ（以下「Ｃ教頭」）は、平成１７年４月から平成２０年３月まで、γ中学校の教頭であった。

Ｙ２（鹿児島県）は、市町村立学校職員給与負担法に基づきＢ校長及びＣ教頭の給与を負担するものである。

Ｄ（以下「Ｄ指導官」）は、平成１８年１０月、Ｙ２の設置する教育センターに勤務する非常勤の職員であり、本件担当指導官として亡Ａの指導を行った。

（１）亡Ａの職歴、通院歴の概要

ア　亡Ａは、平成８年３月、短期大学の専攻科を修業し、同年４月、鹿児島市立α中学校に臨時的任用教員として赴任し、鹿児島市立α中学校の吹奏楽部の顧問助手を務め、平成１０年４月、鹿児島県に教員として採用され、同月、鹿児島市立β中学校（以下「β中学校」）へ教員として赴任し、４年間、音楽科の授業を担当した。

亡Ａは、中学校の音楽科の第２種教員免許状を取得していたが、その他の科目についての教員免許は有していない。

イ　亡Ａは、平成１１年８月２８日から平成１８年１０月２３日まで、ζメンタルクリニックに通院し、Ｅ医師の診察・治療を受けていた。また、亡Ａは、平成１５年１１月２２日から平成１７年２月５日まで、ηメンタルクリニックに通院し、Ｆ医師の診察・治療を受けていた。

ウ　亡Ａは、平成１４年４月、γ中学校へ教員として転勤した。当時のγ中学校の校長はＧ（以下「Ｇ前校長」）であった。亡Ａは、音楽科（全学年）と家庭科（全学年）の授業については、平成１４年度から平成１６年度まで担当した。

Ｇ前校長は、平成１６年３月３１日、定年退職し、Ｂ校長が、同年４月１日、γ中学校に赴任した。

エ　亡Ａは、同年４月６日、帰宅途中で自損事故を起こし、医療法人昭和会今給黎病院（以下「今給黎病院」）に入院した。Ｂ校長は、同月１７日、亡Ａがζクリニック及びηクリニックに通院していることを知った。亡Ａは、同月２６日、職場復帰し、Ｂ校長は亡

Ａに対して通勤に関する指導を行った。

オ　γ中学校においては、同年６月２１日、Ｙ１教育事務所及びδ町教育委員会による合同学校訪問があり、Ｙ１教育事務所からは所長、指導課長及び指導主事が、δ町教育委員会からは教育長、教育委員、指導主事、社会教育主事が来校したところ、同来校者らに、音楽科の授業を行っていた亡Ａが忘れ物をした生徒を椅子の上に正座させていた場面を目撃された。

カ　亡Ａは、同月２５日、出勤途中、九州自動車道桜島サービスエリア付近において、自動車の自損事故を起こし、右肩を負傷した。

キ　亡Ａは、同年７月３１日から同年８月２５日まで、〇〇大学病院に入院した。

ク　亡Ａは、同年１２月４日、Ｅ医師からストレス反応との診断を受け、同月６日から平成１７年３月５日まで、病気休暇を取得した。

ケ　Ｂ校長は、平成１７年度の教科配分において、亡Ａに、音楽科及び家庭科に加えて、第１学年及び第２学年の国語科の授業を担当させた。

国語科は、高校受験科目で、中間テスト、期末テストが実施される科目であり、テストの問題作成、採点及びその集計等の業務を伴うことが予定されている科目である。

コ　Ｙ１教育委員会は、亡Ａに対し、Ｂ校長の申請に基づき、平成１８年９月１９日付け「研修命令書」により、同年１０月１日から同１９年３月３１日まで、教育センターにおいて、指導力向上特別研修を受けることを命じた。

サ　亡Ａは、平成１８年１０月２日から教育センターにおいて、指導力向上特別研修を受けていたが、同月２８日、鹿児島県にあるＸ１所有の空き家において、自殺し、教育関係者に対する不満を記載し遺書をパソコンに記録して残した。

シ　亡Ａの収入状況

亡Ａは、平成１７年、γ中学校の教員として、鹿児島県から、４８７万１３６７円の給与の支払を受けていた。

（２）γ中学校及び指導力向上特別研修の概要

ア　γ中学校

（ア）生徒数等

γ中学校は、Ｙ１が設置し、全校生徒数は、平成１４年度が８５人、平成１５年度が８３人、平成１６年度が７５人、平成１７年度が６４人、平成１８年度が５５人であり、平成１４年度から平成１８年度まで、１学年１クラスであり、平成１７年度以降は通常学級に加え、特殊学級が１クラス設置されていた。

（イ）勤務時間

γ中学校における職員の勤務時間は、午前８時１５分から午後５時である。

そのうち、午前８時１５分から午前８時３５分までの時間帯については、月曜日が全校朝会・生徒集会、火曜日が職員朝礼、朝の読書、水曜日が一斉読書、木曜日が学級の時間、金曜日が職員朝礼、朝の読書に充てられ、午前８時５０分から午前９時４０分までの時間帯が１校時、午前９時５０分から午前１０時４０分までの時間帯が２校時、午前１０時５５分から午前１１時４５分までの時間帯が３校時、午前１１時５５分から午後０時４５分までの時間帯が４校時、午後０時４５分から午後１時１５分までの時間帯が給食、午後２時２０分から午後３時１０分までの時間帯が５校時、午後３時２５分から午後４時１５分までの時間帯が６校時、４時２５分から午後５時までの時間帯が職員研修や職員会議、教材研究に充てられていた。

イ　指導力向上特別研修

（ア）指導力向上特別研修の概要

指導力向上特別研修は、指導力不足等教員の取扱いに関する規則に基づくものであり、Ｙ２教育委員会が、研修が必要される教員に対して、指導力不足等教員に該当するとの決定及び人事上の措置として研修を実施することが必要である旨の決定をし、これに基づき市町村教育委員会が命じるものである。

指導力不足等教員として指導力向上特別研修の受講を終えた後は、Ｙ２教育委員会において研修後の措置の決定を行い、分限免職、退職勧奨、転職、病気休暇・休職、職場復帰のいずれかが予定されている。

なお、指導力不足の原因が精神疾患である場合には指導力向上特別研修の対象とならない。

（イ）指導力向上特別研修の命令に至る手続

市町村公立学校の校長は、指導力向上特別研修に係る協議対象者を、「資質の向上を必要とする教員に係る調査票」により、市町村教育委員会を通じてＹ２教育委員会に報告し、指導力向上特別研修に係る協議対象者への対応について、市町村教育委員会を通じてＹ２教育委員会と協議し、協議の結果、協議対象者が指導力不足等教員に該当すると判断されたときは、調書を作成して市町村教育委員会に提出して、指導力不足等教員に係る申請を行う。

市町村教育委員会は、同校長が作成した調書に意見を付して、Ｙ２教育委員会に指導力不足等教員に係る申請を行う。

なお、校長は、同調書の作成に当たり、当該教員に対し、その理由を説明し、意見を述べる機会を与える。

Ｙ２教育委員会は、市町村教育委員会から指導力不足等教員に係る申請があったときは、当該教員から事情聴取するなどの方法により、調書の記載内容等につき事実確認を行い、弁護士・医師等の学識経験者により構成される審査委員会の意見を聞いた上、当該教員が指導力不足等教員に該当するか否かの判断をし、その決定内容を市町村教育委員会に通知し、市町村教育委員会は、校長を通じて、同決定内容を当該教員に通知し、当該教員について指導力不足等教員に対する人事上の措置として研修の実施が必要と判断されたときは、当該教員に指導力向上特別研修を命じる。

（ウ）指導力向上特別研修の実施方法

指導力向上特別研修は、鹿児島市内所在の教育センターで行われる。指導力向上特別研修の受講を命じるのは、市町村に置かれる教育委員会であるが、指導力向上特別研修の実施は、受講を命じた教育委員会の委託に基づき、教育センターの指導官が担当する。

（３）本件における関係法令の概要

ア　教職員の給与

市町村立学校職員給与負担法（昭和２３年法律第１３５号）１条には、市町村立の中学校の校長、教頭、教論の給料は、都道府県の負担とする定めがある。

イ　教職員の任命権、服務等

地方教育行政の組織及び運営に関する法律（昭和３１年法律１６２号）には、以下の定めがある。

・市町村立学校職員給与負担法１条及び２条に規定する職員（以下「県費負担教職員」）の任命権は、都道府県教育委員会に属し、県費負担教職員の給与、勤務時間その他の勤務条件については、地方公務員法２４条６項の規定により条例で定めるものとされている事項は、都道府県の条例で定める。（地方教育行政の組織及び運営に関する法律３７条１項、４２条）

・市町村教育委員会は、県費負担教職員の服務を監督し、県費負担教職員は、その職務を遂行するに当たって、法令、当該市町村の条例及び規則並びに当該市町村教育委員会の定める教育委員会規則及び規程（同法４２条又は４３条３項の規定によって都道府県が制定する条例を含む。）に従い、かつ、市町村教育委員会その他職務上の上司の職務上の命令に忠実に従わなければならない。（同法４３条１項及び２項）

・都道府県教育委員会は、その任命に係る市町村の県費負担教職員のうち〔１〕児童又は生徒に対する指導が不適切であり、〔２〕研修等必要な措置が講じられたとしてもなお児童又は生徒に対する指導を適切に行うことができないと認められる者を免職し、引き続いて当該都道府県の常時勤務を要する職（指導主事並びに校長、園長及び教員の職を除く。）に採用することができ、事実の確認の方法その他前項の県費負担教職員が前記の〔１〕及び〔２〕に該当するかどうかを判断するための手続に関し必要な事項は、都道府県の教育委員会規則で定めるものとする。（同法４７条の１第１項、２項）

ウ　教職員の指導

（ア）指導力不足等教員の取扱いに関する規則

指導力不足等教員の取扱いに関する規則（平成１５年鹿児島県教育委員会規則第３号。平成２０年鹿児島県教育委員会規則第９号による改正前のもの）には、以下の定めがある。

・指導力不足等教員

指導力不足等教員の取扱いに関する規則において、指導力不足等教員とは、〔１〕教科に関する専門的な知識、技術等が不足しているため、又は指導方法が不適切であるため、学習指導を適切に行うことができない者、〔２〕児童、生徒又は幼児の人格や心情を理解する能力又は意欲に欠け、学級経営や生徒指導を適切に行うことができない者、又は〔３〕教員としての資質に問題がある等のため、学習指導、学級経営、生徒指導その他の職務を適切に行うことができない者に該当する教員で、かつ、継続的な職務の遂行に支障をきたし、教員としての責任を十分に果たせないため、人事上の措置を必要とすると鹿児島県教育委員会（以下「Ｙ２教育委員会」）が決定した者をいう（同規則２条２項）。

・事実の確認

Ｙ２教育委員会は、指導力不足等教員に該当すると思われる教員が指導力不足等教員に該当するかどうかを判断するための事実の確認を、〔１〕同教員の学習指導、生徒指導その他の職務の遂行に関し市町村教育委員会から提出された文書等の審査、〔２〕その他同教員に対する事情聴取、Ｙ２教育委員会が必要と認める方法により行うものとする（同規則３条各号）。

・Ｙ２教育委員会の決定等

Ｙ２教育委員会は、同規則３条の事実の確認をした上で、審査委員会の意見を聴き、当該教員が指導力不足等教員に該当するかどうかを決定し、指導力不足等教員に該当すると決定した教員について、研修その他の人事上の措置を決定する（同規則４条１項、２項）。

（イ）教育センター

Ｙ２は、地方教育行政の組織及び運営に関する法律３０条の規定に基づき、鹿児島県総合教育センター設置条例（昭和４３年１０月４日条例第３９号）により、教育センターを設置し、教育センターにおいては、教育関係職員の研修に関する事業等を行っている。

（４）亡Ａの平成１６年3月までの経歴等

ア　前記したように、亡Ａは、昭和４９年にＸらの長女として生まれ、平成７年３月３１日、短期大学の音楽科ピアノ専攻を卒業、平成８年３月３１日、同専攻科ピアノ専攻を修業し、同年４月４日、鹿児島市立α中学校に臨時教員として赴任し、平成１０年３月３１日まで、同中学校で勤務し、平成１０年４月１日、鹿児島県公立学校教員として採用され、β中学校へ赴任した。

イ　亡Ａは、平成１１年頃から、不安感等を訴えて、武井内科・心療内科クリニック及び井上メンタルクリニックを受診し、平成１１年８月２８日、ζクリニックに、「考える事がたくさんあり過ぎて、自分が混乱している」、「早く誰かに助けて欲しい」、「周囲が気になり悪口を言われている。笑われている感じがする」、「クーラーの音、時計の秒針の音すら妙に感じ、音に対し、とても敏感になり、外に出るのも恐怖、不安がいっぱい。不安が強く、よく流涙する」、「身体の違和感を持ち、震え、頭がボケてきたみたい」など、思考の錯乱、教壇に立てないこと、関係念慮、被害念慮等を訴えて受診し、Ｅ医師は、亡Ａについて、不適応反応（念慮を伴う）と診断した。

また、Ｅ医師は、亡Ａの発症の時期及び発症の機序については、「ずいぶん以前からあったが我慢していた様子。職場内の様々なストレスと家庭内（父、母との）確執があり、なかなか気が休まるスペースを得られず、また、素直に相談をする事さえ出来ず、一人で悶々と処理する傾向が長く続いた事から徐々に、未解決のままストレスが重積し発症したものと思われる」と判断した。

ウ　亡Ａは、同日以降の診察において、Ｅ医師に対し、症状の原因について、職場のストレスもあるが、家族の人間関係も不安・恐怖心があること、Ｘ１がアルコール依存症で、Ｘ２に対する暴力、亡Ａに対する暴力や性的行為があったことなどを述べた。

Ｅ医師は、亡Ａの上記初診時の不適応反応の診断につき、ＩＣＤ－１０による場合の分類及び程度については、Ｆ４３．２２混合性不安抑うつ反応であり、被害的関係づけた猜疑的観念を持った中程度の念慮が生じているものと判断しており、その根拠としては、学校現場での様々なストレッサーに直面しており、それをスムーズに処理しようとするうちに不適応を呈する、自分の能力のなさ、体力のなさを葛藤する、そのうち、自律神経失調症状（動悸、めまい、消化器症状、頭痛）が出現し、さらに精神症状として、不安、緊張、抑うつが状況依存的に出現し、被害、敏感、関係的観念（周囲が悪口を言っているような、笑っているような）が加わり、不眠を伴って苦しむ状態に至っており、そのストレス状態を家庭内でもプライベート面でも充分解消できずにいたことを挙げた。

エ　亡Ａは、平成１１年１０月１３日から１か月間、不適応反応のため病気休暇を取得した。

オ　Ｅ医師は、同年１２月６日、亡Ａの頭痛、消化器症状（胃痛、下血、便秘、嘔吐、食欲不振）、精神症状（不安、恐怖、抑うつ、不眠、抜毛行為）などについて、不適応反応により、３か月の療養を要する旨の診断書を作成し、亡Ａは、同月１０日から平成１２年３月６日まで、病気休暇を取得した。

カ　Ｅ医師は、平成１１年８月２８日の初診時以降、亡Ａに対し、投薬療法等により対処したが、症状の改善は一部にとどまったため、同年１２月２４日ころ、亡Ａの症状の精査及び加療のため、〇〇大学附属病院神経精神科にコンサルテーションを行った。

〇〇大学附属病院は、同年１２月２７日、亡Ａに対する心理テストを実施するなどして、亡Ａの症状の精査を行い、その結果、亡Ａの精神状態について、情緒的に不安定であること、悲観的で強い人間不信に陥っていること、精神病レベルのゆがんだ嗜好や妄想態様はなく、親子関係、特に父子関係に問題があり、複雑な家庭内の問題がうかがえること、周囲からどう思われているかを気にしており、人から批判されることをいやがり、自分の気持ちを押さえてしまうことが多いこと、自殺念慮（自殺未遂）があること、集中困難、めまい、精神的混乱、不眠のエピソードなどのかなりの精神的障害を示し、義務や責任を果たす能力が低下していると思われることなどの指摘がなされた。

なお、亡Ａは、その後、平成１８年１０月２３日まで、慢性胃炎、鉄欠乏性貧血、パニック発作、胃潰瘍、慢性胃炎等の症状を訴えるなどして、ζクリニックに断続的に通院した。

キ　亡Ａは、平成１２年３月７日、病気休暇から復帰し、その後、平成１２年度には、躁うつのため２か月病気休暇を取得したが、平成１３年度には、病気休暇を取得せずに、β中学校に勤務した。

亡Ａは、平成１４年４月１日、Ｇが校長を務めるγ中学校に転勤した。

ク　亡Ａは、Ｘ２が大腸ガン及び胃ガンのため病院に入院し、ダンピング症状や腸閉塞を起こすことを理由に挙げて、自宅から転居せず、自宅からγ中学校に通勤することとした。

亡Ａは、γ中学校では、音楽科のほか、初めて音楽科以外の教科である技術家庭科を受け持つこととなった。

亡Ａは、γ中学校には、自宅から自動車で片道約２時間かかっており、亡Ａは、当日になってから急に年次休暇を取得することが多く、それにより急な時間割の変更等を余儀なくされて他の教諭に迷惑を掛けることから、次第に他の教諭から孤立していった。

ケ　亡Ａは、平成１４年度には、急性腎盂炎で４日、感冒で６日、急性上気道炎で２日の病気休暇を取得した。

また、亡Ａは、平成１５年度には、痔核血栓症で４日、卵巣機能不全及び甲状腺異常で１日、顎変形症で３日の病気休暇をそれぞれ取得したが、精神疾患を理由とする病気休暇は取得していない。

コ　亡Ａは、平成１５年１１月２２日、眠れない、気分がすぐれない、体重増加を訴えてηクリニックを受診し、神経症性うつ病、神経症性不眠、慢性胃炎と診断された。

Ｆ医師は、亡Ａの初診時の表情は穏やかで、抑うつ的な雰囲気はなく、会話もスムーズで礼儀正しいが、感情や内面の表出に乏しいこと、問診において、抑うつ気分、精神運動制止、不眠などの症状を訴え、食欲低下はなく、むしろ過食傾向で気にしていると答えたこと、希死念慮は認められず、心理検査では、ＣＥＳ－Ｄ：４６点で中程度抑うつレベルで、睡眠調査表：１３点で中程度の不眠レベルであり、過剰適応傾向があるとの結果が得られたことから、上記の診断を行い、亡Ａの症状につき、ＩＣＤ－１０による場合の分類及び程度については、Ｆ３２．０の軽症うつ病エピソードとＦ５１．０の非器質性不眠症であり、いずれも軽度のレベルであったと判断していた。

亡Ａは、同日、Ｆ医師の診察において、平成１２年頃に関係念慮等の症状があったことがその後自然に軽快し、平成１５年５月頃に難聴及びめまいの症状があったがその後自然に軽快した旨説明していた。

Ｆ医師は、抗うつ剤パキシルやドグマチール、抗不安剤デパス及び睡眠薬ハルシオンなどによる内服治療を開始した。

なお、亡Ａは、同日から平成１７年２月５日まで、ηクリニックに通院していた。

（５）平成１６年度の亡Ａの勤務状況等

ア　Ｂ校長は、平成１６年４月１日、γ中学校に校長として赴任した。なお、当時のγ中学校の教頭はＩ教頭であった。Ｂ校長は、亡Ａの精神的な健康状態に関する引継ぎは受けなかった。

イ　亡Ａは、平成１６年度、音楽科と家庭科を担当し、１週間の授業時数は１２時間であり、校務分掌として、管理のうちの清掃用具、環境衛生、教育相談、広報・渉外のうちの広報・掲示及び２年生の副担任を担当していた。

亡Ａは、部活動の顧問を担当していたが、放課後部活動には参加しておらず、概ね、午後５時半頃、帰宅していた。

ウ　亡Ａは、同年４月６日、γ中学校からの帰宅途中に、自動車の運転を誤り、自損事故を起こしたが、その旨をＢ校長に報告しないまま、同月７日、通常通り勤務し、同月８日になってから、首の痛みのため年次休暇をとり、その際、Ｂ校長に、同月６日の上記自損事故を報告した。

Ｂ校長は、同日、当時のδ町教育委員会（後のＹ１教育委員会）教育長であったＪ（以下「Ｊ教育長」）に亡Ａの上記自損事故について報告し、Ｊ教育長は、同月９日、Ｂ校長に対し、亡Ａについて指導力不足等教員に該当する可能性があるとして、亡Ａの普段の行動等の事実関係及びそれに対するＢ校長の感想等を記録化するよう指示し、Ｂ校長は、同日以降、亡Ａの行動等を手帳に書き留めた。

エ　亡Ａは、上記交通事故による頚部ねんざのため、病気休暇を取得して、同月９日から同月２３日まで、今給黎病院に入院した。

Ｂ校長は、同月１７日、今給黎病院に、亡Ａの見舞いに行き、亡Ａの遠距離通勤の理由が、胃ガン、大腸ガンに罹患している母親の介護を父親と分担して行っているためであること及び亡Ａが使用した高速道路はあらかじめ届け出ていた通勤経路でないとの説明を受けた。

Ｂ校長は、今給黎病院の亡Ａの担当医であるＭ医師と面会し、３か月以上の診断書の作成が可能であるとの意見を得たことから、亡Ａに対し、３か月以上の病気休暇を取得することを勧めたが、亡Ａは、早く学校に帰りたいとして病気休暇の取得を断った。

また、亡Ａは、Ｂ校長に対し、心療内科に不定期に通院しているとして、ξクリニックとηクリニックの名前を告げられ、ハルシオン、メリスロン、セロクラールの処方を受けていること、病院の電話番号等を伝えた。Ｂ校長は、それが睡眠導入剤及びめまいの治療薬であることを調査した。

オ　亡Ａは、同月２６日、職場復帰し、Ｂ校長は、同日、亡Ａの同月６日の自損事故に関し、亡Ａが、高速道路を使用しない通勤経路を届け出ていたため、今後の通勤経路について確認するとともに、安全運転に心がけるよう指導するとともに、γ中学校付近への転居を５月の連休明けまでに検討するよう指導を行った。

カ　Ｉ教頭は、同年５月２４日、亡Ａから、時間休をとって病院で診察を受けてから出勤する旨の連絡を受けたが、亡Ａがいつ出勤するのかについては連絡がなかった。

Ｂ校長は、同日午後、亡Ａが取得した時間休の時間帯について確認するため、亡Ａに電話をかけた。また、同日は、職員会議が予定されており、亡Ａから議案の提案がなされる予定であった。

Ｂ校長が、同月２５日、亡Ａに対し、前日の状況の確認をしたところ、心療内科へ行ったとの回答を得たので、病状の確認と年次休暇を取る際の連絡の仕方について指導をした。また、Ｉ教頭から、亡ＡのＩ教頭に対する言葉遣いが悪いとの話も聞かされていたため、その点についても指導を行った。

キ　Ｂ校長は、同年６月２２日、亡Ａがその前日の当時のＹ１教育事務所長及びＪ教育長による合同学校訪問中に、忘れ物をした生徒２名を椅子の上に正座させていたこと、Ｙ１教育事務所長及びＪ教育長から、Ｂ校長に対し、亡Ａによる体罰の常態化の可能性を指摘されていたこと等につき、指導を行い、亡Ａは、Ｂ校長からの指導後、年次休暇の取得を申し出て帰宅した。

ク　Ｂ校長は、同月２３日、Ｘらをγ中学校に呼び出して、面談し、Ｘらに亡Ａの通院状況等を確認するとともに、Ｘらに対し、亡Ａが注意を受けても話を聞かず反省の態度がないことを伝え、亡Ａが長期休暇を取ること等を説得するよう依頼した。

ケ　亡Ａは、同月２５日、自宅からの通勤途中に自動車の運転を誤って自損事故を起こし、右肩を負傷した。亡Ａは、事故現場から、Ｂ校長に自損事故を起こした旨連絡し、交通事故処理が終了した後、Ｘ１の運転する自動車でγ中学校に送られ、予定されていた授業を全て終えてから、右肩の治療のため、病院に行った。

Ｂ校長は、同日、Ｘ１と面談し、亡Ａがζクリニックには同年４月５日の受診が最後であり、うつ病は治っている旨、ηクリニックにおいては、友人代わりに話を聞いてもらっている旨を聴取した。

コ　Ｂ校長は、同年６月２６日、同月２３日付けの亡Ａの同意書を得た上でηクリニックを訪問してＦ医師に面会して、亡Ａの治療状況を確認するとともに、亡Ａの学校での勤務状況として、「学校で寝ていることが多い。休み時間以外にも休憩室で横になっている。生徒の活動中も気分が悪いと訴えて横になっていることがある。注意しても長距離通勤をやめようとしない。公開授業前に生徒と黒板に落書きをしていた。試験中に生徒にヒントになるようなことを言ったりもする。欠勤も多すぎる。受診後にハイテンションになることが多いが、薬を飲みすぎているのではないか。教師としての資質に問題があるように感じている。長期の療養休暇などをとって治療すべきではないか」と述べ、亡Aの教師としての資質に問題がある旨指摘し、長期の療養休暇を勧められないか打診した。

F医師は、亡Aの勤務状況が亡Aの精神的な疾患によるものではないかと尋ねるB校長に対して、「当院へは眩暈を主訴に受診している。ストレス性のめまいであろうと思われる。対人的に多少緊張することはあるようだが、当院では過量服用するなどの問題行動はない。学校で臥床しているのは、めまいのせいで気分が悪いからではないか。抗うつ剤を服用してハイテンションになるわけではない」、「教師の資質に関しては当院で判断すべきことではない。本人が療養休暇を望むような状態でなければ当院から休職を勧める理由もない」と説明し、B校長は、亡Aの疾患が精神的なものではないと受け止めた。

F医師は、B校長が亡Aを完全に問題教師として見ていると感じ、事実関係について亡Aの話と食い違いがあるが、B校長がやや過敏、ヒステリックになっているとの感想を持った。

サ　B校長は、同年７月７日、亡Aに対し、指導力不足等教員の申請に関し、同月１６日までに、本人の意見を記載した書面を提出するよう指示し、併せて「教育活動に関する自己評価」（２７項目の５段階評価）を提出するよう指示した。

亡Aは、同月１５日、B校長に対し、本人の意見を記載した書面を提出し、同書面に対するB校長の指摘事項を踏まえ、同月１６日、B校長に対し、再度、本人の意見を記載した書面を提出した。

亡Aは、同月２７日、「教育活動に関する自己評価」を提出した。亡Aの「教育活動に関する自己評価」は、５段階評価の平均３．６であった。

亡Aは、ストレスの原因が咬合不全と自分の容姿が対人関係に影響を与えていることにあると考えるようになり、同月２３日から同年８月２５日までの間、顎変形症の手術のため○○大学病院に入院し、病気休暇を取得した。

B校長は、亡Aの入院中に、亡Aを見舞ったが不在だったので、担当医に亡Aの病状を聴取した。

J教育長は、同年８月９日、B校長に対して、亡Aの精神面の問題がないかどうかを確認し、B校長は、今年度は問題はないと答えた。

J教育長は、同年９月１日、B校長に電話をかけ、亡Aが作成した「教育活動に関する自己評価」の自己評価の点数では指導の対象外になることを指摘し、B校長は、同日、亡Aに対し、自己評価の再提出を指示し、亡Aは、同日、平均点を２．７に下げた自己評価を再提出した。

B校長は、亡AをY２教育委員会に指導力不足等教員に係る申請を行うことを見送ったが、同年１２月２４日、Y１教育事務所長から、亡Aを、来年度すぐに指導力不足等教員として申請するよう指示を受けた。

シ　亡Aは、平成１６年１０月２５日に出先の宮崎県都城市でパニック状態となり、F医師に電話相談をし、F医師は、現地の藤元早鈴病院を紹介し、亡Aは同病院を受診した。亡Aがパニック状態となったのは、出先で調子が悪くなって、当日予定していた合唱の練習に間に合わないということが原因であった。

ス　亡Aは、前記顎変形症の手術の際に声帯を損傷し、そのことが音楽科教師としての地位に影響を与えることを懸念するようになって、同年１１月ころまでに更にストレスを深め、同年１１月１日、B校長に対し、パニック症に罹患した旨報告し、約１か月後の同年１２月３日に予定されている音楽祭が終わってから３か月間の病気休暇を申し出たところ、B校長は、今の職業が適しているのかE医師に聞いてみるよう指導を行った。

セ　B校長は、平成１６年１１月５日、ζクリニックを訪問し、E医師と３０分程度面会した。B校長は、E医師に対し、亡Aの状況を確認するとともに、亡Aが、β中学校のときから病休があり、継続的に体調が悪いことを伝え、亡Aの勤務態度に問題が多いこと、教育委員会には亡Aについて６か月以上の病気休暇を取得してもらいたいとの意向を持つものもいること、亡Aのストレスの原因がB校長による指導にあることは把握しているが、その指導内容が教師として極めて初歩的なものであること、亡Aの教師としての資質に疑問があること等を伝えて、医師として亡Aに転職を勧めることはできないか依頼した。

これに対し、E医師は、亡Aについて、パニック障害であることを伝え、完璧主義であり、ストレスを貯めやすい傾向にあること、病状については、ストレスが加わるとパニック発作を起こすものであること、転職については本人が決めることであり、E医師から転職を勧めることはできないこと、パニック障害の原因はB校長にあることを説明した。B校長は、亡Aがパニック障害であれば、教師としての職を全うすることは困難であると考えた。

X２は、同月６日、亡Aとともに、E医師を訪れ、亡Aとは別々に話をし、E医師に対し、「本人は３か月休養するというが、なぜでしょうか。家では元気です」と質問し、亡Aの手術は「きれいになりたい手術。顎の骨をひっこめてプレートを入れている。８mm短くなった」と美容目的もあることを説明した。

E医師は、同日、亡Aにつき、病名を「ストレス反応」とし、「心身ともに疲労状態であり、１２／６～約３ヶ月の療養を要する。（その間声帯手術のための入院を含む）」とする診断書を作成した。しかし、その後、声帯手術のための入院を含むという部分は、亡Aの要望により削除し、同年１２月４日付けの診断書を作成した。

B校長は、E医師から聞いていた「パニック症」と診断書上の「ストレス反応」との病名の違いには特段関心を持たなかった。

ソ　Ｂ校長は、同年１１月１１日、Ｘ２と面会した。Ｘ２は、Ｂ校長に対し、Ｘ２としては亡Ａが３か月も休む必要があるとは思わないが、亡Ａが診断書をＦ医師から断られ、亡ＡがＥ医師に頼んだ結果、Ｅ医師が診断書を作成した旨を告げた。

タ　亡Ａは、同年１２月６日から平成１７年３月５日まで、病気休暇を取得した。

亡Ａは、同休暇中に入院の上、上記損傷した声帯の手術を受けたが、Ｂ校長は、亡Ａの入院中、亡Ａに対し、病気休暇を延長することができる旨の架電をした。

Ｂ校長は、Ｅ医師に電話をかけ、Ｅ医師は、亡Ａの精神的な状態は継続する可能性があることを伝え、Ｂ校長が、入院中でも亡Ａの症状経過を頻繁に電話をかけて聴取する予定であると述べたことを諫めた。

チ　亡Ａは、同月６日、職場復帰した。Ｅ医師は、同日付けの「学校職員等復職（結核外）診断書」において、「病名」欄に「ストレス反応」と、「現病歴及び治療経過」欄に「過去に様々な身体症状（主に自律神経失調症状）が生じ、その原因の一つが咬合不全にあるのではと考え、顎矯正術を受ける。その際、全身麻酔採管により、声帯を損傷し、肉腫を形成、音楽科教師として、嗄声状態がさらにストレスとなり、京都にて、声帯手術を受ける。次々にストレスに直面し、心身体疲弊した状態を、安定剤を使用する事で代償して過す」と、「現症」欄の一般所見欄に亡Ａが「なかなか本音を表出化せず我慢する傾向があり、安定剤、抗うつ剤を使用し、その場しのぎをする傾向。結果的に無理が重積して過剰適応状態に陥り、一気に自律神経失調症状が、パニック、発作、不安、頭痛として発現する状況」と、「今後の療養・勤務等についての意見」欄に、「今回の療休も余裕のない日数で手術を行って、充分回復していない。ただ、周囲に多大な迷惑をかけている点、また教師としての使命感、責任感から、３／７からの出勤を強く希望しているため、本人の強い意志を尊重して出勤可とする。多少の業務の軽減をお願いしたい。今後も、１回／２Ｗの通院を要する」とそれぞれ記載し、亡Ａは、これをＢ校長に提出した。

ツ　Ｂ校長は、平成１７年度から、γ中学校において特別支援学級が増設されるが、教諭の補充がなかったため、国語科の担当教諭を特別支援学級の担当に充てることとし、同年３月２５日、亡Ａに対し、平成１７年度から従前の音楽科・家庭科に加え、国語科を担当することを打診したところ、亡Ａは了承しなかった。

Ｂ校長は、同月２８日、γ中学校の国語科を担当していたＮ教諭に対し、平成１７年度に国語科の担当を亡Ａに依頼することを相談したところ、父兄から苦情が来るおそれがあるので、教科以外の担当を増やすよう助言され、同日、Ｙ１立ε小学校長であるＯ校長から、亡Ａには国語科を担当することができないかもしれない旨等を助言されたが、亡Ａに国語科を担当させる方針を変えなかった。亡Ａは、同月２９日、平成１７年度から国語科を担当することを了承した。

（6）平成１７年度の亡Aの勤務状況等

ア　C教頭は、平成１７年４月１日、γ中学校に教頭として赴任した。

イ　亡Aは、平成１７年度から、音楽科、家庭科に加え、免許外科目であり、かつ受験科目である１年及び２年の国語科を担当し、１週間の授業時数は８時間増加して約２０時間となった。

また、亡Aは、平成１７年度、校務分掌として、監理のうちの清掃用具、環境衛生、教育相談、広報・渉外のうちの広報・掲示、就職指導、教務のうち指導要録・出席簿・就学転出入・学籍管理、特別活動の中の学校行事のうちの旅行・集団宿泊的行事及び３年生の副担任を担当していた。国語科を担当することによる校務分掌の減少は特段存在しない。

B校長は、亡Aが定期的にE医師の診察を受けていることは認識していた。

ウ　亡Aは、同年７月までは、事前の連絡のない年次休暇の取得はなく、十分な授業の準備をしており、勤務状況は良好であったが、同年９月頃から、急な年次休暇の取得や授業の準備不足等が目立つようになった。

エ　亡Aは、同年９月１２日、じんましんを理由に年次休暇を取得し、同月１３日、前日の年次休暇に関する診断書を持参し、B校長は、前日の年次休暇を病気休暇として処理した。

亡Aは、同月２０日の夜、顔の腫れを訴え、同月２１日、鹿児島市立病院を受診し、急性皮膚炎と診断されたもののその原因は分からず、同日、病気休暇を取得した。

オ　B校長は、同月２９日の放課後、亡Aに対し、校長室において、４０分程度、２学期が始まってから当日までの亡Aの勤務態度に関し、突然の休暇の取得が多いこと、会議中眠そうにしていること、授業の準備が不足していること等について指導を行った。

カ　亡Aは、同年１０月４日、国語の授業を読書に変更し、生徒には図書室から本を借りて教室で読むよう指示して図書室に残っており、生徒の管理をしていなかったため、生徒が教室で騒ぎ、隣で授業中の教諭が注意をした。

B校長は、同日、亡Aの上記対応について指導し、C教頭は、同日、亡Aから「不適格教員として、研修に出して欲しい」との電話連絡を受けた。

キ　亡Aは、同年１１月２日、音楽室の鍵を紛失し、B校長から、指導を行った。亡Aは、過去にも鍵をなくし、鍵の保管・管理につき指導を受けたことがあった。

ク　亡Aは、同月２２日午後０時半頃、勤務中に外出し、同日午後１時から予定されていた音楽会の準備に間に合わなかったため、他の教諭が亡Aに準備の時刻を確認させ帰校するよう指示した。

ケ　B校長とC教頭は、同年１２月１６日放課後、これまでの亡Aの勤務態度について、校長室で指導を行った。亡Aは、C教頭が話し始めると、泣き出して、「教頭先生は私が嫌いだから、私だけが注意を受けている」旨を述べた。

コ　亡Ａは、同月２０日、当日になって年次休暇を取得したが、同日が締切日となっている生徒に対する評価を提出していなかった。

サ　亡Ａは、平成１８年１月１２日、同日に予定されていた国語の実力テストの問題を作成していなかった。

シ　Ｂ校長は、同月１７日、亡Ａに対し、指導力不足等教員の申請に関する本人の意見を提出するように伝え、亡Ａは、同月２０日、Ｂ校長とＣ教頭に対し、教育センターには行きたくない旨を伝え、その理由を聞かれると、教育センターで研修を受けている職員が冷たく扱われている旨を回答した。亡Ａは、指導力不足等教員の申請にかかる本人の意見を２、３回修正のうえ、同日午後９時に提出した。

亡Ａは、同月２３日頃、鹿教組Ｙ１地区支部に加入した。

ス　Ｂ校長は、同年２月、γ中学校のＰＴＡ会長及び生徒の保護者から、亡Ａ作成にかかるテスト問題について、訂正が多すぎる等の不満があることを聞き、同月２３日、亡Ａに対し、校長室において、１時間ほど、テスト問題の作成について指導した。

セ　平成１７年教務担当であったＬ教諭は、亡Ａの国語科の担当に際し、亡Ａに対する国語科のサポートを特に行っていなかった。

ソ　亡Ａの平成１７年１１月から平成１８年３月までの時間外勤務の時間数は０時間である。

（７）平成１８年度の亡Ａの勤務状況等

ア　亡Ａは、平成１８年度も、音楽科、家庭科のほか、引き続き、１年及び２年の国語科を担当し、１週間の授業時数は約２０時間であった。

亡Ａは、平成１８年度、校務分掌として、管理のうちの清掃用具、環境衛生、安全指導のうち安全指導・施設設備の安全管理、特別活動の学校行事のうち勤労生産的行事と旅行・集団宿泊的行事、教育相談、教育方法のうちの学習指導方法の改善・評価・教育設備の改善研究、教務のうち指導要録・出席簿・就学転出入・学籍管理並びに２年生及び特殊学級の副担任を担当していた。国語科を担当することによる校務分掌の減少は特段存在しない。

イ　Ｂ校長は、平成１８年４月ころ、亡Ａに対し、同年６月３０日に、国語の研究授業を行うことを指示し、亡Ａが提案した音楽科での研究授業の提案には応じなかった。一般的に研究授業は、通常の授業に比べて準備等の負担が大きいものであった。

ζクリニックの診療録には、亡Ａが、同年４月１５日の診療時、仕事が昨年より大変であり、授業数も公文書類の作成量も増えていること及びＢ校長から６月中旬に研究指導をしないかという話が来ていることを、同年５月２０日の診療時、上司や職場の雰囲気といった大きなストレスは異動がない限りなくならないこと及びＢ校長から同年６月３０日の研究授業を国語科で行うよう頼まれており、亡Ａが音楽科での研究授業を提案しても認めてもらえなかったことから、亡Aのプライドをかけてこれから準備を始めることをそれぞれ話した旨の記載がある。

ウ　B校長は、Y２教育委員会の同年４月２７日付け「資質の向上を必要とする教員の報告について（依頼）」を受けて、同年５月ころ、「資質の向上を必要とする教員に係る調査票」により、亡Aを指導力向上特別研修に係る協議対象者として、Y１教育委員会を通じてY２教育委員会に報告及び協議した。

エ　亡Aは、同年６月１９日、E医師に対し、京都の病院での検診でのどに再度ポリープができていたこと、今は授業を休むわけにはいかないので、極限の痛みが出るまでは頑張ろうかと思うこと、身を削っても仕事をしなければいけないが９か月後に異動希望を出すので、９か月の我慢であることを訴え、同月３０日、国語科の研究授業を遂行した。

オ　亡Aは、同年７月１４日の午後７時４５分ころ、職員室で同僚の教諭から仕事に対する甘さを指摘されると、途中から口をティッシュで押さえて水飲み場に行き、吐血したと訴えて自ら救急車を呼び、Y１郡医師会病院へ搬送されたが、同病院での診察時、吐血した事実がないことが判明した。亡Aは、X２に電話をし、X２は救急車を呼ぶことを勧めていた。

カ　亡Aは、同月１５日、今村病院分院にて、不安症、神経症ほかの診断を受け、同月１８日、E医師に対し、電話をかけ、体調が悪く、涙が止まらない、上司には相談ができず、組合の先生に相談に乗ってもらっている、今から胃カメラを撮る予定であるが、B校長から呼出しがあると訴え、E医師は、亡Aに対し、胃潰瘍とパニック発作の治療のため、入院しても良いのではないかと助言したが、亡Aは、入院について消極的であった。

キ　B校長とC教頭は、そのころ、亡Aに対し、上記救急車を呼んだことについて指導した。亡Aは、この指導を受ける際、録音機を持ち込んでおり、会話内容を録音した。上記指導には約1時間を要しており、指導の内容は、〔1〕亡Aの同時点における健康状態の確認、〔2〕テストの点数が７４点の生徒の評価を３とし、テストの点数が４０点の生徒の評価を4としたことに関する理由の確認、〔3〕胃潰瘍で血を吐いたと嘘をついて救急車を呼んだことへの非難、〔4〕遠距離通勤の見直して止めることの指導、〔5〕指導力向上特別研修に係る診査のための面接の連絡、〔6〕生徒から借りた遠足の写真を約束の期日までに返還しなかったことについての指導などである。

B校長は、〔1〕の亡Aの健康状態の確認に当たり、亡Aがパニックになる原因を同僚の一部の先生等にある旨の発言を聞き、その返答として、それがパニックの原因になるのであれば、亡Aは教職員には適していないこと、亡Aが先生として仕事ができないこと、教師として日常茶飯事のことであるので、どの職場に行っても同じことが起こり、亡Aが自分の職業を見直すべきであると断言し、γ中学校は穏やかな方で、普通はもっと厳しく、それが怖い、ストレスがたまるというのであれば、根本的に考え直すべきこと等を指摘するなどし、C教頭は、〔2〕の評価に関して、亡Aの生徒に対する評価に問題があり、生徒に対する説明ができないこと、これができないのはやはり教員として資質が伴っていないことを指摘し、B校長及びC教頭は、〔3〕の救急車に関しては、亡Aが嘘をついて救急車を呼んだと非難し、亡Aがみんなに迷惑をかけた、亡Aが自分を正しいといえるのか、亡Aが誰からも信用されなくなると詰問し、B校長は、〔4〕の遠距離通勤に関しては、亡Aの体調不良は遠距離通勤にあること、亡Aが厳しいことを言われるとすぐ休んだり、逃げていること、亡Aが逃げる姿勢をとっていると解決にならないこと、本当に根本的に亡Aが職業を見直していかなければならないこと、職業を見直すことを考えたか否かをイエスかノーかで問い、亡Aには自分を変えようとする気がないと指摘し、〔5〕の指導力向上特別研修に関しては、亡Aの行動を見ていると「とてもではないけれど」と言って亡Aを指導力向上特別研修に係る協議対象者とせざるを得ない旨を告げ、C教頭は、指導力向上特別研修に関しては自分たちが決めるものではなく、あとどれだけ一緒に仕事ができるかわからないが、生徒のことを考えて先生として社会人としてしっかりするようにと求め、B校長は、まとめとして、亡Aに対して言い訳をしないこと、口答えしないことを求め、自分たちが組織の中で運命共同体様のもので働いており、組織の一員として足をひっぱるようなことがあるとどうなのか考えてほしいと伝え、これまで亡Aに対して指導を行うと、亡Aが翌日は必ず休んでおり、ストレスを感じている部分があるかもしれないが、休むということは病気に逃げることであり、解決にはならないこと、指導を受けるときは自分を高める一つの修羅場であり、それから逃げないようにと求め、明日からどう変わるか楽しみにしている、頑張るようにと繰り返した。

亡Aは、この際に、B校長及びC教頭に対して、亡AがE医師の診察を受けていること、亡Aが救急車を呼んだときにパニック状態になっていたことを伝えており、B校長及びC教頭も、亡Aに対して、亡AがE医師のもとに通院していることを前提とした発問を行っていた。

ク　B校長は、亡Aを指導力向上特別研修に係る協議対象者として、Y1教育委員会を通じてY2教育委員会に報告及び協議し、亡Aが指導力向上特別研修の対象者に該当すると判断され、同月21日、「資質の向上を必要とする教員に係る調査票」の「問題の状況、指導経過、本人の態度等」欄に、専ら同月以降の亡Aの勤務状態等を記載して、これをY1教育委員会に提出して、亡Aについて、指導力不足等教員に係る申請を行った。Y1教育委員会は、B校長の作成した上記調査票に意見を付して、Y2教育委員会に対して、亡Aにつき指導力不足等教員に係る申請を行った。

B校長の作成した同「資質の向上を必要とする教員に係る調査票」においては、亡Aの病休歴として、「H12年度　3ヶ月　そううつ病（ζメンタルクリニック処方）」、「H16年度　3ヶ月　ストレス反応12月6日～3月5日（ζメンタルクリニック処方）」

との記載があるほか、平成１７年７月７日から平成１８年７月１８日までの間に現認した亡Ａに関する勤務時間等の服務上の問題行動、組織人としての問題行動、Ｂ校長、Ｃ教頭の指導及びこれに対する亡Ａの反発の反応等が列挙されている。また、Ｂ校長は、校長の意見として、亡Ａの問題点としては、「〔１〕管理職等の忠告や指導を全く聞かない。〔２〕休みが多い。（特に、学校運営への支障を顧ることなく休む）〔３〕職責感がほとんどない。〔４〕同僚との人間関係を構築できない。〔５〕計画的な問題作成や生徒の的確な評価ができない。〔６〕言行不一致な態度や強い虚言癖が見られる」、「繰り返し繰り返し指導しているが、根本的な改善が見られないのが現状である。指導も、低レベルの内容である。また、平成１２年度、そううつ病で３ヶ月の病休を取っているが、一昨年度、通院してた鹿児島市のηメンタルクリニック（今は、通院していない）の医師によると、そううつは見られないということを聞いている」と記載した。

Ｂ校長は、上記記載に当たり、漫然と、Ｅ医師に対する不信感から、亡Ａがζクリニックを受診していることについては、特段の記載をせず、Ｅ医師に対して亡Ａの状況について確認をする必要性はなく、通院をしていないηクリニックの記載をすれば足りると安易に考えていた。

Ｃ教頭も、Ｅ医師に対して、亡Ａの精神状態について、確認する必要はないと安易に考えていた。

ケ　亡Ａは、同月２５日、Ｅ医師に対し、電話をかけ、同月２６日、Ｙ１教育委員会教育長と会うことになったこと、診断書を持って行くことになると訴えた。Ｅ医師は亡Ａに対し、カルテの開示は今は無理であるが、診断書が必要であれば書く旨を伝えた。

コ　亡Ａは、そのころ、Ｙ１教育委員会教育長と面談し、亡Ａは、Ｂ校長及びＣ教頭との間で会話が困難であることを訴え、同教育長は、亡Ａに対し、指導力向上特別研修を受けるようにすすめた。

Ｙ１教育委員会は、Ｂ校長が作成した調書に意見を付し、Ｙ２教育委員会に、亡Ａについて指導力不足等教員に係る申請を行った。

サ　亡Ａは、同年８月１日、Ｅ医師に対し、電話をかけ、同月２日、県の審査を受けること、ζクリニックに定期的に通院し、不安とパニック発作に対しカウンセリングとストレス対策について指導を受けていることを話す予定であると話した。

シ　Ｙ１教育委員会とＹ１教育事務所は、同月２日、亡Ａに対する事実確認のための事情聴取を行った。亡Ａは、Ｂ校長の調書に記載された問題事項について、何らかの理由を述べたり、覚えていないと答えるなどして、質問のおよそ半分を否定し、回答ははきはきと答えて、健康に関しては、精神面での問題については何ら述べることはなく、指導力向上特別研修の対象者と決定された場合には、受ける用意はないと答えた。

ス　亡Ａは、同年９月２日、Ｅ医師に対し、指導力不足等教員の認定に係る諮問について、組合に入っているので録音して臨んだが、特定の年月日に何をしていたかといったかなり細かいことまで聞かれたので、覚えていない旨を答え、他の人のことについては分からない旨を答え、また、諮問の内容の録音を教職員組合の人に聞いてもらい、県教育委員会と交渉したと話し、自分が指導力不足等教員と判断される理由がわからないと訴えた。

セ　Ｙ１教育委員会の竹下某課長は、同月４日、ξクリニックに電話をかけ、亡Ａが通院しているか否かを確認し、Ｅ医師は、亡Ａの了解がないと回答することができないと回答を留保し、同月５日、電話により亡Ａから了解を得て、同課長に対して、同月２日に通院した旨を回答した。

Ｙ２教育委員会は、亡Ａへの事情聴取を行った上で、同月１３日、指導力向上特別研修に係る審査委員会に対し、亡Ａが指導力不足等教員に該当するかの判断について意見を聴いた。同審査委員会の意見は「１　テスト問題作成が間に合わず、日程変更をせざるを得ないなどというのは教師としては問題だ。２　職業人としての自覚がない。３　ヒステリーとか自己愛的なものを抱えているのかもしれない。精神疾患を示す診断書を医者に頼み込んで書いてもらうということは実際にあり得る話である。４　この教諭の問題は、精神疾患というよりも、自己中心的で、本人の資質の問題であると思われる。医学的な判断は、研修させながらでも良いのではないか。５　研修で、本人の自己中心的な考えを改めさせたい」という旨の意見が出され、亡Ａを指導力不足等教員とし、指導力向上特別研修を受けさせるべきであるとする結論となった。

ソ　Ｙ２教育委員会は、上記審査委員会の意見を踏まえ、亡Ａが指導力不足等教員に該当するとの決定及び人事上の措置として研修を実施することが必要であるとの決定を行い、同月１５日、「指導力不足等教員に係る人事上の措置の決定について（通知）」により、上記決定内容をＹ１教育委員会に通知した。Ｙ１教育委員会は、Ｂ校長を通じて、亡Ａに当該決定内容を通知した。

Ｙ１教育委員会は、同月１９日付けで、亡Ａに対し、「研修命令書」により、同年１０月１日から平成１９年３月３１日まで、教育センターにおいて、指導力向上特別研修を受けることを命じた。

タ　亡Ａの平成１８年４月から同年１０月までの時間外勤務の時間数は、同年５月が３時間、同年７月が２時間４５分、同年９月が２２時間５０分である。同年９月の時間外勤務のうち１９時間５０分は、修学旅行引率業務によるものである。

（８）教育センターでの亡Ａの状況

ア　指導力向上特別研修の内容

指導力向上特別研修の内容は、〔１〕教科に関する専門的知識、技術等を身に付ける研修、〔２〕適切な指導方法と実践力を身に付ける研修、〔３〕生徒理解と学級経営の在り方についての理解を深め、実践的態度を養う研修、〔４〕教育公務員としての使命感、職責感を高める研修、〔５〕教育公務員としての適切な言動と社会性を培う研修を行うとされ、研修の流れは、同年１０月を「ステップ１　自分からの出発（約１ヶ月間）」として、これまでの教員生活の振り返り、自己課題の認識、働くことの意義や教えることの意味の認識、研修の必要性の理解に係る研修を行い、同年１１月を「ステップ２　自他への気づき（約１ヶ月間）」として、指導力不足に陥った背景や要因の明確化、学校の一員として、子どもや保護者への責任の自覚、教員として必要な資質の認識、課題解決に向けた計画の立案に係る研修を行い、同年１２月を「ステップ３　学ぶ意欲の回復（約１ヶ月間）」とし、資質向上を図るための研修プログラムづくり、主体的な研修プログラムによる研修実践、指導力等の向上に係る研修を行い、平成１９年１月及び同年２月を「ステップ４　指導力等の検証（約２ヶ月間）」とし、所属校での実証授業、研究授業等の実施（実地研修１週間）、自己課題の再認識、克服されない課題の重点的研修に係る研修を行い、同年３月を「ステップ５　残された課題の克服（約１ヶ月間）」とし、学校復帰への心構えと自己評価、研修成果のまとめ、今後の課題の明確化等に係る研修を行うものとされており、指導力向上特別研修の内容の１か月は、研修者の教員生活を振り返って自分史を作成し、自分史に基づく指導は、まず研修員本人が自由に自分史を作成した後、これに基づいて、指導教員が面談において、自分史に記載されたエピソードをより深く考察するよう書き直しを促すことによって、その後に、研修員本人が問題点に気づき課題を見つけたら、課題をジャンル別に分けて整理して、課題の解決方法を探していくことを促すというものであった。

イ　指導力向上特別研修期間中の服務

研修者は、所属校から研修を命じられて教育センターに出張している扱いとされ、休暇等に関する取扱いは、「市町村立学校職員の勤務時間、休日及び休暇に関する条例」及び「職員の勤務時間、休日及び休暇等に関する条例」に基づいて処理され、休暇の承認は所属校の校長が行うこととされ、休暇をとる場合は、事前に担当所員に申し出て、研修計画等の調整を行った後に、所属する学校の校長に申し出て、その承認を得ることとされていた。

ウ　研修期間中の亡Ａの状況

（ア）平成１８年１０月１日

亡Ａは、教育センターにおいて、指導力向上特別研修の受講を開始した。

亡Ａと同時期に、教育センターにおいて、指導力向上特別研修の受講を命じられていた教員は、他に男性１名のみであった。

（イ）同月３日、４日

亡Ａに対する研修を研修を担当した指導官（以下「本件担当指導官」）との面談において、亡Ａは、校長との出会いに期待を抱いたが、その思いとは逆の結果だった、校長との関係が悪くなり、先週は、かなり精神安定剤を服用したと申告した。

（ウ）同月５日、６日

亡Ａは、教科等の引継ぎがうまくいかず、γ中学校に出向いて直接引継ぎをしたため、家庭科の後任と感情的なトラブルがあり、本件担当指導官は、亡ＡとＢ校長との人間関係が崩れていることを感じた。

（エ）同月１０日

亡Ａは、本件担当指導官に対し、引継ぎ報告で同僚等の雰囲気から、γ中学校では亡Ａがさらに居場所のない学校になっていたと述べた。

（オ）同月１１日

亡Ａは、Ｅ医師に対し、教育センターでの指導力向上特別研修を命じられたこと、授業が剥奪され、制裁措置だと思うこと、管理職には相談しても無駄であること、教職員組合が動いてくれたが効果がなく、自分には心当たりのない事実をＢ校長が父兄からの苦情として主張しており、Ｂ校長が父兄からの苦情をねつ造したのではないかと思うと訴えた。

また、指導力向上特別研修の辞令をもらって、力が抜け、どうやって死のうかと思うという自殺念慮をうかがわせる言動をした。

（カ）同月１６日

亡Ａは、本件担当指導官に対し、同月１４日に偏頭痛、眩暈の症状が出たこと及び同月１５日に亡Ａの両親とともに病院へ治療に行ったことを申告した。また、病院からの帰宅後に、Ｘらが「こんな状態であれば辞めることも」という会話をしたことにショックを受けたと述べた。

（キ）同月１８日

亡Ａは、本件担当指導官に対し、前日帰宅後、蕁麻疹がでて、病院で治療を受けたと申告した。

（ク）同月２３日

亡Ａは、Ｅ医師に対し、指導力向上特別研修において、教育センターに常駐し、自分のパソコンで自分史を作成し、教員になってからを振り返っていること、なぜ、自分が教育センターで指導力向上特別研修の受講を命じられたかについては、組合の先生、友人、知人、同業者の人に聞いているが、なぜ何なんだろうという答えばかりであることを訴えた。

また、亡Ａは、県教育委員会で勤務している人から、Ｂ校長のうわさがよくないこと、亡ＡとＢ校長がうまくいっていないことがＹ１教育委員会にも伝わっていて、６か月間の研修中にＢ校長と亡Ａを離そうとしており、研修が終了後は、亡Ａはγ中学校に戻り、Ｂ校長は転勤になる予定であると聞いたこと、教育センターで、コミュニケーション能力について、相手が悪いと分かっていても、自分も高めると違ってみえるだろうと言われたことを伝えた。

（ケ）同月２５日

Ｄ指導官は、亡Ａに対し、態度に心がなく相手に気持ちが伝わっていない、言葉の一つ一つにも心がないのが出ているとの指導を行った。

（コ）同月２６日

亡Ａは、研修日誌に、「Ｋ先生との面談の中で、自分の悪いくせを発見することができた。この発見の中から、何が原因でなったのか、何のきっかけがあったのかを見つけていきたい。今日は気分的に不安定なことが起こり、やはりセンターに来る以前に休職するべきだったと思った。せっかくのセンターでの大切な時間がムダになってしまうことを考えると、そちらの選択が正しかった（休職を病院よりすすめられた）と思う。休職の事、辞める事を含めて考えたい」と記載した。

これに対し、Ｄ指導官は、同日付の研修日誌の指導教官欄に「何が要因で不安定なことが起こったのかな？私や担当者の指摘や学校からの連絡等がその原因ですか。自分の身上や進退については、両親や担当者とも十分に相談してください」と記載した。

（サ）同月２７日

亡Ａは、午後１時３０分頃、教育センターにおいて、Ｄ指導官に対し、「不安感が強い」と申告した。亡Ａは、顔色が悪く、その後、年次休暇を取得し、研修を早退した。

（９）亡Ａの自殺

亡Ａは、同月２８日、鹿児島県にあるＸ１所有の空き家において、教育関係者らへの不満を記載した遺書を残して、自殺した。同遺書は、次の内容であった。

―――記載内容―――

一足先に旅立ちます

葬式はしないでください。

教育関係者が来たら

誰一人入れないでください。塩まいてください

Ｂ校長　あんたは最低です。この全責任はあなたがとってください

今まで受けたいじめは指導以上のパワーハラスメントですよね

人一人あなたは殺しました。説明責任を自分でやれば？いつも教頭にさせていたけれどね（笑）

降格、センター行き２名全てはあなたの犯行です。でっちあげも全部あんたの言ったこと。県の審査が途中のままでセンターに来させたのはあんたの都合！「わたしでは指導が無理だから～」「あなたのために言っているのよ～」「なんでわたしを信頼してくれないのかしら～」あんたはバカですか？世間知らずですか？それ以前にＮやＰや事務補佐Ｈを監視役にして情報をもらっていたのは知ってるって！全て私のせいにしていました

よね！デマでも信じて結局自分の憂さ晴らしのためだね。
Ｃ教頭　最初の１日目に校長から話を聞き、必要以上に校長を弁護してきましたね。（今回も代わりに弁護して責任とれば？）そしたら評価も良くなり給料アップ？？他の同僚と私を差別してきたこと、生徒の前で怒鳴ること、管理職に向いていないですよね！それでも、ま～た事実をもみ消して教育界にいますか？ごますりで県外出張をとったのだから、その他のこともいろいろやっていそうですね。きもい
Ｙ１の教育長にも「私（教頭）も職員も連絡をとりたいのですがいいですか」なんてまた今回を利用して信用を得るつもりですか？そこまで心のない人間もめずらしいですね（笑）次は校長になりたいのですか？それともいきなり文部科学省の大臣？そして天下り人生か～さすがはド田舎商工会会長の息子？罪を償ってください
Ｙ１現教育長　「センターに行く気はないですか？大人の喧嘩をしたくないんですけどね～」ってバカ？センターに来たときいい人ぶっていたのを見て笑いそうでしたよ。そこまでしてもやりたい職業なんですね。おいしい職業なんですね！作り笑顔見抜けないと思っていたのでしょうね～
ママ　少し先にお空にいきます。まいまいとあいちゃんをよろしくお願いします。私のように甘えん坊だからね。

―――記載内容　以上―――

（１０）公務災害認定の結果

ア　Ｘらによる公務災害認定の申請

Ｘらは、平成１９年１２月４日付けで、地方公務員災害補償基金に対し、亡Ａの自殺に関し、公務上の災害の認定申請をした。

イ　Ｆ医師及びＥ医師による労災に係る所見書

（ア）Ｆ医師

Ｆ医師は、亡Ａが自殺に至った要因について、ηクリニックの最終受診日が平成１７年２月５日であり、自殺した日の１年８か月前であるため、直接的な要因は当院では把握できていない、通院中は常に職場での人間関係のストレスを訴えていたが、希死念慮の表出はなかったと回答した。

（イ）Ｅ医師

Ｅ医師は、亡Ａが自殺に至った要因について、最大の誘引となったエピソードは、平成１８年１０月に本人にとり理由がよく分からない教育センターでの指導力向上特別研修の受講という制裁処分を受けたこと、研修中に、自分史の作成という納得のいかない処分を受けた上で、自分を信じ、必死で現況に立ち向かっていた自分であったはずが、全て自分が悪かったと全面否定し、反省すべき点を上げて、列挙していかなければならなかった日々を送らされたことが、プライドの高い本人にとっては、最大の屈辱であっ

たと思われる、これまで、何とかして自分なりに自己主張をしながら教務に真剣に取り組む姿勢をとってきたが、結果全否定され、自分の主張をどういった形で表現しようかと考え、苦肉の策として、自殺を選択したものであると思われると回答した。

ウ　地方公務員災害補償基金鹿児島支部長による公務災害の認定結果

地方公務員災害補償基金鹿児島支部長は、平成２２年３月３１日付けで、亡Ａの自殺について公務外の災害と認定した旨の「公務災害認定通知書（新規）」を鹿児島県教育委員会教育長に対し、通知した。

同通知には、Ｂ校長やＣ教頭の言動は校務運営上必要な行為と認めるのが相当である旨、免許外授業については、亡Ａがクラス担当をしていないこと、受け持ち時間数が他の教員と比べて多くならないようにしていたこと、本人の意向を確認したこと、国語の免許を有する他の教諭に対して本人をサポートするように指導していたことから、免許外授業を行っていたことが加重な業務であったとは認められない旨、指導力向上特別研修については、県教育委員会による聴取りや弁護士、医師等を含む審査会による審査を経ており、研修への参加がいじめ等であったとは認められない旨、複数の専門医による医学的知見によれば、亡Ａは平成１１年１２月２７日には既に精神病水準の障害があったといえ、この症状により、教員としての不適応を起こしていたとされており、本件障害が公務により発症又は著しく増悪したと認めることはできず、本件障害が公務と相当因果関係を持って生じたことが明らかであるとは認められない旨が記載された。

（１１）亡Ａの症状に対する医学的知見

ア　不適応反応

不適応反応とは、大きなストレスが加わったときにそのストレスに対して適応することがうまくいかない場合に、ストレスに反応して心身に変化が生じた場合になされる診断であり、適応障害ともいう。ストレス反応も同様の意味である。

イ　パニック発作

ＩＣＤ－１０によると、パニック発作とは、〔１〕自律神経性の刺激による症状として、動悸、又は強く脈打つ、あるいは脈が速くなる、発汗、振戦又はふるえ、口渇、〔２〕腹部胸部に関する症状として、呼吸困難、窒息感、胸部の疼痛や不快感、悪心や腹部の苦悶、〔３〕精神状態に関する症状として、めまい、ふらふらする、気が遠くなる頭がくらくらする、現実感喪失、離人症、自制ができなくなる、気が狂いそうだあるいは気を失うおそれ、死ぬのではないかという恐怖、〔４〕前進的な症状として、紅潮又は寒気、痺れ又はチクチクする感じの痛みの感覚が特徴であり、これらが突発的に開始し、数分のうちに最も強くなり、少なくとも数分は持続するものである。

ウ　亡Ａの精神疾患と自殺の関係

Ｅ医師は、亡Ａの不適応反応と自殺との関係について、不適応反応自体は、その状況に適応することができないために、身体的、精神的な反応が生じるものであり、短期的に自殺念慮が生じる可能性はあるものの、それは持続せず、亡Ａは、平成１８年１０月当時、自殺念慮を訴えていたので、自殺を選択する可能性はあったものの、Ｅ医師自身は、亡Ａが、自殺するとは考えていなかった。

エ　Ｅ医師は、平成２５年３月１５日、Ｘらの求めに応じて、「Ａ殿に関する意見書　＊Ａ殿が自殺に至った要因・問題点について検討」と題する意見書を作成し、「根本的に学校関係・教育委員会側と主治医側との大きな違いは、Ａさんがａ）精神疾患なのか、ｂ）心身は正常で素行が悪い単なる問題教員、指導力不足教員、このａ）ｂ）の判定に尽きる。主治医としては、ａ）である」、「校長手記・実際のボイスレコーダー内容を確認して、改めて、Ａさんが多大なストレス環境下に置かれ、必死で戦い・防戦していた事実が浮き彫りになった。管理職らや教育長との対話をあえて録音している事は、如何に自分が管理職側からパワーハラスメントを受けていたかを証明し、自己防衛の手段として用いたと思われる。最終的に、自殺に至ったのは、自分の非だけをクローズアップされ、一方的な制裁を与えられ、自分史を書かされ、さらに自責し、指導力不足、不適格教員と烙印を押され、自分の本音を強引に抑圧され、耐え凌いできた日々が虚しく、無力感を痛感して、力尽きたと考えられる」、「最後に、指導力不足、職業人としての自覚がないという判断で教育センターへの措置決定を下された際、精神疾患で通院治療中であった事を校長及び教育委員会は了解していたにも関わらず、しかも主治医に十分な病状確認をせずに措置決定を下された点、また、病休を選択されなかった点が、自殺を誘因したものと思われます」と記載した。

Ｘ１及びＸ２は、γ中学校のＢ校長及びＣ教頭による執拗な叱責・指導や教員免許外の科目担当による業務加重そして亡Ａの精神疾患の存在を考慮しない指導力向上特別研修の受講命令などのいわゆるパワーハラスメント、亡Ａに対する研修を担当した指導官らによる亡Ａに対する人格攻撃により、亡Ａが精神障害を発症ないし増悪させて自殺したと主張し、Ｙ１及びＹ２に対し、連帯して、民法７１５条に基づく使用者責任、信義則上の安全配慮義務違反の債務不履行又は国家賠償法による損害賠償請求権に基づき、各４８３１万８６３０円等を支払うよう求めた。

【判旨】

（１）Ｙらの公務員であるＢ校長らの信義則上の安全配慮義務違反ないし国家賠償法上の違法性の有無について

「使用者は、その雇用する労働者に従事させる業務を定めてこれを管理するに際し、業務の遂行に伴う疲労や心理的負荷等が過度に蓄積して労働者の心身の健康を損なうことがないよう注意する義務を負うと解するのが相当であり、使用者に代わって労働者に対し業務上の指揮監督を行う権限を有する者は、使用者の上記注意義務の内容に従ってその権限を行使すべきものである（最高裁平成１０年（オ）第２１７号、第２１８号同１２年３月２４日第二小法廷判決・民集５４巻３号１１５５頁参照）。

この理は、地方公共団体とその設置する中学校に勤務する地方公務員との間においても同様に当てはまるものであって、地方公共団体が設置する中学校の校長は、自己が指揮監督する教員が、業務の遂行に伴う疲労や心理的負荷等が過度に蓄積して労働者の心身の健康を損なうことがないよう注意する義務を負うと解するのが相当である」。

「平成１５年度までの亡Ａの精神面での状況をみると…平成１１年度にβ中学校に勤務していたときに、不適応反応（念慮を伴う）と診断され、平成１１年１２月１０日から平成１２年３月６日までの間不適応反応を理由として病気休暇を取得したものの、同年３月７日職場復帰した後は、平成１２年度には躁うつのため２か月間病気休暇を取得し、平成１３年度には、病気休暇を取得せずにβ中学校に勤務していたところ、平成１４年度は、同年４月１日にγ中学校に転勤し、自宅から片道約２時間をかけて自動車で通勤し、平成１４年度及び平成１５年度は精神疾患を理由とする病気休暇は取得していないが、平成１５年１１月２２日には、神経症性うつ病、神経症性不眠と診断されていた」。

「その後の平成１６年度から平成１７年度にかけての亡Ａの精神面での状況をみると…亡Ａは、ζクリニック及びηクリニックに不定期に通院し、その後、ストレスの原因が咬合不全と自分の容姿が対人関係に影響を与えていることにあると考え、平成１６年７月から同年８月にかけての１か月間顎変形症の手術のために入院し、同年１２月からストレス反応を理由とする３か月間の病気休暇を取得し、平成１７年３月に業務軽減の必要性が記載された診断書を提出して、職場に復帰したところ、B校長が…亡Ａに対し、平成１７年度の亡Ａの担当教科として、免許外科目である第１、２学年の国語科の担当を追加することを打診し、亡Ａの不承諾及び他の関係者の反対の意見を考慮しても、亡Ａに国語科を担当させたことにより、亡Ａにおいて、平成１６年度と比較すると平成１７年度においては１週間に担当する授業数が約１２時間から約２０時間に約8時間増加していたこと、亡Ａがそれまでに国語科を担当したことがなかったこと、平成１６年度から平成１７年度で教科担当以外の校務分掌も減らされていないこと、新たに担当する国語科が受験科目であること、平成１７年９月以降、亡Ａにおいて、急な年次休暇の取得や授業の準備不足、じんましん、顔の腫れ、服務上の問題行動が頻繁に発生したのであって、上記の時間的関係を踏まえると平成１７年度における亡Ａの業務における心理的負荷は、精神疾患による病気休暇取得直後の労働者にとって過重であったことが認められる」。

「その上、平成１８年度の亡Ａの精神面での状況は…亡Ａが、平成１８年度においても第１、２学年の国語科を担当し、さらに教員免許外の国語科の研究授業を行っており、教員免許外の科目での研究授業の負担が増加した状況にあり、加えて…亡Ａは、平成１

８年７月１４には、血を吐いたと虚偽の事実を告げて救急車を呼ぶなど、亡Ａの行動に、通常ではあり得ない精神状態の悪化を疑うべき兆候が現れていたことからすると、Ｂ校長及びＣ教頭において、亡Ａが何らか精神疾患を有しており、その状態が良好でないことを認識し得たというべきところ、亡ＡがＥ医師のもとに通院していること、亡ＡがＢ校長及びＣ教頭の事情聴取に対してパニック状態になっていたと告げたこと、Ｂ校長がＥ医師から亡Ａにパニック障害があると聞かされていたにもかかわらず、亡Ａの心療内科への通院状況について特段の発問もせず、Ｂ校長が…平成１８年７月２１日、Ｙ２教育委員会に対して、亡Ａについて指導力不足等教員に係る申請を行い、同申請の中で、亡Ａにつき『平成１２年度、そううつ病で３ヶ月の病休を取っているが、一昨年度、通院してた鹿児島市のηメンタルクリニック（今は、通院していない）の医師によると、そううつは見られないということを聞いている。』と記載し、同記載に当たり、漫然と、Ｅ医師に対する不信感から、亡Ａがζクリニックを受診していることについては、特段の記載をせず、Ｅ医師に対しては、亡Ａの状況について確認をする必要性はなく、通院をしていないηクリニックの記載をすれば足りると安易に考え、Ｃ教頭も、Ｅ医師に対して、亡Ａの精神状態について、確認する必要はないと安易に考えていた過失があるというべきである。

その結果、Ｙ２教育委員会が、亡Ａが指導力不足等教員に該当するとの決定及び人事上の措置として研修を実施することが必要であるとの決定を行い、同年８月１５日、『指導力不足等教員に係る人事上の措置の決定について（通知）』により、上記決定内容をＹ１教育委員会に通知し、Ｙ１教育委員会は、同月１９日付けで、亡Ａに対し、『研修命令書』により、同年１０月１日から平成１９年３月３１日まで、教育センターにおいて、指導力向上特別研修を受けることを命じたのであって…指導力向上特別研修が指導力不足等教員に対して行われる研修であり、亡Ａが平成１８年１月以降教育センターで指導力向上特別研修を受講することを拒絶していたこと、平成１８年１０月当時の教育センターにおける研修の対象者が亡Ａ以外に１名のみであり、指導力向上特別研修の受講が教員にとって不利益なものであると推測されること、亡Ａは指導力向上特別研修の受講は制裁措置であると考え、指導力向上特別研修の辞令をもらって、力が抜け、どうやって死のうかと思うと自殺念慮をうかがわせる行動をしたことに照らして、指導力向上特別研修の受講は、何らかの精神疾患を有し、その状態が良好でない亡Ａにとり、極めて心理的負荷が大きいものであると認めることができる。また、Ｂ校長及びＣ教頭も、これまでの亡Ａの行動に照らして、亡Ａの心理的負荷を知り得る状況にあったものと認めることができる」。

「さらに…亡Ａは、本件担当指導官らに対し、精神安定剤の服用をしている事実、偏頭痛、めまい及びじんましん等の症状が現れている事実、気分的に不安定なことが起こり、センターに来る以前に休職すべきだったこと等を申告していることからすると、Ｄ

指導官及び本件担当指導官らにおいても、亡Ａが何らかの精神疾患を有していることを認識し得たというべきである。ところが…本件担当指導官らにおいて、これまでの教員生活を振り返り自己の課題を発見するために自分史に基づく指導を継続し、Ｄ指導官において、休職や退職を考えたいという亡Ａの研修日誌の記載に、『自分の身上や進退については、両親や担当者とも十分に相談してください。』とコメントするなど、退職を促しているとも受け取られる指導を行っており、これらは、亡Ａにとり、極めて心理的負荷が大きいものであったというべきである」。

「これらの経緯に照らせば、Ｂ校長、Ｃ教頭、Ｙ２教育委員会、Ｄ指導官及び本件担当指導官らの上記…一連の各行為は、亡Ａの精神疾患を増悪させる危険性の高い行為であるというべきであって…Ｅ医師の意見書中に、『根本的に学校関係・教育委員会側と主治医側との大きな違いは、Ａさんがａ）精神疾患なのか、ｂ）心身は正常で素行が悪い単なる問題教員、指導力不足教員、このａ）ｂ）の判定に尽きる。主治医としては、ａ）である。』、『指導力不足、職業人としての自覚がないという判断で教育センターへの措置決定を下された際、精神疾患で通院治療中であった事を校長及び教育委員会は了解していたにも関わらず、しかも主治医に十分な病状確認をせずに措置決定を下された点』が亡Ａの『自殺を誘因したもの』とする部分は、労働者の健康状態を把握し、健康状態の悪化を防止するというＹ２及びＹ１の信義則上の安全配慮義務に違反したことを指摘する内容であって、正鵠を得たものであると評価するのが相当である」。

「Ｙらは、指導力向上特別研修の受講は、何ら制裁的意味合いを持つものではなく、自分史の作成も何ら強制的なものではなく、特段、精神的苦痛を与えるものでもないから指導力向上特別研修を受けさせたことにつき、安全配慮義務違反はないと主張する。

しかし…指導力向上特別研修の受講を命じられるのは、指導力不足等教員と認定された帰結であること…指導力向上特別研修の研修内容は、最初の１か月が自分史の作成及び書き直しを繰り返すというものであって、自分史の作成を強制されないとしても、最初の１か月は他のプログラムを選択して自分史の作成を回避することができる等とも認められないこと、精神面での問題のある研修者にとっては、自己否定につながりかねない作業を強いられると認められることからすると、指導力向上特別研修を受講することが一定の心理的負担につながることは明らかである。

したがって、Ｙらの上記主張は採用することができない」。

また、「Ｙらは、Ｂ校長が平成１６年６月２６日にＦ医師から受けた説明の内容、同年１１月５日にＥ医師から受けた説明の内容、同年１１月１１日にＸ２から受けた説明の内容等を理由に、Ｂ校長に亡Ａの健康状態を把握することは困難であり、安全配慮義務違反の前提となる予見可能性がないと主張する。

しかし、Ｂ校長に対しては…Ｆ医師は、ストレス性のめまいであることを説明し、Ｅ医師は、パニック障害であることを説明し、平成１６年１１月の時点で、ストレス反応があり、治療のため、３か月の病気休暇が必要という情報が、平成１７年３月６日の亡Ａの職場復帰に当たって、多少の業務の軽減が必要であって、今後も通院を要する旨の情報がそれぞれ提供され、Ｂ校長及びＣ教頭は…亡Ａからの事情聴取の中で、亡ＡがＥ医師の診察を受けていること及び亡Ａが救急車を呼んだときにパニック状態になっていたことを聞いており、Ｂ校長及びＣ教頭も亡ＡがＥ医師のもとに通院していることを前提とした発問をしていたのであって、予見可能性がないとは到底認めることはできない。

したがって、Ｙらの上記主張は採用することができない」。

「Ｘらは、〔１〕Ｂ校長が平成１６年６月２２日、亡Ａを大声で怒鳴ったこと、〔２〕Ｂ校長が、平成１６年６月２５日、交通事故で負傷した亡Ａに対し、治療よりも業務を優先するよう命じたこと、その他亡Ａに限度を超えた非難を伴う叱責が繰り返された旨を主張する。しかし、上記〔１〕及び〔２〕の事実は認めることができないのは前記第３・２（１）において判示したとおりであるし、その余の指導が、いずれも指導に至った経緯を踏まえて合理的なものでない態様でなされたと認めるに足りる的確な証拠はない。

したがって、Ｘらの上記主張は採用することができない」。

（２）Ｂ校長らの上記（１）の行為と亡Ａの精神疾患の発症ないし増悪及び自殺との因果関係について

ア　「Ｂ校長、Ｙ２教育委員会、Ｄ指導官及び本件担当指導官らの上記一連の各行為と亡Ａの精神疾患の増悪及び自殺との因果関係について検討する」。

前記（１）において判示したとおり、「平成１７年以降のＢ校長、Ｃ教頭、Ｙ２教育委員会、Ｄ指導官及び本件担当指導官らの上記一連の各行為が亡Ａに対して心理的な負荷の大きい影響を与えており、これが、亡Ａの精神疾患を増悪させる危険性の高い行為であったと認めることができるから、亡Ａはかかる行為の影響により、正常な判断ができない状態で自殺したものとみるのが相当であり、そうであるとすると、Ｂ校長、Ｙ２教育委員会、Ｄ指導官及び本件担当指導官らの上記一連の各行為と亡Ａの精神疾患の増悪及び自殺との間に相当因果関係があるとみるのが相当である」。

イ　「これに対して、Ｙらは、亡Ａのストレスの要因が家庭内の問題等にあり、Ｙらの注意義務ないし安全配慮義務違反と亡Ａの自殺との間には、相当因果関係がないと主張する。

この点、ξクリニックのカルテ…には、亡Ａの発言として、Ｘらや異性に対する不信感を述べている部分も散見されるが、それらの記載によっても、前記判示したとおり、教育センターでの指導力向上特別研修の受講を命じられたことが心理的負荷が大きい出来事であったことに比して、亡ＡがＸら及び異性との間で、自殺に至るほど精神疾患を悪化させるような出来事があったと認めることはできず、他にＹらの上記主張を認めるに足りる的確な証拠はない。

したがって、この点に関するＹらの主張は採用することができない。

また、Ｙらは、平成１７年度以降の亡Ａの精神疾患は増悪していないなど主張し、その根拠として、亡Ａが、平成１７年度以降、病気休暇を取得しなかったこと等を挙げるが、平成１７年以降のＢ校長、Ｃ教頭、Ｙ２教育委員会、Ｄ指導官及び本件担当指導官らの上記一連の各行為が亡Ａに対して心理的な負荷の大きい影響を与え、これが、亡Ａの精神疾患を増悪させる危険性の高い行為であり、亡Ａはかかる行為の影響により、正常な判断ができない状態で自殺したことは」、前記アにおいて判示したとおりであるから、Ｙらの上記主張は採用することができない。

（３）Ｘらに生じた損害の有無及び額について

ア　死亡による逸失利益

「亡Ａは、死亡当時、満３２歳であり、前記第２・３（２）シのとおり、亡Ａの平成１７年の収入は４８７万１３６７円であるので、亡Ａの逸失利益は、これをもとに、就労可能年数である満６７歳までの３５年のライプニッツ係数１６．３７４１を乗じて、生活費控除として3割を控除し、５５８３万４９７５円とみるのが相当である」。

イ　慰謝料

「亡Ａの年齢、亡Ａが自殺に至った経緯、Ｙらの公務員であるＢ校長らの注意義務ないし安全配慮義務違反の態様、その他本件に現れた一切の事情を考慮すると、亡Ａの慰謝料として２２００万円を認めるのが相当である」。

ウ　葬儀費用

「本件と相当因果関係のある葬儀費用を１５０万円とみるのが相当である」。

エ　素因減額及び過失相殺

「上記損害額の合計は、７９３３万４９７５円となるところ」、前記（2）アで判示したとおり、「亡Ａが自殺するに至ったことについては、業務上の負荷と亡Ａが有していた精神疾患とが共に原因となったものということができるところ…亡Ａが自殺の７年前の平成１１年に精神疾患に罹患しているほか、亡Ａが対人関係にストレスをためやすい傾向があり、これが労働者の個性の多様さとして想定される範囲を逸脱している部分も存在すること、平成１７年3月、Ｂ校長が亡Ａに病気休暇の延長を勧めたが、亡Ａは、当時、自己の状態を把握し、合理的な判断をすることができるだけの判断能力があったにもかかわらず、これらを断っており、その後も亡Ａが病気休暇を取得するなど自己の健康を保持するための行動をとっていないこと等に照らせば、Ｙらに亡Ａの死亡による損害の全部を賠償させることは、公平を失するものといわざるを得ず、素因減額３割及び過失相殺２割を控除して、その減額割合は5割であるというべきであり、減額後の金額は、３９６６万７４８７円となる」。

オ　弁護士費用

「してみると、亡Aの損害額は、上記合計の３９６６万７４８７円であり、本件の事案の性質、審理の経過等を考慮すると、弁護士費用として、４００万円を認めるのが相当である」。

カ 相続

「Xらは、亡Aの損害賠償請求権の上記合計４３６６万７４８７円をそれぞれ２分の１の割合で相続したのであるから、Xらの相続額は、各自２１８３万３７４３円となる」。

キ　「以上によれば、Xらは、各自、Yらに対し、国家賠償法１条、３条に基づく損害賠償請求として、連帯して、それぞれ２１８３万３７４３円及びこれに対する平成１８年１０月２８日から支払済みまで民法所定の年５分の割合による遅延損害金の支払を求めることができる」。

（４）結論

「よって、XらのYらに対する請求は、Xらが、各自、Yらに対し、連帯して、それぞれ２１８３万３７４３円及びこれに対する亡Aの自殺の日の翌日である平成１８年１０月２９日から支払済みまで民法所定の年５分の割合による遅延損害金の支払を求める限度でそれぞれ理由があるからその限度で認容することとし、その余の請求は理由がないからこれを棄却する」。

１８　海上自衛隊事件・東京高判平 26.4.23 労判 1096 号 19 頁

【事実の概要】

亡Ａは、昭和５８年生まれの男性であり、Ｘ１は亡Ａの母、Ｘ２は亡Ａの姉である（なお、Ｘ１と亡Ａの父とが元来の原告であったが、本訴提起後に亡Ａの父が死亡したため、その地位をＸ１とＸ２とが承継した）。

Ｙ１（国）は、全国に海上自衛隊の組織として各地方隊、自衛艦隊等を編成しており、神奈川県横須賀市において自衛艦隊司令部、地方総監部（横須賀地方隊）等を配置している。護衛艦たちかぜは横須賀を定係港としていた。

Ｙ２は、昭和４５年生まれの男性であり、平成元年に海上自衛隊に入隊し、平成９年からたちかぜに乗組を命ぜられ、そのころから平成１７年１月ころまでたちかぜ船務科電測員として同艦に乗り組んでいた。同人の階級は、平成１５年１月１日以降、２等海曹であった。なお、同人は、平成１７年１月１９日、横浜地方裁判所横須賀支部において、たちかぜの乗組員３名に対する暴行・恐喝被告事件の被告人として懲役２年６月（執行猶予４年）の有罪判決の言渡しを受けている。また、同人は、同月２８日、上記の暴行・恐喝等を理由として、懲戒免職処分を受けた。

亡Ａは、昭和５８年４月５日、宇都宮市において出生し、県立高校を卒業後、平成１４年５月ころから１年間カナダに留学した。平成１５年５月に帰国し、就職活動をするなどしていたが、亡父に自衛隊入隊を勧められ、自衛官の採用試験を受験し、同年８月２１日付けで２等海士に任官し、海上自衛隊横須賀教育隊に入隊した。同年１２月１８日付けで亡Ａは、たちかぜに乗組を命じられ、船務科電測員として勤務し、分隊の編成上は第２分隊第２２班に所属していた。亡Aは、平成１６年６月１日付けで１等海士に昇進した。

同年１０月２７日午前１０時３２分ころ、亡Ａは、東京都品川区所在の京浜急行線の駅構内において、電車に飛び込み轢死した（以下「本件自殺」）。

亡Ａは、死亡時にＡ６版のノート（以下「本件ノート」）を所持していたが、本件ノートには、自殺を決意するに当たっての心情等が亡Ａにより手書きで記載されており、いわゆる遺書と考えられるものである。

本件ノートは、最初の頁に本件自殺を決意した旨の記載があり、当該頁と次頁に両親、姉及び祖父への感謝の気持ちが述べられている。その次の頁には、Ｙ２を名指しし、「お前だけは絶対に許さねえからな。必ず呪い殺してヤル。悪徳商法みてーなことやって楽しいのか？そんな汚れた金なんてただの紙クズだ。そんなのを手にして笑ってるお前は紙クズ以下だ。」との記載がある。その次から５頁にわたり、友人への言葉や愛好していた音楽についてなどの記載があり、「皆さん今まで本当に本当にありがとうございました。さようなら。」として、死亡した日付けで亡Ａの署名がされている。その後に、白紙の頁を数頁挟んで、「Ａ１８よ、お前だけは、ぜったいに呪い殺してヤル」と大きな文字で殴り書きされ、人型（頭部と胸部の中央に小さな黒い丸が打たれている。）の絵が描かれている。さらに後の頁には、カナダに留学していた際のホストファミリーに宛てた英語の文章や、自らの人生を振り返り、周囲の人への感謝を記した文章が２頁にわたり記載されている。

（１）生前の亡Ａの状況等

亡Ａは、平成１５年１２月から死亡に至るまで、たちかぜにおいて船務科電測員として勤務していた。船務科電測員は、たちかぜの停泊中は、航海準備として海図の訂正、機器の整備、舷門立直の担当などの業務に従事し、全員が一か所に集合することはなく、各々の持ち場に配置されていた。停泊中に当直に当たる場合、勤務終了後に緊急時に備えて艦内に待機することとなるが、一部の例外を除き、待機場所を指定されることはなかった。また、たちかぜの航海中は、電測員は３つのグループに分けられ、約３時間ごとに交代でＣＩＣ（艦が保有する各種センサー（探知装置）から得られる様々な情報を一元的に処理し、所要の場所に当該情報を配布する区画であり、護衛艦における指揮中枢である。）で勤務するが、交代後は艦内において特段の制約がない状態となる。亡Ａは、たちかぜの出入港時に測深儀で海底までの深さを測る業務と、外洋に出てからは水上レーダーで水上見張りを実施する業務等を行っていた。また、当直日誌を記入し、決裁を仰ぐ等の業務も行っていた。亡Ａは、上司からは、業務に対して真面目で、教えられたことはすぐに何でも覚える、積極的であると評価されており、艦内での人間関係も良好であると認識されていた。なお、亡Ａは、カナダに留学した後、仕事の上で自衛官の勤務ぶりを見る機会のあった亡Ａの亡父の勧めもあって海上自衛隊に入隊したものであり、上司に対し、英語力を生かして自衛官として仕事をしたいとの抱負を述べていた。

たちかぜは、平成１６年８月から同年１０月までの間、短期間の出航や悪天候による避泊のほかは、修理等の理由で大半の時期は停泊しており、乗員は夜間に外出をし、外出先で宿泊することができた。亡Ａは、同年９月１日から１０月２６日までの間、遅刻や欠勤をすることはなく、同期間の５６日間のうち、３６回外出先で宿泊している。当直回数は１２回であり、そのうちＹ２と同じ日の当直は、同年９月１４日、１０月４日、同月２４日の３回である。たちかぜの乗員は、１等海士に昇進すると艦外に住居を持つことができるとされており、亡Ａは、平成１６年６月１日に１等海士に昇進してから、元乗員の住居に宿泊していたが、同年１０月頃、その住居の鍵を紛失し、Ｅ班長に相談した上で、同月中旬頃、新たに自己名義で住居を借りた。亡Ａの死亡時、同人が使用していた元乗員の住居には、日用品等のほか、ビデオデッキ１台及びアダルトビデオ１０７本が存在していた。

（２）Ｙ２の行動等について

Ｙ２は、平成１６年頃には２等海曹で、亡Ａと同じく第２分隊の第２２班に所属し、相手が出すレーダー波等を分析して特定し、相手を探知する等の電子戦（ＥＷ）といわれる分野を所掌任務としていた。Ｙ２は、職務については一定の評価を上司から受けており、職場内の後輩に対しては指導的立場にあった。Ｙ２は、平成１６年当時、３４歳であり、たちかぜにおいて船務科電測員として７年以上勤務していたため、階級の上下関係とは別に、いわゆる「主」的な存在となっており、上級者を含め周囲の者はＹ２の行動に対して直ちに口を挟むことが困難であるという雰囲気が醸成されていた。

Ｙ２は、海上自衛隊員としての経験が長くなるにつれ、後輩隊員が業務上のミスをしたときや、単にＹ２の機嫌が悪いときに、後輩隊員に対して怒鳴りつけたり、平手や拳で力任せに顔、頭、腹、胸を殴打したり、足で蹴ったり、関節技をかけたりするなどの粗暴な行動に出るようになった。Ｙ２の粗暴な行動は、平成１６年１０月にもあり、亡Ａの同期のＢは、同月１９日、Ｙ２から士官便所の掃除の仕方が悪いとの理由により、平手で頬を叩く、マグライトで背中を叩くなどの暴行を受けた。

Ｙ２は、平成１５年頃から、たちかぜ艦内のＣＩＣに隣接する通信機器室に私物の万力などを持ち込み、同室内において趣味としてナイフの製作を行っていたほか、平成１５年１２月ないし平成１６年１月頃から同年２月頃にかけて、たちかぜの艦内に自ら購入した市販のエアガン等（拳銃型ガスガン２丁及び電動ガン（ライフル））を持ち込み、上記通信機器室内で私的に保管するようになった。海上自衛隊横須賀地方警務隊が実施した実況見分の結果によれば、上記ガスガンは、ＢＢ弾を使用して１メートルないし４メートルの距離で命中させるとアルミ缶に凹みを生じ、１０センチメートルないし５０センチメートルの至近距離で命中させるとアルミ缶に凹みとともに亀裂を生じさせ、１０センチメートルの距離でＢＢ弾２発を同じ箇所に命中させるとアルミ缶を完全に貫通するという威力を有するものであった。同じく上記電動ガンについての実況見分の結果は、２メートルの距離でＢＢ弾を命中させるとアルミ缶を完全に貫通し、アルミ板が裏面でめくれるというものであった。

Ｙ２は、平成１６年春頃から同年１０月頃まで、後輩隊員らに対し、業務上のミス等にかこつけて、あるいは頭髪をパンチパーマにするようにとの指示に従わないなどの理不尽な理由により、さらには単にその反応をおもしろがって、たびたび上記エアガン等で後輩隊員らの身体に向けてＢＢ弾を撃ちつけた。なかでも、〔１〕同年５月２５日に航行中のたちかぜ通信機器室内において、Ｂに対し、電動ガンでＢＢ弾数発を発射し、これをその身体に命中させた行為と、〔２〕同年６月１日に係留中のたちかぜＣＩＣ区画において、Ｉに対し、ガスガンでＢＢ弾多数発を発射し、これをその身体に命中させた行為は、横浜地方裁判所横須賀支部における有罪判決において暴行の罪となるべき事実として認定されている。なお、上記〔２〕の暴行は、Ｉが頭髪をパンチパーマにするようにとのＹ２の指示に従わなかったことを理由として行われたもので、Ｉは、その後、髪型をパンチパーマにした。

また、Ｙ２は、同年６月頃から、当直日の夜の業務終了後、ＣＩＣにおいて、サバイバルゲームと称し、４～６人が互いにエアガン等（Ｙ２のほかに、Ｊ士長もエアガン等を持ち込んでいた）でＢＢ弾を発射して撃ち合い、命中させられた者は離脱して、最後に残った者が勝者となるというルールでのゲーム（以下「サバイバルゲーム」）を行うようになった。サバイバルゲームは、Ｙ２の主導の下で行われ、その参加者はＹ２に誘われた後輩隊員であり、そのほとんどの者は、Ｙ２の誘いを断ることができず、参加を強要されていた。Ｙ２は、平成１６年９月の当直日（４日、９日、１４日、２４日）には毎回サバイバルゲームを実施し、後記のとおりＣ先任海曹からガスガンを持ち帰るよう指導された後の同年１０月４日の当直日にはこれを実施しなかったが、同月１４日及び２４日にはこれを実施した。

さらに、Ｙ２は、平成１５年１２月頃から、後輩隊員に対しアダルトビデオやわいせつな画像が記録されたＣＤ－Ｒを高額で売りつけるようになった。Ｙ２は、平成１６年１月にたちかぜの通信機器室内において、当時１９歳のたちかぜ乗員に対しわいせつな画像が記録されたＣＤ－Ｒ７０枚を１５万円で売りつけたが、この際、同室の出入口ドアを施錠の上、同人に対し、語気鋭く上記ＣＤ－Ｒを購入するよう申し向けて、同人をしてその要求に応じなければ同人の身体等にいかなる危害をも加えかねない気勢を示して同人を畏怖させたとの事実が、上記有罪判決において恐喝の罪となるべき事実として認定されている。

（３）Ｙ２の亡Ａに対する行動

亡ＡとＹ２は、平成１５年１２月ないし平成１６年１０月当時、共にたちかぜにおいて第２分隊第２２班に所属する船務科電測員であり、階級はＹ２が上であったが、職務上の上下関係はなかった。Ｙ２は、亡Ａについて、おとなしく真面目であるが、仕事の覚えは良い方でないと考えていた。

Ｙ２は、遅くとも平成１６年春頃以降、亡Ａの仕事ぶりにいらだちを感じたときや単に機嫌が悪いときに、亡Ａに対し、平手や拳で力任せに顔や頭を殴打したり、足で蹴ったり、関節技をかけるなどの暴力を振るい、その回数は少なくとも１０回程度に及んだ。また、Ｙ２は、同年春頃以降、同様に単に機嫌が悪いとき、あるいは単に亡Ａの反応をおもしろがって、亡Ａに対して頻繁にエアガン等を用いてＢＢ弾を撃ちつけた。これは、亡Ａが休憩していた際に背中に向けて撃ったり、艦橋・旗甲板から狙い撃ちしたり、当直日の夜にサバイバルゲームに参加させて撃つというものであった。亡Ａは、同年９月及び１０月に３日間、Ｙ２と当直が重なり、９月１４日及び１０月２４日に実施されたサバイバルゲームに参加させられた。

このような暴行により、亡Ａの身体には、背中、肩、腕等にあざができていた。亡Ａは、Ｙ２が多く暴行を加えた者として自ら挙げる数名のうちの一人である。

Ｙ２は、平成１６年８月初め頃、亡Ａに対し、アダルトビデオの購入を持ちかけ、即答しなかった亡Ａにこれを了承させ、亡Ａに購入代金の支払を要求した。亡Ａは、分割での支払を希望し、同月に一部を支払い、残りを同年９月の給料日の後に支払うと述べた。Ｙ２は、ＣＩＣにおいてアダルトビデオの受渡しや代金の授受をしたほか、同年９月には、亡Ａの下宿にアダルトビデオを持参し、その代金を受け取った。Ｙ２が亡Ａに売りつけたアダルトビデオは、少なくとも合計１００本程度であり、亡Ａから受け取った代金額は、少なくとも合計８万円ないし９万円である。さらに、Ｙ２は、同年１０月中頃、亡Ａに対し、亡Ａがアダルトビデオの購入会員に登録されたと嘘を述べ、脱会するには５０００円が必要であるなどとして、金がないという亡Ａから、同月の給料日以降に５０００円を受領した。

Ｌ第２分隊長は、平成１６年５月中旬頃、亡Ａに対する面接において、Ｙ２からたまにふざけてガスガンで撃たれることがある旨の申告を受けたが、これに対して何らの措置も講じず、上司に報告等もしなかった。

Ｃ先任海曹は、平成１６年４月頃、たちかぜの通信機器室にエアガン等が置かれ、ＣＩＣにＢＢ弾が転がっている状況を把握し、Ｙ２がエアガン等を通信機器室の踊り場から発射している状況を認識したが、これに対し、何らの措置も講じず、上司に報告等もしなかった。また、Ｃ先任海曹は、同年６月頃、Ｊ士長から、Ｙ２に髪型をパンチパーマにするよう迫られるとの相談を受け、Ｙ２に対して注意をしたが、その頃Ｉが髪型を突然パンチパーマに変えたことに気付きながら、その原因について調査をしなかった。

Ｃ先任海曹は、同年１０月１日、たちかぜ乗員であるＭ１曹らから、Ｉの身体にＹ２にエアガン等で撃たれた形跡がある旨聞き取り、同日夕刻に開催された隊員の送別会の開始前に、Ｙ２に対し、「エアガンを人に向けて撃つな。エアガンを持ち帰れ。」と指導した。これに対し、Ｙ２は、「何でですか。」などと言って、誰がＣ先任海曹に告げ口したのかを聞き出そうとしたが、いったんはＣ先任海曹の指導を受け入れた様子を見せたため、Ｃ先任海曹は、Ｙ２からエアガン等を取上げることをせず、また、分隊長等の上司に報告等をしなかった。そして、Ｃ先任海曹は、その翌日である同月２日、Ｙ２から、エアガン等をもう少し艦内に置かせてほしいと頼まれ、早めに持ち帰るように指示したのみで、その後Ｙ２がエアガン等を艦内に所持する状況を黙認した。なお、亡Ａは、Ｂや元同僚のＫに対し、Ｙ２がＣ先任海曹からガスガンを持ち帰るよう指導されたことを報告していた。

Ｅ班長は、Ｙ２が通信機器室内に私物の万力等を持ち込み、ナイフを製作している事実を把握していたほか、遅くとも平成１６年９月頃までに、Ｙ２が亡Ａら複数名の隊員に対してエアガン等による暴行を行っていたことを知っていたにもかかわらず、何らの措置も講じず、上司に報告等もしなかった。

亡Aは、平成１６年３月頃から、同僚や家族に対し、自衛隊を辞めたいという話をすることがあったが、もう少し頑張るようにと励まされていた。

亡Aは、その頃最も仲が良かった同僚のKに対し、Ｙ２からエアガンで撃たれることがとても嫌だという話をしており、同年５月頃、Kが自衛隊を辞めると聞き、Kに対し、「お前辞めたら俺死んじゃうかも」と言った。Kは、亡Aに対し、Ｙ２のことを上司に言ってやると提案したが、亡Aは、「あとが大変だから」とそれを断った。亡Aは、その頃、L第２分隊長が行った面接の際、同分隊長に対し、Ｙ２からたまにふざけてガスガンで撃たれることがある旨の申告をしたが、何らの措置も講じられなかった。

亡Aは、Kが平成１６年６月末に自衛隊を辞めた後、同期のBと最も親しくしていたところ、Bは、同年９月中旬頃から、亡Aが、「人生はつまらないな。」、「いつも叩かれ、こづかれ、からかわれて何をしに艦に来ているのか分からない。」といった内容の愚痴をこぼすのを聞き、かなり落ち込んだ様子であると感じた。また、Bは、亡Aから、Ｙ２にアダルトビデオの購入を強要されたこと、アダルトビデオの購入会員に登録されており、脱退したければ５０００円を支払うよう請求され、嫌悪感が募っていること、Ｊ士長からも嫌がらせを受け、かなりの苦痛を感じていることなども告げられた。さらに、Bは、亡Aが、同年１０月中頃に住居の鍵を紛失した際、Ｙ２から、「下宿がないなら帰り番だ。」、などと言われたことで、更にストレスがたまった様子であると感じた。

亡Aは、この頃、インターネットの自殺サイトで自殺の方法を調べ、Bにそのこと話したり、「このまま死ねたら幸せだ。」と述べたりすることがあった。しかし、Bは、亡Aが本当に自殺するとまでは思わず、亡Aの上記の言動を上司や同僚に話したことはあったものの、それらの者にも同様に本気には受け止められなかった。

また、亡Aは、平成１６年８月下旬頃から、Ｉに対し、「Ｙ２を殺してやりたい」などと話すことが多くなり、本件自殺の前々日の同年１０月２５日の夜には、亡Aと一緒に外出して飲酒した他の同僚に対しても、「Ｙ２が嫌い。」、「生まれて初めて殺してやりたいと思った。」、「Ｙ２にだまされた。」などと話し、いつもと違う暗く無口な様子を見せた。

また、たちかぜ乗員の中に、本件自殺の前々日から前日にかけて、艦内で亡Aと会った際、亡Aがそれまで必ず元気に挨拶をしてきたのに挨拶をしなくなるなど、元気がない、自殺するかも知れないと感じた者がいる。第１分隊の分隊長であるD砲雷長も、本件自殺前日に行われた施設利用訓練の際、亡Aに元気がないと感じ、E班長にそのことを伝えた（ただし、D砲雷長は、同日の亡Aの業務内容については高い評価を行い、これはE班長を通じて亡Aにも伝えられた。）。しかし、E班長は、そのように言われると亡Aの声が小さく元気がなかったようにも思えたものの、気になるほどの変化はないと考え、特段の措置は採らなかった。

亡Aは、同日午後、上司であるC先任海曹と共に、１時間ないし２時間をかけて、新しく借りた住居について海上自衛隊に提出する書類（止宿調書）を作成した。

亡Ａは、平成１６年１０月２６日の勤務終了後、午後８時４５分頃までＢと居酒屋で飲食し、その際、Ｂに対し、「遺書を書く」、「自殺する決心がついた」、「他人には言わないでくれ」、「２７日朝になったらば話してもいい」などと口にし、取り乱した様子を見せた。Ｂは、亡Ａが本当に自殺するものと思い、思いとどまるよう説得し、自己の下宿に連れ帰ったが、亡Ａが少し落ち着き、「自殺はしない。ただし、艦には帰らない。」としたため、部屋を出ることを承諾した。

亡Ａは、その後、同日午後９時頃、Ｋに対し、「人生つまんねえよ」、「自衛隊辞める」、「分隊長にはもう言ってあって」などとメールを送信した。

亡Ａは、死亡する前に一部を残して同人の携帯電話内のデータを消去しているが、電話帳のデータとして、両親及び姉のほか、Ｋ、Ｂ、Ｃ先任海曹の電話番号等が残されていた。

（４）亡Ａの経済的状況

亡Ａは、平成１５年９月から平成１６年１０月までの間、海上自衛隊から、毎月１８日（土日及び祝祭日に当たる場合はその直前のこれら以外の日）に、１３万４８２０円から２０万４６４７円の給与の支給を受けていた。

亡Ａは、三浦藤沢信用金庫に普通預金口座を有しており、同口座に給与の振込みを受けていた。同口座の残高は、亡Ａがたちかぜに乗組を命じられた平成１５年１２月１９日には４５万３３０６円であったが、平成１６年２月以降は、給与の支給を受けてから約１０日後までには残高が数千円となるようになった。亡Ａは、同年３月８日からプロミス株式会社等の貸金業者から借入れを行うようになったが、借入金額及び借入先は順次増加し、死亡した同年１０月２７日当時、少なくとも６社の貸金業者に対し元利金合計で２０２万７１４９円の債務を負っていた。

亡Ａは、平成１６年９月中旬から下旬頃、同僚の隊員に対し、アダルトビデオの代金を支払って家賃を支払うことができないため５万円を貸してほしいと依頼した。また、亡Ａは、同年１０月５日、Ｘ１に電話をして、５万円を振り込んでほしいと依頼し、その振込みを受けた。Ｘ１は、それまでそのようなことがなかったため、亡Ａから理由を聞き出そうとしたが、亡Ａはそれに答えなかった。さらに、亡Ａは、Ｅ班長を通じ、時々１万円程度を第２２班の班費から借り入れていたが、同月１２日には、上記班費から３万円を借り入れた。

なお、平成１６年９月２７日には、プラットという名義で亡Ａの口座に２０万円の入金があり、同日、同額が「Ｎ」の口座にＡＴＭ振込みで送金されていた。亡Ａの自殺後、Ｇ艦長からＹ２の暴行・恐喝事案について捜査を依頼された横須賀地方警務隊のＯ３等海尉は、上記のＮは、電話での応対ぶりからいわゆる闇金融業者ではないかと推測し、その他、亡Ａの携帯電話の着信記録に残る相手方の中にも、電話での応答ぶりからみて闇金融業者ではないかと思われる者がいたと陳述している。

亡Ａの本件自殺につき、Ｘ１（亡Ａの父の訴訟承継人兼本人）及びＸ２（同訴訟承継人）が、〔１〕亡Ａの自殺の原因は、亡Ａの先輩自衛官であったＹ２による暴行及び恐喝であり、上司職員らにも安全配慮義務違反があったと主張して、Ｙ２に対しては民法７０９条に基づき、Ｙ１に対しては国家賠償法１条１項又は２条１項に基づき、亡Ａ及びその父母に生じた損害の賠償を求めるとともに、当審において、〔２〕Ｙ１が亡Ａの自殺に関係する調査資料を組織的に隠蔽した上、同資料に記載されていた事実関係を積極的に争う不当な応訴態度を取ったため、精神的苦痛を被ったとして、国家賠償法１条１項に基づき、Ｙ１に対して慰謝料の支払請求を追加した。原審（横浜地判平 23.1.26 労判 1023 号 5 頁）は、Ｙ２の暴行・恐喝行為及び上司職員らのＹ２に対する指導監督義務違反と亡Ａの自殺との間に事実的因果関係を認めることができるが、Ｙ２及び上司職員らにおいて亡Ａの自殺につき予見可能性があったとは認められないから、亡Ａの死亡によって発生した損害については相当因果関係があるとは認められないとして、Ｘらの請求を、Ｙ２の暴行・恐喝行為により亡Ａが被った精神的苦痛に対する慰謝料４００万円及び弁護士費用４０万円の損害賠償金等の連帯支払を求める限度で認容し、その余の請求をいずれも棄却した。この原判決に対し、Ｘらが控訴した。他方、Ｙ２は、原判決が認容した慰謝料額が過大であるとして附帯控訴した。

【判旨】

（１）Ｙ２の責任について

ア　Ｙ２の亡Ａに対する暴行及び恐喝

「Ｙ２は…平成１６年春頃以降、亡Ａの仕事ぶりにいらだちを感じたときや単に機嫌が悪いときに、亡Ａに対し、１０回程度以上、平手や拳で顔や頭を殴打したり、足で蹴ったり、関節技をかけるなどの暴行をし、また、同年春頃から同年１０月２４日まで頻繁に、エアガン等を用いてＢＢ弾を撃ちつける暴行を加えた。

また、Ｙ２は…同年８月から９月にかけて、亡Ａに対し、アダルトビデオの売買代金名下に合計８万円ないし９万円の支払を要求してこれを受領し、さらに、同年１０月中頃、アダルトビデオの購入会員の脱会料名目で５０００円の支払を要求し、これを受領した。これらの金員の受領は、亡ＡがＹ２による上記の暴行及び同僚隊員に対する暴行によりＹ２を畏怖していた状況に乗じて行われたものであり、亡Ａに対する恐喝行為であるといえる。なお、Ｙ２は、亡Ａはたやすくアダルトビデオの購入を承諾したように供述する…が、上記のとおりＹ２が亡Ａに対し暴行を行っていたこと、アダルトビデオの代金が亡Ａの給与に照らすと非常に高額であること、当時亡Ａは貸金業者、親、同僚等から借入れをするなど経済的に困窮しており、Ｙ２に対して代金を分割で払うことの了承を求めていたこと…からすれば、亡Ａが自由な意思により上記ビデオを購入したとみることはできず、Ｙ２に対する亡Ａの金銭の支払は恐喝によるものというべきである」。

イ　Ｙ２の不法行為責任

「Ｙ２の亡Ａに対する上記暴行の中には、Ｙ２が亡Ａの仕事ぶりにいらだちを感じた際に、先輩隊員として指導的立場にあったＹ２が業務上の指導と称して行ったものが含まれており、それらについては、外形的にみてＹ２の職務行為に付随してされたものとして、Ｙ１が国賠法１条１項に基づき損害賠償責任を負う反面、その範囲で、Ｙ２の個人としての責任は免除される。

しかし、上記認定のＹ２による暴行の大部分は、エアガンの撃ちつけを含め、Ｙ２の機嫌が悪いときや単に亡Ａの反応を見ておもしろがるときなど、業務上の指導という外形もなく行われている上、上記恐喝は、Ｙ２の職務の執行とは全く無関係に行われたものであることが明らかである。そして、後記のとおり、これらが亡Ａの自殺の原因になったものと認められる。

したがって、Ｙ２は、Ｙ２の職務と無関係に行われたこれらの暴行及び恐喝につき、個人としての不法行為責任を負うものと認められる」。

（２）Ｙ１の責任について

「Ｙ１は、Ｙ２の亡Ａに対する暴行のうち、業務上の指導と称して行われたものにつき、国賠法１条１項に基づく責任を負うほか、Ｙ２の上司職員において、Ｙ２に対する指導監督義務違反があったと認められる場合には、上司職員の職務執行につき違法な行為があったものとして、同項に基づく責任を負う。

以下、上司職員の指導監督義務違反の有無につき、検討する」。

ア　Ｇ艦長

「Ｇ艦長は、艦長として艦内の規律を保持し、乗員に対し指導監督する義務を負っているというべきであるが、特定の乗員に対する指導監督義務は、艦長が同乗員の規律違反行為を現に知っていたか、容易に知り得たことを前提として生じると解すべきところ、原審証人Ｇは、同人がＹ２の規律違反行為を知ったのは、亡Ａの自殺後のことであると証言し、これを左右するに足りる証拠はない。また、本件において、Ｇ艦長がＹ２の規律違反行為を探知する契機となるべき事情についても具体的な主張、立証がない。したがって、Ｇ艦長がＹ２の規律違反行為を容易に知ることができたとも認めることはできない。以上を総合すると、Ｇ艦長にＹ２に対する直接の指導監督義務違反があったとまでいうことはできない」。

イ　Ｌ第２分隊長

「Ｌ第２分隊長は…平成１６年５月中旬頃、亡Ａから、Ｙ２にたまにふざけてガスガンで撃たれることがある旨の申告を受けている。ガスガンで他人を撃つことはもとより、ガスガンを艦内に持ち込むこと自体がＹ２の規律違反行為であることは明らかであるから、Ｌ第２分隊長は、その職責…に照らし、Ｙ２の性行を把握するため、直ちにエアガン等の使用の実態等について調査して、自ら同人に対し、持込みを禁止されている私物のエアガン等を取り上げ、また、エアガン等で人を撃つなどの暴行をしないように指導・教育を行ったり、又は上司に報告して指示を仰ぐなどするべきであった。

しかし…Ｌ第２分隊長は、亡Ａのかかる申告を受けても、何らの措置を講じることもなく、上司に報告等も行っていない。この点においてＬ第２分隊長はＹ２に対する指導監督義務に違反していたものといわざるを得ない。なお、Ｙ１は、同人が亡Ａの上記申告によっても、Ｙ２の行為を暴行と認識しなかったと主張するが、入隊後１年に満たず２１歳になったばかりの亡Ａが、上司である分隊長に対し、１０歳以上年上の先輩であるＹ２の非違行為に該当する可能性のある行為を申告することは、それなりの決意があってのこととみるべきであるから、仮に、Ｌ第２分隊長がＹ１の主張のように思ったとすれば、そのこと自体が、艦内での暴行についての同人の甘い認識を示すものといわざるを得ない」。

ウ　Ｃ先任海曹

「Ｃ先任海曹は…平成１６年４月頃、Ｙ２がたちかぜ艦内に私物のエアガン等を持ち込んでいることを認識していたのであるから、その職責…に照らし、艦内の規律を乱すものであるとしてＹ２のエアガン等を取り上げるか、少なくともエアガン等を持ち帰るように指導すべきであったのに、何らの措置も講じなかった。

また、Ｃ先任海曹は、同年６月頃、Ｉが突然、髪型をパンチパーマにしたこと、その背後にＹ２の強要などの規律違反行為がある可能性があることを認識しながら、Ｙ２やＩへの事情聴取など必要な調査を尽くさなかった…。Ｃ先任海曹には、この点についてもＹ２に対する指導監督義務違反があった。

さらに、Ｃ先任海曹は、平成１６年１０月１日、Ｉの身体にＹ２にエアガン等で撃たれた形跡があるとの情報を得たにもかかわらず、Ｙ２による暴行の実態について必要な調査を尽くさず、上司への報告もしなかった。そして、Ｃ先任海曹は、Ｙ２に対し、『人に向けて撃つな。』との注意をしたのみで、エアガン等を取上げることをせず、かえって、その翌日、Ｙ２に頼まれ、引き続きＹ２がエアガン等を艦内において所持することを黙認した…。この点もＣ先任海曹の指導監督義務違反というべきである。

これに対し、Ｙ１は、上記指導によってＹ２が人に向けてエアガン等を撃つことは無くなったのであるから、Ｃ先任海曹は、必要な措置を講じたといえると主張している。しかしながら、上記指導以降も、Ｙ２は、たちかぜ艦内でエアガン等を使用してサバイバルゲームを行い、亡Ａをこれに参加させているほか、従前と同様に、Ｂに暴行を加えたり、亡Ａから５０００円を恐喝するなどしており…Ｙ２の後輩隊員に対する粗暴な行為は、上記指導後も基本的に改まっていなかったというほかない。これは、C先任海曹が上記時点でY２の暴行に関する具体的情報を得ながら、必要な措置を採らなかったことに起因するというべきである。したがって、Y１の上記主張は採用できない」。

エ　E班長

「E班長は…平成１６年９月頃までに、Y２が亡Aらに対しエアガン等による暴行を行っていたことを知っていたのであるから、その職責に照らし、Y２に直接指導したり、又は上司に報告して指示を仰いだりなどすべきであったのに、何らの措置を講じることもなく、上司に報告等も行っていなかった。この点、証人Eは、お互いに笑っていたので遊んでいたのかと思った旨、証言するが、そもそも艦内に私物のエアガン等を持ち込んで遊ぶという行為が規律違反であることは明らかであり、仮にE班長の証言するような状況があったとしてもこれを放置することは許されないというべきである。

また、E班長は、Y２と亡Aが共に所属する第２分隊第２２班の班長であり、班員と同様の仕事をし、同じ居住区に起居する中で、日常的に班員の性行等を把握して、班長手帳に記録することなどを職責としていた…。したがって、E班長は、Y２の粗暴な行動を目にする機会はあったと認めるのが相当である。この点、Y２も、E班長が、Y２においてエアガン等を持ち込んでいることや後輩隊員を殴ったりしていたことを知っていた旨供述し、証人Iは、Y２がE班長の面前で後輩隊員の顔面を殴打するなどしていた旨証言している。その他、証人B、証人Kも同旨の証言をしている。さらに、E班長は、Y２が通信機器室内に私物の万力等を持ち込み、ナイフを製作している事実を把握しながら、これに対して何らの措置も講じなかった。以上を総合すると、E班長には、班長として、Y２の規律違反行為や粗暴な行動をやめさせる機会は十分にあったと認められるのであり、それにもかかわらず、これを放置した点において、Y２に対する指導監督義務違反が認められ、その責任は重いといわざるを得ない」。

（３）因果関係について

ア　亡Aの自殺の原因

「認定事実によれば、〔1〕亡Aは、自衛官に任官して初めて乗り組んだ艦船であるたちかぜ（前記第２の１（２）ア）において、乗組後数か月経った平成１６年春頃には、Y２から理不尽な暴力を受け、ときにエアガン等による攻撃という危険な暴行を受けるようになり、そのことを非常に苦痛に感じていたこと、〔2〕同年５月中頃、亡Aは、L第２分隊長に対し、Y２にエアガンで撃たれることを申告したものの、何らの措置も講じられなかったこと、〔3〕かえって、Y２による後輩隊員に対する粗暴行為は、その後、より悪質で頻繁なものとなり、同年１０月１日にはC先任海曹からY２に対してエアガンを持ち帰るよう指導が行われたにもかかわらず、なお状況は変わらず、エアガン等の撃ちつけその他の暴行が続いたこと、〔4〕加えて、亡Aは、同年８月以降、Y２からアダルトビデオを売りつけられ、分割での代金支払につき了承を求めるなど、経済的にひっ迫した状況であったにもかかわらず、同月から１０月まで毎給料日後に金員の支払を強要されていたこと、〔５〕亡Ａは、自殺の１か月ほど前から、同僚に対し、Ｙ２に対する嫌悪感を募らせている様子を見せ、自殺の２日前にはＹ２を『生まれて初めて殺してやりたいと思った。』などとまで話していたことが認められる。

これらからすれば、亡Ａは、Ｙ２から受ける暴行及び恐喝に非常な苦痛を感じており、上司職員の指導が功を奏さない状況で、Ｙ２に対して殺意を抱くほどの嫌悪感を募らせていたものと認められる。

そして…亡Ａが自殺時に所持していたノートには、遺書というべき記載が残されていたのであり、その内容は、亡Ａの自殺の原因を解明する上で重要な事情と考えられるところ、その中には、Ｙ２を絶対に許さない、呪い殺してやるといった、同人への激しい憎悪を示す言葉などが書き連ねられていたことからすると、Ｙ２から上記アのような暴行及び恐喝を受け、それが今後も続くと考えられたことが亡Ａの自殺の最大の原因となったことは優に推認することができる」。

「この点につき、Ｙ１は、Ｙ２の暴行や恐喝の程度は、亡Ａの自殺を招くようなものとはいえない旨主張する。

確かに、Ｙ２の暴行等は、亡Ａ一人に向けられたものではなく、Ｉなど、Ｙ２からより激しい暴行を受けた者がいながら、これらの者が自殺していないことは事実であるが、Ｙ２の暴行等は、多数の者に対して行われたとはいえ、Ｉと亡Ａを含む第２分隊の第２２班所属の者に集中していた上、個人が有する性格、心的傾向などは様々なものがあり、ある体験をした者が必ず一つの心的反応を示すとはいえないことは周知の事実であるから、このことをもってＹ２の行為が亡Ａの自殺の原因となっていることを否定することはできない。また、Ｙ１は、Ｙ２の亡Ａに対する暴行は平成１６年１０月１日以降はなかったと主張するが、既に指摘したように、Ｙ２は、同月２４日にサバイバルゲームを実施して亡Ａをこれに参加させ、エアガン等でＢＢ弾を撃ちつけたと認められ、Ｙ１の上記主張は採用することができない。

かえって、亡Ａは、同月１日にＹ２がエアガン等を持ち帰るよう指導されたことをＢやＫに話しており…それによりＹ２の暴行が行われなくなるものと期待したことがうかがわれる。そうであるにもかかわらず、Ｙ２は、その後もエアガン等を所持し、従前と変わらない粗暴な行為を繰り返したほか、同月２４日に実施したサバイバルゲームに亡Ａを参加させたことからすると、亡Ａがその頃感じたであろう失望、嫌悪感は、非常に大きかったものと推察される。

そして、上記のような亡Ａを取り巻く全体的状況と上記のノートの記載内容を総合すると、カナダに留学した後、仕事の上で自衛官の勤務ぶりを見ていた亡Ａの亡父の勧めもあって海上自衛隊に入隊し、英語力を生かしながら自衛官を続けていきたいと望んでいた亡Ａにとって、Ｙ２による暴行及び恐喝、さらには児戯に属するというべきサバイバルゲームへの参加強制が、単にそのこと自体による苦痛にとどまらず、自衛隊に対する幻滅感、自己の将来に対する失望感を与えるものとなり、これらがあいまって亡Ａの自殺の原因となったことは十分に推認が可能である」。

「Ｙ１は、亡Ａの自殺の原因は、借財により経済的にひっ迫した状態に陥ったためであると主張する。確かに…亡Ａは、死亡時に、貸金業者に対し、約２００万円という多額の債務を負っており、当時の亡Ａの毎月の給与が約２０万円であったこと、亡Ａが親に振込みを依頼していたことなど…事情を考慮すれば、亡Ａが経済的に相当程度窮迫した状況にあったということができる。しかしながら、亡Ａの借入金額は２００万円前後であり、その収入と比較すると、上記借入金があること自体を苦にして自殺を決意するとは考え難い。

また、Ｙ１は、亡Ａがいわゆる闇金融業者からも借入れをしていたと主張し…それをうかがわせる事情もあるが、亡Ａがいわゆる闇金融業者から自殺を念慮しなければならないほどの厳しい取立てを受けていたことを具体的に認めるに足りる証拠はない。

以上を総合すると、亡Ａが借財により経済的にひっ迫した状態にあったことは、そのような状態でＹ２から金員の支払を強要されたことが自殺の一因となった（むしろ、本件ノートの中に、Ｙ２の行為に対し、悪徳商法、汚れた金を手にして笑ってるなどと非難する部分があることからみて、Ｙ２からアダルトビデオを売りつけられ金員を脅し取られたことは、亡Ａの自殺に一つの原因を与えたものと推察される。）ということはできても、借財自体が自殺の原因となったとみることはできない」。

「さらに、Ｙ１は、亡Ａが自殺をするまで欠勤、遅刻などをしていなかったこと、Ｙ２の行為を逃れるために自衛隊を退職することは容易であったのに退職を申し出ていないことなども指摘しているが、前記のとおり、父の勧めにより、将来の希望をもって自衛官となった亡Ａにとって、Ｙ２の行為を逃れるために退職を決意することに困難を伴うことは容易に推認でき、また、自殺者がしばしば視野狭窄的な心理状態に追い込まれ、事後的に振り返って必ずしも合理的かつ説明可能な行動をとるとは限らないこともよく知られた事実であることからみて、これらの事情も亡Ａの自殺の原因についての上記認定を揺るがすものとまではいえない」。

「以上によれば、亡Ａは、Ｙ２から暴行及び恐喝を受けることに非常な苦痛を感じ、それが上司職員の指導によって無くなることがなく、今後も同様の暴行及び恐喝を受け続けなければならないと考え、自衛官としての将来に希望を失い、生き続けることがつらくなり、自殺を決意し実行するに至ったものと認めるのが相当である」。

イ　Ｙ２の暴行及び恐喝、上司職員らの指導監督義務違反と亡Ａの死亡との間の相当因果関係について

「亡Ａは…Ｙ２の暴行及び恐喝並びに上司職員の指導監督義務違反（以下『本件違法

行為』…）が原因となって自殺したものであり、本件違法行為と亡Ａの死亡との間に事実的な因果関係があると認められるが、Ｙらが亡Ａの死亡について損害賠償責任を負うというためには、さらに、本件違法行為と亡Ａの死亡との間に相当因果関係があると認められることを要する。

…認定事実によれば、Ｙ２による暴行及び恐喝は、平成１６年春頃から同年１０月頃まで、たちかぜ艦内において、１０回程度以上に及んで平手や拳で顔や頭を殴打したり、足で蹴ったり、関節技をかけ、また、頻繁にエアガン等を撃ちつけたというものと、同年８月から１０月にかけてアダルトビデオの売買代金等名下に合計８万５０００円ないし９万５０００円を恐喝したというものである。このような暴行及び恐喝の内容と、それが亡Ａのみに向けられたものではないことからすると、他方で、Ｙ２と亡Ａが先輩・後輩という地位関係にあり、上記暴行及び恐喝が職場であるたちかぜ艦内という閉鎖的な場所で繰り返されたことを考慮してもなお、その暴行及び恐喝の態様自体から被害者が自殺を決意することが通常生ずべき事態であったとまではいい難い。また、Ｘらが指摘する平成１６年９月から１０月頃の亡Ａの言動によっては、亡Ａがその頃鬱病を発症していたとまでは認められず、他にこれを認めるに足りる証拠はない。

そうすると、亡Ａの死亡は、本件違法行為から亡Ａが自殺を決意するという特別の事情によって生じたものというべきであり、Ｙらが亡Ａの死亡について損害賠償責任を負うというためには、Ｙ２及び上司職員において、亡Ａの自殺を予見することが可能であったことが必要である」。

「これを本件についてみると、上記予見可能性を判断するための基礎事実として…以下の点を挙げることができる。

亡Ａは、遅くとも平成１６年春頃以降、たちかぜに乗艦中、Ｙ２から平手や拳で顔や頭を殴打され、足で蹴られ、あるいは関節技をかけられ、また、エアガン等を撃ちつけられるという暴行を受けるようになり、その頃から、親しい同僚に対し、Ｙ２から暴行を受けることを非常に苦痛に感じている旨話し、また、自らＬ分隊長に対し、Ｙ２からエアガンで撃たれることがある旨申告した。しかし、Ｌ分隊長その他上司職員らによる調査やＹ２に対する指導は行われず、Ｙ２による後輩隊員に対する粗暴行為は、更に悪質で頻繁なものとなっていった。

亡Ａは、自殺の１か月ほど前の同年９月中旬頃から、親しい同僚に対し、Ｙ２からアダルトビデオの購入を強要されたことに嫌悪感を募らせてかなり落ち込んだ様子を見せ、自殺の方法を調べて話すようになった。その頃、Ｃ先任海曹からＹ２に対し、エアガン等を持ち帰るようにとの指導がされたが、Ｙ２は、その後もエアガン等を所持し、亡Ａを含む後輩隊員に対する暴行及び恐喝を繰り返した。亡Ａは、自殺の二日前から前日にかけて、たちかぜ艦内においても、挨拶をしない、声が小さいなど従前とは異なる元気のない様子を見せていた」。

「上記基礎事実によれば、亡Ａは、少なくとも親しかった同僚には、Ｙ２から受けた被害の内容を告げ、そのことに対する嫌悪感を露わにし、自殺の１か月ほど前から自殺をほのめかす発言をしていたのであるから、上司職員らにおいては、遅くとも、Ｃ先任海曹にＹ２の後輩隊員に対する暴行の事実が申告された平成１６年１０月１日以降、乗員らから事情聴取を行うなどしてＹ２の行状、後輩隊員らが受けている被害の実態等を調査していれば、亡Ａが艦内においても元気のない様子を見せ、自殺を決意した同月２６日の夜までに、亡Ａが受けた被害の内容と自殺まで考え始めていた亡Ａの心身の状況を把握することができたということができる。

そして…亡Ａは、同月１日にＣ先任海曹からＹ２に対して指導が行われたことを親しかった同僚等に報告していたことからすると、Ｃ先任海曹の指導によりＹ２の暴行等が無くなることを強く期待していたことが推察されるところ、上司職員において上記調査を行い、その時点でＹ２に対する適切な指導が行われていれば、亡Ａが上記期待を裏切られて失望し自殺を決意するという事態は回避された可能性があるということができる。

また、Ｙ２においても、自ら亡Ａに対して…暴行及び恐喝を行っていた上、亡Ａと同じ班に所属して業務を行っていたことに照らせば、亡Ａの心身の状況を把握することが容易な状況に置かれていたというべきである」。

「Ｙ２及び上司職員らは、亡Ａの自殺を予見することが可能であったと認めるのが相当である」。

（４）損害について

ア　亡Ａの損害

逸失利益として４３８１万７６２２円、慰謝料としては以下の事情から２０００万円が相当であるとした。すなわち、「亡Ａは、平成１６年春頃から自殺直前まで半年以上にわたり、Ｙ２から業務とは無関係に暴行を受け、同年８月から１０月まで毎月金員の支払を強要されていたこと、上司職員らによる適切な指導が行われなかったため、上記状況が今後も続くであろうことに苦悩し、自衛官としての将来に対する希望を失って、生き続けることがつらくなり、自殺を決意するに至ったこと、他方、Ｙ２及び上司職員らは、亡Ａを故意に死亡させたものではないこと、客観的には、亡ＡがＹ２の暴行及び恐喝から逃れる方法として自殺以外の選択肢がなかったわけではないことなど、前記認定のＹ２による暴行及び恐喝の態様、上司職員らによる指導監督義務違反の内容、亡Ａが自殺に至った経緯等の一切の事情を考慮すれば、亡Ａが受けた精神的苦痛に対する慰謝料としては、２０００万円をもって相当である」。

「亡Ａが受けた損害額は、上記ア及びイの合計６３８１万７６２２円であるところ、亡Ａ及び亡Ａの亡父の死亡により、Ｘ１は、その４分の３である４７８６万３２１６円を、Ｘ２はその４分の１である１５９５万４４０６円の損害賠償請求権を相続により取得した」。

イ　亡Aの亡父及びX１固有の損害

「葬儀代相当額として、亡Aの亡父に１５０万円の損害が生じたことが認められ」、「亡Aが前記認定の経緯で突然２１歳の若さで死亡したことを考慮すると、その両親である亡Aの亡父及びX１は、亡Aが受けた精神的苦痛に対する慰謝料請求権を相続することによっては慰謝されない固有の精神的苦痛を受けたと認められ、それに対する慰謝料額としては、それぞれ１００万円と認めるのが相当であ」り、「亡Aの亡父及びX１が本件訴訟のために要した弁護士費用としては、合計６００万円をもって本件違法行為と相当因果関係のあるものと認め」られる。

「本件違法行為により亡Aの亡父に生じた損害の額は５５０万円（＝１５０万円＋１００万円＋３００万円）であるところ、亡Aの亡父の死亡により、Xらはそれぞれその２分の１である２７５万円の損害賠償請求権を相続により取得した。

また…本件違法行為によりX１に生じた損害の額は、４００万円（＝１００万円＋３００万円）である」。

ウ　損害額の合計

以上より、「Yら各自に対し、X１は５４６１万３２１６円（＝４７８６万３２１６円＋２７５万円＋４００万円）の、X２は１８７０万４４０６円（＝１５９５万４４０６円＋２７５万円）の各損害賠償請求権を有するものと認められる」。なお、これについては、Y１とY２の連帯債務とした。

（５）控訴審において追加された請求について

Xらは、本控訴審において、Y１が亡Aの自殺に関係する調査資料を組織的に隠蔽した上、同資料に記載されていた事実関係を積極的に争う不当な応訴態度を取ったため、精神的苦痛を被ったとして、国家賠償法１条１項に基づき、Y１に対して慰謝料の支払請求を追加したが、本判決はY１による一定の文書不開示につき「これらの文書は、亡Aの自殺についての予見可能性の判断に影響を及ぼす重要な証拠の一部であったこと、当審においてこれらの文書が書証として提出され、これらを踏まえて前記の事実認定が行われ、遅延損害金を含む請求の相当部分が認容されるに至ったこと、その他本件に表れた一切の事情を考慮すれば、これにより亡Aの亡父が受けた精神的苦痛に対する慰謝料としては、２０万円をもって相当と認める」とし、「亡Aの亡父の死亡により、Xらは、それぞれその２分の１である１０万円の損害賠償請求権を相続したものと認められ、Y１に対し、各１０万円の損害賠償請求権を有することになる」とした。

（６）結論

「XらのYらに対する亡Aの自殺に係る損害賠償請求については、X１が５４６１万

３２１６円及びこれに対する遅延損害金の、Ｘ２が１８７０万４４０６円及びこれに対する遅延損害金の各連帯支払を求める限度で理由があり、その余は理由がない。また、Ｘらが Ｙ１に対して当審で追加した請求については、それぞれ１０万円及びこれに対する遅延損害金の支払を求める限度で理由があり、その余は理由がない。よって、上記判断に従い、Ｘらの控訴に基づき原判決を変更し、Ｙ２の附帯控訴を棄却するとともに、Ｘらが当審において追加した各請求を一部認容し、その余を棄却する」。

１９　岡山県貨物運送事件・仙台高判平 26.6.27 労判 1100 号 26 頁

【事実の概要】

Ｙ１は、貨物自動車運送事業、貨物利用運送事業、倉庫業等を目的とする株式会社である。

亡Ａは、昭和６１年にＸらの長男として生まれ、平成１７年４月にＺ県にある大学に入学した。亡Ａは、大学卒業後の平成２１年４月１日、Ｙ１に事務職３級の正社員として採用され、Ｖ主管支店のＣ営業所勤務を命じられた。なお、Ｊ支店長は、当時Ｃ営業所の業績が好調で業務が忙しかったため、Ｖ主管支店（Ｃなど合計７か所の営業所を管轄）に配属された新入社員６名のうち１名をＣ営業所に配属することとし、亡ＡをＣ営業所配属とすることを決めた。亡Ａは、平成２１年１０月７日、自殺した（本件自殺）。

Ｙ２は、亡Ａの本件自殺当時、Ｃ営業所長を務めていた。

Ｘ１は亡Ａの父、Ｘ２は亡Ａの母であり、それぞれ亡Ａの権利義務を２分の１の割合で法定相続した。

α労働基準監督署長は、平成２２年１１月３０日、亡Ａが業務上の心理的負荷により適応障害を発症した結果、本件自殺に至ったものであるとして、本件自殺が業務災害に当たるものと認定し、Ｘらに対し、遺族補償一時金８３７万６０００円、遺族特別支給金３００万円、遺族特別一時金１３万６０００円及び葬祭料５６万６２８０円（合計１２０７万８２８０円）を支給した。

（1）亡Ａの担当業務及び勤務態度等

ア　担当業務

亡Ａは、平成２１年３月２４日から同月３１日までアルバイトとして勤務し、Ｃ営業所における業務内容を覚えるために主に事務所内でＨ所長代理及びＩ係長の指導を受けた。

亡Ａは、平成２１年４月以降は伝票入力や電話対応を行い、Ｈ所長代理及びＩ係長やＥ係長の指示を受けつつ次第にＣ営業所の業務全般の仕事を補助するようになった。

平成２１年５月１５日にいわゆる家電エコポイント制度が始まった影響によりＣ営業所に持ち込まれるリサイクル家電の量が増えたため、亡Ａは同年５月頃以降主に家電リサイクルの業務を担当するようになった。

イ　業務日誌（以下「本件業務日誌」）について

Ｙ２は、平成２１年４月初め頃までに、亡Ａに対し、同人の業務に対する理解度を把握するとともに同人の業務の改善につなげようとの意図の下に、業務日誌を書くように指示した。Ｙ２は、亡Ａに対して業務日誌の具体的な書き方については指示せず、業務に関し覚えたことを書くように指示した。

亡Aは、Y２の指示に従い、平成２１年４月１日ころから本件自殺の前日までの間、業務の手順や反省点、気づいたこと等の要点を本件業務日誌に記載していた。また、亡Aは、本件業務日誌に、自分の仕事上のミスについての反省や（同年５月１２日付け、同年６月２９日付け）、自分のミスによりY２に迷惑をかけ申し訳ないと思う気持ち（同年７月９日付け）、今後のミス防止策として検討した点等（同月１０日付け、同月１３日付け）についても具体的に記載していた。

Y２は、亡Aに本件業務日誌を提出させ、同年７月中旬ころまでは、その内容をほぼ毎日確認し、押印して亡Aに返還していた。また、Y２は、亡Aの記載内容にコメントを付したこともあったが、その内容は、「業務、作業内容毎に整理し直す事」（同年６月１９日ころ）、「中継手板、作成は、何のため？中継業務、工程を書け！！」（同年７月６日ころ）、「？」（同月１７日ころ）、「日誌はメモ用紙ではない！業務報告。書いている内容がまったくわからない！」（同年８月６日ころ）、「内容の意味わからない　わかるように具体的に書くこと。」（同月７日ころ）等と赤字で記載するというものであり、Y２が、本件業務日誌を通じて、亡Aに具体的な業務に関する指導をしたことはなかった。さらに、Y２の記載したコメントの中に、新入社員である亡Aを励ましたり、その進歩や成長を褒めたり、努力したことを評価するようなものは一つも見られなかった。

Y２は、当初は、平成２１年４月から３か月程度の間、亡Aに本件業務日誌を記載させ、亡Aの指導の一助とするつもりであったが、同年７月から８月ころになっても、亡Aに期待したような成長や業務状況の改善等が見られないと感じたため、もはや本件業務日誌を記載させることによって亡Aの成長を促すことは期待できないと考えるようになり、次第に本件業務日誌をそれ以前ほど頻繁に確認しないようになった。Y２が、同年８月７日ころに上記認定のコメントを付した後、本件自殺前日までの間、本件業務日誌にコメントを付したのは、同月２６日ころの１回のみと見られ（その内容は、「業務内容についての報告、連絡事項を書く事」と赤字で記載するというものであった。）、その間、Y２が特段のコメントを付さずに押印のみを行ったのは５回程度であった。

他方、亡Aは、同年８月以降も、Y２から、本件業務日誌の作成を中止してよいと指導されなかったため、本件自殺の前日まで、本件業務日誌の記載を続けていた。しかし、亡Aは、本件業務日誌の記載の仕方について事前に指導を受けることがなく、Y２から厳しいコメントを付されることもあったため、本件業務日誌の記載の仕方に悩み、同年７月又は８月ころには、E係長に対し、業務日誌に書くことがないから困っているとこぼしたことがあった。また、亡Aは、同月７日ころ、Y２から上記に認定したコメントが付された後は、単に出社から退社までの時間ごとの業務内容を羅列して記載するようになり、それまでのように注意点や気付いたこと等を文章で記載することはほとんどなくなった。

ウ　勤務態度等

（ア）亡Ａの能力については、同じようなミスを繰り返すことがあったため、人によって評価の程度に多少の差はあったものの、一般の新入社員と比較して、明らかに能力が劣っていたとはいえず、標準の範囲内に収まっていた。また、後記に認定の亡Ａの稼働状況に照らすと、亡Ａは、遅刻や欠勤をすることがなく、むしろ本来の始業時刻より前に出勤し、全員の仕事が終了するまで残って勤務し、平成２１年１０月６日より前の亡Ａの勤務態度に、問題として指摘されるような点はなかった。

（イ）仕事上のミスについて

ａ　亡Ａは、平成２１年５月中旬頃、荷物を傷つけるミスをし、本件業務日誌に「自分の不注意により荷物事故を発生させてしまい大変申し訳なく思っております」、「これは自分だけの問題ではなく会社全体にも関わってくる重大なことだと自覚してこれからこのようなことがないように気を付けます」と記載した。なお、この件について亡Ａが事故報告書等を作成することはなかった。

ｂ　亡Ａは、平成２１年６月２９日、一斗缶をぶつけるというミスをし、本件業務日誌に「今日自分で考えてみても酷いケアレスミスをしてしまった」、「所長の仰る通り自分の仕事に対する甘さが出てしまった事に他ならない」などと記載した。なお、この件について亡Ａが事故報告書等を作成することはなかった。

ｃ　亡Ａは、平成２１年７月４日、デッチで冷蔵庫を運搬していたところ、パレットに積まれていた段ボールに冷蔵庫の角をぶつけて段ボールに傷を付けるというミスをした。Ｈ所長代理は、亡Ａに対し、反省を促すため、Ｙ２宛てに事故報告書を書くよう指示した。なお、この際Ｈ所長代理は、事故報告書の体裁について具体的な指示をしなかった。

Ｈ所長代理は、亡Ａからレポート用紙で作成された事故報告書の提出を受けたが、その記載内容に反省が十分表れていないと判断し、亡Ａに対して事故報告書を書き直すよう指示した。

亡Ａは、Ｈ所長代理から事故報告書を書き直すよう指示を受け、Ｉ係長にどのように事故報告書を書けばよいのか相談した。Ｉ係長が、亡Ａに対し、Ｙ１における事故報告書の一般的な書式として「事故報告書」という書類があること及びその書き方を教えたところ、亡Ａはこれに従い「事故報告書」を作成した。

亡Ａの前記ミスについては、Ｙ２又はＨ所長代理が顧客に謝罪し、顧客もこれに納得したため、Ｙ１に金銭的な損害が発生することはなかった。

ｄ　亡Ａは、前記ａないしｃなどのミスのほか、伝票入力の間違いを繰り返す、荷物をぶつけたり傷つけるなど、仕事上のミスをすることは少なくなかったが、Ｙ１に金銭的な損害を生じさせたり、亡Ａ自身が何らかの責任を取らされるようなミスはなく、新入社員としてよくあるような範囲内のものであった。

（２）亡Ａに対する指導及び教育について

亡Ａは、Ｃ営業所で勤務を開始した後、主としてＨ所長代理、Ｉ係長及びＥ係長から、業務に関する具体的な指導を受けていた。Ｙ２は、午前中や午後の早い時間は、営業等のため営業所内に不在であることが多かったが、営業所にいる間は、自ら亡Ａを指導することもあった。

Ｙ１においては、「新入社員の心得」という新入社員用のマニュアルはあるが、具体的な業務内容や作業方法に関するマニュアルはなく、Ｃ営業所においても、独自の業務マニュアル等は作成されていなかったため、前記の上司や先輩による指導は、具体的な業務を通して、作業方法や注意点を随時口頭で指導していくというものであった。しかし、上記のとおり、亡Ａは、複数の上司や先輩から指導を受ける立場にあったところ、その指導方針について会議や打合せがなされたことはなく、これらの上司らのうち、誰がいつ、亡Ａにどのような指導をしたのかについて、上司らの間で情報が意識的に共有されたこともなかったため、人によって亡Ａに対する指導内容がばらばらになり、亡Ａは混乱し、「人によって言うことが違う」とこぼすことがあった。また、亡Ａに対する指揮命令系統は一本でなかったため、亡Ａは複数の上司から、同時に異なる業務について指示を受け、業務が中途半端になってＹ２らから叱責を受けることもあった。亡Ａは、ミスをしてＹ２から叱責された際などに、指導内容を理解できないと感じることもあったが、質問すれば、Ｙ２からなぜ分からないのかと言ってまた叱責されるのではないかと怖れ、疑問を解消することができなかった。

（３）Ｙ２の亡Ａに対する叱責について

ア　Ｙ２は、仕事に関して几帳面で厳しく、誰に対しても細かく指導しており、従業員を指導する際には、厳しい口調で５分ないし１０分程度叱責し、怒鳴ることもしばしばあった。また、Ｙ２は、部下を叱責する際、別室等に従業員を個別に呼び出して叱責するのではなく、ミス等が起きたその場で叱責する方法を取っており、これは、その場に他の従業員等が居合わせた場合でも同様であった。

イ　Ｙ２は、亡Ａが、前記のとおり、新入社員としてよくあるような範囲内のものではあったが、不注意等によりミスをすることが多く、同じようなミスを繰り返すことも少なくなかったため、亡Ａに対しても、「何でできないんだ。」、「何度も同じことを言わせるな。」、「そんなこともわからないのか。」、「俺の言っていることがわからないのか。」、「なぜ手順通りにやらないんだ。」等と、周囲に他の従業員らがいるかいないかにかかわらず、５分ないし１０分程度、大声で、かつ強い口調で叱責していた。また、Ｙ２は、亡Ａのミスが重大であった場合には、気持ちが高ぶり、「馬鹿。」、「馬鹿野郎。」、「帰れ。」などという言葉を発することもあった。もっとも、Ｙ２の叱責の仕方については、これらの言葉をずっと怒鳴り続けるというのではなく、一言怒鳴った後で、その後はこんこんと言って聞かせるというようなものであったという証言があるほか、従業員らは、一様に、Ｙ２が理由もなく叱責することはなく、従業員の人格を否定するような発言をしたり、いつまでもねちねちと怒り続けるということもなかったと証言等している。

亡Ａに対するＹ２の叱責の頻度は、少なくとも１週間に２、３回程度であったが、ミスが重なれば１日に２、３回程度に及ぶこともあり、亡Ａは、叱責に至らないまでも、ほぼ毎日、Ｙ２から何かしらの注意を受けていた。なお、亡Ａは、Ｈ所長代理、Ｅ係長、Ｉ係長からも注意を受けることがあったが、同人らは、亡Ａを強く叱責するようなことはなかった。

ウ　亡Ａは、Ｙ２から叱責を受けた際、口応えをすることはなく、Ｙ２と目線を合わせることもなく、下を向いて叱責を一方的に聞いていることが多かった。従業員らは、日常的に、亡ＡがＹ２から叱責を受ける場面に居合わせたり、その様子を目撃していたが、亡Ａが叱責を受けた後の様子について、Ｅ係長は、その場では少ししょげるが、少し経つと普通に仕事をしていた、亡Ａが「また所長に怒られちゃいました」ということもあったと述べ、Ｈ所長代理は、亡Ａは平然としているときもあれば、少ししょげている様に感じられたときもあったと述べている。また、Ｉ係長は、亡Ａが、叱責を受けた直後、しょげ返り、うつむき加減で歩いているのを見たことがあり、亡Ａについて、どちらかというと難しく考えてしまう方なのかなと思ったことがあると証言しており、これらに照らすと、Ｙ２からの叱責は、亡Ａに対し、少なからぬ心労を与えていたことがうかがわれる。

亡Ａは、平成２１年９月１２日又は１３日ころ、Ｙ２から、仕分けのミスをした際に、いつも以上に強く叱責され、そのときのＹ２の叱責内容から、次に大きなミスをすれば解雇されるのではないかと不安を抱くようになった。亡Ａは、そのころ、Ｆに対し、Ｙ２から、次に同じミスをすればクビだと言われた、Ｙ２はただ怒るだけで、具体的にどうしたらよいか教えてくれない等と話し、その後も２、３日は落ち込んだ様子であった。亡Ａは、同月１２日、Ｚ０に対し、「俺もうダメかも分からん」とのメールを送信し、同月１３日には、Ｚ１に対し、「わしそろそろクビになるかもわからん」とのメールを送信した。これに対し、Ｙ２は、同月１２日又は１３日に、亡Ａに対し、次に同じミスをすればクビだというような言葉を使って叱責したことはないと主張するが、Ｙ２は、一般の社員に対し、そのような言葉はあまり言っていないと思うとあいまいに供述するにとどまるものであり、他方、上記のとおり、亡Ａは、この叱責を境に、周囲の者に対し、解雇の不安を漏らすようになっていたことが認められるから、この日の叱責は、亡Ａに対し、解雇の可能性を意識させるに足りるものであったと認められる。その後も、亡Ａは、ミスをした場合には、従前と変わることなくＹ２から叱責を受けていた。

エ　Ｙ２は、亡Ａが同じようなミスを繰り返していたため、平成２１年７月又は８月ころから、亡Ａに期待した程度の成長が見られないと感じ、指導方法について悩むようになった。また、Ｙ２は、亡Ａは、叱責されると黙って聞いているものの、その後も同じミスを繰り返しており、叱責に効果が見られないため、亡Ａが十分に反省しているのか分からないと感じることもあった。しかし、Ｙ２は、同営業所内で、亡Ａを指導する従業員の指導内容を確認したり、これらの者との間で亡Ａに対する指導のあり方を検討する場を設けたりしたことはなく、自らの亡Ａに対する指導方法を見直すこともせず、引き続き、亡Ａがミスをした場合には、叱責するという指導方法を取っていた。

オ　前記のとおり、Ｙ２は、Ｈ所長代理、Ｅ係長、Ｉ係長、Ｌ、Ｆ及びＰ６事務員に対しても、ミスをすれば叱責しており、Ｈ所長代理やＩ係長に対しては、亡Ａに対するよりも頻繁に、かつ、より厳しく叱責していた。しかし、Ｙ２は、叱責の際、これらの従業員らに暴力を振るったことはなかった。また、これらの従業員らは、Ｙ２が亡Ａを叱責するのを何度も見ていたが、Ｙ２が亡Ａに暴力を振るったり、それによって亡Ａが負傷したりしたのを見た者はおらず、そのようなことがあったと聞いたことのある者もいなかった。Ｆは、労働基準監督署の担当者による聴取り調査の際、Ｙ２について、あそこまで怒鳴っていて、よく暴力を振るわないなと感心していたとも述べ、Ｘ１と電話で話した際にも、Ｙ２が亡Ａに暴力を振るったと聞いたことはないと述べていた。

（４）亡Ａの労働時間について

亡Ａの労働時間については、後記【判旨】において明らかなように、１００時間を超えるような時間外労働がなされる月も見られた。

（５）平成２１年１０月６日（本件自殺前日）の亡Ａについて

亡Ａは午後０時４５分ないし午後１時頃に出勤した。亡Ａは、Ｃ営業所に車で出勤した際、アクセルをふかして入ってきたため、それを見ていたＩ係長は危ないと感じた。亡Ａは、午後０時５０分、Ｋから送信された「くそまじめに辞めたくなった。一時間半前」とのメールに対し、「命令するだけの人に限界はない。割り切ろう。そんな上司になるまいと反面教師に」とのメールを送信した。

亡Ａは、午後１時からリサイクル家電業務を行い、その後、フォークリフトでカゴを運んだが、その運転は今までになく荒っぽい運転であり、テレビが倒れてブラウン管が割れるなどした。その後、亡Ａが割れたブラウン管を手で片付けていたため、Ｅ係長が危ないと注意したにもかかわらず、亡Ａは最後まで手で片付けを行った。

亡Ａは、午後５時頃、Ｅ係長のところへにこにこしながら近付き、「テレビの数を間違えたみたいですー。あと見といて下さい。ちょっとわかんないですー。」などと述べた。Ｅ係長は、亡Ａから酒の臭いがしたためおかしいと感じ、亡Ａに近付いて亡Ａの口の臭いを嗅いだところ、酒の強い臭いがした。そのためＥ係長は、亡Ａに対し、「お前、酒飲んでんか。」と問いただしたところ、亡Ａは最初はとぼけていたが、その後「朝、８時頃に、焼酎を生で飲みました。」と答えた。Ｅ係長は、亡Ａに対し、Ｙ２に報告するよう指示し、午後７時頃に亡Ａに確認したところ、亡ＡはＹ２に報告したと答え、「始末書を出せと言われた。」などと落ち込んだ様子であった。ところが、Ｅ係長が午後８時頃にＹ２に対して確認したところ、亡Ａからは何の報告も受けていないとＹ２から言われた。そのためＥ係長は、Ｙ２に対し、「Ａから酒の匂いがしたので、聞いたところ、午前８時頃に飲んだと言っていた。」と報告した。

Ｙ２は、Ｅ係長からの報告を受け、亡Ａに対し、「私に何か報告はないのか。」と尋ねたが、亡ＡはＹ２の問い掛けを無視して作業を続けようとした。そこでＹ２が再び、「Ｅ係長から聞いているが、何か話すことはないのか。」と尋ねたが、亡Ａは再度Ｙ２の問掛けを無視した。そこで、Ｙ２は、亡Ａに対し、「お酒を飲んで出勤し、何かあったり、警察に捕まったりした場合、会社がなくなってしまう。」、「そういった行為は解雇に当たる。」などと強く叱責した。このときのＹ２による叱責は、亡Ａの入社以来、亡Ａに対する最も強い叱責であった。

亡Ａは、Ｆに対し、「朝、焼酎を４杯飲んで来た。」と言い、「首ですよね。」、「自分のことを会社はどう思っているのか。」などと述べて解雇されることを気にしており、転職に対する不安を漏らしていた。

亡Ａは、午後１０時０４分、Ｎに電話をし「酒臭いと言われ、怒られた。もう会社にはいられない。どうしたらいいかわからない。」と言った。これに対し、Ｎが、「Ｅさんから所長に報告するように言われたのにどうして報告しなかったの。」と尋ねると、亡Ａは、「怖くて言えなかった。」、「前の日に嫌みを言われてむしゃくしゃして飲んだ。二日酔いだったかも知れない。」などと述べた。

Ｈ所長代理は、落ち込んでいる様子の亡Ａに対して、「仕事中にお酒が匂うような飲み方をするのは論外だ。」、「今日は先にもうあがれ。」と声を掛けたところ、亡Ａは午後１０時３０分頃に退勤した。

亡Ａは、午後１１時５分、親しくしていた運転手のＯに対し、「明日辞表出します　申し訳ないです」とのメールを送信した。これに対して、Ｏが「辞めるんかぁ？」と返信したところ、亡Ａは、「もう居づらいですし自業自得で情けないです　言い訳できません　Ｏさん大好きでした」とのメールをＯに送信した。Ｏは、亡Ａに対し、午後１１時３７分に「何か悩み事でもあるんか？」とのメールを送信したが、その後亡Ａからの返信はなかった。

（６）平成２１年１０月７日（本件自殺当日）のＸについて

亡Ａは、午前７時２２分頃、Ｉ係長の携帯電話に電話をし、「私のことは、みんなにどのように思われているんでしょうか。」、「僕はどうすればいいんでしょうか。」などと述べた。この際の亡Ａの口調はしどろもどろであり、呂律が回っていない様子であった。

これに対して、I係長は、「何のことを言ってるんだ。みんな悪く思っているはずがない。何バカなことを言っているんだ。」、「会社に来い。」と言った。しかし、亡Aは午前８時３０分を過ぎても出勤しなかった。

H所長代理が、午前９時３０分過ぎ頃、亡Aのアパートへ行き、合鍵でドアを開けて部屋をのぞいたところ、亡Aがドアのストッパーに紐をかけて首を吊っているのが見えた。亡Aは、縊死により平成２１年１０月７日午前９時死亡（推定）と検案され、遺書等は確認されなかった。

（７）本件に関連する医学的知見等

β労働局地方労災医員協議会精神障害門部会は、平成２２年９月６日、亡Aの精神障害の発病の有無と原因等について協議を行った。協議に参加した３名の医師の協議結果「Aに係る精神障害の業務起因性の医学的意見」では、以下のように、結論が述べられている。すなわち、「Aは、平成２１年９月１６日頃から精神障害を窺わせるような状態が見られるようになり、その症状、経過から、『F４３．２適応障害』を発病したものと判断される」。「業務による心理的負荷となる出来事については」、心理的負荷による精神障害等に係る業務上外の判断指針(平11.9.14基発544号)別表１による総合評価は「強」であり、「業務以外の精神障害を発病させるおそれのある程度の心理的負荷は認められず、個体側要因として特に評価すべきものは認められない」。「以上のことから、業務による心理的負荷により『F４３．２適応障害』を発病し、正常な認識、行為選択能力及び抑制力が著しく阻害され自殺したものと認められ、本件は業務上による死亡と判断される。」

Xらは、連日の長時間労働のほか、上司であったY２からの暴行や執拗な叱責、暴言などのいわゆるパワーハラスメント(以下「パワハラ」)により亡Aが精神障害を発症し、平成２１年１０月７日に自殺するに至ったと主張して、Y１に対しては、不法行為又は安全配慮義務違反に基づき、Y２に対しては、不法行為に基づき、各２分の１の割合で法定相続した各損害金５６１７万２７９１円及等の連帯支払を求めた。原審は、XらのY１に対する民法７０９条に基づく請求を一部認容し、Y１に対するその余の請求及びY２に対する請求をいずれも棄却したところ、Xらは、Y２に対する請求が棄却されたことを不服として控訴した。また、Y１は、同会社に対する請求が認容されたことを不服として控訴した。なお、当審において、Xらは、Y１に対する請求原因について、〔１〕民法７０９条の不法行為責任、〔２〕民法７１５条の使用者責任（Y２の不法行為を原因とするもの)、〔３〕民法４１５条の安全配慮義務違反を主張し、その順番で判断を求めるものと整理した。また、当審において、Xらは、Y２に対する請求について、予備的に、亡Aに対する人格権侵害を理由とする損害賠償請求（Xら各自につき１５０万円等の支払を求めるもの）を追加した。

【判旨】

（1）業務の過重性について

ア　業務内容の過重性

「亡Ａが従事していた業務は、主として家電リサイクル業務であり、加えて適宜運輸業務を行っていた。

Ｃ営業所で扱う家電は、テレビ、薄型テレビ、冷蔵庫、洗濯機、エアコンの５品目である。業務の手順は、〔１〕持ち込まれた家電リサイクル品をトラック等から荷下ろしする、〔２〕家電の中身を伝票と照合して確認し、伝票の商品と異なる商品であれば返却する、〔３〕家電に貼られているリサイクル券と家電の内容を確認し、間違いがなければリサイクル券を剥がして受領証を客に渡す、〔４〕家電を品目毎の専用コンテナに積み込む、〔５〕コンテナが一杯になったらトラックに積み込む、〔６〕リサイクル券の控えをまとめて伝票入力する、というものである。

また、運輸業務は、衣料品や機械部品等の一般商業貨物の集配作業及び配送作業であり、その内容は、集荷車が集めてきた貨物を積み卸し、配送先方面ごとに振り分けて大型トラックへ積み込むというものである。

亡Ａは、家電の受付や伝票の入力に際しミスをすることが少なからずあり、Ｅ係長は平成２１年７月後半頃からは亡Ａに受付業務を担当させず、Ｙ２も同年５月頃から伝票の入力を亡Ａにさせないようにしていたとうかがわれるから…亡Ａは家電リサイクル業務については前記の作業のうち〔１〕持ち込まれた家電リサイクル品の荷下ろし、〔４〕品目毎の専用コンテナへの積込み、〔５〕家電で一杯になったコンテナのトラックへの積込みを、運輸業務についてはトラックからの荷下ろし、配送先ごとの振り分け及びトラックへの積み直しという作業に主として従事していたと認められる。

亡Ａは、上記業務内容のうち、リサイクル家電を運搬する際にデッチを利用していたが、トラック等からの積卸しの際やリサイクル家電を重ねて積む場合にはデッチを使うことはできないため手作業で行っていた。テレビ、薄型テレビ、冷蔵庫、洗濯機及びエアコンのうち、冷蔵庫及び洗濯機は平積みされることが多かったが、テレビ、薄型テレビ、エアコン及び小型の洗濯機は２段ないし４段程度重ねて地面やコンテナに積んでいた」。

「亡Ａは１日の業務のうちそのほとんどにおいて肉体労働に従事しており、特に家電リサイクル業務については相当程度重量のある家電を手作業で上げ下げしていたものであること、またいわゆるベテランの従業員であったＥ係長（昭和４４年４月にＹ１入社）及びＩ係長（平成８年４月にＹ１入社）や亡ＡよりもＹ１において業務経験の長いＬ（平成１６年４月にＹ１入社）が、家電リサイクル業務について、『量が多かったら、やっぱりそれだけでも力も使いますから。』（Ｅ証言）、『家電を積んだり下ろしたりする作業ですので、体力をかなり使います。』（Ｉ証言）、『体力的には大変なこともあるかと思う』（Ｌ証言）などと述べていることからすると、新入社員でまだ十分に業務に習熟していなかった亡Ａには家電リサイクル業務により肉体的に大きな負荷が掛かっていたと認めるのが相当である。

また、Ｃ営業所における家電リサイクル搬入数は、平成２１年４月が２４４２個、同年５月が２３８１個、同年６月が３５７７個、同年７月が５７８７個、同年８月が５２１９個、同年９月が３９００個であり、同年４月から７月にかけて大幅に業務量が増加し、同年７月及び同年８月の搬入数は同年４月と比べて２倍以上にも上っているところ、亡Ａが本件業務日誌に、『いかにしてスピードを上げ正確にやるか』（同年８月３日）、『宵積発送を進めるため　早く終わらせるために　荷物の段取等』（同年９月１０日）、『どのようにして仕事が早く終わるか』（同月１６日）と記載するなど、Ｙ２を始めとする他の従業員から業務を効率化し、業務密度を上げるよう指示ないし指導を受けていたとうかがわれることからすれば、家電リサイクル業務量の増大とともに亡Ａの業務量が増大し、期待される業務密度も上昇していたと認めることができる…」。

「さらに、亡Ａが主に業務に従事していた場所であるホームは屋外と遮断されていない空間…であり、同所に冷房機能が付いていたともうかがわれないから、平成２１年７月ないし９月頃の夏場においては、暑さによる肉体的な負荷も加わっていたと認められる」。

イ　長時間に及ぶ時間外労働による負荷

「亡Ａの労働時間及び時間外労働時間によれば、亡ＡがＹ１に入社した平成２１年４月から本件自殺までの亡Ａの時間外労働時間は、〔１〕本件自殺１か月前…が１０２時間３０分、〔２〕本件自殺２か月前…が１０３時間５５分、〔３〕本件自殺３か月前…が１２９時間５０分、〔４〕本件自殺４か月前…が９９時間５０分、〔５〕本件自殺５か月前…が１１０時間１５分、〔６〕本件自殺６か月前…が６３時間４５分であったと認めることができる。

また、亡Ａが深夜１０時を超えて勤務したのは、〔１〕本件自殺１か月前…が９日間、〔２〕本件自殺２か月前…が９日間、〔３〕本件自殺３か月前…が１６日間、〔４〕本件自殺４か月前…が２日間、〔５〕本件自殺５か月前…が１日間、〔６〕本件自殺６か月前…が２日間であった」。

「亡Ａの上記時間外労働の時間数は、Ｙ１の三六協定に定める１か月当たりの時間外労働時間である月４５時間を著しく超過している。さらに、Ｙ１の３６協定においては、前記の目安を超えて労使が協議の上特別に延長することができる時間が月１００時間（ただし6回まで）とされているが、本件自殺３か月前の亡Ａの時間外労働時間はかかる１００時間を優に超える１２９時間５０分にも達しており、かつ亡Ａは本件自殺５か月前からほぼ月１００時間かそれを超える恒常的な長時間時間外労働に従事していたものである。

一般に、長時間労働や休日労働は心身の疲労を増加させ、ストレス対応能力を低下させ、とりわけ１か月平均の時間外労働時間が概ね１００時間を超えるような恒常的な長時間労働による心理的負荷は強度であるとされていること…からすれば、亡Ａが従事していた恒常的な長時間時間外労働は、それ自体で過酷な肉体的・心理的負荷を与えるものであったということができる」。

ウ　Ｙ２による叱責等について

「Ｙ２は、仕事に関して几帳面で厳しく、亡Ａがミスをした場合、他の従業員らが周りにいる場合であっても、『何でできないんだ。』、『何度も同じことを言わせるな。』、『そんなこともわからないのか。』、『俺の言っていることがわからないのか。』、『なぜ手順通りにやらないんだ。』等と怒鳴る等して、亡Ａに強い口調で叱責していたこと、亡Ａのミスが重大であった場合には、『馬鹿。』、『馬鹿野郎。』、『帰れ。』などという言葉を発することもあったこと、このようなＹ２による叱責の時間は概ね５分ないし１０分程度に及び、その頻度は、少なくとも１週間に２、３回程度、亡Ａのミスが重なれば１日に２、３回程度に及ぶこともあったこと…亡Ａは、叱責に口応えをすることはなく、Ｙ２と目線を合わせることもなく、下を向いて一方的に聞いていたこと、叱責後、亡Ａは表面的には落ち込んでいないように見受けられる場面もあった一方で、複数の従業員が、亡Ａがしょげている様に感じたり、しょげ返ってうつむき加減で歩いている様子を目撃していたこと、亡Ａは、ミスをして叱責された際、本件業務日誌に、Ｙ２に対する謝罪や反省の気持ちを綴ることもあったこと等が認められる。また、特に平成２１年９月１２日又は１３日の叱責は、亡Ａに解雇の可能性を認識させる内容のものであり、亡Ａはその後２、３日は落ち込んだ様子を見せ、以後、解雇や転職に対する不安を周囲に漏らすようになり、同月１６日には、酒を飲んでから出勤するというそれ以前には見られない異常な行動を取るようになったこと等が認められる」。

「上記に指摘したＹ２による叱責の態様（言葉使い、口調、叱責の時間、場所）や頻度、亡Ａの叱責中又は叱責後の様子等に照らすと、亡Ａに対するＹ２の叱責は、社会経験、就労経験が十分でなく、大学を卒業したばかりの新入社員であり、上司からの叱責に不慣れであった亡Ａに対し、一方的に威圧感や恐怖心、屈辱感、不安感を与えるものであったというべきであり、Ｙ２の叱責が亡Ａに与えた心理的負荷は、相当なものであったと認めるのが相当である」。

「Ｙ２は、当初、亡Ａの指導の一助とするために本件業務日誌を記載させることとしたものと認められるが、実際には、亡Ａに対し、本件業務日誌を通じて具体的な業務の方法等について指導することはなかったこと、本件業務日誌の記載の仕方について事前に具体的な指導をすることもなかったものの、亡Ａが自分なりに考えて記載した内容について、意味が分からない等の厳しいコメントを散発的かつ一方的に付すのみで、亡Ａの進歩や成長、努力を評価するようなコメントを付したことはなかったこと、同年７月から８月ころには、Ｙ２自身が、本件業務日誌により亡Ａの改善・指導を期待することはできないと感じていたにもかかわらず、その後も漫然と亡Ａに本件業務日誌を記載させ続け、亡Ａは、本件業務日誌に書くことがなく困っていたこと等が認められる。

そうすると、本件業務日誌の作成作業も、亡Ａに対し、Ｙ２による叱責と相まって、相当程度の心理的負荷を与えるものであったというべきである」。

「これに対し、Ｙらは、Ｙ２の叱責は、亡Ａのミスに端を発したものであることや、Ｙ２は亡Ａの人格を非難するようなことはなく、理由なく叱責することもなかったこと、他の従業員が、Ｙ２からより頻回に、より厳しい内容の叱責を受け、それに耐えていたこと等も指摘する。しかし、叱責の端緒が亡Ａのミスにあったことは、亡Ａに対する心理的負荷の程度を検討する際に重視されるべき事柄ではないし、Ｙ２が亡Ａの人格を非難したり、理由なく叱責したりしたことがなかったとしても、前記認定の叱責の態様や頻度等に照らせば、これらの叱責が亡Ａに相当の心理的負荷を与えていたこと自体は否定し難いというべきである。また、既に指摘したとおり、亡Ａは、大学を卒業したばかりの新入社員であり、それまでアルバイト以外に就労経験がなく…Ｃ営業所における勤務を開始したばかりであったのだから、上司からの叱責を受け流したり、これに柔軟に対処する術を身につけていないとしても無理からぬところであり、同営業所の他の従業員らが、Ｙ２による叱責に対処できていたことをもって、亡Ａに対する心理的負荷が重いものでなかったということはできない」。

エ　新入社員であったことによる心理的負荷

「亡Ａは、平成２１年３月に大学を卒業後、同月下旬ころから宇都宮で単身生活を開始し、同時にＣ営業所において勤務を開始したものであり、亡Ａには、アルバイト以外に就労経験はなく、同営業所内に旧知の者もおらず、同営業所における唯一の新入社員であったから、慣れない土地での初めての仕事や新たな人間関係に対する緊張や不安が少なからずあったことが推認される。そして、このような環境の中で、亡Ａが、前記に認定した恒常的な長時間労働を余儀なくされ、その過程でＹ２から頻回に厳しい叱責等を受けていたこと等にかんがみると、亡Ａが抱いていたであろう新たな環境に対する緊張や不安は、本件自殺に至るまで解消されることはなく、むしろこれらの事情と合わさって、亡Ａの心理的負荷をより強いものとする要因となっていたと認めるのが相当である」。

オ　Ｙ２が亡Ａに対してパワハラを行っていたとのＸらの主張について

「Ｘらは、Ｙ２が、亡Ａを叱責する際、亡Ａに暴力を振るっていたこと、必要性のない事故報告書を作成するよう強要していたこと、亡Ａが足を負傷した際にも業務に就くよう強要したこと、出勤簿に不正な記載を強要していたこと、違法な退職勧奨を行っていたこと等を指摘し、これらによると、Ｙ２は、亡Ａに対し、恒常的にパワハラを行っていたものであり、これらも亡Ａに対する心理的負荷要因として考慮すべきであると主張する」。

（ア）亡Ａに対する暴力について

「Ｘらは、亡ＡがＹ２から、叱責の際、２回にわたり暴行を受けたと主張する。これに対し、Ｙ２は、亡Ａに対し、叱責の際に暴力を振るったことはないと供述するところ（Ｙ２供述）…認定事実によると、Ｙ２が、亡Ａ以外の従業員らに叱責をする際に暴力を振るったことはなかったこと、Ｃ営業所の従業員らは、Ｙ２が亡Ａを叱責するのを何度も見ていたが、Ｙ２が亡Ａに暴力を振るったり、それによって亡Ａが負傷したりしたのを見た者はおらず、そのようなことがあったと聞いたことのある者もいなかったこと、Ｆは、労働基準監督署の担当者による聴取り調査の際、Ｙ２について、あそこまで怒鳴っていて、よく暴力を振るわないなと感心していたとも述べ、Ｘ１と電話で話した際にも、Ｙ２が亡Ａに暴力を振るったと聞いたことはないと述べていたこと等が認められ、そのほか、Ｘらの主張する点を裏付ける十分な証拠はない…。

そうすると、Ｙ２が亡Ａに対し、暴力を振るったことがあったとは認められない」。

（イ）事故報告書について

「亡Ａは、平成２１年７月４日、デッチで冷蔵庫を運搬していたところ、パレットに積まれていた段ボールに冷蔵庫の角をぶつけて段ボールに傷を付けるというミスをし、このミスについて『事故報告書』…を作成した」。

「亡Ａの前記ミスは、最終的にはＹ１に損害を発生させたものではなかったものの、Ｙ１の重要な顧客の荷物に傷を付けるという重大なミスであったのであるから…Ｈ所長代理が亡Ａに反省を促すために事故報告書の作成を指示したことが、業務上の指導として許容される範囲を逸脱し、パワハラと評価することはできない。

また、Ｙ２が亡Ａの作成した『事故報告書』…を受領しなかったことを認めることができるものの、Ｙ２が亡Ａに対して何度も事故報告書の書き直しを指示したり、提出の受領を拒否したことを認めるに足りる証拠はない」。

（ウ）亡Ａが足を負傷したことについて

「証拠…によれば、亡Ａが平成２１年８月２８日、倒れた鉄板が足にぶつかり、足の親指を負傷したこと、昼休みの時間に病院に行き、右側拇趾挫創と診断されたが、レントゲン所見は異常なしと診断されたこと…が認められる。

この点、亡Ａは足を引きずっており、休みたがっていたが、少なくとも事務作業に支障が出るほどのけがではなく、通常と変わらずに仕事をすることができたと認められるから、仮にＹ２が亡Ａに対して『事務でもいいから出勤しろ。』などと指示をしたのだとしても、業務上の指導として許容される範囲を逸脱したパワハラとまで評価することはできない」。

（エ）出勤簿について

「亡Ａが、平成２１年９月１０日以降同月３０日まで、始業時刻及び終業時刻として、出勤簿に初めから印字されている勤務計画どおりの始業時刻及び終業時刻を記入したこと及び実際には亡Ａは本件業務日誌に記載した始業時刻から終業時刻まで業務を行っていたと認めるのが相当である」が、「亡Ａが出勤簿に実際の労働時間とは異なる勤務計画どおりの始業時間及び終業時間を記入していたのが、Ｙ２の強制によるものであることを認めるに足りる証拠はないから、少なくとも、この点をもって、Ｙ２が亡Ａにパワハラを行っていたと評価することもできない」。

（オ）退職勧奨について

「Ｘらは、Ｙ２が、平成２１年１０月６日、亡Ａに対し、飲酒をして出勤したことについて違法な退職勧奨を行った旨主張する。

この点、確かにＹ２は、亡Ａに対して『そういった行為は解雇に当たる。』などと言って強く叱責したものであるが、Ｙ２の叱責は、亡Ａの行為が解雇に当たり得るほどの極めて重大な問題のある行為であることを指摘したものであって、退職勧奨には当たらないというべきであるし、実際に、飲酒をした上で車を運転して出勤したという亡Ａの行動は、社会人として相当に非難されるだけでなく、Ｙ１が運送会社であるということからすればＹ１の社会的信用をも大きく失墜させかねないものであったのであるから、上記のようにＹ２が亡Ａに対して厳しく叱責したことが後記のとおり、亡Ａの自殺に至る過程において重要な位置を占める事実であるとしても、これをもって直ちにパワハラとまで評価することはできない」。

（カ）「以上によれば、Ｘらが Ｙ２によるパワハラであると主張する事実は、いずれも認めることができず、そのほかＹ２が亡Ａに対してパワハラと評価すべき行為を行ったと認めるに足りる証拠はないから、Ｘらの主張は採用の限りでない」。

カ　小括

「以上によれば、亡Ａは、新入社員として緊張や不安を抱える中で、本件自殺の５か月前（入社約１か月後）から月１００時間程度かそれを超える恒常的な長時間にわたる時間外労働を余儀なくされ、本件自殺の３か月前には、時間外労働時間は月１２９時間５０分にも及んでいたのであり、その業務の内容も、空調の効かない屋外において、テレビやエアコン等の家電製品を運搬すること等の経験年数の長い従業員であっても、相当の疲労感を覚える肉体労働を主とするものであったと認められ、このような中、亡Ａは、新入社員にまま見られるようなミスを繰り返してＹ２から厳しい叱責を頻回に受け、本件業務日誌にも厳しいコメントを付される等し、自分なりにミスの防止策を検討する等の努力をしたものの、Ｙ２から努力を認められたり、成長をほめられたりすることがなく、本件自殺の約３週間前には、Ｙ２から解雇の可能性を認識させる一層厳しい叱責を受け、解雇や転職の不安を覚えるようになっていったと認められるのであり、このような亡Ａの就労状況等にかんがみれば、亡Ａは、総合的にみて、業務により相当強度の肉体的・心理的負荷を負っていたものと認めるのが相当である」。

（２）本件自殺と業務との間の相当因果関係

ア　「亡Ａには、業務により相当強度の肉体的・心理的負荷があったと認められるのであり、その内容及び程度に照らせば、亡Ａの業務には、精神障害を発病させるに足りる強い負荷があったと認められる。

そして…亡Ａは、平成２１年９月１２日又は１３日ころ、Ｙ２から解雇の可能性を認識させる強い叱責を受け」、以後周りの者に対し、「解雇や転職に対する不安を漏らすようになったこと、同日、事前の連絡もなく、片道約３００ｋｍの距離にある実家を突然訪れ、２０分のみ滞在して帰宅するという不自然な行動を取っていたこと、同月１６日には、出勤前に飲酒してから出勤していたこと、同月２０日から２３日に、Ｆを含む同期のＹ１の従業員と旅行に行った際、朝から、車の中やトイレ休憩の際にもビール（その量は、３５０ミリリットルのビールを４、５本であった。）を飲み続けていたこと等が認められるのであるから、これらの点によると、亡Ａは、同年９月中旬ころには、情緒的に不安定な状態にあり、過剰飲酒をうかがわせる問題行動が現れていたということができ、これらの事実と前記の適応障害についての医学的知見を総合すると、このころ、亡Ａは既に適応障害を発病していたと認めるのが相当である。

また、適応障害発病後も、亡Ａは引き続き長時間労働を余儀なくされており、Ｙ２からの叱責についても従前と変わる点はなかったから、亡Ａは適応障害の状態がより悪化していったものとうかがわれるところ、前記認定によれば、亡Ａは、同年１０月６日、午後出勤の前に飲酒をするという問題行動を再び起こし、これがＹ２を含むＣ営業所の従業員に知られるところとなり、Ｙ２から、『お酒を飲んで出勤し、何かあったり、警察に捕まったりした場合、会社がなくなってしまう。』、『そういった行為は解雇に当たる。』等と言われて、入社以来、最も厳しい叱責を受けるに至り、これにより、従前、亡Ａの情緒を不安定にさせていた解雇の不安はさらに増大し、それまでに蓄積していた肉体的精神的疲労と相まって、亡Ａは正常な認識、行為選択能力及び抑制力が著しく阻害された状態となり、自殺に至ったものと推認することができる」。

イ　「他方で、業務以外に亡Ａに自殺の要因があったかという点について検討する」に、亡Ａの周辺人物からの証言等からすれば、「亡Ａから仕事以外の悩みを」聞いたことはないであるとか、「亡Ａから仕事の愚痴等は聞いたことがあるものの、それ以外の悩みを聞いたことはないことが認められ…また、Ｃ営業所におけるほかの従業員やＸらの供述内容等にかんがみても、亡Ａに、借金、病気、家族、交友関係におけるトラブルと評価されるようなものや、個人的な悩みなどの一般的に自殺の原因となり得るような業務外の要因があったと認めることはできない。

これに対し、Ｙらは、亡Ａは平成２１年９月ころ、女性関係のトラブルないし悩みを抱えていたと主張するところ、Ｙらの指摘する亡Ａのメール履歴…によれば、亡Ａは、特定の女性から交際を申し込まれたものの、この女性に好意を持てなかったため、交際を断ったことがうかがわれるのであり、亡Ａが思いを遂げられなかったというようなものではないし、そのほかに亡Ａがこの女性との交際のことでトラブルといえるような問題を抱えていたり、思い悩んでいたことをうかがわせる証拠はないから、上記主張は採用することができない。また、Ｙらは、亡Ａが業務と関係なくアルコール依存傾向にあったとして、これと亡Ａの自殺との関連を主張するが、亡Ａが飲酒を好んでいたことをもって直ちにアルコール依存傾向にあったとは認められないからこの主張も採用できない。そのほか、本件各証拠関係を精査しても、亡Ａの自殺の原因が業務以外にあったことをうかがわせるものはない」。

ウ　「以上によると、本件自殺と業務との間には、相当因果関係があるものと認められる」。

（３）注意義務違反（過失）の有無について

ア　「労働者が労働日に長時間にわたり業務に従事する状況が継続するなどして、疲労や心理的負荷等が過度に蓄積すると、労働者の心身の健康を損なう危険のあることは、周知のところであり、労働基準法の労働時間制限や労働安全衛生法の健康管理義務（健康配慮義務）は、上記の危険発生防止をも目的とするものと解されるから、使用者は、その雇用する労働者に従事させる業務を定めてこれを管理するに際し、業務の遂行に伴う疲労や心理的負荷等が過度に蓄積して労働者の心身の健康を損なうことがないように注意する義務を負うと解するのが相当であり、使用者に代わって労働者に対し業務上の指揮監督を行う権限を有する者は、使用者のこの注意義務の内容に従ってその権限を行使すべきものと解される（最高裁判所平成１２年３月２４日第二小法廷判決・民集５４巻３号１１５５頁参照)。

これを本件についてみると、Ｙ２は、亡Ａの就労先であったＣ営業所の所長の地位にあり、同営業所において、使用者であるＹ１に代わって、同営業所の労働者に対する業務上の指揮監督を行う権限を有していたと認められるから、Ｙ２は、使用者であるＹ１の負う上記注意義務の内容に従ってその権限を行使すべき義務を負っていたというべきである。そして、前記認定のとおり、Ｃ営業所においては、平成２１年４月以降、時間外労働時間が慢性的に長時間に及んでいたことが認められる上に、特に同年８月以降に急増した家電リサイクル業務においては、亡Ａを含む労働者は、空調の効かない屋外において、テレビやエアコン等の家電製品を運搬するという、経験年数の長い従業員であっても、相当の疲労感を覚える肉体労働に従事していたと認められ、しかも、亡Ａは、大学を卒業したばかりで、社会経験や就労経験が不十分であり、Ｃ営業所における就労環境にも不慣れな若年者であったのであるから、Ｙ２は、亡Ａを就労させるに当たり、亡Ａが業務の遂行に伴う疲労や心理的負荷等が過度に蓄積して心身の健康を損なうことがないよう、〔1〕Ｙ１に対し、亡Ａの時間外労働時間を正確に報告して増員を要請したり、業務内容や業務分配の見直しを行うこと等により、亡Ａの業務の量等を適切に調整するための措置を採る義務を負っていたほか、〔2〕亡Ａに対する指導に際しては、新卒社会人である亡Ａの心理状態、疲労状態、業務量や労働時間による肉体的・心理的負荷も考慮しながら、亡Ａに過度の心理的負担をかけないよう配慮する義務を負っていたと解される」。

イ　「そこで、Ｙ２がこれらの義務に違反したと認められるかについて検討すると、〔1〕については」、Ｙ２が「Ｃ営業所における業務量の増加に伴い、平成２１年５月ころまでに、Ｙ２の上司に当たるＪ支店長に対してＣ営業所の従業員の増員を要請し、その結果、同年６月にＬが東京からＣ営業所へ異動となり（ただし…Ｌの異動による家電リサイクル業務の負担軽減効果は限定的なものであった…）、同年８月には派遣社員のＦが新たにＣ営業所において勤務することとなったこと」、Ｃ営業所の従業員に対し、Ｙ２が「業務に余裕ができやすい夕方の時間帯などに各自適宜休憩を取るように指導したことが認められる」。

しかし、「これらの措置が採られた後も、実際には、亡Ａの時間外労働は有意に減少することがなかったのであるし、前記認定によれば、Ｙ１から指導のあった夕方１時間の休憩時間についても、亡Ａは、仕事の合間に５分や１０分程度の時間の休憩を取ったり、仕事の手を休めて休憩室で喫煙をすることができたにとどまっており、休息のために労働から完全に解放される時間をまとまって取ることはできていなかったと認められる。また、Ｙ２は、亡Ａが指示どおりに、夕方１時間の休憩時間をきちんと取ることができていたかについてそもそも確認していなかったというのであり…休憩時間を確保するための具体的な対策を講じていたとも認めることができないから、上記の指示をもって、十分な措置が採られたと評価することはできない」。

また、「亡Ａの実際の時間外労働時間は、平成２１年４月は７７．４５時間、同年５月は８８．３５時間、同年６月は１００時間、同年７月は１２５時間、同年８月は１１０．２０時間、同年９月は１０４．４０時間に及んでいた」が、これは、Ｙ２が支店に報告していた出勤簿記載の時間外労働時間と大きく異なる。Ｙ２が、亡Ａの時間外労働時間と大きく異なる報告をする結果となったのは、「Ｙ２が、１日単位で３０分に満たない時間外労働時間を切り捨てる処理を行っていたこと、特に同年８月以降、亡Ａが夕方１時間の休憩時間を取ることができたか確認せず、休憩時間を取ったものとみなして、この時間についても実際の労働時間から控除したこと、同年９月１０日以降、亡Ａは、出勤簿に実際の労働時間と異なり、勤務計画に合わせた出退時刻を記入するようになったところ、Ｙ２は、亡Ａの出勤簿上の出退時刻の記載が実際の労働時間と異なることを認識しながら、亡Ａに正しい出退時刻を記載するよう指導せず、実情と異なる出勤簿の記載をそのまま前提として時間外労働時間を算出したこと…等の、労務管理を行うべき立場の者の行為としておよそ正当化し難い事情によるものであると認められる。これらの結果、亡Ａの時間外労働時間は、特にＦの増員後である同年８月分について、１１０．２０時間と報告すべきところを７９時間、同年９月分について、１０４．４０時間と報告すべきところを５２時間と報告されていたのであるから、Ｙ２によるこのような報告内容は、同営業所の所長として、従業員の就労状況を正確に把握して行われた適正なものであったと評価することはできない。また、Ｙ２が、同様の方法でその他の従業員らの時間外労働時間を算出し、報告していたことに照らせば、その他の従業員らの時間外労働時間に関する報告についても、実態を正確に反映したものでなかったことは明らかであるから、Ｙ２の上記報告は、Ｃ営業所の全体の就労環境を正確に伝えるものでもなかったというべきである。

そして、Ｙ２には、Ｃ営業所に勤務させる人員の数や配置を決定する権限がなかったとしても、仮にＹ２が、Ｙ１に対し、亡Ａの時間外労働時間が上記のとおり、相当の長時間にわたっていることや、Ｃ営業所における従業員の就労状況を正確に報告していたのであれば、Ｙ１は、平成２１年８月のＦの増員にもかかわらず、同営業所における従業員の就労環境が十分に改善されていないことの認識を持ち、さらなる増員措置を取る等の相応の体制整備を検討した可能性はあったというべきであり、それが困難であったことを具体的にうかがわせる証拠はない。また、Ｙ２に上記の正確な報告をすることを期待し得なかった事情があるとも認められないのであるから、Ｙ２には、〔１〕の注意義務の違反があったというべきである」。

ウ　「さらに、上記の点を措き、Ｙ２が、従業員の業務内容や業務分配の見直しを行うこと等により、亡Ａの業務の量等を適切に調整するための措置を採っていたかについて検討すると、前記認定によれば、当時、Ｃ営業所においては、Ｅ係長、Ｉ係長、Ｌについても、亡Ａと同程度の長時間勤務を強いられていたとうかがわれるから、同営業所における業務が亡Ａのみに集中していたとか、他の従業員との比較において、亡Ａのみが著しく過重な業務の負担を負っていたとは認められない。しかしながら、亡Ａは新卒で採用されたばかりの若年者であり、就労環境や業務の内容にも不慣れである上に、亡Ａが主として担当するようになった家電リサイクル業務については、ベテランの従業員にとっても体力を使う重労働であったと認められ…Ｉ係長は、本件自殺当時、あまりのハードワークのため、同営業所の従業員は皆くたびれきっており、自分でさえも会社をやめたいと思ったことがあったこと、時期は不明であるが、亡Ａが、疲労のあまり、休憩時間に、休憩室の机の上でうつぶせで寝ていたり、ぼーっとしており、反応が鈍いと感じられることがあったこと等を証言しているところである。

そうすると、Ｙ２は、本件業務日誌の記載内容や、亡Ａに対する日常的な指導を通して、このような亡Ａの置かれた就労状況について十分に認識し、また認識し得たと認められるのであるから、新入社員であり、就労環境及び業務に不慣れな亡Ａに過度の疲労が蓄積し、心身の健康を損なうことがないよう、ベテランの従業員（Ｅ係長、Ｉ係長）や亡ＡよりもＹ１における勤務年数の長いＬとの関係において、亡Ａの業務量や業務分配を見直したり、少なくとも亡Ａが担当していた業務に優先順位を付け、不要不急の業務については亡Ａにこれを行わせないこと（例えば、早朝出勤して亡Ａが行っていた清掃業務について、これを全く行わせないか又は頻度を減らして、より遅くに出勤するよう指示すること、残業を一定時間で切り上げさせて他の者より積極的に早く帰宅させること、平成２１年８月以降、Ｙ２自身が意義が失われたと感じていた本件業務日誌の作成を中止させること等は容易であったとうかがわれる。）等により、業務の量等を適正に調整するための措置を採るべき義務があったところ、Ｙらは、Ｙ２が亡Ａについて休日出勤を命じないよう配慮し、午後からの出勤日を設けることがあったほかには、このような措置を採り、又は採るよう努めていたことについて具体的に主張しておらず、本件各証拠に照らしても、そのようには認められない。そして、これらのＹらの主張する点のみでは、上記の措置として十分なものであったと評価することはできず、当時のＣ営業所の繁忙な稼働状況にかんがみても、Ｙ２において、上記の措置を採ることが不可能であったとの事情まではうかがわれないから、Ｙ２がこれを怠ったことについては、前記〔１〕の注意義務の違反があったというべきである」。

エ　「次に、〔２〕の注意義務について検討すると、既に認定したところによれば、Ｙ２による叱責等は、恒常的な長時間の時間外労働及び肉体労働により肉体的疲労の蓄積していた亡Ａに対し、相当頻回に、他の従業員らのいる前であっても、大声で怒鳴って一方的に叱責するというものであり、大きなミスがあったときには、『馬鹿』、『馬鹿野郎』、『何でできないんだ、』、『そんなこともできないのか』、『帰れ』等の激しい言葉が用いられていたこと、Ｙ２は、本件業務日誌の記載が十分でないと感じられるときには、『日誌はメモ用紙ではない！業務報告。書いている内容がまったくわからない！』（同年８月６日ころ）、『内容の意味わからない　わかるように具体的に書くこと。』（同月７日ころ）等と赤字でコメントを付して亡Ａに返却していること（なお、本件業務日誌の関連部分の記載をみても、亡Ａが、無意味な記載をしていたり、不真面目な記載をしていると読み取ることはできない。）等が認められ、前記に認定した亡Ａの置かれた就労環境を踏まえると、このような指導方法は、新卒社会人である亡Ａの心理状態、疲労状態、業務量や労働時間による肉体的・心理的負荷も考慮しながら、亡Ａに過度の心理的負担をかけないよう配慮されたものとはいい難い。

　また、前記に認定したところによれば、Ｃ営業所における亡Ａに対する指導については、指揮命令系統が一本化ないし整理されておらず、複数の上司が亡Ａにばらばらに指導ないし指示を行い、亡Ａを混乱させたり、Ｙ２の叱責を招き亡Ａに心労を与える原因となっていたところ、Ｙ２は、遅くとも平成２１年８月ころには、亡Ａに対する指導が奏功しておらず、亡Ａに期待した成長が見られないと感じていたと認められるのであるから、そのころには、他の従業員らと亡Ａに対する指導方法を協議したり、亡Ａに対する指導に問題がないか具体的に検討する等、同営業所における亡Ａの指導体制について、十分な見直しと検討を行うべきであったと指摘できる。しかしながら、Ｙ２は、そのような見直し等を行うことなく、引き続き、亡Ａがミスをすれば一方的に叱責するということを漫然と続けていたのであるから、この点にかんがみても、Ｙ２が、亡Ａに対する指導について、前記のような観点から適正な配慮を行っていたものと認めることはできない。

そうすると、Ｙ２は、上記〔２〕の観点からも、代理監督者としての注意義務に違反していたものと認められる」。

オ　「以上によると、Ｙ２には、上記の各点について注意義務違反があったと認めることができる」。

（４）予見可能性の有無について

「既に説示のとおり、労働者が労働日に長時間にわたり業務に従事する状況が継続するなどして、疲労や心理的負荷等が過度に蓄積すると、労働者の心身の健康を損なう危険のあることは、周知のところであり、労働基準法の労働時間制限や労働安全衛生法の健康管理義務（健康配慮義務）は、上記の危険発生防止をも目的とするものと解されるから、使用者は、その雇用する労働者に従事させる業務を定めてこれを管理するに際し、業務の遂行に伴う疲労や心理的負荷等が過度に蓄積して労働者の心身の健康を損なうことがないように注意する義務を負うと解するのが相当であり、使用者に代わって労働者に対し業務上の指揮監督を行う権限を有する者（以下使用者と併せて『使用者ら』という。）は、使用者のこの注意義務の内容に従ってその権限を行使すべきであるところ、適応障害の発症及びこれによる自殺は、長時間労働の継続などにより疲労や心理的負荷等が過度に蓄積し、労働者が心身の健康を損なう態様の一つであるから、使用者らはそのような結果を生む原因となる危険な状態の発生自体を回避する必要があるというべきである。

そうすると、労働者が死亡した事案において、事前に使用者らが当該労働者の具体的な健康状態の悪化を認識することが困難であったとしても、これを予見できなかったとは直ちにいうことができないのであって、当該労働者の健康状態の悪化を現に認識していたか、あるいは、それを現に認識していなかったとしても、就労環境等に照らし、労働者の健康状態が悪化するおそれがあることを容易に認識し得たというような場合には、結果の予見可能性が認められるものと解するのが相当である。

これを本件についてみると、Ｙ２は、本件自殺までに亡Ａの具体的な心身の変調を認識し、これを端緒として対応することが必ずしも容易でなかったとしても、前記のとおり、亡Ａは、本件自殺５か月前から月１００時間程度かそれを超える恒常的な長時間時間外労働に従事していたことに加え、その業務内容は肉体的に大きな負荷が掛かるものであり、Ｙ１に入社した途端このような重労働にさらされ、かつＹ２から日常的に叱責等を受けていたことにより、相当強度の肉体的・心理的負荷を伴う就労環境の中で就労していたのであり、Ｙ２は、このような亡Ａの客観的な就労環境を十分に認識していたと認められる。そうすると、Ｙ２は、これらの就労環境が亡Ａの健康状態の悪化を招くことを容易に認識し得たというべきであるから、Ｙ２には、結果の予見可能性があったと認められる。

これに対し、Ｙらは、仮にＹ２に亡Ａの健康状態の悪化の予見可能性があったとしても、亡Ａがそこから適応障害に罹患し、さらに自殺を図ることを予見することは困難であること、亡Ａの業務内容に照らし、うつ病に罹患するほどの業務の過重性があったとは認められないこと等を主張する。

しかし、前記のとおり、長時間労働の継続などにより疲労や心理的負荷等が過度に蓄積すると労働者の心身の健康を損なうおそれがあることは周知のところであり、適応障害を含む精神障害の罹患又はこれによる自殺はその一態様であるから、使用者らにおいて、当該労働者の自殺について予見可能性があったと認められるためには、就労環境等に照らし、労働者の健康状態が悪化するおそれがあることを容易に認識し得たことをもって足りるというべきであり、当該使用者らが、労働者の健康状態悪化の具体的機序や、自殺に至る具体的経過について予見することができなかったとしても、それをもって予見可能性がないということはできない。

また、Ｙらは、亡Ａが適応障害に罹患していたとしても、適応障害はうつ病と異なり、正常の認識、行為選択能力が著しく阻害され、又は自殺行為を思いとどまる精神的な抑制力が著しく阻害されている状態ということはできないと主張するが、認定基準は、業務により適応障害を含む精神障害を発病したと認められる者が自殺を図った場合には、精神障害によって正常の認識、行為選択能力が著しく阻害され、あるいは自殺行為を思いとどまる精神的抑制力が著しく阻害されている状態に陥ったものと推定するものと定めるのであるから、適応障害においても、そのような推定がはたらくものというべきであるし、本件各証拠に現れた文献中にも、特に青年期の適応障害については、自傷行為、自殺企図など攻撃的傾向に及ぶものがあること、自殺に関する研究結果において、適応障害のみに罹患していた患者の割合は２、３パーセントに止まるという研究結果があるものの、これは適応障害に罹患している患者は、うつ病等の他の精神障害に罹患している場合が多く、純粋に適応障害のみに罹患しているという状態が少ないためであるという指摘があること、自殺により救急センターに搬送された患者のうち、男性の１１パーセント、女性の２２パーセントが適応障害であったという指摘があること等は、既に認定したとおりである。そうすると、Ｙらの主張する点を検討しても、亡Ａの業務の過重性等と適応障害の発症、本件自殺との間に相当因果関係が否定されるとか、予見可能性が働かないとはいい難いのであり、Ｙらの主張は採用することができない」。

（５）Ｙ２の不法行為の成否について

「以上によれば、Ｙ２は、亡Ａが本件自殺により死亡するに至ったことにつき、不法行為責任を免れない」。

（６）Ｙ１の不法行為・債務不履行の成否について

「以上のとおり、Ｙ２は、亡Ａの死亡につき、民法７０９条所定の不法行為責任を負うものと認められるところ、Ｙ１は、Ｙ２の使用者であるから、Ｙ２がその事業の執行につき、亡Ａ及びＸらに与えた損害について賠償する義務を負うものと認められる。そうすると、Ｙ１は、民法７１５条に基づき、Ｙ２と連帯して損害賠償責任を負うというべきである。

なお、Ｘらは、Ｙ１の責任原因について、一次的には、民法７０９条の不法行為に基づく損害賠償責任を負うものと主張し、民法７１５条に基づく使用者責任は二次的なものとして主張するが、長時間時間外労働など亡Ａの業務の過重性についての責任については、本件で認定した事情に照らしてもＹ２の不法行為の責任原因として認定した事実とは別にＹ１に独自の不法行為の責任原因があるとまで評価することはできないから、本件において使用者責任とは別に不法行為責任を認める必要性はない。また、Ｙ１がＹ２による亡Ａに対する指導上の違法行為を放置し、防止しなかったとＸらが主張する点についても、それだけではＹ２の不法行為につきＹ１に使用者責任を負わせる以上に別途不法行為責任を負わせるべき独自の違法行為があったとまで評価することはできない。したがって、本件においてはＹ１に使用者責任とは別に民法７０９条に基づき亡Ａに対する不法行為責任を認めることはできない」。

（７）損害について

死亡による逸失利益を４６７９万０５２３円、慰謝料を２２００万円とし、過失相殺はしない。

損益相殺に関しては、Ｘらが受給した労働者災害補償保険法に基づく「遺族補償一時金８３７万６０００円のみが亡Ａの死亡逸失利益４６７９万０５２３円について損害を填補するものと認められるから、これを不法行為に基づく損害賠償請求権の遅延損害金から充当するのが相当である」。

「亡ＡのＹ１に対する損害賠償請求権は、亡Ａの死亡逸失利益残元金４１１０万６５８０円及び亡Ａの慰謝料２２００万円の合計６３１０万６５８０円となる。そして、Ｘらは亡Ａの前記損害賠償請求権をそれぞれ２分の１の割合で相続したから、Ｘらの相続額は各自３１５５万３２９０円となる」。

また、弁護士費用として６３０万円を認めるのが相当である。

「以上に説示した点によると、Ｘらは、Ｙ２に対しては民法７０９条に基づき、Ｙ１に対しては民法７１５条に基づき、損害賠償請求権として、連帯して、それぞれ３４７０万３２９０円及び内金１４１５万円に対する平成２１年１０月７日から、内金２０５５万３２９０円に対する平成２２年１２月１日から各支払済みまで民法所定の年５分の割合による遅延損害金の連帯支払を求めることができる」。

２０　日本アスペクトコア事件・東京地判平 26.8.13 労経速 2237 号 24 頁

【事実の概要】

Ｘは、７月２日から９月２０日までの期間、Ｙにおいて雇用され勤務した。なお、実際の稼働終了日は９月１２日である。

Ｙは、人材派遣業等を営む株式会社である。

Ｙは、６月４日頃、求人情報サイトを通してインターネット上に求人広告を掲載し、Ｘは、コピー・製本業務の求人であると考え、同求人広告に応募することとし、Ｙに同月６日付けの履歴書及び職務経歴書を送付した。

（１）第一次採用面接

Ｘは、６月１３日、Ｙの第一次採用面接を受けた。その際、Ｘは、Ｙから作成を求められたエントリーシートにおいて、Ｗｏｒｄ及びＥｘｃｅｌについて入力及び印刷の経験がある旨並びにＰｈｏｔｏｓｈｏｐ及びＩｌｌｕｓｔｒａｔｏｒの使用経験がある旨を申告した。ただし、Ｘは、口頭でＹの面接担当者に対し、Ｐｈｏｔｏｓｈｏｐ及びＩｌｌｕｓｔｒａｔｏｒの使用については１０年ほどのブランクがあり、ＤＴＰオペレーターの職歴も１０年ほど前のものであることを説明した。

（２）第二次採用面接

Ｘは、６月２６日、Ｙの第二次採用面接を受けた。その際、Ｙの面接担当者であるＢとＧは、Ｘに対し、あらためて１０年ほどのブランクがあるがＰｈｏｔｏｓｈｏｐ及びＩｌｌｕｓｔｒａｔｏｒの使用経験があること及び１０年ほど前の職歴ではあるがＤＴＰオペレーターの職歴があることを確認した。また、第二次面接において、Ｂは、Ｘに対し、コピー・製本業務かデザイン業務かどちらかに従事してもらうことになると説明した。

（３）採用決定の通知

Ｙは、Ｘに対し、６月２７日、採用することと配属先はＪプリンティングセンターである旨を電話で連絡し、また、同月２８日、同日付けの採用決定通知書を作成の上、Ｘに宛てて発送した。なお、採用決定通知書に仕事内容として「コピー・製本業務」と記載されていたが、Ｙの採用担当者と採用決定通知書を作成した人事部との間で認識の共有が不十分なことによる、誤記であった。

（４）労働契約の締結

７月２日、Ｙにおいて、Ｘの配属前研修や労働契約の締結手続が行われ、労働契約書には、Ｘの主たる職務内容として「デザイン業務」と明記されており、Ｘは、同労働契約書に署名・押印した。Ｂは、Ｘに対し、Ｊプリンティングセンターでデザイン業務に従事してもらう旨を伝えた。これに対し、Ｘは、コピー・製本業務とデザイン業務とでは話が違うのではないかと思ったものの、労働契約の締結自体を止めるといったことは言わなかった。なお、労働契約の内容は、下記のとおりである。

・期間　　　　７月２日から９月２０日まで
・場所　　　　Ｊプリンティングセンター
・職務内容　　デザイン業務
・給与　　　　月額１８万５０００円
・更新の有無　期間満了後、労働契約を更新することがある

（５）その後の状況

Ｘは、Ｊプリンティングセンターにおいて、Ｆ社のＣの下で働くことになったが、Ｃからスキルチェックを受け、さらに、M社のデザインをＰｈｏｔｏｓｈｏｐやＩｌｌｕｓｔｒａｔｏｒで作成できるかと聞かれたので、「すみませんが、できません」と答えた。

Ｘは、ＹのＤから「前向きではない。頑張りますなどと言いなさい」などと叱責された。Ｘは、引き続きデザイン業務に従事するために書籍を購入するなどしたが、「もうデザイン業務はやらなくていい」と言われ、その後、コピー・製本業務に従事することになった。Ｘは、ＹのＥからコピー・製本業務の手順等について教えてもらい、業務自体は問題なくこなしていたが、７月３０日、Ｂから労働契約は更新せず、９月２０日付けで雇止めにする旨、伝えられた。

Ｘは、Ｙに対し、労働契約締結時において労働内容について説明する義務を怠り、また、Ｙ担当者からパワーハラスメントを受け、損害を被ったとして、民法７０９条及び７１５条に基づいて損害賠償を求めた。なお、以上記載した事実のほか、７月３０日にＢから「あなたの受入れ先はどこにもない。９月２０日付けで更新はしない。いつ辞めても良い」と言われたこと、Ｄから「Ｘさんってオツムの弱い人かと思ったよ」とか、Ｘが初めて担当する作業で、ノウハウを教えて貰えずまごつき、ぎこちなく作業しているときに「ロボットみたいな動きでぎくしゃくしている」などと馬鹿にしたような口調で言われ屈辱感を与えられ、また、「指示されたこと以外はするな」と言われる一方で「いい加減に人に頼らないで仕事覚えてよ」などと言われ混乱したことなどが、Ｘにより主張されている。

【判旨】

（１）労働条件の明示に関する使用者の法的義務について

「労契法４条１項は、使用者に対し、労働条件及び労働契約の内容について労働者の理解を深めるようにすべきことを定めているものの、同条項は使用者の努力義務規定あるいは訓示規定であって具体的な権利義務を定めたものとは言い難く、同条項から直ちに使用者の説明義務が認められるものではない。

労基法１５条１項は、使用者に対し、労働契約を締結する際、労働条件を明示することを義務付けており、労働条件には、労働者が従事すべき業務も含まれる。しかしながら、同条項違反の効果としては、即時解除権の発生と帰郷旅費請求権の発生とされており（労基法１５条２項、３項)、労基法１５条１項をもって、直ちに使用者に対して、労働条件に関して、違反した場合に損害賠償義務が生じるような私法上の具体的な説明義務を課したものとは解しがたい。また、実際問題としても、求人募集の時点と労働契約の締結時点においては、時間的な間隔があるため、求人募集の時点において示される労働条件と労働契約の締結時点において示される労働条件が食い違うことは往々にして生じうるところでもある。したがって、労基法１５条１項は、労働契約を締結する際における労働条件を明示する義務を使用者に課したものといえるが、具体的な説明義務を使用者に課したものとまで解することはできず、同条項に反したからといって直ちに説明義務違反が生じると解することはできない。

もっとも、求人募集に応募する労働者は、募集条件として示された内容が労働契約締結時に大きく変更されることはないであろうと期待して応募しているのであるから、使用者としては、かかる労働者の期待に著しく反してはならないという信義誠実義務を負うものと解することはできる」。

（２）認定事実に対する評価について

「労基法１５条１項にいう労働契約締結時とは、労働契約が締結された時点であると解すれば、本件において労働契約が締結された時点としては、労働契約書が作成された７月２日であり、同時点においては、労働契約書上、Ｘの業務内容は『デザイン業務』と正確に明示されていることからすれば、本件において、労基法１５条１項に違反しているとはいえない」。

「ただし、本件においては、採用決定通知書がＸに交付された時点（６月２８日頃）において、いわゆる内定の段階すなわち、解約権留保付きの労働契約が成立したと解することもできる。そうすると、採用決定通知書がＸに交付された段階をもって労基法１５条１項にいう労働契約締結時とみることもでき、そうすると本件では、採用決定通知書が交付された段階において誤った業務内容がＸに伝えられていることから、労働契約締結時に誤った労働条件が明示されているとして、労基法１５条１項に違反していると解することもできる」。

「しかしながら…労基法１５条１項違反の法的効果としては労基法１５条２、３項に定めるところに留まるものであり、直ちに説明義務違反が成立するものではない。また、本件のように、正式な労働契約書が作成された時点においては誤りのない労働条件が明示され、Xもこれに応じて、労働契約書に署名押印し、労働契約が成立している場合には、最終的にはYにおいて説明義務が果たされているものといえ、説明義務違反があるとは認めがたい」。

「次に、信義誠実義務違反について検討するに、確かに、Yが、Xに採用決定通知書を交付した段階において、誤って業務内容をコピー・製本業務と伝えていることは認められる。しかしながら、正式な労働契約書の作成段階では業務内容がデザイン業務であることが明示されていることに加え、Xは、７月３日にデザイン業務は自分には無理であるとして断り、７月４日以降、コピー・製本業務に従事しており、Xは、希望どおりの業務に従事することができ、その後、労働契約期間の満了をもって労働契約が終了しているところである。そうすると、本件において、YがXに対して、内定段階において、本来はデザイン業務とすべきところ、誤ってコピー・製本業務と明示したことは認められるものの、労働契約書が作成された段階では正しい業務内容が明示されていること、実際に、Xは、希望していたコピー・製本業務に従事することができていることからすれば、Yにおいて信義誠実義務違反が成立するとは認めがたい」。

（３）Xの主張について

「Xは、コピー・製本業務に業務を特定して入社したものであるから、たとえ、７月２日に作成された契約書に、デザイン業務と記載されていても、または、同日にBからその旨説明されたとしても、入社当日（７月２日）に従事すべき業務内容を説明したのでは、説明義務を果たしたことにはならないと主張する。

しかし…第二次採用面接において、XはBからコピー・製本業務かデザイン業務に従事する可能性があることは説明されており、これに対して、Xは心証を良くするため、どちらでも良いができればコピー・製本業務が良いと答えたと述べていること（X本人）からすれば、本件においてXの職種がコピー・製本業務に特定されていたとまで解することはできない。

また…労働契約の成立を７月２日と評価した場合は、正しい業務内容が同日に伝えられている以上、説明義務違反はないが、仮に、６月２８日の内定通知の段階で労働契約が成立していたと評価した場合であっても、労基法１５条１項違反が直ちに説明義務違反に直結するものではないこと、本件のように７月２日の段階で改めて正しい業務内容が伝えられている以上は、最終的には説明義務違反が果たされているといえ、説明義務違反があるとは認めがたい。

以上からすれば、Ｘの主張は採用できない」。

「また、Ｘは、Ｙの説明義務違反により、コピー・製本業務で長く勤め続けたいという期待を裏切られ、別の就職の可能性を奪われたと主張している。

しかしながら、そもそも、Ｙにおいて説明義務違反が認められ」ず、「また、Ｘは、実際に、希望していたコピー・製本業務に従事できた以上、Ｙにおいて信義誠実義務違反も認められ」ず、「以上の点をおくとしても、本件における労働契約が、７月２日から９月２０日までの有期雇用契約であることからすれば、９月２０日の到来をもって終了するのが原則であるところ、本件において、Ｘが９月２０日以降も長期間働くことについて何らかの保証がなされていたと認めるに足りる証拠はない。

以上からすれば、Ｘの主張は認めがたい」。

（４）パワハラについて

「Ｘは、その他、ＢやＤからパワハラ的な言動を受けたと主張し、その旨述べる」。

そもそも、パワハラについては、「同じ職場で働く者に対して、職務上の地位や人間関係などの職場内の優位性を背景に、業務の適正な範囲を超えて、精神的・身体的苦痛を与える又は職場環境を悪化させる行為のこと」と「一応の定義付けがなされ、行為の類型化が図られているものの、極めて抽象的な概念であり、これが不法行為を構成するためには、質的にも量的にも一定の違法性を具備していることが必要である。具体的にはパワハラを行ったとされた者の人間関係、当該行為の動機・目的、時間・場所、態様等を総合考慮の上、企業組織もしくは職務上の指揮命令関係にある上司等が、職務を遂行する過程において、部下に対して、職務上の地位・権限を逸脱・濫用し、社会通念に照らし客観的な見地からみて、通常人が許容し得る範囲を著しく超えるような有形・無形の圧力を加える行為をしたと評価される場合に限り、被害者の人格権を侵害するものとして民法７０９条の所定の不法行為を構成するものと解するのが相当である。

本件についてみるに、そもそも、Ｘがパワハラを受けたと主張する時期や前後の経緯などは明確でなく、そもそも、Ｘの主張するところをもって、民法上の不法行為が成立しうるものといえるのか疑問であるし、その点をおくとしても、ＢやＤは、Ｘに対して、Ｘが主張するような言動をとったことはないと否定しており、Ｘの供述以外に、Ｘの主張を裏付ける客観的な証拠もない。

以上からすれば、本件においてＸが主張するように、Ｙに不法行為責任が生じるようなＤやＢによるパワハラの存在を認めることはできない」。

（５）結論

以上の通り、本件で「Ｙについて不法行為責任が生じているとは認めがたい」。

２１　暁産業ほか事件・福井地判平 26.11.28 労判 1110 号 34 頁

【事実の概要】

Ｘは、亡Ａ（平成３年８月生）の父であり、Ｂは亡Ａの母である。

Ｙ１は、消火器販売、消防設備の設計施工保守点検等を業とする資本金１０００万円の株式会社である。

亡Ａは、平成２２年２月１０日からＹ１でアルバイト勤務を始め、高校を卒業後の同年４月１日、Ｙ１との間で、正社員として労働契約を締結した。亡Ａは、Ｙ１のメンテナンス部に配属され、各企業が事務所及び作業所・工場等に消防法によって設置した防火施設の消防法によるメンテナンス等について、Ｙ１がそのメンテナンスを引受けている事業所の消防設備や消火器等の保守点検業務に従事していた。

Ｙ２は、リーダーとして亡Ａの上司に当たる者であり、Ｙ３は、メンテナンス部部長として亡Ａの上司に当たる者である。

亡Ａは、各企業が事務所及び作業所・工場等に消防法に基づいて設置した防火施設の消防法によるメンテナンス等について、Ｙ１がそのメンテナンス業務の委託を受けている事業所の消防設備や消火器等の保守点検業務に従事していた。

亡Ａの通常の業務は以下のとおりである。

午前７時３０分ころサービスセンター（福井市Ｃ町）に出勤し、営業車に乗り合わせ、本社（福井市Ｄ）に移動し、本社において午前７時４５分ころから環境整備（清掃）、午前８時１５分から朝礼を実施後、点検現場に出発し、消防設備のメンテナンス業務を行う。現場業務が終了後、午後５時から６時ころに本社に戻り、本社で翌日の現場の書類準備等を行った後、サービスセンターに戻り後始末、翌日の準備をした後帰宅する。

現場における業務の内容は、消防設備の点検である。対象設備は建築物（企業、公共施設、商業施設等）の消火器、火災報知器、消火栓、誘導灯などの設備であり、消防法に定められた点検を行い、不良箇所が見つかれば整備を行う。現場ごとにリーダーが定まり、現場の規模により２名ないし４名程度で作業を行うが、亡Ａの場合には２名での作業が多かった。一日に複数の現場を回ることもあれば、ひとつの現場に数日を要することもある。

亡Ａは、当初、消火器の点検などの比較的簡単な作業に従事していたが、作業に慣れるに従って７月ころから消火栓や火災報知器などの点検業務にも従事するようになった。この点検業務に当たっては、亡Ａの直属の上司に当たるＹ２に同行し、Ｙ２から指導を受けることが多かった。Ｙ２は、亡Ａの仕事の覚えが悪いことから、自分が注意したことは必ず手帳に書いてノートに書き写すように指導していたが、亡Ａが仕事上の失敗が多く、Ｙ２が運転する車中で居眠りをするなどのことが重なったため、いらだちを覚えるようになり、７月９日には「一人で勝手に行動しない。分かりもしないのに返事をしない。」と言うようになった。亡Aは、Ｙ２の上記指導に従って、Ｙ２から受けた指導内容、言われた言葉やこれらを巡って自問自答する内容を手帳ないしノートに記述するようになった。

その内容は次のとおりである。

―――記載内容―――

7月9日

一人で勝手に行動しない、分かりもしないのに返事をしない。分からないときは必ず聞く。聞いたら手帳に書いて忘れない。

7月10日

・ヘタに手伝って作業をしている人のジャマをしない

・人の話を聞いて理解してから行動する

・自分の意識を高める

・注意をされたこと、気を付けることは、すぐに手帳に書く、家に帰ったら、手帳に書いたことをノートに書き移す（ノートはなくさないような場所に保管する）

・１人で勝手に行動しない

・分かりもしないのに返事をしない

・分からないことがあるときは必ずリーダーや責任者に聞く、聞いたことは手帳に書いて忘れない

7月12日

絶対にねるな、絶対にねるな、絶対にねるな、絶対にねるな、自分は変わる、自分は変わる、自分は変わる、自分はもっと良くなる。

１分１秒がおしい、皆ヒマじゃない、自分は何で変わらない、皆やることがある。

7月26日

何かすることが分かっているなら手伝え！

8月11日

今後どうするか、答えを出せ、怒られたいのか、そうじゃないのか、学ぶ気持ちはあるのか、いつまで新人気分？サギと同じ、３万円を泥棒したのと同じ、毎日同じことを言う身にもなれ、ワガママ、申し訳ない気持ちがあれば変わっているはず、指示を確実に実行する、受信機は必ず止める。６：００までに終わらす、帰る、少しは考えて行動しろ。

9月1日

待っていた時間がムダになった、聞き違いが多すぎる・・・動きにムダ、ムラ＝遅い、耳が遠いんじゃないか？仕事終了後、ムダに休まない、涼まない、なんでＥさんの前では書かなくてＹ２さんの前では書く？今まで書いたことを実行してきた？

９月７日

うそをつくようなやつに点検をまかせられるわけがない、「手伝う」と言う前に「スミマセン」と謝るのが先じゃないか、お客様のことを一番に考える、自分の考えが甘甘すぎる、今の自分にできることなんか何もない、点検もしてないのに自分をよく見せようとしている、ムダな汗、答えを出すのに時間かかりすぎ。

人の資格を使わせてもらっているのに適当

↑のようなヤツに仕事はさせられない

相手するだけ時間のムダ、何でウソをつく、○○するつもりはなかった＝ウソつき、ウソをつく、お金を払っていただいているのはお客様。

９月１１日

Ｆ病院

失敗点：人の話をきかずに行動・・・動くのがノロイ、時間をかけても点検は中途半端、問題を直す意気込みがない・・・指示が全く聞けない・・・そんなことを直さないで信用できるか、・・・注意しても直さない、ムダなミスをして作業をストップさせる、何で自分が怒られているのかすら分かっていない、反省しているフリをしているだけ、ウソを平気につく、そんなやつ会社に要るか？ウソをついたのに悪気もない。

改善：まず人の話をきく。何も考えずに発言しない←それがウソにつながる、・・・やる気出せ←根本的な、ダラダラしすぎ、全然点検に集中してない、根本的に心を入れ替えれば？会社辞めた方が皆のためになるんじゃないか、辞めてもどうせ再就職はできないだろ、自分を変えるつもりがないのならば家でケーキ作れば？店でも出せば？どうせ働きたくないんだろう？・・・いつまでも甘甘、学生気分はさっさと捨てろ、今までずっとそんな気持でやってきた、自分がアホらしい、死んでしまえばいい、一度くらい折れてみればいい、辞めればいい、死んでしまえばいい、もう直らないなら、この世から消えてしまえ、まずは直してみれば？その腐った考え方を、色んな意味で直す、生き返らせる、少しはＹ２さんの負担も考えてみろよ、大変だぞ・・・それに比べて、自分は、土日も休んで、点検自体もろくに出来ないくせに、お金はほしいと言う、・・・人の指示もろくに聞けない、動けない、注意されてもメモに残さない、メモをノートに毎日書き写さない、書かないから忘れる、また同じことで怒られる←これのくり返し、毎日毎日、申し訳ないと思っているなら変わるだろ、変わって見返そうと思わない、結局自分に甘い、もっと動けるんじゃないか、限界って決めつけてるだけ？・・・自分は何もせずに、ただ○○ごっこをしているだけ、何もしないだけ、見ているだけ、そんなやつに点検はできんだろ、まかせられないだろ？ウソなんかつくやつに、辞めてしまえば？辞めたくないとか言ってるだけ、先輩はやってるのに自分は見ているだけ？そんなやつ辞めろ、死ね、自分を変えろ。

辞めろやら、死ねやら、言ってたところで、何も変わらないし、よい方法にもいかない、やり直し。
失敗点
・人の話を聞かずに行動
・動きが遅い
・時間をかけても点検は中途半端
・問題を直す意気込みがない
・指示を全く聞けない
・注意しても直さない
・ムダなミスをして作業をストップさせる
・何で自分が怒られているのかすら分かっていない
・反省しているフリをしているだけ
・ウソを平気でつく
改善
・まず人の話を聞くこと
・何も考えずに発言をしないこと←これがウソにつながる
・清掃はスミズミまで、ＫＳと同じ
・済証はきれいにはがすこと
・やる気を出すこと←作業をテキパキと、素早く行動する
　一度失った信用は当分戻ることはない、仕事であれば尚更、辞表の書き方を練習するべきか？
９月２１日
　一度失った信用は簡単には戻らない。
１０月６日
　リーダーは作業しながら報告書も書いている、やっぱり字がきたない、作業が遅い、Ｙ２さんより「今日使ったムダな時間を返してくれ」、点検以前の問題が多すぎる。
日付け不明
　自分は何をやっても文句（注意）を言われる←自分が悪い、直そうとしないから、真剣にやろうとしないから、←じゃあどうするの？
→変わらずに続ける×（←１０／６現在の現状変わっていない）
→変わればいい
→辞めてしまえばいい
　正直な話、二択でしかないと思う、両親に話してみる？
１１月１０日
　なぜうそをつくのか、なぜサボるのか
日付け不明

なぜウソをつくのか→自分を良く見せたいから→なぜ？→自分さえ良ければいいと考えているから→なぜ？→他人のことを考えられないから→なぜ？→

日付け不明

なぜサボるのか→働きたくないから→働くのがめんどうくさいから→仕事はつまらないと思っているから→

１１月２２日

自分みたいなやつは一度赤恥、恥をかかないと変われない、そうしないとどうせ分からない。

１１月２４日

話すことは労働感について、自分は仕事中サボったり、ウソをついて先輩に怒られているが、自分は別にいいじゃないかと思っている、それは間違っているのだろうか、先輩は恥をかかないと直らないと言っている、毎日おんなじことを言われて何に対して怒っているのか、分かっているのに直らないのはなぜ？相手も同じなら自分が怒ってやらないといけないのではないか。

―――記載内容　以上―――

亡Aは、７月半ばころ、仕事時間中にBに電話をし、「仕事をやめてもいいか」と尋ねた。そして、「『仕事がはかどらないから車の中にいろ』と言われて今車の中にいるんや」と言い、その後３０分から４０分ほど、泣きながら話をし、点検をして自分ではちゃんとやっているつもりなのに、後で見るとミスをしていて、ペアで作業をしている人に迷惑がかかり、やり直しなどで時間をとらせることになり、「俺の時間を返せ」と言われたことを告げた。秋ころからは、自宅において笑顔がなくなり、いつも疲れたような難しい顔をするようになった。また、帰宅をしてすぐにソファに横になり、食事もとらず、風呂にも入らないでいることが多くなった。

亡Aは、１１月２９日、本件自殺に使用したロープを購入し、遺書を記載した。同遺書のうち、Yらに関わる部分は以下のとおりである。

―――記載内容―――

Ｙ１の皆様へ。半年ちょっとという短い期間でしたが、皆様と一緒に仕事ができて楽しかったです。

社長へ、勝手に行ってしまって申し訳ありません。半年間だけでも、社長の元で勉強させていただいたことを、誇りに思います。半年間ありがとうございました。

Ｙ３部長へ、半年間、ご指導いただき、ありがとうございました。役たたずで申し訳ありませんでした。

Ｙ２さんへ、多分社員の中で一番迷惑をかけてしまいました。直せと言われ続けていたのに、何も変われなくてごめんなさい、とりあえず私はあなたが嫌いです。大嫌いです。でも、言われ続けていたことに嘘はなかったです。全て私と、私に関わる人たちのために、言われていたのだと思います。

―――記載内容　以上―――

亡Ａには特異な性格傾向や既往症、生活史、アルコール依存症などいずれにおいても特に問題はなかった。

亡Ａは、１２月６日からその週及び翌週と続けてＹ２と２人だけでＧの現場に行くことになっていた。同日午前６時１３分にＹ１からの不在着信があり、亡Ａは、同１４分に折り返し会社に荷電し、Ｙ２と会話し、その後間もなく亡Ａは自宅の２階の自室において、カーテンレールにロープをかけ、そこに首をつり、同日午前６時３０分ころ、Ｂによって発見された。

Ｘ及びＢは、亡ＡをＸが単独相続する旨の遺産分割協議を成立させ、Ｘは平成２５年５月２９日に遺族補償金３６６万０６０５円の支給を受けた。

亡Ａが自殺したのは、Ｙ２及びＹ３のパワーハラスメント、Ｙ１による加重な心理的負担を強いる業務体制等によるものであるとして、ＸがＹらに対し、Ｙ２及びＹ３に対しては不法行為責任、Ｙ１に対して主位的には不法行為責任、予備的には債務不履行責任に基づき、損害金１億１１２１万８４２９円等の支払を求めた。

【判旨】

（1）Ｙ２による不法行為の有無について

「手帳の記載は、Ｙ２の指導に従って、Ｙ２から受けた指導内容、言われた言葉やこれらを巡っての自問自答が記述されたもので、Ｙ２自身も自分が注意したことは手帳に書いてノートに写すように指導していたことを認めている」。また、記載における７月９日から１１月２４日までの「判明しているすべての日付けがＹ２をチームリーダーとして業務に従事した日であることが認められる。８月１１日には、当日本社に戻ったのが午後６時半になってしまい、予定より時間がかかったこと、当日の現場である『Ｈ』の受託業務料が３万円であること…と一致していること等上記記述内容が客観的事実と符合していることが認められる。これらからすると、上記手帳の記載内容は、一部自問自答の部分を含むため、不明瞭な部分があるとはいえ、この記載によると、亡ＡはＹ２から次のような言葉又はこれに類する言葉を投げかけられたことが認められる」。

「『学ぶ気持ちはあるのか、いつまで新人気分』、『詐欺と同じ、３万円を泥棒したのと同じ』、『毎日同じことを言う身にもなれ』、『わがまま』、『申し訳ない気持ちがあれば変わっているはず』『待っていた時間が無駄になった』『聞き違いが多すぎる』、『耳が遠いんじゃないか」、『嘘をつくような奴に点検をまかせられるわけがない。』『点検もしてないのに自分をよく見せようとしている』『人の話をきかずに行動、動くのがのろい』『相手するだけ時間の無駄』『指示が全く聞けない、そんなことを直さないで信用できるか。』『何で自分が怒られているのかすら分かっていない』『反省しているふりをしているだけ』、『嘘を平気でつく、そんなやつ会社に要るか』『嘘をついたのに悪気もない。』『根本的に心を入れ替えれば』、『会社辞めたほうが皆のためになるんじゃないか、辞めてもどうせ再就職はできないだろ、自分を変えるつもりがないのならば家でケーキ作れば、店でも出せば、どうせ働きたくないんだろう』『いつまでも甘甘、学生気分はさっさと捨てろ』『死んでしまえばいい』、『辞めればいい』『今日使った無駄な時間を返してくれ』」。

「これらの発言は、仕事上のミスに対する叱責の域を超えて、亡Ａの人格を否定し、威迫するものである。これらの言葉が経験豊かな上司から入社後１年にも満たない社員に対してなされたことを考えると典型的なパワーハラスメントといわざるを得ず、不法行為に当たると認められる。なお、Ｙ２が亡Ａに対して暴行を振るったことに沿う証拠はない」。

（２）Ｙ３による不法行為の有無について

「Ｙ３が亡Ａに対していじめないしパワーハラスメントと評される行為をしたことを認めるに足りる証拠はない。また、亡Ａが平成２２年１０月６日ころＹ３に対し退職の申し出をしたことは認められるが（甲８号証の１４頁には『辞表はないがＹ３さんに辞めたいことを伝える』との記載がある。）、この申し出に対し、Ｙ３がこれを拒否した上、厳しい叱責暴言をした事実を認めるに足りる証拠はない。

Ｘは、Ｙ２による亡Ａへのパワーハラスメントを容易に認識できたにもかかわらず、自らの責任でＹ２と亡Ａとをチームとして多く組む人員配置を続けたのであるからこの点でＹ３に過失が認められると主張するが、メンテナンス業務がＹ１の構内での作業ではなく外注先での作業が大半を占めることからすると、Ｙ２の亡Ａへの指導の実態について把握するのは困難であり、亡ＡがＹ３に対しＹ２からパワーハラスメントを受けていることを訴えた事実は認められないことからすると、このＸの主張は理由がない。また、Ｙ３のメンテナンス部の部長としての役割は作業現場の人員配置と作業日程の決定にとどまっていたこと…等に照らすと、Ｘのその余の主張も理由がない。

よって、ＸのＹ３に対する不法行為責任に基づく請求は理由がない」。

（３）Ｙ１の法的責任について

「Ｙ２の亡Ａに対する不法行為は、外形上は、亡Ａの上司としての業務上の指導としてなされたものであるから、事業の執行についてなされた不法行為である。本件において、Ｙ１がＹ２に対する監督について相当の注意をしていた等の事実を認めるに足りる証拠はないから、Ｙ１はXに対し民法７１５条１項の責任を負うこととなる。

XのＹ１に対する請求は主位的には不法行為責任、予備的には債務不履行責任であるから」、Ｙ１による安全配慮義務違反の有無については「判断の必要はない」。

（４）Ｙ２の不法行為と本件自殺との相当因果関係について

「亡Ａは、Ｙ２から注意を受けた内容のメモを作成するように命じられ、誠実にミスをなくそうと努力していた中で、Ｙ２から人格を否定する言動を執拗に繰り返し受け続けてきた。亡Ａは、高卒の新入社員であり、作業をするに当たっての緊張感や上司からの指導を受けた際の圧迫感はとりわけ大きいものがあるから、Ｙ２の前記言動から受ける心理的負荷は極めて強度であったといえる。この亡Ａが受けた心理的負荷の内容や程度に照らせば、Ｙ２の前記言動は亡Ａに精神障害を発症させるに足りるものであったと認められる。そして、亡Ａには、業務以外の心理的負荷を伴う出来事は確認されていないし、既往症、生活史、アルコール依存症などいずれにおいても問題はないのであって、性格的な偏りもなく、むしろ、上記手帳の記載を見れば、きまじめな好青年であるといえる。

そうすると、亡Ａがロープを購入し、遺書を作成したと思われる平成２２年１１月２９日には、Ｙ２の言動を起因とする中等症うつ病エピソードを発症していたと推定され、正常な認識、行為選択能力及び抑制力が著しく阻害された状態になり、本件自殺に至ったという監督署長依頼に係る専門医の意見…はこれを採用すべきものであるといえる。本件自殺とＹ２の不法行為との間の相当因果関係が認められる。

Ｙらは、亡Ａが閉塞性睡眠時無呼吸低呼吸症候群に罹患していた等として本件自殺と業務との因果関係を否定するが、その根拠とされるＩ医師の意見書…も、同医師自らが、『正確な医学的検査をしていない。さらに亡Ａと直接会ったわけでもなく、また具体的に働いている現場を見ているわけではないので、推測でしかない。』と認めるように、医学的根拠に乏しく、Ｙらの主張は理由がない。

よって…Ｙ２の不法行為と本件自殺との相当因果関係はこれを認めることができる」。

（５）損害額について

逸失利益は４７２７万３１６２円と算定され、亡Ａの死亡慰謝料は２３００万円とするのが相当である。

「Xが平成２５年5月２９日に支給された遺族補償金３６６万０６０５円は、上記逸失利益（元本）に充当するのが相当であるところ（平成２２年9月１３日最高裁判所第一小法廷判決・民集６４巻6号１６２６頁参照）、４７２７万３１６２円から３６６万０６０５

円を減じると４３６１万２５５７円とな」り、上記の「慰謝料額２３００万円を加算すると６６６１万２５５７円となる」。

「上記金額、本件事案の難易、請求額等の事情に照らすと、本件と相当因果関係のある弁護士費用は６００万円と認めるのが相当である」。

「以上の認定及び判断の結果によると、ＸのＹ１に対する請求及びＹ２に対する請求は、７２６１万２５５７円及びこれに対する平成２２年１２月６日から支払済みまで年５分の割合による遅延損害金の支払を求める限度で理由があるからこれを認容し（Ｙ１とＹ２の債務の関係は不真正連帯債務である。）、ＸのＹ１及びＹ２に対するその余の各請求並びにＹ３に対する請求は理由がないからいずれも棄却する」。

２２　サントリーホールディングスほか事件・東京高判平 27.1.28 労経速 2284 号 7頁

【事実の概要】

Ｘは、平成９年４月１日、Ｓに入社し、製品の生産需給を管理する部署に配属され勤務を開始した。平成１３年４月１日、Ｘは、Ｓフーズ株式会社に出向してロジスティクス推進部に配属された後、平成１８年４月１日、Ｓに復帰し、同日から平成１９年６月１日までＹ２が長を務めた調達開発部企画グループ（以下「企画Ｇ」）に配属された。Ｘは、現在、Ｙ１に所属しており、Ｙ１の子会社であるＳ食品インターナショナル株式会社に出向して勤務している。

Ｙ１は、清涼飲料、食料品、酒類等の製造及び販売の事業等を営む会社、組合その他これに準ずる事業体の株式又は持分を所有することにより、当該会社等の事業活動を支配、管理すること又はこれらの事業を営むことを目的とする株式会社として、Ｓが平成２１年２月１６日に株式移転したことにより設立された会社である。Ｙ１がＳグループ関連会社の各株式を所有する持株会社となることで、Ｓを中心としたＳグループは純粋持株会社制に移行した。平成２１年４月１日、Ｓのコーポレート部門で営まれていた事業が吸収分割（以下「本件吸収分割」）され、同事業に関してＳが有した権利義務はＹ１に承継された。

Ｙ２は、Ｙ１又は同社の子会社に所属する従業員であり、平成１８年４月１日以降、企画Ｇの長として、Ｘの上司の立場にあった者である。

Ｙ３は、Ｙ１に所属する従業員であり、平成２３年当時、Ｙ１の内部通報制度の運用を担当するコンプライアンス室の室長であった者である。

Ｘは、平成１８年４月１日から平成１９年６月１日までの間、Ｙ２が長を務めた企画Ｇに配属され、同部署で勤務した。Ｘは、平成１９年４月１１日、Ｋホスピタルの心療内科の診察を受けたところ、鬱病との診断を受けた。Ｘは、平成１９年６月１日付けで包材部に配属となり、同部での勤務を開始したものの、同年７月頃以降、有給休暇を取得するなどした上で、その後、休職した。

Ｘは、平成２０年８月１日にＳに復職した後、平成２３年６月頃本件吸収分割後のＹ１が設ける内部通報制度を利用してＹ２からパワーハラスメントを受けたとの内部通報を行い、Ｙ１に対し、Ｙ２に対する責任追及及び再発防止策の検討を求めた。Ｙ１のコンプライアンス室室長であったＹ３は、Ｘの上記内部通報を受けて、Ｙ２がＸに対するパワーハラスメントを行ったか否かの調査を開始し、平成２３年６月３０日以降、Ｘとの間で複数回にわたる面談を行った。上記面談を通じて、Ｙ３は、Ｘに対し、Ｙ２がＸに対して行った行為はパワーハラスメントに該当しないと判断する旨を述べた。

（1）Ｙ２による行為について

ア　Ｘは、平成９年３月に大学を卒業し、同年４月１日にＳに入社した。

Ｘは、平成１３年４月１日以降、Ｓフーズ株式会社に出向して製品の需要予測を担当する部署に勤務した。

イ　Ｘは、平成１８年４月１日、企画Ｇに配属され、同部署で、購買予算と実績の管理等を内容とする業務に従事することになった。

当時、Ｙ２が企画Ｇの長であり、Ｘの上司の立場にあった。企画Ｇのメンバーは、当初、Ｘ、Ｙ２のほか２名の合計４名であり、平成１９年１月に他部署から１名が異動してきたことにより合計５名となった。

ウ　Ｙ２は、平成１８年５月、Ｘに対し、Ｓの商品に付けるおまけや景品、テーブルテント（飲食店のテーブルに置く製品告知のプラスチックケース）、グラス、試飲会や社内で使う紙コップ、工場のユニフォーム等の営業物品の購買金額を低減させるための営業物品改革プロジェクト（以下「営業物品プロジェクト」）に担当として加わることを命じ、同プロジェクトにおいて、営業物品においてコストが投入されている目的、相手先、品目の種類及び投入方法などを分析した上で、購買金額低減のための今後の対応について提言することを指示した。そして、そのための手段として、Ｙ２は、Ｘに対し、Ｓの全社システムに保存されている平成１７年度の営業物品の購買金額約１７０億円について、購買品目ごとに分類し、使用場所（小売店や飲食店など）や種類・特性ごとに集計することによって、購買金額を低減する上で課題となっている点を可視化するように指示した。

Ｘは、平成１８年６月頃、Ｙ２に対し、平成１７年度の営業物品の購買金額を分類した資料を提出したが、Ｙ２の見たところでは、Ｘが作成提出した資料においては、購買品目が使用場所や具体的な種類・特性ごとに分類されておらず、どの品目の購買金額が多すぎて削減が必要なものか分からないとともに、事前に算出されていた平成１７年度の営業物品の購買金額約１７０億円とは総額において約５３億円の差異が生じており、その原因についても不明なものであった。そこで、Ｙ２は、Ｘに対し、営業物品の購買金額を、品目ごとに分類するほか、使用場所や種類・特性ごとに集計を行った上、購買金額低減のための課題を価格・廃棄・調達方法といった視点から抽出し、また、Ｘ作成の資料における購買金額の総額が事前に算出されていた約１７０億円と差異が出た原因も確認することを指示した。しかし、その後、Ｙ２の認識としては、Ｘは、Ｙ２の指示どおりの資料を提出することはせず、Ｙ２が複数回にわたり指導したが、その改善に取り組もうとしなかった。

また、平成１８年７月頃、営業物品プロジェクトに共同参加している他の部署から、Ｙ２に対し、Ｘにつき、担当している資料作成の納期を守らない、Ｙ２からＸに指示された作業を他のメンバーに丸投げするなど、勤務態度に問題があるので改善指導をしてほしいとの要望がされた。

その後、営業物品プロジェクトの検討の結果、Ｓは、同年１１月、営業物品の購買金額低減のため、紙コップの購入方法につき、リバースオークション（電子入札の一種）を実施したが、販売業者から抵抗があり、リバースオークションは失敗に終わった。Ｙ２は、Ｘに対し、上記リバースオークションが失敗に終わった原因の分析を指示したが、その後のＸにおける分析結果の報告について、Ｙ２は、納得できない不十分なものと判断した。

そこで、Ｙ２は、Ｘに対し、上記リバースオークション失敗の原因分析について、更に検討するように指示したが、同年１２月時点において、Ｙ２が見る限り、Ｙ２が指示をした更なる分析を行っていないと思われた。Ｙ２は、Ｘに対し、早急に同分析に取り組むよう指示した。

エ　Ｘは、Ｙ２に対し、従前から年末にまとめて休暇を取りたいと告げていたところ、同年１２月１３日頃、同月２５日から翌年1月４日まで年次有給休暇も含めて休みを取りたいと述べた。これに対し、Ｙ２は、Ｘが平成１８年１２月２５日から休みを取ることを了承したが、他方、Ｘが平成１９年1月１５日に行われるリバースオークションの再レビューの際に用いる分析資料の作成をいまだ終えていなかったことから、Ｙ２が平成１８年１２月１７日から中国へ出張する関係で、同月１５日までにＹ２に翌年1月１５日に行われる再レビューのための分析資料の提出を指示した。しかしながら、Ｘは、Ｙ２に対し、同日までに分析資料を提出しないまま、同月２５日からの休みに入った。

平成１９年1月１５日に上記再レビューが行われたが、Ｘは同日までに分析資料をＹ２に提出することはなく、そのような状況でＸが行った同再レビューに対しては、Ｓの調達開発部長であったＤ８取締役から、リバースオークションの失敗原因の分析が不十分であるとの指摘がされた。そこで、Ｙ２は、Ｘに対し、更にリバースオークション失敗原因の分析を進めることを指示したが、その後、Ｘは、後記カのとおり予実システムの開発に関わることとなって多忙となったため、Ｘによる同分析については実施されないままで終わった。

オ　その他、Ｙ２は、Ｘに指示した商品製造過程に必要な薬剤の供給先からの値上げ要請に対するＸによる対応検討が不十分であったと感じるなどしていた。

カ　Ｓは、平成１８年１２月頃、購買予算と実績の管理に係る報告業務を効率化するために、同業務に係る予実システムを開発することを決定し、その開発を購買単価の予実管理を行っていた企画Ｇが担当することになり（以下、企画Ｇにおいて開発に取り組むこととなった予実システムを「本件予実システム」という）、Ｘが同開発業務を主任として担当することとなった。その際、Ｙ２は、Ｘに対し、平成１８年中に、仕事の進め方を整理し、納期を意識した上でスケジュール（タスクリスト）を作成し、Ｙ２に提出するように指示したが、結局、ＸからＹ２に対して上記タスクリストが提出されることはなかった。

Ｘは、平成１９年１月下旬以降、企画Ｇにおいて、本件予実システムの開発作業に着手することになった。

キ　Ｙ２は、同年２月６日、本件予実システムの開発作業を行うＸを支援するために企画Ｇの構成員全員でミーティングを行った。上記ミーティングにおいて、Ｘが本件予実システムの開発は無理だと言い出したため、Ｙ２は、上記ミーティングの中で、Ｘに対し、本件予実システム開発に対するＸの態度には問題があることを強く指摘するとともに、その態度を改めるよう指導した。

ク　Ｙ２のＸに対する指導の頻度は、同年１月までの間は月に１、２回程度であった。しかしながら、同年２月以降、同年４月５日に控えた本件予実システムの稼働開始に間に合わせる必要があったところ、実績データの内容や集計結果の確認において、Ｘの集計ミスなどにより確認作業に時間を要することなどがあったため、Ｙ２のＸに対する注意指導の回数が増えたり、その注意指導の程度が厳しいものになったりすることもあった。このようなことがあって、Ｘは、次第にＹ２から注意を受けること自体が苦痛となり、Ｙ２に対して適切な対応さえできなくなり、仕事をやる自信をなくし、Ｘ自身が惨めな感じを抱くようになり、精神的に追い詰められていった。

なお、Ｘの労働時間は、平成１９年１月頃までは格別長時間ではなかったが（α労働基準監督署調査官の集計によっても１か月間の時間外労働時間は３０時間未満）、同年２月以降、本件予実システムに関する業務により増加し、同月１日から同年４月６日までの間で、Ｘの終業時刻（貸与パソコンのログオフ時刻）が午後１０時以降となった日数は１６日（うち翌午前0時以降となった日数は5日）であり、同年２月１３日から同年３月１４日までの時間外労働時間は、α労働基準監督署調査官の集計によると合計８２時間２８分、サントリーの勤務簿上は合計５９時間４０分である。

ケ　Ｘは、同年４月１１日、Ｋホスピタルを受診（初診）したところ、鬱病に罹患しており、今後約3箇月の自宅療養を要する旨の診断を受け、上記診断内容が記載された本件診断書を交付された。

Ｘは、上記診察の際に、医師に対し、頭の中が整理できなくなってきて、上司であるＹ２に順序立てて話せなくなっていること、最近自分でも訳が分からなくなってきたこと、仕事をやる自信がなく惨めな感じがすること等を話した。また、Ｘは、医師に対し、Ｙ２から納期を守らないことなどで叱責されたこと、Ｙ２から「新入社員以下だ。もう任せられない」などと言われたことなどを話した。

コ　Ｘは、同月１２日、Ｙ２に対し、本件診断書を提出し、休職を願い出た。

同日夜、Ｘは、インフルエンザを発症したため、翌日である同月１３日から同年５月４日（同月５日は土曜日、同月６日は日曜日）まで有給休暇を取得した。

サ　Ｘは、同年４月１４日、Ｋホスピタルを受診（２回目）した際、医師に対し、４月１２日に本件診断書をＹ２に提出したところ、Ｙ２から、３箇月の休養については有給休暇で消化してくれと言われたこと、隣の部署に異動予定であったが、３箇月の休みを取るならば上記異動の話は白紙に戻さざるを得ず、Ｙ２の下で仕事を続けることになると言われたこと、４月１６日までに異動ができるかどうかの返答をするように言われて困ったことなどを話した。また、Xは、医師に対し、Ｙ２は頭の回転が速くて付いて行けない感じを持っていること、Ｙ２は「何で分からない。おまえは馬鹿」と誰にでも言う人物であること、今の部署で今の上司はつらいことなどを話した。

シ　Xは、同月１６日、Ｙ２に対し、電話で他部署に異動することを希望する旨を伝えた。

ス　Xは、同月１８日、Kホスピタルを受診し、医師に対し、Ｙ２に対して直接話をしてほしい旨の依頼をした。そこで、医師は、Ｙ２に対して電話をし、Xの症状を説明するとともに、Xの異動の見通し、自宅療養のスケジュール等を確認した。また、医師は、同日、Xの状態は先週の状態に比べてかなり改善していること、鬱病としての症状は、見た目ほど重症ではなく、今の上司であるＹ２に対する心理的負荷が大きく、これが症状を装飾していた可能性が高いこと、X本人の異動希望も強く、ドクターストップはせずに様子を見ていくこと等の診断をした。

セ　Xは、同年５月６日まで休暇を取った後、翌日の同月７日から職場に復帰し、Ｙ２の部下としての勤務を再開した。

Xは、同日、Ｙ２に対し、主治医からは残業を控えるように言われているので配慮してほしい旨を伝えた。これを受けてＹ２は、Xに対し、同年６月１日の異動に向けた引継ぎの準備や集計作業などの比較的簡単な作業のみをXに行わせることにした。

ソ　Sでは同年５月２４日に取引先を招待して接待を図る立食パーティーを開催することになっていたところ、Ｙ２は、上記パーティーに必要となる飲食物提供の手伝いをする人員が足りなかったことから、平成１９年４月上旬頃、Xに対し、上記手伝いを依頼した。Xは、Ｙ２からの上記依頼を了解した。

しかしながら、Xは、上記パーティーの１週間ほど前に、Ｙ２に対し、主治医に相談したところ、飲食物提供の手伝いを行うことは負担になるので断った方がよいとのアドバイスを受けたため他の人に変わってもらいたいと伝えた。このため、Ｙ２は、Xを手伝いから外し、Xに代えて他の者を補充した。

なお、Xは、同年５月２３日にKホスピタルを受診した際、医師に対し、上記の出来事に関して、Ｙ２からかなり不満顔でいろいろ言われた旨の話をした。

タ　Xは、同年６月１日、企画Gから包材部に異動した。しかしながら、Xの精神状況は快方に向かわなかった。そこで、包材部の部長であったＤ９がXに事情を問うたところ、XはＤ９に対して自分が鬱病になっていると説明をした。そこで、Ｄ９は、Xに対し、産業医の受診を指示した。

その後、Ｘが産業医の診察を受けた結果、２箇月間の休職をした方がよいとの判断が示された。

そこで、Ｘは、同年７月１１日頃、Ｋホスピタルを受診して再度診断書を作成してもらい、Ｓに上記診断書を提出して同年８月末まで休暇を取ることにした。

Ｘは、同年７月１２日以降有給休暇を取得するなどした上で、平成２０年７月３１日までＳを休職した。

チ　Ｘは、平成２０年８月１日からＳに復職し、本件吸収分割に伴い、平成２１年４月１日付けでＹ１に転籍したが、平成２３年６月頃Ｙ１が設けている内部通報制度を利用し、Ｙ２からＸが受けたと考えているパワーハラスメント行為を通報し、Ｙ１に対し、Ｙ２に対する責任追及と再発防止策の検討を求めることとした。

Ｘからの通報により、Ｙ１のコンプライアンス室は、平成２３年７月以降、調査を行ったところ、平成１９年当時のＹ２のＸに対する指導が、叱り方の言葉、声の調子、指導が行われた場所等の観点から、行き過ぎた指導であったと証言する者がいた。また、Ｙ２は、上記調査において、Ｙ３に対し、Ｘに対して大きな声を出すなど注意指導の方法に行き過ぎの部分があったこと、上記コのとおりＸが本件診断書を提出するまで、Ｘが鬱病を発症したことには気付かなかったが、平成１９年３月頃、Ｘに注意をすると押し黙ってしまうなど、Ｘの様子がおかしかったことなどを述べた。

ツ　Ｘは、平成１９年４月１１日に鬱病と診断されて以降、心因性の諸症状を併発し、複数の病院への通院を行い、現在でも一部の病院への通院を継続している。

テ　Ｘは、平成２１年９月１７日、精神保健及び精神障害者福祉に関する法律４５条に基づき、障害等級２級（日常生活が著しい制限を受けるか、又は日常生活に著しい制限を加えることを必要とする程度のもの）と認定され、精神障害者保健福祉手帳の交付を受けた。

ト　Ｘは、平成２０年８月１日に復職した後、平成２５年１２月までの間、平成２２年５月にいわゆるリフレッシュ休暇５日をとったほかは、年次休暇（１箇月の取得日数は最大５日半）以外の休業をすることなく勤務し、時間外労働や所外勤務も行っていた。

なお、Ｘは、平成２６年２月１７日以降、精神的負担を訴えて休職している。

ナ　Ｘは、平成１８年３月１４日にメンタルクリニックを受診して鬱病の診断を受け、処方された抗うつ薬を約１箇月間服用していた。

（２）Ｙ３による行為について

ア　Ｘによる内部通報制度の利用

Ｘは、平成２０年８月の復職後、本件吸収分割に伴い、平成２１年４月１日付けでＹ１に転籍したが、平成２３年６月頃Ｙ１が設けている内部通報制度を利用して、Ｙ２から受けたと考えているパワーハラスメント行為を通報し、Ｙ１に対してＹ２の責任追及と再発防止策を検討するように求めた。

イ　Ｙ３とＸとの間の面談

Ｙ１コンプライアンス室長であったＹ３は、平成２３年６月３０日から同年９月１４日までの間に、Ｘとの間で、下記の３回の面談を含む合計６回の面談やメールのやり取りを行った。

（ア）平成２３年８月１２日の面談

同日の面談で、Ｙ３は、Ｘに対し、Ｙ２及び第三者からの事情聴取の結果として、Ｙ２がＸに対して厳しい指導をしたという点についてはＹ２本人も否定していないこと、Ｙ２の指導に関しては非常に厳しすぎるものであるという第三者からの証言が出ていること、パワーハラスメントの案件というのは難しく、一定の限度を超えてパワーハラスメントに当たるか否かの基準は世の中にはないことなどを伝えた。

（イ）平成２３年８月３１日の面談

同日の面談で、Ｙ３は、Ｘに対し、Ｙ２及び第三者からの事情聴取の結果として、Ｙ２がＸに対する指導が厳しかったり度を超えていたりしたことがあったことを認めたこと、Ｙ２からＸに対する配慮がなかったという反省の弁が出たこと、Ｘに課せられた業務が過多であったことについてＹ１としても確認が取れたこと、Ｙ２は平成１９年３月にはＸの体調がおかしい様子であることに気付いたにもかかわらず、Ｘに課す業務量を減らすことを考えなかったこと、現時点での事情聴取から得られた判断材料では、Ｙ２に明確な悪意があって、Ｙ２がＸに対してＸをつぶしてやろう、いじめてやろうなどという意図で行った行為は見つかっていないこと、そうである以上、現時点ではＸが望むＹ２に対するＹ１としての処罰ということにはならないこと等を伝えた。

（ウ）平成２３年９月１４日の面談

同日の面談で、Ｙ３は、Ｘに対し、決定的にパワーハラスメントというためには嫌がらせやいじめがなければならないこと、すなわち、こいつをいじめてやろう、嫌がらせをしてやろう、というような部分がないと本当はハラスメントと呼んではいけないこと、本件診断書を提出したＸに対してＹ２が長期休暇を取らせなかったことは判断ミスとはいえるとしても、それは、Ｘが鬱病で休職ということになると異動の受入先がなくなってしまうかもしれないという危ぐがあったためで、Ｙ１のコンプライアンス室の検討結果としては、Ｙ２の上記対応に悪意があったり、決定的な責任逃れやあるいは処断に値するような行為があったりしたとはいえないこと、人事考課の考課権者がエンカレッジ（励ますこと）のために考課権を意識させることはあり得ること等を伝えた。

ウ　Ｙ３とＹ２との間の面談

Ｙ３は、平成２３年８月１１日及び同月２６日、Ｙ２との間で面談を行った。Ｙ３は、Ｙ２との間の上記面談において、Ｙ２に対し、ＸがＹ２からパワーハラスメントを受けたと主張していること、ＸがＹ２に本件診断書を提出したにもかかわらずＹ２から異動か休職かの二者択一を迫られたと主張していることなどを伝え、Xに対する当時の注意指導の在り方等を省みさせた。Y２は、上記面談において、Xに対して厳しく注意指導したのは確かであり、大きな声を出すなど注意指導の方法に行き過ぎの部分があったことを最終的に認めて反省するとともに、Xが本件診断書を提出して休みを求めた時点で人事部に相談を持ち掛けるなどの対応をしておく方がよかったと反省した。

エ　X及びY２の関係者に対する事情聴取

Y３は、平成２３年７月１３日から同年８月１日まで、Xが企画Gで勤務していた当時にXとY２の周囲で勤務していた５人の者に対して、Y２とXの当時のやり取り等を面談又はメールにて事情聴取した。

オ　Y１におけるパワーハラスメントの該当基準

（ア）S及びY１における内部基準では、パワーハラスメントとは、「職権」などのパワーを背景に、本来業務の適正な範囲を超えて、継続的に、人格や尊厳を侵害する言動を行い、就労者の働く環境を悪化させるあるいは雇用不安を与えることと定義されている。

そして、一般的には職場の力関係を背景にした「いじめ」をパワーハラスメントということ、客観的に見て怒られたり注意されたりして当然な状況であった場合はパワーハラスメントには当たらないこと、人格や人権を否定するような言動、個人的な好き嫌いから始まった言動、会社を辞めさせようとする言動、無視などはパワーハラスメントに当たること等の補足説明がされている。

（イ）また、上記内部基準では、パワーハラスメントに当たる具体例として、人格を傷付ける言動、雇用や地位に関する不安をあおる言動などが挙げられており、これらの具体例はいずれも〔１〕相手方を育てようとしての言動か（単なる感情発露、ストレス発散行為でなかったか）、〔２〕相手がどの程度傷付けられたか、〔３〕継続性、反復性があったかによって判断されるとある。他方、パワーハラスメントに当たらない具体例として、業務上必要な叱責、正当な指示命令などが挙げられている。

カ　内部通報制度に関する規定

Y１においては、Sグループ内部通報制度規定により、Y１が通報・相談内容及び調査過程で得られた個人情報やプライバシー情報を正当な事由なく開示してはならないことが定められている。

Xは、Sに在籍中、上司であったY２からパワーハラスメントを受けたことにより鬱病の診断を受けて休職を余儀なくされるなどし、また、Y１に移籍後、Y１のコンプライアンス室長であったY３がY２の上記パワーハラスメント行為に対して適切な対応を取らなかったことによりXの精神的苦痛を拡大させたとして、Y２及びY３には不法行為（民法７０９条、７１９条１項）が成立すると主張するとともに、SにはXに対する良好な作業環境を形成等すべき職場環境保持義務違反を理由とした債務不履行及びY２の使用者であることなどを理由とした不法行為（民法７１５条１項、７１９条１項）が成立するところ、Ｓのグループ再編により設立されたＹ１はサントリーのＸに対する上記債務を承継したなどと主張して、Ｙらに対し、損害賠償金合計２４２４万６４８８円等の連帯支払を求めた。原判決（東京地判平 26.7.31 労判 1107 号 55 頁）が、Ｙ２の不法行為及びＹ１の使用者責任を肯定し、Ｙ２及びＹ１に対し２９７万円等の連帯支払を求める限度でＸの請求を認容したところ、これを不服とするＸ並びにＹ１及びＹ２がそれぞれ控訴した。なお、Ｘは、当審において請求を減縮した（Ｙらに１９３１万６０００円等の連帯支払を求めた）。

【判旨】

（1）Ｙ２の不法行為の有無について

ア　「Ｘは、Ｙ２がＸを誹謗中傷する言動をしたと主張するので、この点について検討する」。

「Ｙ２は、Ｘに対して、Ｘが主張するようなＸを誹謗中傷する言動をＹ２が行ったことはないと主張する。しかしながら…Ｘは、平成１９年４月１１日のＫホスピタルでの初診時において、医師に対し、Ｙ２から『新入社員以下だ。もう任せられない。』と言われたことなどを話していたこと、同月１４日のＫホスピタルでの２回目の診察において、医師に対し、Ｙ２は『何で分からない。おまえは馬鹿』と誰にでも言う人物であること、今の部署で今の上司はつらいことなどを話していたことが認められること…平成２３年８月以降にＹ１コンプライアンス室において行われた調査によれば、平成１９年当時のＹ２のＸに対する指導が、叱り方の言葉、声の調子、指導が行われた場所等の観点から、行き過ぎた指導であったと証言する者がいたことが認められること、Ｙ２は、指示された業務の納期を守らないなどとＸの業務内容について不満を抱いていたと考えられ、Ｙ１のコンプライアンス室による調査において、指導の行き過ぎ等を認める発言をしていることなどからすると、Ｘが主張するＸを誹謗中傷するようなＹ２の言動のうち、少なくとも、Ｙ２がＸに対して『新入社員以下だ。もう任せられない。』、『何で分からない。おまえは馬鹿』との、又はこれに類する発言したことは認めることができる」。

「Ｙらは、Ｙ２の言動はＸを注意指導するために行われたものであって、Ｘの上司としてすべき正当な業務の範囲内にあり、社会通念上許容される業務上の指導の範囲を超えたものではなかったと主張する。

そこで検討するに…Ｘは、平成１８年４月１１日のＫホスピタルでの初診時において、医師に対し、Ｙ２から『新入社員以下だ。もう任せられない。』との発言があったことのほかに、Ｙ２から納期を守らないことなどで叱責されたことを話していたこと、Ｘは、同月１４日のＫホスピタルでの２回目の診察時においても、医師に対し、Ｙ２は頭の回転が速くて付いて行けない感じを持っているとも話していたことなどが認められることからすると…Ｙ２の言動は、Ｙ２がＸを注意、指導する中で行われたものであったと認められるものであるが、一方、Ｙ２の上記言動について、Ｙ２がＸに対する嫌がらせ等の意図を有していたものとは認めることはできない。

しかしながら、『新入社員以下だ。もう任せられない。』というような発言はＸに対して屈辱を与え心理的負担を過度に加える行為であり、『何で分からない。おまえは馬鹿』というような言動はＸの名誉感情をいたずらに害する行為であるといえることからすると、これらのＹ２の言動は、Ｘに対する注意又は指導のための言動として許容される限度を超え、相当性を欠くものであったと評価せざるを得ないというべきであるから、Ｘに対する不法行為を構成するものと認められる」。

イ　「また、Ｘは、Ｙ２が本件診断書を棚上げにしたことが不法行為を構成すると主張するので、この点について検討する」。

「…Ｘは、平成１９年４月１２日、Ｙ２に対し、鬱病の診断結果の記載のある本件診断書を提出し、休職を願い出たことが認められる。そして…Ｘは、同月１４日にＫホスピタルを受診した際、医師に対し、同日１２日に本件診断書をＹ２に提出したところ、Ｙ２から、３箇月の休養については有給休暇で消化してくれと言われたこと、隣の部署に異動する予定であるが、３箇月の休みを取るならば上記異動の話は白紙に戻さざるを得ず、Ｙ２の下で仕事を続けることになると言われたこと、４月１６日までに異動ができるかどうかの返答をするように言われて困ったことなどを話していたことが認められること…からすると、Ｙ２は、本件診断書をＸから受領した際、Ｘに対し、３箇月の休養については有給休暇で消化してほしいこと、Ｘが隣の部署に異動する予定であるが、３箇月の休みを取るならば上記異動の話は白紙に戻さざるを得ず、Ｙ２の下で仕事を続けることになること、この点について平成１９年４月１６日までに異動ができるかどうかの返答をするように告げたことが認められる。

Ｙ２の上記言動は、本件診断書を見ることにより、Ｙ２の部下であるＸが鬱病に罹患したことを認識したにもかかわらず、Ｘの休職の申出を阻害する結果を生じさせるものであって、Ｘの上司の立場にある者として、部下であるＸの心身に対する配慮を欠く言動として不法行為を構成するものといわざるを得ない」。

ウ　「さらに、Ｘは、Ｙ２が平成１９年５月に出勤したＸに対してＸが鬱病に罹患していることを認識しながらハラスメント行為を行ったと主張する」。

「Ｙ２が、平成１９年４月上旬頃、Ｘに対し、Ｓで開催予定のパーティーに必要となる飲食物提供の手伝いを依頼したこと、ＸがＹ２の上記依頼を了解したこと、Ｘが上記パーティーの１週間ほど前に…主治医に相談したところ、飲食物提供の手伝いを行うことは負担になるので断った方がよいとのアドバイスを受けたため他の人に変わってもらいたいと伝えたこと、Ｘは、同年５月２３日にＫホスピタルを受診した際、医師に対し、上記の出来事に関して、Ｙ２からかなり不満顔でいろいろ言われた旨の話をしていたことが認められる。しかしながら、Ｙ２がＸに対して具体的にどのような言動を行ったかを認めるに足りる証拠はなく、Ｙ２がかなり不満顔であったとすることについては、Ｘの主観によって判断されるものであること、さらに…Ｙ２はＸからの上記申出を受けてＸを手伝いから外し、Ｘに代えて他の者を補充したもので、Ｙ２がＸの申出を受入れて対応していたことなどに照らすと、平成１９年５月以降も、Ｙ２がＸに対して不法行為を行ったとするＸの上記主張は認められない」。

エ　「Ｘは、その他にも不法行為を構成するＹ２の言動を主張するが、Ｘが主張するそれらの言動をＹ２が行ったことを認めるに十分ではなく、ＸのＹ２の不法行為に係るその余の主張はいずれも理由がない」。

（２）Ｙ３の不法行為の有無について

ア「Ｘは、Ｘが通報した事実関係について、Ｙ３は誠実かつ適切な調査を行い、その調査結果に基づいてしかるべき対応を取るべきであったにもかかわらず、意図的にこれを怠り、明確な根拠も示さないまま判断基準、判断経過などの開示を拒否したことなどが不法行為を構成すると主張する。

しかしながら…Ｙ３は、平成２３年６月３０日にＸとの間で初回の面談を行った後、平成２３年７月１３日から同年８月１日までの間、Ｘが企画Ｇで勤務していた当時にＸとＹ２の周囲で勤務していた５人の者に対して、Ｙ２とＸの当時のやり取り等を面談又はメールにて事情聴取したこと、Ｙ３は、Ｘとの間で６回にわたって面談を行ったこと、Ｙ３は、上記面談において、Ｙ２の行為がパワーハラスメントに当たらないという理由について根拠を示しながら口頭で説明したこと、Ｙ３は、Ｙ２との間で２回の面談を行い、Ｙ２に対してＸに対する当時の注意指導の在り方について省みさせ、Ｙ２において注意指導の方法に行過ぎの部分があったこと等の反省に至らせたことなどが認められる。

以上の事実によると、Ｙ３は、Ｘ及びＹ２双方に事情を聞くとともに、複数の関係者に対して当時の状況を確認するなどして適切な調査を行ったものといえる。そして、Ｙ１においては通報・相談内容及び調査過程で得られた個人情報やプライバシー情報を正当な事由なく開示してはならないとされていることからすると、Ｙ３において、調査結果や判断過程等の開示を文書でしなかったことには合理性があったものといえ、しかも、Ｙ３は、Ｘに対し、Ｙ２への調査内容等を示しながら、口頭でＹ２の行為がパワーハラスメントに当たらないとの判断を示すなどしていたものであって、Ｙ３に違法があったということはできず、Ｘの上記主張は理由がない」。

イ　「また、Ｘは、Ｙ３が、Ｘとの面談において、Ｙ２の行為がパワーハラスメントに該当しないことが所与のものであるかのような態度を取り続け、逆にＸが病気に至る過程で過負荷状態を適切に周囲に相談できなかったことがＸの病気悪化の原因であると断定し、あたかも本件の端緒から発病に至るまでの経緯もXのせいであるかのように述べ、本件自体のもみ消しを図ったことが不法行為を構成すると主張する。

しかしながら、Y３が適切な調査等を行ったことは…説示したとおりであることに加え…Y３は、Xに対し、Y２がXに対する自身の指導が厳しかったり度を超えていたりしたことがあったことを認めていること、Y２がXに対する配慮がなかったと反省していること、Y２は平成１９年３月にはXの体調がおかしい様子であることに気付いたにもかかわらず、Xに課す業務量を減らすことを考えなかったこと、本件診断書を提出したXに対してY２が長期休暇を取らせなかったことが判断ミスといえることを告げており、その上で、Y１における内部基準に照らせば、Y２の行為がパワーハラスメントに当たらないことを説明したことが認められ、以上によると、Y３において、Y２の行為がパワーハラスメントに該当しないことが所与のものであるかのような態度を取り続け、本件自体のもみ消しを図ったと認められるものではなく、Xの主張は理由がない」。

ウ 「その他の点も含め、Xが主張するY３の違法行為は認められず、XのY３に対する不法行為及び共同不法行為に係る主張はいずれも理由がない」。

（３）S及びY１の責任の有無について

「Y２のXに対する行為は、Sの事業の執行について行われたものであって…不法行為を構成する以上、Y２の使用者であるSには使用者責任が成立する。

なお、本件全証拠を検討しても、S又はY１に職場環境保持義務違反及びY１自身のXに対する不法行為を認めるに足りる証拠はなく、S又はY１の債務不履行責任及び共同不法行為責任に係るXの主張はいずれも理由がない」。

（４）損害の有無及びその額について

ア 「Xは、遅くとも平成１９年４月の時点で鬱病を発症して、同月１１日、鬱病の診断を受け、精神の不調により、同月１３日から同年５月６日まで及び同年７月１２日から平成２０年７月３１日までの間休業し、復職した後も通院を継続しているものであるところ、前記認定のY２の不法行為は、Xの鬱病の発症及び進行に影響を与えたものであって、両者の間に相当因果関係を認めることができる。

これに対し、Yらは、Xの鬱病の発症は、Xのぜい弱性や性格傾向に起因するものであり、Y２の言動との間に因果関係はない旨を主張する。

確かに…Y２の不法行為は、悪質性が高いものとはいえず、Xが平成１８年にも鬱病の診断を受けて抗うつ薬を服用していたことからすると、平成１９年の鬱病の発症及び進行について、Xの素因が寄与した面が大きいことは否定できない。

しかし、Y２の不法行為は…平成１９年２月以降、本件予実システムに関する業務によりXの労働時間が著しく増加し、直属の上司であったY２から厳しい指導を受ける機会も増えていたことに伴い、Ｘの精神的負荷が増大していた中でなされたものであって、当該行為がＸの鬱病の発症及び進行に寄与したことは優に認められるというべきであり、上記のとおりＸの精神的負荷が増大していた状況はＹ２において十分認識可能であったと認められるから、Ｙらの主張を採用することはできない」。

イ　逸失利益

「Ｘの平成１８年１月１日から同年１２月３１日までを対象期間とした人事考課において、全７項目に関するＹ２のＸに対する評価は、Ａ１（同等資格の中位を明らかに上回る）が１つ、Ａ２（同等資格の中位）が３つ、Ａ３（同等資格の中位をやや下回る）が３つであり、Ｘに対する全体的な評価はＡ２であることや…平成１８年におけるＸの業務遂行状況等に照らすと、平成１９年度以降、ＸがＡ１を取得した可能性が高かったと直ちに認められるものではない。そして、本件全証拠を検討しても、Ｘが平成１９年度以降にＡ１の評価を得るなどして昇給したことを認めるに十分ではないことからすると、Ｘの逸失利益に関する主張は理由がない」。

ウ　慰謝料　１５０万円

「Ｘは、鬱病を発症して１年以上の休業を余儀なくされ、復職後も通院を継続し、精神保健及び精神障害者福祉に関する法律に基づき障害等級２級の認定を受けるなど、精神的不調が続いている反面、Ｙ２による不法行為は、Ｘに対し、『新入社員以下だ。もう任せられない。』、『何で分からない。おまえは馬鹿。』と発言し、あるいはＸが本件診断書を提出して休職を願い出た際、３箇月の休みを取ると異動の話を白紙に戻さざるを得ない旨を告げるなどしたというもので、部下に対する業務に関する叱責の行過ぎや、精神的不調を訴える部下への対応が不適切であったというものにとどまり、悪質性が高いとはいえず、Ｘが鬱病を発症し、精神的不調が続いていることについては、Ｘの素因が寄与している面が大きいこと、Ｘが平成２０年８月に復職した後、時間外労働や所外勤務も行うなど、勤務状況は順調であり、精神状態が一定程度回復した状況が窺われること（なお、Ｘは平成２６年２月以降休職しているが、当該休職は、現在の上司による勤務評価に対する不満を契機とするものと認められ…本件との関連性は認められない。）などを考慮すると、Ｘの精神的損害に対する慰謝料は１５０万円と認めるのが相当である」。

エ　素因減額及び過失相殺

上記「慰謝料は、Ｙらが主張するＸの素因をも考慮して認定したものであるから、さらにＸの素因により慰謝料を減額すべきではない。

また、Ｙらは、Ｘの職務懈怠を理由に過失相殺を主張するが、過失相殺をすべきほどのＸの職務懈怠を認めることはできず、Ｙらの主張は理由がない」。

オ　損益相殺

「Ｙらは、Ｘが受給した障害年金及び労災保険給付金との損益相殺を主張するが、これらは精神上の損害の填補を目的とするものではないと認められるから、当該受給額を上記慰謝料から控除することはできないというべきであり、Ｙらの主張は理由がない」。

カ　弁護士費用　１５万円

「本件における諸事情を考慮すると、本件に係る弁護士費用は１５万円が相当である」。

（５）Ｙ２の不法行為または共同不法行為に基づく損害賠償債務の消滅時効の成否並びにＳ及びＹ１の使用者責任又は共同不法行為に基づく損害賠償債務の消滅時効の成否について

「Ｘは、Ｙ２の言動による不法行為を原因として平成１９年４月１１日に鬱病と診断された以降、心因性の諸症状を併発し、複数の病院への通院を行ったものであることが認められ、平成２１年９月１７日には精神保健及び精神障害者福祉に関する法律４５条に基づく障害等級２級の認定を受け…この点が明らかとなったものであることからすると、ＸがＹ２の言動による不法行為によって被った損害賠償請求権の消滅時効については、早くとも平成２１年９月以降に進行を開始するものということができる。

したがって、上記損害賠償請求権の消滅時効の完成をいうＹらの主張は理由がない」。

（６）Ｙ１の損害賠償債務の承継の有無について

「本件吸収分割は、Ｓがコーポレート部門において営む事業に関して有する権利義務の一部等をＹ１に承継させるものであって（本件吸収分割契約１条）、承継される資産、債務、雇用契約その他の権利義務は、効力発生日である平成２１年４月１日において、Ｓがコーポレート部門において営む事業に関して有する資産及び権利、同事業に関して負担する債務及び義務並びに同事業に関して有する契約上の地位とされたこと（同契約３条１項、６条）が認められる」。

「本件において、Ｙ２の言動に係る不法行為につき、Ｓが民法７１５条によってＸに対して負う損害賠償債務については、Ｙ２がＳ調達開発部の事業の執行の際に行った不法行為に基づいて発生したものということができるから、平成２１年４月１日時点において、Ｓがコーポレート部門に関して負担する債務及び義務ということができ、Ｙ１は同損害賠償債務を承継しているものと認めることができる」。

（７）結論

「よって、当裁判所の前記判断と異なる原判決は一部不当であるから、Ｙ１及びＹ２の控訴に基づき原判決を変更する」。

２３　公立八鹿病院組合ほか事件・広島高松江支判平 27.3.18 労判 1118 号 25 頁

【事実の概要】

亡Ａは、平成１７年４月、医師免許を取得し、以後、○○大学医学部附属病院（以下「○大病院」）臨床センターにて研修医として勤務した。うち３か月間は整形外科における研修であった。平成１９年４月、亡Ａは○○大学医学部整形外科教室に入局し、以後○大病院整形外科で勤務した。同年１０月１日、亡Ａは○○大学より公立八鹿（ようか）病院（以下「本件病院」）に派遣され、死亡時まで勤務した。なお、Ｘ１は亡Ａの父であり医師で整形外科医院を経営しており、またＸ２は亡Ａの母である。

Ｙ１は、地方自治法２８６条に基づいて昭和３２年に設置された兵庫県養父市等で構成する一部事務組合であり、本件病院を運営しており、当時の本件病院の院長はＢ（以下「院長」）であった。Ｙ２は、平成１５年１０月１日本件病院に採用され、亡Ａ勤務当時の本件病院の整形外科医長かつ同人の上司であり、Ｙ３は、平成１３年４月１日本件病院に採用された同整形外科部長であり、亡Ａ及びＹ２の上司であった。亡Ａ勤務時の本件病院整形外科所属の医師（研修医を除く）は、亡Ａを含め上記３名のみであった。

亡Ａは、１２月１０日午前零時頃、自宅として居住していた本件病院の職員用宿舎の浴室内にて、コンロで燃料を燃やし、一酸化炭素中毒となって自殺した（以下「本件自殺」）。同日、以下の記載があるメモが、十数枚に細かく破かれた状態で同宿舎のゴミ箱から発見された。

―――記載内容―――

僕は医者である前に人間として不適合者です
僕が社会参加するとまわりの人達に迷惑をかけます
社会参加から離れ次の自分の居場所を見つけられません
居場所がないので自分を始末します

―――記載内容　以上―――

Ｘ１は、平成２０年１１月１２日付けで、地方公務員災害補償基金（以下「地公災基金」）α支部長に対し、亡Ａの自殺が公務災害であることの認定を求める請求をし、同支部長は、平成２２年８月２４日付けで、本件自殺は、公務災害に当たると認定した。Ｘ１は、地公災基金より、亡Ａ死亡に伴い、平成２３年１月から同年２月にかけて遺族補償一時金・遺族特別支給金等、計６２７８万３０８９円を受領した。

（１）本件病院赴任以前の亡Ａの状況

亡Ａは、○大病院での研修又は勤務中、心身の不調により休むことはなく、３日に１

度の当直があるなど研修医の間で過酷とされる救急災害科の研修を自ら希望して２回行うなどしながら、全ての研修を問題なく終了しており、同病院からは、勤務態度は真面目であって、医師としての能力は他の医師に比べ著しく劣る点はないと評価されている。なお、○大病院での研修では外来診察のトレーニングはなく、研修終了直後の勤務も概ね病棟での業務が中心であった。また、亡Ａは、同期間を通じて、同僚の医師やコメディカルらから、友人が多い、大人しくて優しいが芯が強くて努力家である、聞き上手であり、自分が愚痴や悩みを言うよりは、同期の研修医らの悩みや愚痴をよく聞くなどと評価されていた。

亡Ａは、○大病院からの派遣先として、大学時代を過ごした九州に近い山口の病院を希望していたが、８月中旬頃までには本件病院への赴任が決まった。亡Ａは、本件病院の赴任以前、他の医師から、同病院の指導が非常に厳しく、労務も過酷であると聞いたことなどから、友人に対して、同病院へは行きたくない、気が滅入ると話したり、Ｘ２に対して、本件病院の勤務は大変である、外来診療が不安であると話すなどしていた。亡Ａは、本件病院や兵庫県養父市を訪れたことはなく、知人もいなかったところ、亡Ａがこのようななじみがない地域に転居するのは初めてであり、また、同地は亡Ａが居住した中では最も不便な土地であった。

亡Ａは、本件病院赴任直前の９月末頃、１１月に徳島市で行われる予定であった第４０回中四国整形外科学会（以下「学会」）の論文の準備や送別会等で多忙であり、また、引越前日の９月２８日にも急きょ当直勤務についていた。

亡Ａは、９月２９日、Ｘらと同居していた鳥取県米子市の自宅から本件病院に隣接する医師用の宿舎へ引っ越し、以後、一人暮らしとなった。Ｙ２は、同月３０日、亡Ａと同人の引越の手伝いに来ていたＸ２とたまたま出会ったことから夕食をとったが、その際、亡Ａにつき、口数が少ないとの印象を持った。

亡Ａに本件病院への赴任以前に精神疾患の既往歴はない。

（２）亡Ａの本件病院における勤務時間、宿日直等

記録によれば、亡Ａの出勤時間は７時後半から８時前後が多いが、４時４６分や５時１２分や６時台などの出勤の例もあり、退勤時間の記録として、最も早い記録が２１時２７分、最も遅い記録が翌零時５５分であり、２２時以降の退勤が多かった。

亡Ａは、本件病院赴任後、本件自殺までの間、１０月に3回、１１月に4回、１２月１回の宿直勤務及び１０月に１回の日直勤務をした。亡Ａは、宿直勤務時、多い時には６人の患者の診察をしているが、必要に応じて他の医師を呼び出し、処置してもらうなどの協力を得ながらこれに当たっていた。

また、亡Ａは、１０月１２回（うち休日４回）、１１月１２回（うち休日４回）、１２月3回（うち休日２回）の平日午後５時１５分から翌８時３０分、休日午前８時３０分から午後５時１５分までの間は待機当番とされており、同当番日を含む休日や夜間に本件病院から業務関係の電話連絡を受け、少なくとも月に３、４回程度は処置等のために呼び出され、また、亡Ａが自ら本件病院に赴くなどしていた。

なお、亡Ａが、本件病院赴任後、本件自殺までの間に、休暇を取得したことはなかった。

（３）亡Ａの診察、手術件数等

亡Ａの外来診察が午前中のみで終わることはほぼなく、終業時間後までずれ込むことや本来は診察を入れない木曜日や金曜日などにも診察を行うことも珍しくなかった。診察患者数は、月曜日と金曜日に概ね３０人前後、火曜日と木曜日に１０ないし２０人程度であり、うち初診の患者は、主に火曜日に６ないし８人程度であった。

本件病院整形外科の１０月１日から１２月９日までの手術総数は５４件であるところ、亡Ａが手術に参加し又は参加した可能性のある手術は別紙２「亡Ａが参加した可能性がある手術」欄記載の各手術合計３２件であり、うち、亡Ａが少なくともその一部につき執刀した手術は８件である。

（４）１０月頃の亡Ａの言動等

亡Ａは、１０月１日に本件病院に初出勤し、同日は２１名の外来患者を１５時頃までかけて診察した。その際、Ｈは、亡Ａの診察に同席し、電子カルテの操作を教えるなどして同人を補助し、１０月中旬頃までは同様に補助していた。亡Ａは、翌２日、初診患者１０名を含む２６名の外来患者を朝から勤務時間外にまでかけて診察し、その後、１０月１日に着任した他の医師２名とともに、病院職員としての一般的な事項につきオリエンテーションを受けた。院長は、同オリエンテーションにおいて、病院の基本理念や基本方針を話しているが、その際、亡Ａが居眠りをしていたことから、同人が疲れているのではないか、との印象を持った。亡Ａは、１０月２日までに、電子カルテに関し、３０分程度、マンツーマンで、カルテ、処方オーダー、紹介状及び入院サマリーの入力といった最低限の項目につき、操作の説明や指導を受けたが、これらの説明のみでは電子カルテの操作等を理解するに至らず、１０月中旬頃まではＨの補助を受け、概ねその頃までには、電子カルテの基本的な操作はできるようになった。亡Ａは、１０月７日ないし９日頃、Ｘ２に対し、電話で、外来診療の責任が重たいと言ったことから、同人は、上司によく相談するように、それが難しいなら整形外科医であるＸ１に聞くようにと答えた。なお、亡Ａは、その後も２、３回、Ｘ２に対し、同様の発言をしていた。

亡Ａは、１０月１０日に救急搬送された頸椎骨折患者につき、同月１２日に骨折部の固定を行う器械であるハローベストを装着する手術（頸椎・体外式脊椎固定術）を行うこととなった。Ｙ２は、同手術前に、亡Ａに対し、ハローベストのパンフレットや装着方法に関する文献を手渡し、事前の勉強と緊急時に見るためにこれらをコピーしておくように言った。

Ｙ２は、上記手術当日、亡Ａが、ハローベスト装着のために頭に刺すピンの位置を理解していないと判断したことから、自ら同手術を行い、亡Ａはこれを見学した。亡Ａは、同手術の前日、患者に対し同手術につき説明し、その了解を得ていたが、上記パンフレット等を見せてはいなかったことから、同手術時、患者が「こんなもん話と違う。こんなもん付けるくらいなら死んだほうがましだ」と騒ぎ出し、Ｙ２が、手術中に説明不足を謝罪し、手術後にも改めて説明するなどした。

亡Ａは、１０月１６日午後５時１５分以降、救急室にて、ガラス戸にぶつかり転倒して臀部に切創を負った患者の診察をし、遅れて合流したＹ２及びＨと共に、縫合処置を行おうとした際やその処置中、Ｙ２から清潔さやその手技の点で注意を受けた。また、亡Ａは、Ｙ２から、Ｘ線画像でガラス片が残っていなければ縫合しようと言われた際、ガラス片がないと答えたことから縫合が開始されていたが、縫合中にＸ線画像を確認していたＨが、創奥部にガラス片が残っているとの指摘をしたため、縫合は中止となり、Ｙ２から見落としにつき注意を受け、亡Ａは落ち込んだ様子を示した。Ｙ２は、同ガラス片が動脈に刺さっていた場合大量出血する可能性があるとして、すぐに、同患者を手術室に異動させ、自らガラス片の除去や縫合等をした。

待機当番であった亡Ａは、１０月２１日（日曜）、午後２時頃から右膝打撲により来院した救急患者の診察をし、同患者が右膝脱臼であると判断して、整復を試みたがうまくいかず、Ｘ線をとって整復の有無につきレントゲン医師と話しながら約１時間以上をかけて整復を行った。亡Ａは、その後、悩んだ末にギプス固定をして、患者や家族に経過を説明し、同家族の希望を踏まえて、午後４時３８分頃に入院とした。Ｙ２は、１０月２２日、同患者のカルテ、Ｘ線、患者の訴え内容を確認した際、同人は脱臼の際によく見られる所見がないことから脱臼の診断に疑問を呈し、「ギプスカットして所見を見たい」とカルテに記載した。亡Ａも、１０月２５日頃、同患者につき、同所見の不存在を認識した上で「右膝痛は打撲による痛みだったのだろうか」とカルテに記載しているが、ギプスカットはこの頃までには行われていない。この患者については人工関節手術が行われることとなり、主治医が、亡ＡからＹ２に変更された。

なお、Ｘ２及び亡Ａの姉であり医師のＣは、１０月２０日及び同２１日に、Ｃの二人の子と共に、亡Ａ宅を訪問し、焼肉屋で外食するなどしたところ、Ｃは、亡Ａが非常に疲れており、少しやせたと感じたが、Ｘ２は特に異常を感じなかった。

亡Ａは、１０月２４日、同月１６日及び同月１７日に他の医師が執刀していたのを見学しており、比較的容易とされる大腿骨転子部骨折のガンマネイルによる内固定術（大腿骨折観血的手術）を初めて執刀した。

亡Ａは、同手術を行うに際し、Ｈと共に、Ｙ２から牽引ベッドの操作方法や手術に先立ち行う骨折部分のズレを整復する手順について丁寧に説明を受けた。同手術を行うのに要する時間はＹ２やＹ３だと概ね２０分ないし３０分であり、Ｈが同手術を行った際は４３分かかったが、亡Ａは７２分を要した。

亡Ａは、１０月２３日午後１１時３０分頃、友人のＤ医師に対し、「結構へこたれてる」との題で、「Ａももがき苦しんでます」「整形の上司の先生２人、気が短くよく怒られてるわ。基本的にはＡが至らなくての事だし、後にはひきずらないでくださるんだけど、怒られている最中はひどいもんだよ、なかなか。患者さんも病棟１５人、リハ病棟１０人で正直手に余ってる」「今後の方針１過労で倒れる」「２デプる」（うつになるとの意味）「『慣れてきて少しずつ軌道に乗っていく』というイメージが今のところわかないなあ」との記載を含むメールを送信した。

亡Ａは、１０月中旬ないし下旬頃、体調などを尋ねた看護師に対し、１か月で３ｋｇやせたと答え、また、その頃、Ｈに対し、Ｙ２やＹ３につき、相談したいが怒られるので相談しにくいなどと言った。

（５）亡Ａの１１月の言動等

亡Ａは、１１月２日午前中、外来診察した患者の外傷気胸の処置を午後から内科医師に依頼したことにつき、同患者が９０歳を超える高齢であったことや心不全を患っていることを考慮すると迅速に処置を行うべきであると考えたＹ３から「命のある患者だから、早くしないといけないじゃないか。何でそれが後回しになったんだ」と強く注意された。また、亡Ａは、同日午後、２回目の大腿骨転子部骨折の手術を行った際、通常大腿骨に沿って横に切るところを縦に切ろうとするなどしたため、Ｙ３から「何度もあるのに何も見ていない」などと注意された。

亡Ａは、１１月１２日、Ｙ３、Ｙ２、看護師、ソーシャルワーカー及び理学療法士と病棟の総合回診をしていた際、Ｙ２から、「メモを取っているか、同じことを何度も言わせるな」と注意された。また、同日の総合回診時、腰椎圧迫骨折でギプスを巻いており、起き上がりや短時間の座位の保持ができるがしばらく立ったことのない患者に立ち上がってもらうといったことがあった。このような場合、患者の転倒を防ぐために、介助者は前面に回って患者に向き合うようにして支えるべきであったが、亡Ａは、同患者が立ち上がるために邪魔になるベッドの柵を外し、同患者が寝ている状態から座位になっている間、同患者の背中側におり、立ち上がろうとする際に、患者の前面に移動しようとしたところ、Ｙ２から握り拳で１回、ノックするように頭を叩かれて（以下「本件暴行」という。）、危ないと注意された。同患者の介助は、理学療養士が患者の動作を制止し、前面から支えるようにして行った。本件暴行は、その頃、これを目撃していた看護師から看護師長、看護部長を経て院長に報告された。院長は、Ｙ３と相談し、まず同人がＹ２を指導し、効果が出なければ、院長が対応することにしたが、Ｙ３は本件暴行の程度や指導した場合に悪影響が出るのではないか等と考え、Ｙ２に同暴行につき指導することはなく、また、院長もＹ３に対し、指導の有無やその結果につき確認しなかった。

亡Ａは、１１月１７日（土曜日）午後２時３０分頃、人工股関節の置換術後、３か月ないし４か月に１度の割合で脱臼を繰り返していた患者が左股関節脱臼で救急外来に来院したとして呼び出された。亡Ａは、午後３時４０分頃、整形外科医であるＸ１に電話して上記患者の対応を相談するなどして、看護師らの介助の下、何度も整復を試みたが整復できず、午後５時半以降になって、Ｙ２に相談した。Ｙ２は出勤して亡Ａと共に整復処置をしたが整復できず、麻酔のリスク等を確認の上、全身麻酔をして整復処置をした方がよいと考え、亡Ａがその旨を上記患者に説明して、同患者に入院してもらった。同患者は、同月１９日、脱臼から整復までに時間を要していることに不信感があり、訴訟も考えているなどと申し出て、Ｙ３も含めた医師らと協議の上、他院へ転院した。

なお、Ｘ２及びＣは同日及びその翌日、Ｃの二人の子と共に亡Ａ宅を訪問し、亡Ａと食事を共にするなどしたが、両名とも亡Ａが疲れていると感じ、Ｃは亡Ａが少しやせたと感じたものの、亡Ａは昼食の刺身を喜んでたくさん食べるなどしており、Ｘ２やＣに対し、本件自殺を直接想起させるような態度は示さなかった。

亡Ａは、１１月１９日の総合回診時、他の医師、コメディカルや患者の前で、Ｙ２からできていないことを指摘され続け、回診を中断して、廊下で指導を受けたり、入院療養計画書につき、「Ａの患者で書けていない分をピックアップしろ」と言われるなどした。また、亡Ａは、翌週、同月２６日の総合回診時においても、他の医師、コメディカルや患者の前で、Ｙ２から、同回診中「電子カルテの記入の仕方が違う」「どこを見とるんや」「はぁー」「何をしてるんですか」などと言われ続け、返答に困る様子を示していた。亡Ａは、その他の総合回診時でも、次に回診する患者の電子カルテをあらかじめ開いておくことができないことや、Ｙ３やＹ２に対し、亡Ａのみが休日に患者と接触していた場合の様子など、あらかじめ報告すべきことができていなかったことから、Ｙ３やＹ２から多くの質問を受けたり注意されたりしており、時には、同人から「休み中の報告はお前がせな分からへんやろが」などと怒鳴り気味に言われたり、「何回言っても分からんなあ」「この前も言ったやろ」などと言われることもあった。なお、Ｙ２は、総合回診時、亡Ａへの注意等を上記のとおり、患者の面前で行うことも多く、他方で、Ｙ３は、亡Ａへの注意等は廊下に出て行っていたが、Ｙ２の言動につき、特に注意等はしなかった。

亡Ａは、１１月２０日の朝、学会の報告がこの頃ポスター方式に代わり、Ｘ２に対して、そのポスターの準備ができていないと連絡した。Ｘ２は、亡Ａに対し、外来を止めて上司に相談するように言っても応答しないなど、ほぼ絶句状態といってよいほど困惑していると感じたことから、医師であるＣに相談したり、学会の事務局に問合せをした。結局、同日のうちに、同ポスター作成や発表を○○大学の他の医師が行うこととなり、亡Ａは、電話で、Ｘ２に対し、その旨を安心した様子で話した。

亡Aは、１１月２１日又は２２日頃、Hを通じて知り合い、食事に行くなどしていた言語聴覚士と職場で出会った際、同人に対し、仕事が多すぎて何をすべきか混乱していることや、知識不足もあって仕事がうまく進まない、仕事量が多すぎてしんどく、自分の能力を超えているといった内容の話をした。同言語聴覚士は、Y３やY２らに、仕事量が多いことを言ってみることを提案したが、亡Aは、他の医師も精一杯の仕事をされていて余力なしが分かっている、自分の能力不足を理由に仕事を減らして欲しいとは言えないと答えた。同言語聴覚士は、亡Aのほほがこけ、表情が暗いように感じた。

亡Aは、１１月２８日に、３件の手術に参加しているが、うち１件目（〔１〕膝人工骨置換術）の際は、ドレーピングの際に不潔になりそうになり、Y２から「後ろに立っていろ」と言われ、ドレーピング等手術準備ができた後、「なにしとんや、こっちに来い」と言われて指示された立ち位置に、下向き加減でじっと立っていた。また、亡Aは、２件目（〔２〕大腿骨折観血的手術）の際は、術中不潔となったため、腰にシーツを巻き、Y２から「動いたら、不潔になるから、そこにいろ」と言われた。

３件目の手術（大腿骨内異物挿入術）は午後６時３５分から開始されているが、亡Aは、同手術につき、Y３からあらかじめ指示されていた手術の機材の手配を忘れ、また、手術室のオーダーも本来の期限後である２日前にしていた。なお、同機材の手配はY３がした。

亡Aは、Y３の指導の下、同手術を執刀したが、同人から「メスの当て方が違う」「電気メスが当たってはいけない所に当たっている」などと何度も注意を受け、患者の体格が大きいこともありなかなか手術が進まず、「大学で出来たことがなぜ出来んのだ」などとも言われた。また、亡Aは、手術中に機材が一部足りないことが分かり、時間的に業者にも依頼できず、手術室内の他の機材でも代用できない状態となった際に、興奮したY３から、「田舎の病院だと思ってなめとるのか」などと大声で言われ、淡々と、「すいません、忘れてました」と謝罪を繰り返した。なお、手術は看護師が手術室外から探してきた他の工具を代用して終了したが、手術中に入室したY２がY３に対し、「何で切らせたんですか」と言い、Y３が「主治医なんだから、やらせないと」と大声で応答したこともあった。

亡Aは、１１月初旬ないし中旬頃から、必要な指示が一部抜けている、看護師から指示を求められたり、Y２からメモをとるように言われたり、ギプス巻きを自らやってみるようにと言われても「はい、はい」と言いつつやっていない、家で寝ると起きられないからといって本件病院で眠り、帰宅することなく勤務に入る、といった様子が見られるようになり、同月中旬ないし下旬頃には、Y３やY２ら他の医師を避け、同人らがいない場所のパソコンで仕事をし、自ら処置できない患者についても同人らに報告や補助を求めず、長時間自ら対処しようとする（１１月１７日）といった対応をするようになった。

（6）亡Aの１２月の言動等

亡Aは、１２月２日の夜中、X２に電話で、「かあさん、僕は打たれ弱いんだろうか」「かあさんは打たれ強い」などと言い、同人が「どうしたの」などと聞いたのに対し、「僕は孤立無援でとてもつらい。誰一人知り合いもいないし、この田舎で一人ぼっちで仕事をしていくことはつらくて悲しい」などと言った。X２は、疲れているから早く寝るように、１週間後の土曜日に亡Aのもとに行くと言うと、亡Aは、これを了承し、X２に自分が自宅で使っていたコートハンガー等を持ってきて欲しいと依頼するなどした。

亡Aは、１２月３日の総合回診後、Y３から、コメディカルがいる場で、電子カルテの入力につき、「何でおまえのIDで入力するんだよ、おまえの所見じゃないだろう」と注意された。亡Aは、同日以降、電子カルテにほぼ記載をしていない。

亡Aは、１２月４日、同月５日の尺骨神経移行手術（〔３〕肘・神経移行術）の術前カンファレンスにつき、Y３から、尺骨神経麻痺についての理解が不十分であること、手術術式を決めていないのに、患者から同意書をとっていたことにつき叱責を受けた。また、同手術の手術室の申込みも直前まで行われていなかった。

亡Aは、１２月５日、３件の手術に参加しているところ、１件目（〔１〕膝・人工関節置換術）の手術前の手洗い中、亡A担当の入院患者が転倒したとの連絡を受けた際、様子を見るよう指示したことにつき、Y２から、実際に診察をしてくるよう注意を受けるとともに、亡Aの仕事ぶりでは給料分に相当していないことやそのような仕事ぶりを「両親に連絡しようか」といった内容を、コメディカルもいる前で大声で言われ、何も応答できなかった。

また、亡Aは、同手術の進行に応じて、患者の膝を屈曲又は伸展することができず、指示を受けて行ったものの、無影灯から術部がずれてしまうため、Y２から「邪魔してるのか」と言われ、手が出せなくなった。

亡Aは、３件目の手術（〔３〕肘・神経移行術）の際、Y２から、肘部管症候群の定義について聞かれて答えられず、「昨日カンファレンスして答えられなかったのに、今日も練習してこなかったのか」と注意された。さらに、亡Aは、Y２から、帰宅した時間や寝た時間を確認されて答えたところ、「俺より早いのに何で」と言われて下を向き、その後、患者の軟部腫瘤の有無につき何度も確認されたが答えられず、また、最終的に術野横で立ったまま、Y２から「そこから見えるの」「何が起こっているか、分かっているの」と言われても、応答できず、術野に近づくこともできないままとなった。

亡Aは、１２月７日から８日にかけ、１泊２日の忘年会に参加した。亡Aは、亡年会の会場まで、Y２とともにバスで移動し、１次会では新任の挨拶として、自分と「友達になって下さい」と挨拶し、周囲から酔っていると感じられるほど飲酒するなど楽しげに参加していたが、Y２又は麻酔科の医師から仕事ぶりにつき厳しく指摘されるようなこともあった。

なお、X１は、１２月８日夜９時頃、亡Aに電話をして、１５分程度話しており、その際、亡Aに元気がないのではないかという趣旨の話をしたが、亡Aはこれを否定した。

亡Aは、１２月８日、９日とも、本件病院からの業務電話に応答したが出勤することなく、同月１０日に自殺した。

本件病院における過重労働や上司らのパワーハラスメント（以下「パワハラ」）により、遅くとも平成１９年１２月上旬には、世界保健機構（WHO）の国際疾病分類第１０回修正（以下「ICD－１０」）「F３２　うつ病エピソード」（従来診断によるうつ病、以下「本件疾病」）を亡Aが発症し、自殺に至ったとして、Xらが、Yらに対し、債務不履行又は不法行為に基づき、X各人につき、〔1〕死亡慰謝料等の損害元金８８６１万４１５８円等の各支払を求めた。原審（鳥取地米子支判平 26.5.26 労判 1099 号 5 頁）は、Xらの請求の一部を認容したが、Xら及びYら双方が各敗訴部分を不服として控訴した。なお、Xらは、当審において、仮定的にY１に対し国家賠償法（以下「国賠法」）１条に基づく損害賠償請求を追加した。

【判旨】

（1）過重労働並びにY３及びY２によるパワハラの存否について

ア　亡Aの時間外勤務時間

「亡Aの時間外勤務時間は、１０月は２０５時間５０分、１１月は１７５時間４０分、自殺前３週間では１２１時間３６分、自殺前４週間では１６７時間４２分に及んでいたもので、いずれも臨床上、心身の極度の疲弊、消耗を来たし、うつ病等の原因となる場合に該当するとされる状況であったと評価し得る」。

イ　亡Aの業務の過重性について（パワハラの有無を含む）

「亡Aは…本件病院赴任初日に午後３時頃までかけて２１名を、翌日には午後５時３０分以降までかけて初診患者１０名を含む２６名を診察し、以後も再来担当日（月、金曜日）は各日３０名前後を、初診担当日（火曜日）は各日６名ないし８名の新患を含め１０名ないし２０名程度の患者を診察している。同診察数は、赴任の翌週から予約数の調整を受けた後の数であること、本件委員会の外部委員が再診につき１日平均２５名程度であればさほど忙しいことにならないと思うと発言していること…に照らすと、それ自体としても、また、Y３及びY２の診察件数（本件病院における整形外科の平均１日延べ外来数が６０人程度であったことから推認される。）と比しても、特に過重と評価すべき件数ではないともいい得るが、亡Aは本件病院赴任前に外来診察の経験が乏しかったことや、そのために現実に診察に長時間を要していたことを考慮すると、同人に相当程度重い心理的負荷が生じるに十分な診察患者数であったといわざるを得ない」。

「そして、（ア）１１月１２日にＹ２が本件暴行をなしたこと、及び、その頃、Ｙ３がＢ院長よりこれにつき指導するように言われたにもかかわらずしなかったこと、（イ）１１月２８日の手術の際に、Ｙ３が『田舎の病院だと思ってなめとるのか』と言ったこと、並びに、（ウ）１２月５日、Ｙ２が亡Ａに対し、その仕事ぶりでは給料分に相当していないこと及びこれを『両親に連絡しようか』などと言ったことなどについては、各行為の前後の状況に照らしても、社会通念上許容される指導又は叱責の範囲を明らかに超えるものである（これに反するＹらの主張は採用できない。）」。

「この点に関連し、亡Ａの前任までの医師らのうち、Ｋ、Ｌ及びＮの各医師及び研修医…らは、揃って、本件病院整形外科での勤務は、専門医としての経験が１年ないし２年といった者には負担が大きかったこと、Ｙ３やＹ２に相談すると怒鳴られたり、無能として攻撃されたりするので、質問するのを萎縮するようになったこと、Ｙらから患者や看護師らの面前でも罵倒されたり、頭突きや器具で叩かれるなど精神的にも相当追い詰められたこと等を供述し…実際にＬ、Ｎ及びＰは半年で本件病院を去っていること等を考慮すると、Ｙ３やＹ２は、経験の乏しい新人医師に対し通常期待される以上の要求をした上、これに応えることが出来ず、ミスをしたり、知識が不足して質問に答えられないなどした場合に、患者や他の医療スタッフの面前で侮辱的な文言で罵倒するなど、指導や注意とはいい難い、パワハラを行っており、また質問をしてきた新人医師を怒鳴ったり、嫌みをいうなどして不必要に萎縮させ、新人医師にとって質問のしにくい、孤立した職場環境となっていたことは容易に推認することができる（Ｍ医師のようにＹ３及びＹ２と良好な関係を築けた者もいたが…たまたまＭ医師の能力が標準以上であったための例外とみるのが自然である。）。亡Ａについても…友人に送った『整形の上司の先生２人、気が短くよく怒られてるわ。』等のメールや１１月中旬頃からはＹ３やＹ２を避けるようになっていたこと等に鑑みると、前任者らと同様、度々、Ｙ３及びＹ２から患者や看護師らの面前で罵倒ないし侮蔑的な言動を含んで注意を受けていたことは容易に推測され、このような状況の下で亡Ａは一層萎縮し、Ｙ３及びＹ２らに質問もできず１人で仕事を抱え込み、一層負荷が増大するといった悪循環に陥っていったものと認められる」。

「以上に加え、亡Ａは、所定の勤務時間外や休日に月に１２回の待機当番を担当して業務関係の電話を受けることもあり（なお、いわゆるオンコール待機と評価できるほどの頻度、態様であったと認めるに足りない。）、また、月に三、四回程度は処置のため呼び出されたり自ら出勤するなどして、本来は予定されている休息をとり得ないこともあったことが認められる」。

「なお、Ｙ３及びＹ２なりに１１月中旬くらいからは、亡Ａの勤務負担の軽減やより基本的な内容についても指導を行うなどの配慮を示していたものの、なおも同月２８日の手術の際に、Ｙ３が『田舎の病院だと思ってなめとるのか』と言ったり、１２月５日にＹ２が亡Ａに対し、その仕事ぶりでは給料分に相当していないこと及びこれを『両親に連絡しようか』などと言っていたこと等に鑑みると、Ｙ３及びＹ２らは上記指導や配慮に付随して、なおも亡Ａに対し威圧ないし侮蔑的な言動が継続していたもので、亡Ａを精神的・肉体的に追い詰める状況が改善・解消したものとは認められない」。

「以上を総合すると、本件病院において、亡Ａが従事していた業務は、それ自体、心身の極度の疲弊、消耗を来たし、うつ病等の原因となる程度の長時間労働を強いられていた上、質的にも医師免許取得から３年目（研修医の２年間を除くと専門医として１年目）で、整形外科医としては大学病院で６か月の勤務経験しかなく、市井の総合病院における診療に携わって一、二か月目という亡Ａの経歴を前提とした場合、相当過重なものであったばかりか、Ｙ２やＹ３によるパワハラを継続的に受けていたことが加わり、これらが重層的かつ相乗的に作用して一層過酷な状況に陥ったものと評価される」。

（２）Ｙらの行為と本件疾病及び本件自殺との相当因果関係について

ア　本件疾病の罹患の有無ないし時期

「精神疾患の罹患の有無については、ＩＣＤ－１０ガイドラインに基づき、複数の専門家の合議により診断されるべきとされているところ、その方法によりなされたものと認められる地公災基金理事長が委嘱した複数の専門医は１２月上旬に本件疾病の発症を認めており、同診断の前提となる事実も前提事実の各事実にほぼ添っている。そして、亡Ａに本件病院赴任前に精神疾患の既往歴がなく、○大病院での研修や勤務時、問題なく研修を終え、他の研修医らと円満な関係を築いていたことからすれば、亡Ａが本件病院赴任前に何らかの精神疾患に罹患していたとは到底考え難いこと、Ｔ医師も時期は特定しないものの本件疾病の発症を認めており、その他の医師らも亡Ａのうつ病的な症状を認めていること、亡Ａにつき、１１月中旬ないし下旬頃から従前と異なる行動が目立つようになったといえること等からすると、亡Ａは、遅くとも１２月上旬に本件疾病を発症したと認めるのが相当である」。

イ　本件疾病の罹患及び本件自殺との相当因果関係の有無

「亡Ａの時間外労働は、それ自体で本件疾病の発症を余儀なくさせ、亡Ａのストレス対応能力の低下やそれによる負荷もより強く感じさせる程度のものであり…Ｙ３及びＹ２のパワハラに相当高い精神的負担を感じていたことが認められる。そして、Ｙ３及びＹ２らの亡Ａに対する威圧ないし侮蔑的な言動は、自殺の直前まで継続し、亡Ａを精神的・肉体的に追い詰める状況が改善・解消したものとは認められないことからすれば、過重業務やパワハラが亡Ａに与えた心理的負荷は非常に大きく、同人と職種、職場における立場、経験等の点で同等の者にとっても、社会通念上客観的にみて本件疾病を発症させる程度に過重であったと評価せざるを得ないから、これらの行為と本件疾病との間には償に相当因果関係が認められる。そして、本件疾病のエピソードとして自殺観念や行為が挙げられ、本件の全証拠によっても亡Ａが本件疾病と無関係に本件自殺に至ったことを認めるに足りないことからすれば、本件自殺は本件疾病の精神障害の症状として発現したと認めるのが相当であり、上記各行為と本件自殺との間の相当因果関係も認めることができる」。

（３）Ｙらの責任原因について

ア　国賠法の適用の有無

「公立病院における医師を含めた職員の継続的な任用関係は、特別職を含め全体の奉仕者として民主的な規律に服すべき公務員関係の一環をなすもので、民間の雇用関係とは自ずと異なる法的性質を有するというべきであり、これら公務員に対する指揮監督ないし安全管理作用も国賠法１条１項にいう『公権力の行使』に該当するというべきである」。

「そして、国賠法１条に基づく損害賠償責任は、民法７０９条、７１５条に基づく不法行為責任に対し特別法に位置づけられるから、Ｙ１が国賠法１条に基づく責任を負う場合には民法７０９条、７１５条に基づく不法行為責任は問題とならず、他方、Ｙ１は特別地方公共団体として、その職員である公務員が職務遂行するにあたって、生命及び健康等を危険から保護するように配慮すべき義務（安全配慮義務）を負っているものと解されるところ（最高裁昭和５０年２月２５日第三小法廷判決・民集２９巻２号１４３頁）、この安全配慮義務違反に基づく損害賠償責任は、国又は地方公共団体が不法行為規範のもとにおいて私人一般に対し負っている責任とは別個の責任と解されるから、国賠法１条に基づく責任と請求権競合の関係に立つものと解される」。

「よって、以下、Ｙ１の安全配慮義務違反に基づく責任及び国賠法１条に基づく責任をまず検討する」。

イ　Ｙ１の責任について

「Ｙ１においては、認定事実のとおり、内科及び整形外科の医師の負担が大きいことを認識し、平成１７年１１月には、Ｙ２が、本件病院に対し、時間外労働の改善を求める嘆願書を提出していたほか、平成１７年９月にはＹ３及びＹ２の下で勤務に耐えかねてＬ医師が異動を願い出る事態が発生し…本件病院の労働安全衛生委員会においても、平成１７年１１月には職場でのパワハラの事例を耳にすることが多く、外部委託のカウンセラーの設置が提言されたり、平成１９年５月には、他病院で過労による自殺者があったことをきっかけとして医師の時間外労働の現状把握のため調査をすることになったこと、外来や手術室での医師のパワハラが話題となったこと、亡Ａを本件病院に派遣してもらうにあたっては、亡Ａのそれまでの経歴（整形外科医としては大学病院での６か月の診療経験しかないこと）も当然に把握していたと認められること、時間外勤務手当の支給をしている以上、亡Ａが赴任直後の１０月に、一般に心身の疲労を増加させ、ストレスに対する対応能力を低下させる要因と評価される月１００時間を超える時間外勤務をしていることも認識しており、その後の勤務時間等も電子カルテ等により認識し得る状況であったこと、１１月１２日の本件暴行については院長に報告され、同院長はＹ３にＹ２の指導をするように依頼していること、１１月中旬頃にはＹ３及びＹ２も、亡Ａの変化を認識していたこと等に鑑みれば、Ｙ１は、遅くともその頃にはその就労環境が過酷であり、亡Ａが心身の健康を損なうおそれがあることを具体的かつ客観的に認識し得たものと認められる」。

ウ　Ｙ１の安全配慮義務違反について

「そもそもＹ１においては、亡Ａの赴任以前から、新人医師の労働環境が過重であることやＹ３及びＹ２のパワハラを認識していたのであるから、本件自殺後の１２月２１日開催の労働安全衛生委員会で提言されている諸方法…など新人医師らの労働環境整備に努めておくべきであった上…遅くとも１１月下旬頃には亡Ａの勤務時間、及びＹ３やＹ２との関係も含めた勤務状況を把握し、まずＹ３やＹ２に対し、新人医師に対する教育・指導とはいい難いパワハラの是正を求めるとともに、亡Ａについては、派遣元の○大病院とも連携を取りつつ、ひとまず仕事を完全に休ませる、あるいは大幅な事務負担の軽減措置を取るなどした上、新たに看護師、Ｙ３やＹ２らがそれぞれの個別的裁量で行っていた予約の調整、担当替え等をより効率的かつ広範に行うなどの方法により、亡Ａの業務から生じる疲労や心理的負荷の軽減を図るべきであった。そして、本件疾病の発症が１２月上旬であることに鑑みると、これらが行われていれば、亡Ａの本件疾病及びそれによる本件自殺を防止し得る蓋然性があったものと認められる。

この点、Ｙ１は、診療を行う時間は医師の裁量に任されていること、業務量を左右する患者数や傷病内容のコントロールが不可能又は困難な中で、本件病院は病診連携等のシステムを導入し、可能な限りの医師不足の解消や個々の勤務医の負担軽減を図り、一定の成果を上げるなど、できる限りの対応をしてきたから、適正管理義務違反はないと主張しており、証拠…によれば、Ｙ１が、亡Ａ勤務以前から、勤務医の負担軽減のための施策をとり一定の成果を上げていたこと、及び、医師確保に一定程度努力していたことは認められる。しかしながら、他方で、Ｙ１は、亡Ａの赴任直前の９月の段階においても、適正管理義務を適切に行使するためになすべき医師らの時間外勤務時間の把握自体が不十分であり、また、本件病院においては、亡Ａの前にも、Ｌ、Ｎ及びＰの各医師が半年で本件病院を去っているにもかかわらず、何らの対策もなされた形跡がないこと等を考慮すると、新人医師にとって本件病院での勤務が過酷であることやＹ３及びＹ２のパワハラを認識しながら、何らの対策を講じることなく、新人医師に我慢してもらい、半年持ってくれればよい、持たなければ本人が派遣元の大学病院に転属を自ら申し出るだろうとの認識で放置していたことすらうかがわれる。

よって、Ｙ１には亡Ａの心身の健康に対する安全配慮義務違反が認められる」。

エ　Ｙ１の国賠法１条の責任

「亡Ａの心身の健康に対する安全配慮義務違反については、本件病院の院長及び整形外科部の部長であったＹ３は、Ｙ１に代わって当該医師に対し業務上の指揮監督を行う権限を有する者であったと認められ、上記注意義務の内容に従って、その権限を行使すべきであったのに、これを怠り、またＹ３及びＹ２が職場で亡Ａに対して行ったパワハラは、注意や指導の範疇を超えた違法行為であって（なお、国賠法１条１項にいう『職務を行うについて』との要件については、客観的に職務執行の外形をそなえる行為をいい（最高裁昭和３１年１１月３０日第二小法廷判決・民事判例集１０巻１１号１５０２頁）、Ｙ３及びＹ２のパワハラは外形上職場における上司の注意・指導として行われたもので、これに該当する。）、結果として亡Ａに本件疾病ないしこれに基づく自殺という損害を被らせるものであるから、Ｙ１は国賠法１条に基づく責任も免れないというべきである」。

オ　Ｙ３及びＹ２の責任について

「公権力の行使に当たる公務員が、その職務を行うについて、故意又は過失によって違法に他人に損害を与えた場合には、国又は地方公共団体はその被害者に対して賠償の責を負い、公務員個人はその責を負わないものと解すべきである（最高裁昭和５３年１０月２０日第二小法廷判決・民集３２巻７号１３６７頁）。この点、Ｘらは、公立病院の医師について、民間病院の医師と区別して不法行為の個人責任を負わないとすることは憲法１４条にも違反する旨主張するが、国又は地方公共団体を責任主体とし、かつ全体の奉仕者としての公務員の職務遂行の円滑を図る上で上記国賠法の取扱いには合理的な理由があり、このことは一部事務組合である公立病院においても異ならないというべきである（一部事務組合が解散した場合には、その事務ないしこれに付随する権利義務は母体となった構成地方公共団体に承継されることが予定されているというべきである。）…Ｙ３及びＹ２の亡Ａに対するパワハラはその職務を行うについて行ったものであり、Ｙ１には国賠法１条に基づく責任が認められることから、Ｙ３及びＹ２は個人としての不法行為責任を負わないというべきであり、上記両名に対する不法行為に基づく請求は理由がない」。

（４）過失相殺又は素因減額の適否について

「Ｙ１は、仮にＹらの行為と亡Ａの自殺との因果関係が認められるとしても、亡Ａは赴任からわずか2か月余りで自殺行為に及んでおり、Ｙらがこれを予見することは困難であったこと、亡Ａ自身、医師でありながら、本件疾病について治療やカウンセリングを受けたり、本件病院の関係者に悩みを打ち明けるなどの対応をとっていないこと、母親への過度の依存や精神の脆弱さがうかがえること、亡Ａの自信喪失には亡Ａ自身の能力不足や極めて真面目な性格も影響していること等から、大幅な過失相殺若しくは素因減額がなされるべきである旨主張する」。

「しかしながら、公共団体や企業等に雇用される労働者の性格が多様のものであり、ある業務に従事する特定の労働者の性格が同種の業務に従事する労働者の個性の多様さとして通常想定される範囲を外れるものでない限り、その性格及びこれに基づく業務遂行の態様等が業務の過重負担に起因して当該労働者に生じた損害の発生又は拡大に寄与したとしても、そのような事態は使用者として予想すべきものというべきであるから、労働者の性格が前記の範囲を外れるものでない場合には、業務の負担が過重であることを原因とする損害賠償請求において使用者の賠償すべき額を決定するに当たり、被害者の性格及びこれに基づく業務遂行の態様等を心因的要因としてしんしゃくすることはできないというべきである（最高裁平成１２年３月２４日第二小法廷判決・民集５４巻３号１１５５頁）。

亡Ａは、本件病院への赴任前の大学病院の勤務時には格別問題なく職務に従事しており、整形外科医として大学病院で半年間の臨床経験しかなかった医師として、格別能力が劣っていたとは認められないこと、特に精神的な脆弱を示す精神科への通院や胃潰瘍等といった既往歴もなかったこと、転勤の際に母親が引っ越しの手伝いに来たことは、家族であればごく普通にあり得ることであって、他の証拠を考慮しても、格別亡Ａが母親に過度に依存していたと認めるに足りないこと、亡Ａについては家族等プライベートでも問題があったことはうかがわれないこと、Ｙらは亡Ａの医師としての経験も十分認識した上で迎え入れたものであること等に鑑みると、亡Ａの能力や性格等の心因的要素が通常想定される範囲を外れるものであったとは認められない」。

「また、亡Ａは、本件病院赴任後、本件病院の関係者に悩みを打ち明けたり、前任者のように派遣元の大学病院に対し転属を願い出るといった対応をしていないのであるが、使用者は、必ずしも労働者からの申告がなくても、その健康に関する労働環境等に十分注意を払うべき安全配慮義務を負っており、労働者にとって過重な業務が続く中でその体調の悪化が看取される場合には、体調の異変等について労働者本人からの積極的な申告は期待し難いものであって、このことを踏まえた上で、必要に応じた業務軽減などの労働者の心身の健康への配慮に努める必要があるものというべきであるから（最高裁平成２６年３月２４日第二小法廷判決・集民２４６号８９頁参照）、前任者がそうであったからといって、亡Ａが本件疾病を発症する以前に、責任感から自ら職務を放棄したり、転属を願い出る等しなかったことを捉えて、亡Ａの落ち度ということはできない」。

「さらに、本件病院において、医師の確保が大学病院等の派遣人事により制約されるという現実の中で、医師の負担軽減のために一定程度の努力はしてきたものの、Ｙ３及びＹ２のパワハラについては、従前からその問題点は認識し得たにもかかわらず何らの対策をしていなかったもので、安全配慮義務を尽くしていたとはいい難いし、上記派遣人事等の制約等の問題は被害者側のあずかり知らぬ事項であって、上記医師の負担軽減のための努力をもって亡ＡないしＸらの賠償額を減じるのが公平とはいえない。その他、Ｙ３やＹ２が過重な業務を従事していたことについても、Ｙ１の安全配慮義務違反の認定を補強する事情ではありえても、その責任を減じる事情とはいえないこと、本件疾病の診断については、専門医ですら意見が分かれるなど困難なものであったとしても、安全配慮義務の前提となる予見可能性は、精神疾患の発症まで予見することは不要であって、労働者が心身の健康を損なうおそれがあることを具体的かつ客観的に認識し得えれば足りるものであって、Ｙ３やＹ２が精神科の専門でなかったことは、過失相殺の理由たり得ないというべきである」。

「以上より、Ｙ１の賠償責任につき、過失相殺又は素因減額は認められず、Ｙ１の主張は採用できない」。

（5）損害

死亡慰謝料として２５００万円、死亡逸失利益として１億００９８万７４９１円。

「Ｘ１、Ｘ２はそれぞれ上記…額を２分の１ずつ相続し」ており、Ｘ１は６２９９万３７４５円、Ｘ２は６２９９万３７４５円と算定されるところ、Ｘ１は、遺族補償一時金等給付を受けているところ損益相殺がなされる。

「弁護士費用は、Ｘ１につき２８０万円、Ｘ２につき６３０万円とするのが相当である」。

よって、Ｘらの損害元金合計は、Ｘ１が３０８１万８７４５円、Ｘ２が６９２９万３７４５円となるが、「Ｘらの確定遅延損害金の負担に関する主張は採用できない」。

（6）結論

「以上によれば、Ｘらの請求のうち、Ｙ３及びＹ２に対する請求はいずれも理由がなく棄却すべきであるから、これを一部認容した原判決は相当でなく、またＹ１に対する請求は、Ｘ１については３０８１万８７４５円及びこれに対する平成１９年１２月１０日から支払済みまで年５％の割合による金員支払の限度、Ｘ２については、６９２９万３７４５円及びこれに対する平成１９年１２月１０日から支払済みまで年５％の割合による金員支払の限度で理由があるので一部認容されるべきところ、いずれもこれより少額で請求を一部認容した原判決はその限度で相当でないから、いずれも変更する」。

２４　さいたま市環境局事件・東京高判平 29.10.26 労判 1172 号 26 頁

【事実の概要】

亡Ａは、平成１４年７月１日、Ｙの技能職員として採用され、Ｙ教育委員会に出向を命じられ、Ｍ中学校に業務主事として勤務し、平成２０年４月からは０高等学校に業務主事として勤務した後、平成２２年４月からはＳ小学校の業務主事として勤務していた。なお、Ｘらは亡Ａの両親であり、本件における加害行為者はＢである。

亡Ａは、Ｍ中学校に勤務するようになった直後の平成１４年１０月１２日、不眠、不安及び緊張による諸症状で職務を遂行することが全く困難であると訴え、大宮クリニックの精神神経科を受診し、その結果、心因反応と診断され、緊張型統合失調症も疑われた。その際、亡Ａは、職務ストレスによる緊張・不眠を訴えて、強い長期のストレス障害と診断されたが、服薬継続、職場環境調整、認知療法での職務環境への認知度変化誘導などが試みられ、改善傾向が得られた。しかし、その後、亡Ａは、平成１６年６月３０日、大宮クリニックにおいて、反復性心因性抑うつ精神病との診断を受けた。

平成２２年６月２日、亡Ａは、大宮クリニックのＣ医師により、１か月程度前にうつ病、適応障害を発症し、重症うつ状態レベルであり（ＳＤＳｔｅｓｔ６５／８０）、最低でも９０日間程度自宅療養を要する状態であるため、同月３日から同年９月１日までの間の休職を要する旨の診断を受けた。Ｙにおいては、病気休暇は、主治医の診断があれば原則として所属長が承認する取扱いがされていたが、他方で、連続して取得できるほぼ上限である８９日の病気休暇を取得したにもかかわらず、職場復帰が困難と疑われる場合には、休職処分を発令することもあった。亡Ａは、Ｃ医師作成の上記内容の診断書を添付し、病名を「うつ病、適応障害」とする９０日間のＹ教育委員会宛の「病気休暇願」を提出したが、「期間及び日数」欄の終期の記載を「９月１日」から「８月３１日」に訂正されて、Ｄ（亡ＡがＳ小学校に勤務していた際の学校長）によって休暇が承認された。

Ｙにおいては、病気休職の場合には、任命権者が指定する２名の専門医の診断に基づき、復職命令を発令し、職場復帰させるが、病気休暇の場合には、これとは異なり、主治医による職場復帰が可能である旨の診断書の提出があれば、所属長の判断で、休暇期間満了の翌日から職場に復帰させることとされていた。そのため、亡Ａは、平成２２年８月２０日、Ｃ医師から、「うつ状態等症状群全般の著明な改善傾向（ＳＤＳｔｅｓｔ２８／８０）認め」同月３１日から復職可能との診断を受け、同日付けの診断書を添付し、Ｙ教育委員会宛の「出勤届」を提出し、Ｄは、職場復帰を承認し、亡Ａは、同月３１日から職場に復帰した。

亡Ａは、平成２２年１１月１日基準の「自己申告書」において、「現在の職務」について、「あまり適していない」、「仕事量はやや多い」、「職場環境はやや悪い」、「やや不満足」

などと記載し、環境局への異動を希望した。亡Aは、S小学校に赴任してわずか１年後である平成２３年４月１日付けで、Y環境局施設部西部環境センター（以下「本件センター」）へ異動になり、事務職である管理係の業務主任として、計量を担当し、搬入届の受理、手数料の集計、入金や釣り銭の管理並びに市民等からの電話及び窓口対応業務を行うようになった。管理係の業務主任としては、亡Aのほか、平成１２年以降、本件センターで勤務していたBがおり、亡AとBの席は隣り合っていたが、亡Aは、管理係長のEの指示で、Bの指導を受けることになった。Bについては、本件センターの職場関係者は、自己主張が強く、協調性に乏しい、言葉使いが乱暴で、ミスをした際には強く叱る、本件センターの管理係に長く勤務している立場を利用して、仕事を独占している、上司にも暴言を吐く、専任である計量業務の内容に関し、他者に引き継いだり、教えたりするのを拒否する、亡Aを除く同僚の中には、Bから嫌がらせを受けた者もいる、EもBに遠慮しているところがあったなどという認識及び評価をしており、また、同職場関係者の中には、Bの行動及び発言に苦労させられ、その結果、心療内科に通ったことがある者もいた。Eは、Bに上記のような問題があることを認識していた。なお、Yにおいては、職員個人の病気休職の情報は、任命権者の各人事担当所管課において管理し、配属先の局長又は区長には伝えられるものの、病気休暇に関する情報は、これとは異なり、配属先の局長または区長には伝えていなかった。本件においては、Dは、亡Aの病気休暇の情報について、亡Aの同意を得るなどして、本庁の人事課長らに対し転任先への引継ぎを依頼したり、直接、転任先の上司らに情報を引き継ぐことなどはしなかった。そのため、本件センターの所長のFは、亡Aが前任のS小学校に勤務していた際「うつ病、適応障害」の病名で８９日間の病気休暇を取得していることについて引継ぎを受けておらず、Eも同様に亡Aの上記病気休暇取得の事実を知らなかった。

平成２３年４月初旬から、亡AはBとペアを組み、Bと２人で公用車に乗って、銀行への入金・両替業務を開始した。Bは、亡Aに対しても、指導係として職務について教示をする際、威圧感を感ずるほどの大きな声を出し、厳しい言葉で注意をすることがあった。亡Aは、「Bから暴力を受けていて、痣ができており、それを撮った写真もあること、同月２１日、Bと業務のことでぶつかり、言葉の暴力等のパワハラを受けたこと」を人事委員会に言うつもりでいたが、先にEに相談をしたこと、労働組合の関係者にも話していることなどを、同月２５日、Eに対し、申し入れた。そこで、Eは、亡Aに対し、Bを含めて３人で話し合うことを提案したところ、亡Aはこの提案を拒否した。なお、Eは、同月２７日、Fに対し、亡Aから同月２５日に伝えられた上記内容を報告したが、Fは、特段の指示等をしなかった。

Eは、平成２３年４月２８日、１０分程度、亡AとBと３人で、話合いをし、その際、Eは、Bに対し、亡AからBを指導係から外してほしい旨の要望がある旨を伝えたが、Bは、気分を害し、指導係の変更はしなかった。亡Aは、同月２９日、Eに電話をし、再度話合いの機会を作ってほしいこと、Ｂの時間外勤務について不正があること、パワハラについて病院に行って診断書を書いてもらうこと、Ｂのような職員を放っておくと、係長としての管理責任が問われること、人事委員会に訴えること、すぐに人事委員会に訴えないのは、Ｅの立場を立てているためであることなどを伝えた。これに対し、Ｅは、明確な根拠や証拠があるのであれば、訴えてもよいと伝え、再度の話合いの場を設けることはしなかった。そのため、亡Ａは、同日以降、Ｅに対し、Ｂによる暴力行為や暴言等について報告することはなかった。Ｘ２は、その後、亡Ａから、前記の亡Ａ、Ｅ及びＢとの三者の話合いの内容や上記経過等について聞いていた。

平成２３年４月２９日、亡Ａは大宮西警察署に電話をし、Ｂからパワハラを受けていると話した上、同年５月２日、同署の生活安全課を訪れた。亡Ａは、応対した警察官に対し、Ｂから、今後、どの程度の暴行を受ければ事件として取り扱ってもらえるのかなどと相談したところ、同警察官は、亡Ａに対し、形態を問わず、脅迫、暴行等の違法行為があれば被害届を出すよう回答した。なお、亡Ａは、上記警察官との同日の会話内容を録音していた。Ｅは、同年５月２日、Ｆに対し、亡ＡとＢと３人で同年４月２８日に話合いをしたこと、亡Ａから同月２９日に電話があったことを報告したが、Ｆは、特段の指示等をしなかった。

平成２３年５月頃、亡Ａは既に携帯電話を持っていたにもかかわらず、２台目の携帯電話を購入した。また、亡Ａは、Ｘらと同居していたものの、同月頃、Ｙの市内にあるアパート甲の乙室（以下「甲」）を賃借し、同所に転居し、一人暮らしを始めた。甲は、メゾネットタイプであり、１階のほか２階にも居室があり、Ｂは、亡Ａに対し、「ここは、俺とお前のセックス部屋にするからな」と言っていた。

平成２３年６月頃、亡ＡはＥに対し、銀行への入金・両替業務について、Ｂと２人で行う必要はない旨の申入れをした。亡Ａは、Ｆに宛てた同年７月１１日付けの「入金（その他）の件について」と題する書面を作成し、その中で、Ｂは執務中公務外の私用に時間を費やしているなどとして、入金体制の変更を求めるとともに、Ｂから強烈なパワハラを受け、暴力も受け、警察にも相談した旨の記載をした。管理係においては、同年７月末頃から、Ｂ１人で入金・両替業務を行う体制に変更された。

亡Ａは、勤務時間中に、作業服ベルトに金属の鎖を巻き付けていたり、転職活動の勉強をしたり、業務に関係のないホームページを閲覧したりしていたことなどから、Ｅ及びＦから、その都度、注意を受けていた。また、亡Ａは、平成２３年８月頃、通信販売で高額な商品を購入するようになり（商品の受取りを本件センターに指定していた）、亡Ａが注文した商品が、複数回、本件センターに届けられるなど、躁状態と思える程の一種の興奮状態を示すようになり、Ｅもその状態を認識していた。なお、大宮クリニックのＣ医師は、同月、亡Ａについて、結婚相談所に通うなど積極性も出ており、この間、躁病的エピソードを注視したものの認められなかったとしている。

Ｆは、平成２３年８月１６日、本庁の環境施設課より、Ｊと名乗る市民から、計量担当者の態度が悪いとの苦情の電話が入った旨の連絡を受けたことから、Ｂを含めた計量担当者に事実確認を行った。亡Ａは、Ｅに対し、Ｂは計量のことで事実確認を受けているのかなどと興奮した様子で尋ねた。

平成２３年１０月１２日、亡Ａの精神状態に悪化傾向が認められた。亡Ａは、同月２６日、Ｃ医師に対し、自ら進んで、職場にストレスの元凶となる人物がおり、その人物は、とんでもない男で暴言及び暴力の多い３歳年上の先輩であって、仕事でペアを組まされていると述べた。これを受けて、Ｃ医師は、早めの対応が必要であるとして、服薬の変更を指示した。また、Ｘ２は、亡Ａの元気がない状態を見ており、亡Ａは、「家に帰りたい」と言って、同年１１月５日頃、甲から両親宅に戻って生活するようになったが、Ｘ２に対し、食欲不振や不眠を訴えた。

Ｆは、平成２３年１２月１４日の午前中、亡Ａから体調が思わしくないとの相談を受けた。亡Ａは、Ｆに対し、同年９月頃から精神科に通院し投薬を受けており、不眠状況であり、前の職場においても８９日間の病気休暇を取得したこと、体調が思わしくない原因はストレスであり、Ｂからパワハラを受けたことが原因であることなどを話したため、Ｆは、同日午後、亡Ａが相談のため呼び出していた労働組合の専従者を含めて、３人で話合いをした。そして、Ｆは、休んで療養した方がよいと判断し、亡Ａに対し病院で診断を受けるよう勧めたところ、亡Ａも、これを了承し、時間休を取得して大宮クリニックを受診した。大宮クリニックのＣ医師は、同日における診断の際、亡Ａから、ストレス緊張反応の再現が報告されたため、自殺自傷危機から緊急入院の必要な激越な症状変動などの蓋然性が高く、放置すれば非常に危険な状態になり得ると判断し、休職を指示し、本件診断書を作成し、亡Ａに交付した。本件診断書には、うつ病、睡眠障害及び適応障害により通院加療中であること、約１か箇月の悪化傾向が持続し、不眠を伴う重症うつ状態のレベル（ＳＤＳｔｅｓｔ５７／６０）であること、今後最低でも９０日間程度の加療及び自宅療養が適切であり、同月１５日から平成２４年３月１４日までの９０日間の休職を要することなどが記載されていた。

亡Ａは、平成２３年１２月１５日午前中、Ｆの下を訪れ、本件診断書を提出したが、亡Ａが病気休暇を取るかどうかを巡って悩み始めたことから、Ｆは、亡Ａに対し、休んで療養するよう説得して帰宅させた。しかし、亡Ａは、同日の昼休みに、再度本件センターを訪れ、家にいても何もすることがなく、首を吊って自殺することばかり考えてしまうなどと話をして、本件診断書を取消してほしい、仕事を頑張る旨申し出たが、Ｆは、亡Ａと再度話し合い、休むよう説得して帰宅させた。

亡Ａは、平成２３年１２月１６日の早朝である午前６時３０分頃、本件センターを訪れ、Ｆに対し、本件診断書を取り下げて仕事を続けたいなどと述べたことから、Ｆは、亡Ａに対し、無理に病気休暇を勧めることは適当でないと判断し、勤務することを認めることとした。Ｆは、同日午後、本庁に赴き、総務局人事部人事課長事務取扱Ｋに、経過説明をしたところ、病気休暇願の撤回を認めるかどうかは所属長の判断であると言われた他に特段の指示を受けることはなかった。

亡Ａは、平成２３年１２月１７日、Ｆの携帯電話に電話をかけ、調子が良くないので休ませてほしい、本件診断書はまだ有効なのかと尋ねた。Ｆは、用事の途中であったため、後で折り返し電話をしたところ、亡Ａは、病院に来たが診療時間が過ぎていたため薬だけもらったこと、やはり休まず頑張ることを述べた。

亡Ａは、平成２３年１２月１９日、Ｆに対し、本件診断書を復活して休むにはどうしたらよいかと尋ねたため、Ｆは、医師に対して今回の経過を説明することなどを勧めたが、亡Ａは、休んでも病気は治らないこと、仕事を頑張る旨を述べた。

亡Ａは、平成２３年１２月２０日、Ｆに対し、本件診断書をシュレッダーにかけてほしいと頼んだ上で、仕事を始めた。しかし、同日の午前中には、Ｅに対し、やはり休みたいと言ったものの、これをすぐに取り消し、さらには、同日の午後３時頃には、めまい、吐き気がするので休みたいと述べたものの、話をしていると、仕事を頑張るなどと言った。そこで、Ｆは、亡Ａに対し、今日は時間休をとり、明日も休むよう伝えたところ、亡Ａは、これに納得して帰宅した。

亡Ａは、平成２３年１２月２１日、出勤をし、１人で病院へ行く旨を述べた。そこで、Ｆが、亡Ａに対し、両親と話合いをして理解と協力を得てから病院へ行くように勧め、両親に連絡をとりたい旨を述べると、亡Ａは、当初はこれを拒否する態度を示していたものの、自ら電話をして、Ｘ１を呼び出した。Ｆは、Ｘ１に対し、両親と亡Ａとで、医師による診察を受け、相談してきてほしいと述べ、亡Ａ及びＸ１は、同日、大宮クリニックのＣ医師と面談をした。その後、亡Ａ及びＸ１は、本件センターに立ち寄り、その際、Ｘ１は、Ｆに対し、Ｃ医師から、亡Ａの症状は重症であり、入院を要するから本件診断書を書いたなどの説明があったことを話した。亡Ａは、同月２２日より病気休暇を取得して療養することとなったが、亡Ａは、仕事を辞めさせられるものと受け止めて号泣した。亡Ａ及びＸ１は２人で帰宅した。Ｆは、同日午後７時頃、Ｘ１に対し電話をし、本件診断書には、「平成２３年１２月１５日より平成２４年３月１４日の９０日間休職を要する」と記載されているが、平成２３年１２月１５日から同月２１日までの間、亡Ａが出勤していたため、同月２２日から休暇を要すると訂正した診断書を持参するよう求めた。亡Ａは、これを聞き、「もう嫌だ。」と叫んで、自宅の２階へ駆け上がった。Ｘ１は、しばらくしても亡Ａが戻ってこないことを心配し、２階へ上がると、テラスの縁にベルトを掛けて首を吊っている亡Ａを発見した。亡Ａは、さいたま赤十字病院に救急搬送されたものの、同日午後９時０８分、死亡が確認された。

Ｘ１は、亡Ａの死後、亡Ａの使用しているパソコンに「パワハラ」と題するフォルダがあることを確認した。同フォルダ内には、亡Ａの脇腹の痣の写真、「入金（その他）の件について」と題する書面及び大宮西警察署での亡Ａと警察官のやり取りを録音した記録が入っていた。

Ｙにおいては、職員の健康管理のために、産業医や健康相談員による健康相談、ソーシャルワーカーによるメンタルヘルス相談等の制度を設けていたが、Ｄが、亡Ａが８９日間の病気休暇を取得した後に出勤を承認して職場復帰させた際、またＦが、亡Ａから平成２３年１２月１４日以降、体調不良で病気休暇を取得するかどうかなどの相談を受けた際には、いずれも亡Ａの同意を得るなどして主治医や産業医等に相談することをしていなかった。

Ｘらは、指導係であったＢから暴行を受けるなどのパワーハラスメントを受け続けたため、うつ病を悪化させて自殺したなどとして、Ｙに対し、安全配慮義務違反の債務不履行又は国家賠償法１条１項に基づき、それぞれ４０４７万５６０２円等の支払を求めた。原審（さいたま地判平27.11.18労判1138号30頁）は、亡Ａは、Ｂから脇腹に相当程度の有形力を行使するなどのパワハラを継続的又は断続的に受けていたものと認めた上、亡Ａからパワハラを受けた旨の相談を受けた上司らが、パワハラの有無について確認をせず、亡Ａが求めた話合いの場も設けることをせず、Ｂ又は亡Ａを配置転換するなどして、心理的負担を過度に蓄積させ既往症であるうつ病を増悪させることがないように配慮する義務を怠ったとして、Ｙの国家賠償法１条１項に基づく損害賠償義務を認めたが、他方、うつ病の既往症が亡Ａの自殺に重要な要因となっている上、Ｘらは、亡Ａの精神状態の悪化を認識し又は認識し得たことから、上司や医師と連携して亡Ａを休職させるなどして適切な医療を受けさせるように働き掛けをして自殺を防止する措置を採るべきであったとして、８割の過失相殺をし、Ｘらの本件各請求を、それぞれ６５９万９３３３円等の支払を求める限度で認容した。これに対し、Ｘら及びＹが、それぞれの敗訴部分を不服として、本件各控訴を提起した。なお、Ｘらは、当審において、Ｙに対し、それぞれ３２９９万６６６８円等の支払を請求する限度で請求を減縮した。

【判旨】

（１）Ｂの亡Ａに対するパワハラの存否について

「亡Ａは、〔１〕平成２３年４月２１日から同月２４日にかけて、Ｘ２やＩに対し、Ｂから自動車の中で殴られたとして、脇腹を見せたところ、３か所に痣があり、同日、その痣の状況を撮影したこと、〔２〕同月２５日、Ｅに対し、Ｂから暴力を受けていて、痣ができており、それを撮った写真があり、Ｂと業務のことでぶつかり、言葉の暴力等のパワハラを受けたことなどを訴えたこと、〔３〕同月２９日には、大宮西警察署に電話をし、Ｂからパワハラを受けていると話した上、同年５月２日、同署の生活安全課を訪れ、応対した警察官に対し、Ｂから、今後、どの程度の暴行を受ければ事件として取り扱ってもらえるのかなどと相談したこと、〔４〕Ｆに宛てた同年７月１１日付けの『入金（その他）の件について』と題する書面…を作成し、その中で、Ｂは執務中公務外の私用に時間を費やしているなどとして、入金体制の変更を求めるとともに、Ｂから強烈なパワハラを受け、暴力も受け、警察にも相談した旨の記載をしたこと、〔５〕同年１０月１２日、その精神状態に悪化傾向が認められ、同月２６日、大宮クリニックのＣ医師に対し、自ら進んで、職場にストレスの元凶となる人物がおり、その人物は、とんでもない男で暴言及び暴力の多い３歳年上の先輩であって、仕事でペアを組まされていると述べたこと、〔６〕同年１２月１４日、Ｆに対し、体調不良を訴えた際、その原因はストレスであり、Ｂからパワハラを受けたことが原因であるなどと述べていたことなどが認められる。そして、〔７〕Ｂ自身、亡Ａに対するパワハラを否定する証言ないし陳述をしているものの、公用車で入金・両替業務をしていた際、亡Ａの運転が荒いという理由で、亡Ａの脇腹をつついたり、左手を押さえたりしたことがあったことを自認する証言をしている上、〔８〕本件センターの職場関係者は、Ｂについて、自己主張が強く協調性に乏しい人物であり、上司にも暴言を吐く、専任である計量業務の内容に関し、他者に引き継いだり、教えたりするのを拒否するなどと認識・評価していた上、同職場関係者の中には、Ｂから嫌がらせを受けた者がおり、また、Ｂの行動及び発言に苦労させられ、その結果、心療内科に通ったことがある者もいることなどを併せ考慮すれば、亡Ａは、平成２３年4月２１日頃、Ｂから脇腹に暴行を受けたことは優に認定することができ、同年７月末頃まで、職場における優越性を背景とした暴言等のパワハラを継続的に受けていたものと推認することができる。

Ｙは、Ｂによるパワハラの存在を否定するが、Ｂ自身が亡Ａの脇腹に有形力を行使したことは認めている上、亡Ａのパワハラの訴えはほぼ一貫しており、それを裏付けるパソコンに保存された写真、録音等も存在するのであるから、亡Ａのパワハラの訴えは十分信用に値するものである。Ｙは、平成２３年５月以降は、亡Ａからパワハラの訴えはなかったというが、Ｅが職場内における問題解決を拒否するかのような対応をしたためであって、亡Ａからのパワハラの訴えがなかったからといって、Ｂからのパワハラそのものがなくなったとはいえない。Ｙは、平成２３年５月以降は、亡Ａからパワハラの訴えはなかったというが、Ｅが職場内における問題解決を拒否するかのような対応をしたためであって、亡Ａからのパワハラの訴えがなかったからといって、Ｂからのパワハラそのものがなくなったとはいえない。また、亡Ａの警察官に対する相談内容を見ても、亡Ａ自身がＢの言動はその性格が影響しているが、悪意はないと理解を示していたというが、それによってＢの暴行が正当化されることはない上、亡Ａ自身は一貫してパワハラを訴えているのであるから、パワハラを受けていた旨の上記認定を左右するものではない（なお、Ｂによる暴行は、業務上の適正な指導の範囲に入らないことは明らかである上、暴言等も同様である。Ｙの調査報告書…は、既往症の影響により、亡Ａが他の者に比べて敏感になっていたため、パワハラと感じていたのではないかとの見方を示しているが、上記暴行や暴言等が業務上の適正な指導の範囲には入らないことなどに照らし、採用できない。）。さらに、Ｂの職場における問題性は、地方公務員災害補償基金Ｙ支部の事務専従者が作成したアンケートに対する回答であり、信用性がない旨主張するが、職員のアンケートの結果であり、その記載内容等から複数の職員がＢの問題性を具体的に指摘するものであるから、信用性に欠けるものとはいえない」。

（２）安全配慮義務違反の有無について

「地方公共団体であるＹは、その任用する職員が生命、身体等の安全を確保しつつ業務をすることができるよう、必要な配慮をする義務（安全配慮義務）を負うものである。

そして、労働安全衛生法７０条の２第１項に基づき、同法６９条１項の労働者の健康の保持増進を図るための必要な措置に関して、適切かつ有効な実施を図るための指針として、労働者の心の健康の保持増進のための指針が策定され…心の健康問題により休業した労働者の職場復帰支援を求めていることに鑑みると、上記の安全配慮義務には、精神疾患により休業した職員に対し、その特性を十分理解した上で、病気休業中の配慮、職場復帰の判断、職場復帰の支援、職場復帰後のフォローアップを行う義務が含まれるものと解するのが相当である。

また、安全配慮義務のひとつである職場環境調整義務として、良好な職場環境を保持するため、職場におけるパワハラ、すなわち、職務上の地位や人間関係などの職場内の優位性を背景として、業務の適正な範囲を超えて、精神的、身体的苦痛を与える行為又は職場環境を悪化させる行為を防止する義務を負い、パワハラの訴えがあったときには、その事実関係を調査し、調査の結果に基づき、加害者に対する指導、配置換え等を含む人事管理上の適切な措置を講じるべき義務を負うものというべきである」。

「本件においては、亡Ａは、Ｙに採用された直後の平成１４年に大宮クリニックを受診し、職務ストレスによる長期のストレス障害と診断され、平成１６年には反復性心因性抑うつ精神病と診断された経過があり、Ｓ小学校に転任した直後である平成２２年６月には『うつ病、適応障害』との病名でほぼ上限である連続８９日間の病気休暇を取得しているところ、上記の病気休暇の原因は、業務の負担といった職場の問題にあった可能性も否定できないが、証拠上は明確ではない上、職場復帰した後の亡Ａの状況も定かではない。大宮クリニックによれば、平成２３年１月頃冬季の不調があり、服薬変更によりいったん改善したというものの、どの程度の状況であり、職場においてそれを認識していたかどうかも定かではない。精神疾患によりほぼ上限の８９日間の病気休暇を取得した旨の情報は、職場復帰後のフォローアップという観点からは、Ｄが、亡Ａの同意を得るなどした上、本庁の人事担当者に対し、異動先の上司らに病気休暇等の情報を引き継ぐように求め、あるいは自ら上司らに情報を提供するなどすることが望まれたわけであるが、亡Ａの職場復帰後における状況の詳細が明らかではない本件においては、病気休暇の情報が伝えられず、Ｙの組織内で適切に共有されなかったからといって、直ちに安全配慮義務に反するものということはできないというべきである」。

「次に、亡Ａの上司であったＥは、亡Ａからパワハラの訴えを受けたのであるから、パワハラの有無について事実関係を調査確認し、人事管理上の適切な措置を講じる義務があるにもかかわらず、事実確認をせず、かえって、職場における問題解決を拒否するかのような態度を示し、Ｅから報告を受けたＦも特段の指示をせず、ようやく７月末頃になって、Ｂが１人で入金・両替業務をする体制に変更したものの、それまでパワハラの訴えを放置し適切な対応をとらなかったものである。Ｙは、亡Ａからの訴えは具体的なものではなかったなどと主張するが、亡Ａは、Ｂから暴行を受けた旨を訴え、痣の様子を撮影した写真の話もしている上、Ｅ自身、Ｂの問題性を認識していたのであるから、亡Ａの訴えが根拠を欠くものと受け止めるはずもなく、パワハラの事実確認を怠ったことを正当化することはできない。また、亡Ａは、Ｆ宛の平成２３年７月１１日付けの『入金（その他）の件について』と題する書面…を作成しているところ、これは作成日付が記載されたものである上、Ｘ２は、亡Ａが上記書面をＦに渡した旨供述、陳述し、実際、同月末頃には、Ｂ１人で入金・両替業務をする体制に変更する措置が取られているのであるから、それをＦに交付した可能性も高いが、Ｆはこれを否定している。仮に上記の書面の交付を受け取っていたとすれば当然のこと、受け取っていなかったとしても、Ｆは、Ｅから亡Ａのパワハラの訴えについて報告を受けたにもかかわらず、事実の確認等について指示をせず、放置したことに変わりがない。

このように、Ｙには、亡Ａのパワハラの訴えに適切に対応しなかったのであるから、職場環境調整義務に違反したものというべきである。

Ｙは、ＥやＦは、亡Ａのうつ病による病気休暇の取得の情報を知らなかったというが、亡Ａを問題があるＢと同じ管理係に配置したこと自体が問題ではなく、亡Ａからのパワハラの訴えに適切に対応しなかったことが職場環境を調整する義務を怠ったものと評価されるものである」。

「さらに、Ｆは、亡Ａから、平成２３年１２月１４日には体調不良を訴えられ、翌１５日には、実際自殺念慮までも訴えられ、亡Ａの精神状態が非常に危険な状況にあることを十分認識できたのであるから、直ちに亡Ａの同意をとるなどし、自らあるいは部下に命じるなどして主治医等から意見を求め、産業医等に相談するなど適切に対処をする義務があったにもかかわらず、自己の判断で、勤務の継続をさせ、亡Ａの精神状況を悪化させ、うつ病の症状を増悪させたのであるから、Ｙには、この点においても、安全配慮義務違反があるというべきである」。

（３）Ｙの安全配慮義務違反と亡Ａの自殺との間の相当因果関係の有無について

「亡Ａには、うつ病の既往症があり、異動前の職場において、ほぼ上限である８９日間の病気休暇を取得した経過があったところ、Ｂからパワハラを受け、それを訴えたにもかかわらず、上司らが適切に対応しなかったため、うつ病の症状を悪化させ、体調悪化により病気休暇を余儀なくされ、職を失いかねないことを苦に自殺したものと認められる。

そして、ＥやＦが亡Ａからパワハラの訴えを受けた後に適切な対応をとり、亡Ａの心理的な負担等を軽減する措置をとっていれば、亡Ａのうつ症状がそれほど悪化することもなく、Ｆが亡Ａから自殺念慮を訴えられた直後に主治医や産業医等に相談をして適切な対応をしていれば、亡Ａがそのうつ病を増悪させ、自殺することを防ぐことができた蓋然性が高かったものというべきである。

以上によれば、Ｙの安全配慮義務違反と亡Ａの自殺との間には、相当因果関係があるというべきである」。

「Ｙは、亡Ａの自殺は、亡Ａのうつ病の既往症に原因があるものであって、仮にＹの安全配慮義務違反があるとしても、そのことと亡Ａの自殺との間の相当因果関係はない旨主張する。

確かに、亡Ａの自殺は、亡Ａのうつ病の既往症が影響していることは否定できないが、それが素因として考慮すべきであるとしも、相当因果関係があるかどうかは別問題であって、上記…のとおり、Ｙの安全配慮義務違反と亡Ａの自殺との間には相当因果関係があることを否定することはできないものというべきである。

Ｙは、仮にＢのパワハラがあったとしても、平成２３年４月頃のことであって、亡Ａの自殺はその後約８か月も経過した後のことであり、その間、亡Ａは大宮クリニックの診療録には、５月は絶好調、８月には結婚紹介所に通うなど積極性も見られるとされていたことなどからも、相当因果関係がない旨主張する。

しかしながら、管理係における入金・両替業務の体制が変更されたのは、平成２３年７月末頃のことであって、Ｂによるパワハラはそのころまでは継続していたものと十分推認できる上、亡ＡがＣ医師やＦに体調不良を訴えた際に、その原因をＢによるパワハラである旨述べていたものである。また、一見積極性があると見られる行動があったとしても、うつ病は完治が難しくうつ症状には波があり、かえって躁状態と見る余地もあるから、Ｙの安全配慮義務違反との因果関係を否定することはできない」。

（４）亡Ａ及びＸらが被った損害の内容及び額について

「亡Ａが自殺するに至ったことについて、亡Ａ及び亡Ａの両親であるＸらの精神的苦痛は大きいというべきであるところ、これに対する慰謝料は、合計２０００万円（亡Ａ分１８００万円。Ｘら分各１００万円）が相当である」。

「亡Ａの逸失利益は、３７９９万３３３７円」と算定される。

（５）過失相殺の可否について

「本件においては、Ｙの安全配慮義務違反があるが、亡Ａには、うつ病の既往症があり、平成２２年６月には『うつ病、適応障害』で８９日間の病気休暇を取得したことがあったのであるから、亡Ａが、うつ病の症状を増悪させ、自殺するに至ったことについては、亡Ａの上記のうつ病の既往症による脆弱性が重大な素因となっていることもまた明らかであって、それは、損害の賠償に当たり、衡平の見地から斟酌すべき事情になることは否定できない。

また、平成２３年５月１４日から同年１１月５日まで約６か月甲を賃借して別居していた期間を除き、Ｘらは、その両親として、亡Ａと同居して生活をし、また、Ｘ２が、上記別居期間中も概ね亡Ａと夕食を共にしており、亡Ａがうつ病で通院、服用し、Ｂからパワハラを受け、Ｅ及びＦが、適切な対応をしなかったこと、同年８月頃からの不安定な状況や病状悪化等について認識していたことが認められるから、主治医等と連携をとるなどして、亡Ａのうつ病の症状が悪化しないように配慮する義務があったといえ、これは、損害の賠償に当たり、衡平の見地から斟酌すべき事情になるものというべきである。

以上の各事実を併せ考えれば、亡Ａ及びＸらに生じた損害については、過失相殺又は過失相殺の規定（民法７２２条２項）の類推適用により、亡Ａの素因及びＸらの過失の割合を合計７割としてこれを減ずることが相当というべきである。

Ｘらは、Ｙは、亡Ａの脆弱性を知っていたのであるから、過失相殺あるいは素因減額をするのは相当ではないとか、亡ＡがＥにＢによるパワハラを訴えた後の対応については、亡Ａの既往症の存在とは関係がなく、安全配慮義務違反になるから、上記既往症によって減額すべき事情があるとはいえない旨主張するが、前記のとおり、ＦやＥには、亡Ａの病気休暇取得等の情報は伝達されていなかった上、パワハラを訴えた後における症状の悪化、増悪についても、亡Ａのうつ病の既往症による脆弱性が影響を与えたことは否定できないから、それを衡平な損害の分担を図る見地から考慮するのが相当である」。

（６）Ｙが賠償すべき損害額について

「Ｙは、Ｘらに対し、国家賠償法１条１項に基づき、それぞれ９５９万９０００円及びこれに対する亡Ａが死亡した日である平成２３年１２月２１日から支払済みまで民法所定の年５分の割合による遅延損害金を支払う義務を負う」。

２５　加野青果事件・名古屋高判平 29.11.30 労判 1175 号 26 頁

【事実の概要】

亡Ａは、Ｘ１とＸ２との間の長女であり、平成２１年３月に高等学校を卒業した後、同年４月、正社員として、Ｙ１に入社し、総務部に配置されたが、平成２４年６月２１日午前６時２０分頃、自宅のある建物の１０階から飛び降りて自殺した。

Ｙ１は、名古屋市中央卸売市場において卸売業者又は仲卸業者から青果物を買受け、これをスーパーマーケット、八百屋等の小売業者へ販売する仲卸業を目的とする株式会社であり、平成２４年６月１日当時のアルバイトを含めた従業員数は、約６０名であった。

Ｙ１の総務部所属の女性従業員の中には、本社ビルの３階（総務部のある階）で主に経理事務（売掛金、買掛金等の経理に関する事務）を担当する者と、その２階（営業本部のある階）で営業事務（営業担当者が買い付けた商品に関する売上伝票の入力その他の作業）を担当する者がいる。また、Ｙ１の本社ビルの３階には、経理事務担当者等の机が配置された部屋（以下「経理室」）及び電算機器等が設置された部屋（以下「ＥＤＰ室」）が存在する。Ｙ１において、本社ビルの２階及び３階で勤務する女性従業員の人事配置を決定していたのはＢであり、Ｂは、同人の父がＹ１の代表取締役を務めていたことなどから、平成１３年にＹ１の監査役に就任し、平成２３年１月１５日以降は、Ｙ１の取締役の地位にある。

Ｙ２は、大学卒業後の平成８年４月にＹ１に入社し、これ以降、営業事務等を順次担当していたところ、Ｙ１の指示により、女性従業員が担当する２階の営業事務と３階の経理事務の全てを把握することになり、現にそれが可能な能力と経験を有していたが、平成２５年２月、Ｙ１を退社した。

Ｙ３は、大学卒業後の平成１３年４月にＹ１に入社し、これ以降、出産休暇期間中（平成２１年９月から平成２２年４月中旬まで）を除き、経理事務を担当し、Ｙ１から、Ｙ１本社ビルの３階の女性従業員（経理事務担当者等）の指導を全般的に任されていた。

亡Ａは、平成２１年４月から、入社当初の１、２か月間、ＥＤＰ室で勤務して、Ｙ３から指導を受け、その後、経理室に席を移し経理事務（果物の買掛金関係）に従事した。また、亡Ａは、平成２４年４月以降、２階で果物の営業事務に従事した（以下「本件配置転換」）。本件配置転換は、Ｃの同年３月末での退職に伴うものであり、亡Ａは、当該退職までの１か月間、引継ぎを受けた。亡Ａが担当していた経理事務の業務は、Ｙ３が引き継いだ。また、Ｙ２は、平成２４年４月以降、亡Ａの指導担当者として、亡Ａを直接指導するようになり、同月当初には、２階の事務室内の亡Ａの席の近くに自分の席を置いて亡Ａの指導に当たっていたが、同月中旬頃には、３階のＥＤＰ室内に席を移した。

（１）平成２１年４月から平成２４年２月頃の間における亡Ａの勤務状況等

亡Ａが平成２１年４月以降に担当した業務の内容（果物の買掛金関係）は、果実の仕入れに関する請求伝票の発行、支払、記帳、パソコンへの入力作業、備品の管理、文具発注等であった（以下「本件配置転換前業務」）。本件配置転換前業務については、高等学校卒業直後にＹ１へ入社した新入社員がこれを担当することが比較的多かった。亡Ａは、同年５月頃まで、Ｙ３が席を置くＥＤＰ室で業務を行ったが、その後、経理室へ移った。Ｙ３は、亡Ａの入社当初、亡Ａを食事に誘うなど、亡Ａと良好な関係にあり、少なくとも同年７月頃までは、亡Ａに対し、厳しい口調で発言することはなかった。なお、亡Ａと同期入社の者の中には、入社後、Ｙ３から、仕事が遅くミスも多いなどと怒鳴られ、頭痛や過呼吸の症状が生ずるようになり、同年夏頃までにＹ１を退職した者がいた。

Ｙ３は、亡Ａの入社当初、亡Ａが仕事上のミスをした際には、どこで、どうしてミスが生じたのかを亡Ａとともに考えるようにし、それでもミスが続く場合には、入力すべき内容が書かれた紙に定規を当てながら入力したり、入力内容を２回確認するなどして入力ミスを防ぐよう指導し、また、「チェックは集中してやる」、「入力ミスはないように」等と記載した付箋をパソコンや電卓等に貼るよう指導していた。亡Ａは、これに従い、電卓に上記付箋を貼るなどしていた。

亡Ａは、経理事務を担当した際に、多くの入力ミス（支払日等の入力の誤り）をしていたものの、同じく経理事務を担当していた者のミスの方がより目立っていたことから、Ｙ３の叱責は、主にそちらに向けられていた。しかし、その者が平成２３年９月にＹ１の子会社に出向した後は、Ｙ３は、亡Ａに対し、強い口調で叱責するようになり、特に亡Ａが同じミスを繰り返した際には、「てめえ」と呼びかけたことがあるほか、大声で「あんた、同じミスばかりして。」などと男っぽい口調で叱りつけていた。

亡Ａは、平成２３年１０月２３日から同月２６日までの間、中国への社員旅行に参加したが、帰国後、体調を崩し、同月２８日及び同月２９日、Ｙ１を欠勤した。

Ｘ２は、上記両日、Ｙ１に対し、亡Ａの欠勤に係る電話連絡をした際、Ｂらに対し、Ｙ１では、なぜ、いじめによる退職者が何人もいるのかなどと言って、亡Ａに対するいじめについて申告した。これに対し、Ｂは、Ｘ２に対し、Ｂが亡Ａを「ちゃんと見ている」などと述べた。

Ｂは、上記電話の内容等から、亡Ａが仕事上のミスの件でＹ３から注意を受けることにより非常に傷ついてしまっているのではないかと慮り、Ｙ３に対し、亡Ａのミスが減らないのはＹ３が亡Ａに対して注意する際に徐々にきつい口調になることも原因ではないかなどと指摘し、亡Ａに対して注意をする際にはもう少し優しい口調で行うよう促した。もっとも、Ｙ３は、その後も亡Ａの仕事上のミスが減らなかったため、亡Ａに対し、「親に出てきてもらうくらいなら、社会人としての自覚を持って自分自身もミスのないようにしっかりしてほしい」旨の発言をした。また、Ｂは、Ｙ３に対し、その後、亡Ａに対する注意の仕方をどのように変更したかについて、確認していない。

（２）本件配置転換に関する事情

Ｂは、平成２４年１月頃、Ｃが同年３月末でＹ１の仕事を辞める意向であることを受け、Ｙ２及びＹ３の意見を聞いた上で、亡ＡをＣの後任とすること（本件配置転換）を計画し、亡Ａに対し、同年２月中旬頃、本件配置転換を打診したところ、亡Ａから明確な拒絶の意思を受けなかったので、本件配置転換の実施を決意した。そして、Ｙ２は、Ｃに対し、Ｂの指示に基づき、同年３月の１か月間で、本件配置転換後業務を亡Ａに引き継ぐよう伝えた。

Ｙ３は、本件配置転換に伴い、本件配置転換前業務を亡Ａから引き継ぐことになった。Ｙ３は、同業務については、Ｙ１における業務経験を通じて、業務の流れの概要を把握していた程度にすぎなかったため、亡Ａに対し、同年２月中旬頃以降、同業務のマニュアルを作成するよう指示し、亡Ａから約１週間、同業務の引継ぎを受けた。上記指示に対し、亡Ａは、Ｙ３に対し、同マニュアルを業務時間外に自宅で作成する旨述べて、業務時間内にその作成時間を確保することが難しい旨をほのめかした。また、その頃、Ｙ３は、亡Ａから亡Ａの前任者から引き継いだマニュアルをそのまま提出されたため、「自分の言葉で書いたマニュアルを作成し直して」などと言って作り直しを指示した。

亡Ａは、同年３月１日から同月３１日までの間、Ｃから本件配置転換後業務の引継ぎを受けた。亡Ａは、同月１日から約１週間、Ｃから同業務の流れの説明を受けた後、実際に同業務を行い始めたが、その間、Ｃの説明内容を書き留めて、パソコン画面を印刷したものを貼り付けたノートを作成するなどしながら引継ぎを受けていた。しかし、Ｃは、Ｙ１の仕事を辞める時点においても、亡Ａが、Ｙ２の補助を受けることなく本件配置転換後業務を遂行することは困難であると感じたため、Ｃの最終勤務日である同月３１日、Ｙ２に対し、亡Ａがまだ本件配置転換後業務を遂行できる状態にないため、Ｙ２において亡Ａの手助けをするよう依頼した。また、Ｙ２は、同月末、Ｂから、同年４月以降、亡Ａの指導を担当するよう指示され、その際、本件配置転換実施の時点では引継ぎが十分でなかったとして、亡Ａを支援することも指示された。

亡Ａは、平成２４年３月中も、Ｙ３が欠勤又は早退した日や本件配置転換後業務を終えた後に、本件配置転換前業務に従事することもあった。また、亡Ａは、同月３１日、Ｙ３から、亡Ａの仕事にミスがあったとして内線電話で怒鳴られて泣いてしまい、Ｃがその場面を目撃したが、当該ミスは、実際には、営業担当者のミスであった。

（３）平成２４年４月以降の亡Ａの勤務状況

Ｃが仕事を辞めた直後の平成２４年４月頃、Ｄスーパーに納品する商品の配送システム等の変更に伴い、Ｄスーパーに係る本件入力業務の時間帯が変更になった。すなわち、同年３月までは、各店舗へ納品する商品の積込み用の伝票が当日午前中に到着し、これを注文票と比較して変更がないか確認した上で、午後０時３０分までに最終的な伝票を作成するために入力作業を終えなければならなかったところ、各店舗へ納品する商品を前日の夜中に納品することになったため、前日の午後４時３０分頃に同商品に係る注文データの送付を受け、更に営業担当者に確認を取り、同日夕方に最終的な伝票を作成するための入力作業を行って、同日中に入力内容を確定させることになった。この変更に伴って、締切時間の午後０時３０分までに伝票作成を終える必要はなくなったものの、逆に、営業担当者への確認完了までに時間がかかる等の理由から、夕方の残業が増えることになった。

Ｙ２は、平成２４年４月１日以降、亡Ａと同じ２階に席を置いて、亡Ａを指導することになった。もっとも、Ｙ２自身も、出社後、Ｙ１にファクシミリ送信された書面を持って市場へ行き、営業担当者から商品の単価や産地を聴取する業務を行い、午前１０時頃、Ｙ１の本社に戻り、その後、午前中に営業担当者の入力作業の補助を行い、午後にポップ広告の作成を行う必要があった。そして、Ｙ２は、同日時点において、亡Ａが既に本件配置転換後業務の内容を理解できているものと判断し、かつ、Ｄスーパーのシステム変更により午前中の業務の切迫感が軽減したことなどから、亡Ａに対し、常に付き添って指導するまでの必要はなく、亡Ａの業務の進捗状況を確認したり、亡Ａに対し、不明な点があれば内線で質問するよう指示したりすれば足りるものと考え、その旨の指示をしたが、亡Ａからの質問はほとんどなかった。また、Ｙ２は、同月中旬頃、２階の事務室内に自分の席を確保できなくなったことや、上司から、あまり長く横の席にいると亡Ａが成長しない旨告げられたことから、席を３階のＥＤＰ室へ移すことになった。

亡Ａは、他の従業員と比較しても数字や日付の入力ミスが多かったが、同月下旬以降、数字や日付の誤入力が徐々に増えていった。Ｄスーパーに係る入力作業については、システム上、入力内容の確定後に入力内容を修正することができないため、誤入力をして、それが入力内容の確定後に発覚すると、その修正のため、手書きで伝票を作成しなければならず、当該誤入力を修正するために業務量が増えるという悪循環に陥ることになる。Ｙ２は、亡Ａに対し、業務の状況につき、「大丈夫か」などと尋ねることはあったが、亡Ａから「大丈夫」等の返事があり、また、本件入力業務の補助を依頼されることもなかったため、ＥＤＰ室のパソコンを用いて亡Ａの入力作業の一部を代わりに行うことができることは知っていたが、これを行うことはせず、同月末又は同年５月初めの数日間、亡Ａの入力内容を同パソコンの画面で確認する程度の補助をするにとどめた。Ｙ２は、Ｚ１８らの営業担当者から、亡Ａの業務量が多いため担当者を替えた方がよいのではないかと言われたことがあったが、亡Ａの業務量について配慮を行わなかったし、Ｂに対し、亡Ａのミスが少し多いという報告をした以外には、亡Ａの業務状況について相談することもしなかった。なお、亡Ａは、他の営業事務担当者から補助の申出を受けた際にも、申出を断っていた。

Ｙ２は、亡Ａの指導担当者として、亡Ａの席付近やＥＤＰ室において、亡Ａの業務に関する事実関係の確認や亡Ａのミスに関する注意を行っていた。Ｙ２は、亡Ａがミスをすることが多かったことから、事実確認や注意のために亡ＡをＥＤＰ室に呼び出すことも多く（なお、Ｄスーパーに関するミスの場合には、Ｄスーパーの売掛管理の総務担当者であったＹ３の在席時を選んでいた）、その際には、亡Ａに対し、（Ｙ３在席時には同人とともに）「何度言ったらわかるの」などと強い口調で注意・叱責をするなどしており、同じ注意・叱責を何回も繰り返し、相応に長い時間にわたることもあった（なお、本控訴審判決は、事実認定にあたり、「Ｙ２は、原審において、亡Ａを呼び出した頻度について週１回くらいで、時間は１０分くらいであった旨供述し、Ｙ３は、原審において、亡Ａを呼び出した頻度について１週間に１回もない、時間はそれほどではない、Ｙ２が同席しているときに自分が注意したことはない旨供述する。しかし、営業職だったＥは、本来であれば５分で済むようなことなのに１時間近く同じことを何回も繰り返していたと述べている…こと、Ｆは、原審において、亡Ａは毎日のようにＥＤＰ室に呼ばれていた、ＥＤＰ室にいる時間は、長い時は２０～３０分、普通で１０～１５分と述べていること、２階で勤務していたＧも結構な頻度でＹ２とＹ３に怒られていた、亡Ａのように毎日怒られている人は見たことがないと述べている…こと、Ｈは、本件配置転換前、Ｙ３が亡Ａに対しかなり強い威圧的口調で何でこうなったのか等と何回も何回も繰り返していた、亡ＡはＥＤＰ室でＹ２とＹ３からよく注意されていたと述べている…ことからすると、上記のとおり認定するのが相当」としている）。Ｙ２は、亡Ａが分からないことをＹ２に尋ねずに自分の判断で行ってしまうことがあったので、分からないことがあれば質問するよう指導していた。また、Ｙ２は、亡Ａに対し、受けた注意の内容を付箋に書き留めてパソコンに貼り付けるなどするよう指導したところ、亡Ａは、これを実践していたが、Ｙ２から注意されると、黙り込んでしまうこともあった。

Ｙ１では、夜勤担当者が午後７時から午前０時まで勤務しており、Ｙ２は、本件入力業務を行うことのできる夜勤担当者がいない日に本件入力業務に漏れがあった場合や伝票が発行されていない場合等に、夜勤担当者から連絡を受け、Ｙ１本社へ向かい、必要な業務を行うことがあったが、その際、Ｙ２のみで対処できない場合には、営業事務の担当者に確認を行うことがあった。

Ｙ２は、亡Ａに対し、本件配置転換以降、〔１〕平成２４年４月２３日午後１０時５９分、〔２〕同月２８日午後８時４３分、午後８時４８分及び午後８時５１分、〔３〕同年５月２日午後９時２１分並びに〔４〕同年６月２０日午後１０時３８分、夜勤担当者からの連絡に対応するため、亡Ａの携帯電話に架電した。亡Ａは、〔１〕、〔２〕及び〔３〕の架電に気付かなかったため、Ｙ２に対し、〔１〕につき、同年４月２３日午後１１時に、〔２〕につき、同年２８日午後９時１９分及び午後９時２６分に、〔３〕につき、同年５月２日午後９時２１分に、電話をかけ直した。Ｙ２は、亡Ａに対し、上記〔２〕の際、Ｙ２に代わって、Ｙ１の本社に赴いて、必要な業務を行うよう指示した（出社指示）。そこで、亡Ａは、当該指示に従って、Ｘ２の運転する自動車に同乗してＹ１の本社まで赴き、同所において、必要な業務を行った。

Ｙ３は、本件配置転換後、亡Ａの本件配置転換後業務と関係する業務として、〔１〕亡Ａが行ったＤスーパーに係る本件入力業務の確認（午後０時３０分から午後１時の間）及び〔２〕亡Ａが午前９時３０分頃にＥＤＰ室に持参した仕入確定表（Ｄスーパーから送付されたもの）のデータとＹ１のデータとを照合する業務を担当していた。

Ｙ３は、Ｄスーパーの業務に関する亡Ａのミスについて、ＥＤＰ室において、Ｙ２とともに注意・叱責をしていたほか、〔１〕の業務の際、亡Ａのミスが疑われる点を発見すると、亡Ａに内線電話をかけるか、２階の事務室にいる亡Ａを３階のＥＤＰ室まで呼びつけて、ミスの有無を確認し、その後、亡Ａのミスの存在が判明した場合には、亡ＡがＥＤＰ室内にいればその場で、いなければ亡ＡをＥＤＰ室まで呼びつけて叱責した。また、Ｙ３は、〔２〕の業務に関し、亡Ａの席付近又はＥＤＰ室において、亡Ａの業務内容について注意し、又は叱責した。Ｙ３の上記〔１〕及び〔２〕の注意ないし叱責は、強い口調で行われた。

亡Ａは、平成２４年６月２０日、公休日であったため、Ｘ２と一緒に外出し、今後１０年間就業することを前提に、簡易保険の手続を行うなどして過ごし。

Ｙ２は、同日夜、夜勤担当者より、営業担当者が同月２１日にＤスーパーへ納品する準備をしていた商品について、同日分の納品書に記載がないため確認を求める旨の電話連絡を受けた。そこで、Ｙ２は、同月２０日午後１０時３８分、亡Ａの携帯電話宛に電話をかけ、亡Ａに対し、同商品の納品日に係る入力内容を確認したところ、同月２２日を納品日として入力した旨の返答を受けた。Ｙ２は、同商品の納品日に関する営業担当者と亡Ａの認識が異なっていたことから、夜勤担当者に対し、亡Ａの入力の元資料となる発注票又はＤスーパーからメールで送付されてくる発注内容を確認するよう伝えたが、夜勤担当者は、それらを見つけることができなかった。その後、Ｙ２は、夜勤担当者から、「営業担当者に同人が保管する上記メールの写しの確認を依頼したところ、納品日は同月２１日であることが判明した」との連絡を受けたため、夜勤担当者に対し、納品日の入力内容の修正を依頼した。以上の経緯により、当該納品日の正しい日付が判明し、問題が解決した。そして、Ｙ２は、同月２０日午後１１時４９分、亡Ａより上記問題の顛末を尋ねる電話を受けたため、亡Ａに対し、夜勤担当者との上記やりとりの内容を伝え、今後は発注票を社内の決まりのとおりに机の上に置くとともに、正しい日付の確認を怠らないよう指導するなどした後、電話を切った。当該通話の時間は、４分３５秒間であった。

亡Ａは、同月２１日の朝、普段より早く出勤する予定でいたところ、Ｘ１及びＸ２に気付かれることなく自宅を出て、午前６時２０分頃、自宅のある建物の１０階から飛び降りて自殺した。

（４）亡Ａの心身の状況等

亡Ａは、平成２４年３月頃には、朝起きて身支度をしていても出勤時まで横になっており、お弁当もおにぎり程度でいいというふうに食欲もなくなってきた。また、亡Ａは、同年４月頃には、出勤するまでずっと寝ているという状態が続き、髪の毛を梳かさずに出てみたり、暖かくなっているのにブーツを履いて出かけることがあった。

亡Ａには、精神障害に関連する疾病での受診歴はなく、平成２２年４月、平成２３年４月及び平成２４年４月に受検した健康診断においても、特に異常はなかった。亡Ａは、Ｙ１においても目立った欠勤はなかった。

自殺に際し、遺書は残されていなかった。

亡Ａは、ツイッターへの投稿を継続的に行っていたところ、平成２２年１１月２５日以降、その投稿内容の大部分は、アニメ、ゲーム等の趣味に関するものであるが、〔１〕平成２３年８月２日には「転職してぇ」「疲れた。眠い。こんだけ必死に仕事して固定残業とかマジでないわ…っていうかせめて７月の残業代は倍くれてもいいんじゃないの？」等の、〔２〕同年９月２８日には「ガチで新しい職場探したいがなかなか…バイトだと親が反対するからなー」等の、〔３〕同年１０月２８日には「女性がタバコ吸うと何か悪いの？お酒飲むと何か悪いの？」等の、〔４〕同年１１月２１日には「忙しいなんてレベルじゃないぞこれ。死ぬ。死んでまう。時間足りない」との、〔５〕平成２４年３月１日には、本件配置転換に関し、「新しい仕事で目が回る。暫くはノート見続けんとなあ…しかし走り書きに近いノートだから汚い見にくい」との、〔６〕同年５月２４日には「マジで辞めんぞこの会社」「えｗｗｗ勤務手当ついてないｗむしろつくとか初耳なんだがｗｗあれ私、損してるっていうかつけるの忘れられてる？ｗｗｗ」との、〔７〕同年６月１９日には「仕事大量に残ってるから朝早くでてこなかん。最悪」との各投稿をして、Ｙ１における業務の多忙さや時間外手当が固定額であること等に対する不満を述べていた。また、〔８〕亡Ａは、同月１０日には「今回は絶望的ですかね。もう会えないかもですね。昔みたいな衝撃はないけど、散々振り回された結果がこれだと虚しすぎていっそ笑えてくる」等の、〔９〕同年２月２３日には「現状が辛すぎてなんかもう消えたい。早くなんとかしないと多分飲み会で号泣する。それは避けたい」等の各投稿をした。

（５）労災保険給付

Ｘ２は、α労働基準監督署長に対し、平成２５年６月２０日、亡Ａの死亡は業務に起因するものであると主張して、労働者災害補償保険法に基づく遺族補償一時金、遺族特別支給金、遺族特別一時金及び葬祭料の請求を行ったところ、同署長は、同年１２月１８日、亡Ａの死亡に業務起因性が認められるものと判断して、Ｘ２に対し、遺族補償一時金６９３万８０００円、遺族特別支給金３００万円、遺族特別一時金６０万３０００円及び葬祭料５２万３１４０円を給付する旨の決定をし、その頃、上記金額を支払った。

Ｘらは、〔１〕Ｙ１の先輩従業員として、亡Ａに対し指導を行うべき立場にあったＹ２及びＹ３は、亡Ａに対し、長期間にわたり、いじめ・パワーハラスメントを繰り返し行った、〔２〕Ｙ１は、上記〔１〕の事態を放置した上、十分な引継ぎをすることなく亡Ａの配置転換を実施して、亡Ａに過重な業務を担当させた、〔３〕上記〔１〕、〔２〕の結果、亡Ａは、強い心理的負荷を受けてうつ状態に陥り、自殺するに至ったなどと主張して、Ｙ２及びＹ３に対しては、民法７０９条に基づき、Ｙ１に対しては、債務不履行（安全配慮義務違反）、民法７０９条及び同法７１５条（選択的併合と解される）に基づき、損害賠償金（Ｘ１において３６４１万３９１４円、Ｘ２において２８２０万７６６０円）等の連帯支払を求めた。原審（名古屋地判平 29.1.27 労判 1175 号 46 頁）は、亡Ａが被った精神的苦痛に対する慰謝料額は計１５０万円、弁護士費用は計１５万円が相当であるなどとして、その限度でＸらの請求を認容した。そこで、Ｘらが控訴するとともに、Ｙらが附帯控訴した。

【判旨】

（1）Ｙ３の行為の不法行為該当性の有無について

「Ｙ３は、〔１〕平成２３年秋以降、亡Ａに対し、『てめえ。』『あんた、同じミスばかりして。』などと厳しい口調で叱責し」、「〔２〕Ｘ２からＹ１に対して亡Ａのことで相談の電話があった後も亡Ａのミスがなくならなかったことから、亡Ａに対し、『親に出てきてもらうくらいなら、社会人としての自覚を持って自分自身もミスのないようにしっかりしてほしい。』と述べ、〔３〕本件配置転換後、亡Ａに対し、ＥＤＰ室において、Ｙ２とともに叱責していたほか、自身でも別途亡Ａを呼び出して叱責していたものである。

そこで、上記〔１〕ないし〔３〕の各行為（以下『本件叱責行為』と総称）が不法行為に該当するか否かにつき判断するに、Ｙ３は、亡Ａより８年先にＹ１へ入社した先輩職員であり…しかも、経理事務を担当する女性従業員の指導をＹ１から全般的に任されていたところ…入社直後の亡Ａに対し、経理事務の業務内容を指導し…本件配置転換後、Ｄスーパーに対する売掛金に係る経理事務を担当した際、亡ＡのＤスーパーに係る入力内容を確認していた…というのであるから、これらの事情によれば、Ｙ３は、亡Ａに対し、業務上の指導を行う立場にあったことが認められる。

ところが、Ｙ３は…亡Ａと一緒に経理事務を担当していた平成２３年秋頃から平成２４年2月（本件配置転換に係る引継期間の前）までの間、亡Ａが誤入力等の不注意によるミスを何度も繰り返したことから、その都度、大声を出して、強い口調で厳しく叱責し、本件配置転換後の同年４月以降においても、ＥＤＰ室内のＹ３の席まで亡Ａを呼び出すなどして、営業事務における亡Ａの仕事上のミスについて、引き続き頻回に叱責し、亡Ａは…Ｙ３の指導に従い、『チェックは集中してやる』等と記載した付箋を電卓に貼るなどしていたにもかかわらず、仕事上のミスが減ることはなかったというのである。その原因については、亡Ａ自身の注意不足のみならず、Ｂが心配したとおり…Ｙ３が感情的に亡Ａに対する叱責を繰り返したことにより亡Ａの心理的負荷が蓄積されたことも相当程度影響しているものとみるのが相当である（なお、本件全証拠によっても、亡Ａがツイッター等に熱中して慢性的に睡眠不足に陥っていたと認めることはできない。）。

また、Ｙ３は…平成２３年１０月頃、Ｂから、亡Ａのミスが減らないのはＹ３が亡Ａに対して注意する際に徐々にきつい口調になることも原因ではないかと指摘されるとともに、亡Ａに対して注意をする際にはもう少し優しい口調で行うよう注意を受けたことがあり」、しかも、週４日午後勤務出勤しＥＤＰ室で勤務していた者からも「Ｙ３の亡Ａに対する注意がパワーハラスメントに該当するおそれがある旨の指摘を受けたこともあるというのである。そうすると、Ｙ３は、亡Ａに対して強い口調で注意することが亡Ａに対し威圧感や恐怖心を与えることはあっても、必ずしもミスの防止に繋がらないことや、社会問題化しているパワーハラスメントに該当する可能性があることを認識していたものと認められる。

ところが、Ｙ３は…繰り返し注意をしても亡Ａのミスが減らないことに怒りを覚えて一層感情的に亡Ａを叱責するようになり、また…Ｘ２がＢに対し、Ｙ３の言動について注意するよう申入れたことについても好ましく思っていなかったというのである。

以上のとおりのＹ３の亡Ａに対する叱責の態様及び叱責の際のＹ３の心理状態に加え、亡Ａが高等学校卒業直後の平成２１年４月にＹ１へ入社したこと…及び平成２４年４月以降、亡Ａが同月に引き継いで間もない新しい業務に従事していたこと…に鑑みると、平成２３年秋頃以降、Ｙ３が亡Ａに対して、継続的かつ頻回に、叱責等を行ったことは、亡Ａに対し、一方的に威圧感や恐怖心を与えるものであったといえるから、社会通念上許容される業務上の指導の範囲を超えて、亡Ａに精神的苦痛を与えるものであると認められる。以上により、Ｙ３の本件叱責行為は、不法行為に該当する」。

「これに対し、Ｙ３は、Ｙ３の亡Ａに対する指導は亡Ａの仕事上のミスの頻発に起因するものであり、人格的非難を伴うものや亡Ａの属人性を理由とするものではないから、正当な指導の範囲内であり、不法行為を構成するものではない旨主張する。

しかし…叱責（指導）の態様、頻度及び継続性に照らせば、Ｙ３の本件叱責行為は、業務上の適正な指導の範囲を超えるものであるというほかなく、たとえ、それが亡Ａの仕事上のミスの頻発に起因したとしても、Ｙ３の不法行為責任を否定することはできない。

Ｙ１及びＹ３は、当審において、Ｙ３が強い口調で叱責したことはない、Ｙ３の注意・

指導は違法性を帯びるようなものではないなどとして、縷々主張する。しかし…証拠によれば、Ｙ３が亡Ａに対し強い口調で注意・叱責し、これは亡Ａに威圧感や恐怖心を与えるものであったと認定できるのであり、かかる行為が社会通念上許容される業務上の指導の範囲を超えるものと認められることも明らかである」。

「ところで…Ｘらは、Ｙ３がマニュアルを見ることはなかったから、マニュアル作成は必要のない業務指示であり、パワーハラスメントとして行われた旨主張するが、マニュアル作成がそもそも業務上の必要性を欠くものであったということはできず、Ｙ３がマニュアルを見ることがなかったことから、パワーハラスメント目的で行われたと断ずることもできないから、採用することができない」。

（２）Ｙ２の行為の不法行為該当性の有無について

ア　Ｙ２の亡Ａに対する深夜の架電及び出社指示について

「Ｙ２は、〔１〕平成２４年４月２３日午後１０時５９分、〔２〕同月２８日午後８時４３分、午後８時４８分及び午後８時５１分、〔３〕同年５月２日午後９時２１分並びに〔４〕同年６月２０日午後１０時３８分、夜勤担当者からの連絡に対応するため、亡Ａの携帯電話に架電し、そのうち上記〔２〕の架電の際、亡Ａに対し、出社指示を行った」。

「Ｘらは、上記各架電が業務上明らかに不要なことの強制等である旨主張する。しかし、Ｙ１には夜勤担当者がいるものの、Ｙ２は、夜勤担当者から、夜遅くに、システムエラー等の問い合わせを受け、自ら電話で対応したり、Ｙ１の本社に戻って伝票を入力し直したりし、必要な場合には営業事務担当者に電話等で確認していたこと…等に照らせば、『上記各架電は、夜勤担当者からの問い合わせに回答するため、営業事務担当者であった亡Ａに対して事実確認等をする目的で行われたものであり、また、出社指示は、Ｙ２が出社できない等の状況の下で、入力担当者である亡Ａに代わりに出社するよう依頼したものである。』旨のＹ２の本人尋問における供述…は信用できる。したがって、Ｙ２…電話連絡や出社指示は、業務上の必要性によるものであったといえるから、Ｘらの上記主張は採用できない」。

「また、Ｘらは、上記各架電の際、亡ＡがＹ２から出社指示を受け、Ｙ１において３０分程度のデータ入力作業を強いられており、これは過大な要求である旨主張するが…各架電が業務上の必要性から行われたものであることに加え、各架電の回数等も考え併せると、Ｙ２の亡Ａに対する出社指示が社会的相当性を欠くものとはいえないし、亡Ａに対し、精神的又は身体的苦痛を与える程度に過大な要求であるとまでは評価できないから、Ｘらの上記主張は採用できない」。

「加えて、Ｘらは、上記各架電及びその際の各出社指示が、Ｙ２の独断である旨主張するが、Ｙ１の取締役であるＢは、Ｙ２が夜勤担当者からの問い合わせを処理していたこと自体については認識していたものと認められるところ…当該処理のために必要な措置（当該伝票に係る事務担当者からの事情聴取その他）の選択についてもＹ２に委ねていたものと考えられるから、Ｘらの上記主張は採用できない」。

「以上により、Ｙ２の亡Ａに対する深夜の架電及び出社指示は、業務として適正な範囲を超えるものではなく、亡Ａに対し精神的又は身体的苦痛を与える行為とまでは評価できないから、不法行為に該当しない」。

イ　本件配置転換後の指導等について

「Ｙ２は、女性従業員の担当事務の全般を把握することのできる能力と経験を有していたところ…Ｙ１の取締役であるＢから、平成２４年４月以降の亡Ａの指導を委ねられ、その際、本件配置転換実施の時点では引継ぎが十分でなかったとして、亡Ａを支援するよう指示されたことが認められる。

そして…Ｙ２は、亡Ａに対し、受けた注意の内容を付箋にメモしてコンピュータに貼るよう助言するなどし、亡Ａはこれを実践してはいたものの…Ｙ２及びＹ３が継続的に亡Ａのミスを注意・叱責していたことからすると、亡Ａの入力ミスという業務上の問題点は改善されていなかったと認められる。また…Ｄスーパーのシステム変更により午前中の入力作業に追われる心理的負担は軽減されたものの、逆に夕方の残業が増えることになり…Ｄスーパーに係る入力業務については、入力内容を確定した後に修正を要することが判明した場合には、業務量が増加するところ、亡Ａは、平成２４年４月下旬以降、数字や日付の誤入力が徐々に増えていき…亡Ａの時間外労働時間も増加したこと…Ｙ２は、営業担当者から亡Ａの業務量が多いため担当者を替えた方がよいのではないかと言われていたこと、しかし、Ｙ２は、亡Ａの業務量について配慮を行わず、Ｂに対し、亡Ａのミスが少し多いという報告をした以外には、亡Ａの業務状況について相談することもしなかったことが認められる。

もっとも、上記のとおり、Ｙ２は、平成２４年４月以降の亡Ａの指導を委ねられたものであるが、それは亡Ａが本件配置転換後業務をミスすることなく、単独で適切に処理することができるようにするというものであり、Ｂからの支援の指示も、亡Ａがミスをしたり、入力業務に時間を要したりした場合に、Ｙ２が亡Ａの業務の補助をするというものであったと認められる。そして、従業員の配属の決定権や仕事の分量の変更は、Ｙ１の代表取締役とＢにあり…Ｙ２は、亡Ａが担当していた業務の一部を他の従業員に割り当てるとか、亡Ａを他の部署に異動させる権限は有していなかったのであるから、Ｙ２が、亡Ａの業務量について配慮を行わなかったことが、直ちに不法行為に該当するとはいえない。そして、Ｙ２が、亡Ａについて業務量の低減を図るとか、配置転換を検討する必要性があることを認識していながら、あえて業務量の低減ないし配置転換を上申しなかったという場合には、不法行為が成立する余地があるとしても、Ｙ２が、Ｂに対し亡Ａのミスが少し多いという報告をした以外には、亡Ａの業務状況について相談することをしなかったのは…Ｄスーパーのシステム変更によって業務負担が軽減されたものと軽信し、あるいは、亡Ａに対し、業務の状況につき、『大丈夫か』などと尋ねたが、亡Ａから『大丈夫』等の返事があり、また、本件入力業務の補助を依頼されることもなかったためであり、Ｙ２としては、亡Ａの業務に関するミスについては、注意・叱責をもって改善できると考えていたものと認められ、業務量の低減等の必要性を認識しながら、あえてこれをＢに上申しなかったとはいえない。

したがって、Ｙ２が、亡Ａの業務内容や業務分配の見直し等をＢに上申しなかったことが、不法行為に該当するということはできない」。

「もっとも…Ｙ２は、亡Ａがミスをすることが多かったことから、事実確認や注意のために亡ＡをＥＤＰ室に呼び出すことも多く、その際には、亡Ａに対し、（Ｙ３在席時には同人とともに）『何度言ったらわかるの』などと強い口調で注意・叱責をするなどしており、同じ注意・叱責を何回も繰り返し、相応に長い時間にわたることもあったことが認められる。かかるＹ２の亡Ａに対する叱責行為は、その態様、頻度等に照らして、Ｙ３の場合と同様に、業務上の適正な指導の範囲を超えて、亡Ａに精神的苦痛を与えるものであったと認められるから、不法行為に該当するというべきである…そして、かかる叱責の態様に照らせば、Ｙ２において、これが社会通念上許容される業務上の適正な指導の範囲を超えて不法行為に該当するものであることを認識することは容易であったと認められる。したがって、Ｙ２は、上記行為について不法行為責任を負うというべきである」。

「Ｙ１及びＹ２は、当審において、Ｙ２の指導・注意は、違法と評価されるようなものではないとして縷々主張する。しかし…Ｙ２の亡Ａに対する叱責行為の態様等に照らせば、業務上の適正な指導の範囲を超えるものであることは明らかである」。

（３）Ｙ１の損害賠償責任の有無について（Ｙ１の不法行為又は債務不履行の有無について）

「使用者は、その雇用する労働者に従事させる業務を定めてこれを管理するに際し、業務の遂行に伴う疲労や心理的負荷等が過度に蓄積して労働者の心身の健康を損なうことがないように注意する義務（雇用契約上の安全配慮義務及び不法行為上の注意義務）を負うと解するのが相当である（なお、最高裁判所平成１２年３月２４日第二小法廷判決・民集５４巻３号１１５５頁参照）」。

「Ｙ３の亡Ａに対する本件叱責行為は、社会通念上許容される業務上の指導の範囲を超えて、亡Ａに精神的苦痛を与えるものであったと認められる。したがって、Ｙ１としては、Ｙ３の本件叱責行為について、これを制止ないし改善するように注意・指導すべき義務があったというべきである。

そして…Ｂは、遅くとも平成２３年１０月頃には、Ｙ３の口調について亡Ａが心理的負担を感じているものと認識し、その頃、亡Ａを指導する際の口調について注意したことが認められる。しかしながら、Ｂは、Ｙ１には午前１０時頃に出社し、午後５時頃まで会社にいる…のであり、また、Ｙ３の亡Ａに対する本件叱責行為は多数回行われ、従業員らもその状況を認識していた…のであるから、ＢもＹ３の本件叱責行為を認識していたものと認めるのが相当である（なお、Ｂは、原審において、Ｙ２やＹ３が亡ＡをＥＤＰ室に呼び出して指導していることは見たことがない旨供述する…しかし、Ｙ３の本件叱責行為のみならず…Ｙ２による叱責も多数回行われ、かかる状況は、他の従業員も認識していたものであるから、Ｙ１で午前１０時頃から午後５時頃まで仕事をしているＢは、Ｙ３及びＹ２の上記言動を認識していたと考えるのが合理的であり、これを知らなかったというＢの上記供述は不自然であり、直ちに採用することができない。）。それにもかかわらず、Ｂが、Ｙ３に対し、本件叱責行為について、これを制止ないし改善するように指導・注意をしたことはうかがえないから、Ｙ１は、上記義務を怠ったといえる」。

「Ｙ２が、ＥＤＰ室において、亡Ａに対し、（Ｙ３在席時には同人とともに）『何度言ったらわかるの』などと強い口調で注意・叱責をするなどしたことは、社会通念上許容される業務上の適正な指導の範囲を超えて、亡Ａに精神的苦痛を与えるものであったと認められる。したがって、Ｙ１としては、Ｙ２の上記指導・叱責について、これを制止ないし改善するように注意・指導するなどすべき義務があったというべきである。

そして…Ｂは、Ｙ２の上記言動を認識していたと考えるのが合理的である。そうすると、Ｙ１は、Ｙ２の上記指導・叱責を認識しながら、これを制止・改善させることなく、そのまま放置していたといわざるを得ないから、上記義務を怠ったと認められる」。

「Ｙ１は、本件配置転換前業務は高等学校卒業後に入社する新入社員が担当することが比較的多く、その負担も比較的軽いものであったこと、及び亡Ａが本件配置転換前業務においても入力ミスが多かったことを認識しながら本件配置転換を決定し、しかも、Ｂは、本件配置転換に当たり、その時点では前任者からの引継ぎが十分でなかったとして、亡Ａの指導担当者と定めたＹ２に対し、亡Ａを支援するよう指示していたことが認められる。したがって、Ｙ１としては、本件配置転換後業務における亡Ａの業務の負担や遂行状況を把握し、場合によっては、亡Ａの業務内容や業務分配の見直しや増員を実施すべき義務がある。

そして…Ｄスーパーに係る入力業務については、入力内容を確定した後に修正を要することが判明した場合には、業務量が増加するところ、亡Ａは、平成２４年4月下旬以降、数字や日付の誤入力が徐々に増えていき…亡Ａの時間外労働時間も増加したことが認められる。また、上記のとおり、亡Ａは、Ｙ２及びＹ３から頻繁に注意・叱責を受けていたものの、入力ミスが減らず…Ｙ２に対し、担当者の交替の必要性を示唆する営業担当者もいたことが認められる。

亡Ａの上記業務の実情に鑑みると、亡Ａは平成２４年５月中には業務遂行上の支援を必要とする状況にあったといえるから、Ｙ１としては、亡Ａの業務内容や業務分配の見直し等を検討し、必要な対応をとるべき義務があったというべきである。

しかし、Ｙ１は、Ｙ２から亡Ａのミスが少し多い旨の報告をうけるにとどまり、それ以上、亡Ａの業務の実情の把握に努めたことはうかがえない。Ｙ１は、タイムカードや従業員らからの事情聴取により、亡Ａが支援を必要とする状況にあるということを認識することは十分可能であったから、Ｙ１がこれを怠ったことは、上記義務違反に該当する。

なお、Ｙ１は、当審において、本件配置転換後業務において、亡Ａに多少のミスがあったとしても、大きな問題を起こしていたわけでもないから、しばらく様子を見ようとしたものであるなどとして、Ｙ１の判断に誤りがあったということはできず、安全配慮義務違反はない旨主張する。しかし、上記認定のとおり、亡Ａは平成２４年５月中には業務遂行上の支援を必要とする状況にあったといえるから、Ｙ１としては、亡Ａの業務内容や業務分配の見直し等を検討し、必要な対応をとるべき義務があったというべきである。Ｙ１の主張は、採用することができない」。

「Ｙ１は、平成２３年１０月頃のＸ２からＢに対する電話の前後を問わず、Ｙ３の行為をいじめ・パワーハラスメント行為とは認識していなかった旨主張する。しかし…Ｂは、Ｙ３に対し、亡Ａのミスが減らないのはＹ３が亡Ａに対して注意する際に徐々にきつい口調になることも原因ではないかと指摘し、亡Ａに対して注意する際にはもう少し優しい口調で行うよう促していたことなどに照らすと、Ｙ１の主張は採用することができない。

また、Ｙ１は、Ｂが、本件配置転換後、亡Ａの様子を把握すべく、声掛け、面談を実施し、亡Ａの仕事のミスを減らすための助言をし、女性従業員の交流を深めるために女子会を開催するなどした旨主張する。しかし…Ｂは、Ｙ３及びＹ２の亡Ａに対する注意・叱責を認識しながら、これを制止ないし改善するよう注意したことはなかったことからすると、ＢがＹ１の主張する上記面談・助言をしたというのは疑問がある。また、女性従業員の交流を深めるために女子会を開催したということがあったとしても、これによりＹ３及びＹ２に対する亡Ａの注意・叱責が改善されたわけでもないから、Ｙ１が注意義務を尽くしたということもできない。Ｙ１の主張は、採用することができない」。

「Ｙ１が、Ｙ３の本件叱責行為及びＹ２の指導・叱責について、制止・改善を求めず、また、亡Ａの業務内容や業務分配の見直し等を怠ったことは、Ｙ１の義務違反に該当し、これらはＹ１の不法行為（民法７０９条）及び債務不履行（安全配慮義務違反）に該当する。

また…Ｙ３の本件叱責行為及びＹ２の指導・叱責は、いずれも不法行為に該当するところ、Ｙ１は、これらについて、使用者責任（民法７１５条）を負う」。

（４）Ｙらの不法行為と亡Ａの死亡（自殺）との間の相当因果関係の有無について

「Ｙ１の不法行為（使用者責任を含む）による亡Ａの心理的負荷は、社会通念上、客観的に見てうつ病という精神障害を発症させる程度に過重なものであったと評価することができ、また、Ｙ１の不法行為（使用者責任を含む）と亡Ａの自殺との間には、相当因果関係があると認めるのが相当である」。

「厚生労働省は、すでに平成１３年に『職場における自殺の予防と対応』…において、うつ病にり患した患者が自殺を図ることが統計的にある程度の数字になっており…労働者が業務上の原因で自殺することを防止するよう注意を呼び掛けて」おり、「平成２３年には…労災保険金請求のさらなる増加を受けて…専門検討会報告書が作成されて公表されている。そうすると、上記専門検討会報告書の内容はともかくとして、使用者は、平成２４年当時、仕事の負担が急に増えたり、職場でサポートが得られないといった事由から、労働者がうつ病になり、自殺に至る場合もあり得ることを認識できたのであるから、うつ病発症の原因となる事実ないし状況を認識し、あるいは容易に認識することができた場合には、労働者が業務上の原因で自殺することを予見することが可能であったというべきである。そして、Ｙ３及びＹ２による違法な注意・叱責とこれについてＹ１が適切な対応を取らなかったこと、及び亡Ａの業務内容や業務分配の見直しをすべき義務があったのにこれをしなかったということを、Ｙ１は認識し、あるいは容易に認識できるものであったから、Ｙ１には亡Ａの自殺について予見可能性があったというべきである」。

（５）損害賠償額について

「（ア）Ｙ１は、〔１〕Ｘ１に対し、３１９０万３７８３円（うち２７万５０００円はＹ３と連帯して、うち２７万５０００円はＹ２及びＹ３と連帯して）、〔２〕Ｘ２に対し、２３８４万２６４３円（うち２７万５０００円はＹ３と連帯して、うち２７万５０００円はＹ２及びＹ３と連帯して）の損害賠償義務があり、（イ）Ｙ３は、〔１〕Ｘ１に対し、５５万円（うち２７万５０００円をＹ１と連帯して、うち２７万５０００円をＹ１及びＹ２と連帯して）、〔２〕Ｘ２に対し、５５万円（うち２７万５０００円をＹ１と連帯して、うち２７万５０００円をＹ１及びＹ２と連帯して）の損害賠償義務があり、（ウ）Ｙ２は、〔１〕Ｘ１に対し、Ｙ１及びＹ３と連帯して２７万５０００円、〔２〕Ｘ２に対し、Ｙ１及びＹ３と連帯して２７万５０００円の損害賠償義務がある」。

２６　関西ケーズデンキ事件・大津地判平 30.5.24 労経速 2354 号 18 頁

【事実の概要】

平成２４年１１月１日にＹ２に入社し、同年１２月６日から本件店舗においてＬｏｎｇＰａｒｔｎｅｒ（略称ＬＰ、フルタイム勤務の時給制非正規労働者）として勤務していたのが亡Ａであるところ、Ｘ１は亡Ａの夫であり、Ｘ２は亡Ａの長男である。

Ｙ１は、平成２４年１２月６日に本件店舗の店長に就任し、亡Ａが自死した平成２７年９月２９日時点における店長（亡Ａの上司）であった。

亡Ａは、平成２７年４月７日及び同月１１日、本来値引きできない取り寄せ部品を値引きして販売した。

また、亡Ａは、平成２７年５月５日、クリーナーを販売した際に、当該顧客には下取りの対象となるリサイクル商品がなかったにもかかわらず、リサイクル商品に係る割引コードを利用して値引きをした上、当該顧客に小型家電リサイクルの受取用紙である回収確認書にサインをさせた。

さらに、亡Ａは、平成２７年６月２１日、顧客から修理を依頼されたクリーナーを自ら本件店舗に持ち込み、同年７月４日には、当該修理に係る修理代金を立て替えた上、修理を終えたクリーナーを自ら顧客方まで持ち帰って配達しようとした。しかし、Ｙ２においては、従業員が顧客の支払うべき代金を立替払して、自己の所持する金銭をレジに混入させること、あるいは、従業員が立替払した代金を顧客から回収し、これを自己が取得することは許されておらず、また、Ｙ２における配送システム上配送指定商品になっていない商品の代金を従業員が回収することや、従業員が、自ら顧客の修理品を持ち込んだり、修理を終えた商品を持ち帰って顧客に配達することは許されていない。

Ｙ１は、亡Ａの上記行為が不適正なものであると考え、本部に報告して相談したところ、注意書を交付するようにとの指示を受けたことから、平成２７年７月１７日、亡Ａに対し、各行為別に計３通の注意書を交付し、これを作成させた。亡Ａは、注意書を作成した上記行為については、不適切な行為であることを認めて、反省しなければならないと考えていた。

亡Ａは、平成２７年８月１２日、自身が本件店舗で販売したテレビを顧客方に配送した配送委託業者の担当者から、テレビのリサイクル料金の金額を間違えている旨の連絡があったところ、同担当者に対し、伝票を切り替えて対応するから顧客には言わなくてもよいと伝えて、販売したテレビの商品代金を減額してリサイクル料金の埋め合わせをすることを試みた。しかし、テレビのリサイクル料金はメーカー毎に料金が異なっており、家電量販店は家電リサイクル法に基づいて定められたリサイクル料金を顧客から預かってリサイクルセンターに支払うという手順になっているところ、家電量販店が独自の判断でリサイクル料金を変更することは許されない。

Ｙ１は、亡Ａの上記テレビリサイクルに係る行為について注意したところ、亡Ａが「売ってるからいいやん」と述べたため、声を荒げて大声で叱責した。

亡Ａは、本件店舗で勤務を始めてから平成２７年９月頃までの間、自身の夫であるＸ１が勤務する桑名商店に対し、クリーナーを、通常レジに表示されている設定価格から値引きして販売することを繰り返しており、桑名商店は、Ｙ２から購入したクリーナーを自社の顧客に対して転売していた。しかし、Ｙ２は大規模小売店舗であるところ、卸販売は禁止されている。

Ｙ１は、平成２７年９月１９日、亡Ａによる桑名商店へのクリーナーの販売が、禁止されている卸販売に該当するのではないかと考え、事実経過をＹ２本部の内部監査室部長代理に報告したところ、同月２２日、部長からＹ１に対して連絡があり、亡Ａにおいては、販売やレジ業務に係る不適切な処理を行っている実態があること、桑名商店へのクリーナーの販売が転売目的か否かを調査する必要があることなどから、亡Ａを、一旦、販売やレジ業務に直接携わらない部署に配置換えするようにとの指示があった。

Ｙ１は、上記部長の指示を受け、平成２７年９月２２日から同月２３日にかけて、店長代理と亡Ａの担当業務について協議し、亡Ａの配置換え先として、荷受け担当や掃除担当も検討したものの、当該業務の性質や必要人員、他の従業員の業務との兼ね合いから、亡Ａにこれらを担当させるのは効率的ではなく、Ｙ２において、価格調査業務が重要であり強化する必要があるとの認識・取組みがあったことから、競合店舗の価格調査業務及びプライス票の作成業務を担当させることとし、同日に、亡Ａに対し、競合店舗の価格調査業務及びプライス票の作成業務を担当すること（以下「本件配置換え」）について意向打診した。その際、亡Ａからは、「今回の配置換えは私をやめさせるためですか」という旨の発言があった。

亡Ａは、平成２７年９月２３日に本件配置換えの意向打診を受けた直後から、同僚とのグループＬＩＮＥにおいて、本件配置換えの内容や、競合店舗の価格調査業務自体について、否定的な意見を述べるメッセージを繰り返し送信した。また、亡Ａは、平成２７年９月２８日午前、労働組合の書記長に対し、本件配置換えなどについて相談をした。なお、亡Ａは、労働組合には加入していなかった。亡Ａは、書記長に対し、本件注意書に係る不適切な処理やテレビのリサイクル料の不適切な処理についてはいけないことをしたもので反省しているが、価格調査業務の内容について、本件店舗から自転車で２０分ほどの競合店舗の一つであるジョーシンに、天候にかかわらず毎日出向き、一人で朝から５ないし６時間ほどかけて、電池１個から４Ｋテレビまですべての商品の価格調査を行い、リストを作成し、その後本件店舗に戻りプライス票を作成するものと理解しており、かかる業務に就くことに対して強い忌避感を抱いていることを伝えた。書記長は、部長に対して、本件配置換えを内容とするＹ１の亡Ａへの指示は行き過ぎた指導と考えられるなどとするメールを送信した。

店長代理は、平成２７年９月２７日、Ｙ１との協議に基づき、本件店舗の平成２７年１０月１日からのシフト表を張り出した。亡Ａは、従前から土曜日及び日曜日に勤務することを希望しており、同年９月までは月曜日と木曜日が休日になっていたが、上記シフト表においては、水曜日と日曜日が休日とされていた（以下「本件シフト変更」）ことに不満を抱いた。

亡Ａは、平成２７年９月２８日午後７時頃から午後１０時３０分頃まで、本件店舗において、Ｙ１と本件配置換え及び本件シフト変更について話し合った。この話合いにおいて、まず、亡Ａは、Ｙ１に対し、価格調査業務への配置換え及び休日の変更は亡Ａを辞めさせる意図によるものではないかと述べたが、Ｙ１は、これを否定した。

また、亡Ａが価格調査業務への忌避感を示す度、Ｙ１は、繰り返し価格調査業務の重要性及びこれを強化する必要性を説明し、あるいは仕事である以上嫌なことであってもやる必要がある旨述べて、亡Ａを説得した。これに対し、亡Ａが価格調査業務をやるくらいなら死ぬといった旨を述べると、Ｙ１が、亡Ａに対して、死ぬほどに価格調査業務を嫌がっていることが分かったと述べた上、死ぬくらいならやらなくてよいと述べつつも、再度嫌な仕事でもやる必要がある旨説得を繰り返し、亡Ａに対する本件配置換えの必要性に関して、電池１個、乾球１個、メディア１枚、どれを手にとってレジへ持って行っても他の家電量販店には絶対負けないという売り場を作りたいと述べた。併せて、Ｙ１は、従業員に対して指導したり注意したりする立場からすると、従業員がうつ病になったり自殺したりしないか、常々考えている旨述べた。なお、亡Ａがテレビのリサイクル料金について不適正な処理を行おうとしたことについて、Ｙ１が、「だから僕この前、ばちんとキレたんです。あんなキレ方、僕はしませんよ、今まで」と述べる場面もあった。

他方、亡Ａが、価格調査業務を始めるに当たって、当初から１人で行うのではなく、初期段階においては、当該業務の経験がある他の従業員と共に行うのであれば前向きに考えられる旨述べると、Ｙ１は、それは可能であると応じた。もっとも、亡Ａが、通常の価格調査であれば競合店舗での所在時間は長くても１時間程度であるところ、今回指示された価格調査業務では５ないし６時間行くことになると述べたのに対し、Ｙ１は、それを否定することなく、むしろそれほど長時間かけた価格調査を行うことを前提とした返答をした。

亡Ａは、平成２７年９月２９日午前８時１１分から同２８分にかけて、同僚とのグループＬＩＮＥにおいて、組合の出方によっては辞めることを決めた旨のメッセージなどを送信した後、縊頸の方法により自死した。

Ｘらは、Ｙ１の亡Ａに対する注意書の徴求・競合店舗の価格調査の強要等のパワハラにより、同人が自死したとして、Ｙ１には不法行為が成立し、また、Ｙ２には主位的に使用者責任又は予備的に安全配慮義務違反を原因とする債務不履行が成立すると主張し、損害賠償金３５０７万７６９１円の連帯支払等をＹらに求めた。

【判旨】

（1）注意書について

Ｙ１が亡Ａから３通の注意書を徴求したことは、「亡Ａが、Ｙ２における業務を遂行するに当たって、社内の規定や取扱いに反する不適正な処理を行っていたことが認められるのであり、亡Ａに対し、かかる行為が不適正なものであることの自覚を促し、今後の改善を図る必要があったことは否定できない」。

亡Ａの「個々の行為がＹ２に実害を及ぼすものではなかったとしても、Ｙ２として、社内の規定や取扱いに反する不適正な処理を黙認することができないのはもとより当然であるし、仮に一個の行為のみでは口頭による注意で足り、注意書を作成させることまではしないということがあり得るとしても、不適正な処理が続いた場合に、口頭による注意では足りず、注意書を作成させる必要があると判断することも十分あり得る」。

「そして、Ｙ２における注意書とは、従業員に今後の改善策を検討させるにとどまるものであって、顛末書や始末書のような性質を有するものではないこと…にも鑑みると、本件において、Ｙ１が亡Ａをして３通の注意書を作成させた行為は、業務上の必要性及び相当性が認められる行為であると解するのが相当であり、Ｙ１による亡Ａに対するパワハラ（業務の適正な範囲を超えて、精神的・身体的苦痛を与える行為）の一環であると評価することはできない」。

（2）本件シフト変更について

「亡Ａは、Ｙ２における勤務において土曜日及び日曜日の勤務を希望しており、従前の勤務シフトは土曜日及び日曜日は勤務日となっていたところ、Ｙ１は、平成２７年１０月１日からの亡Ａの勤務シフトについて、亡Ａの希望に反して日曜日を休日とするものに変更したことが認められる」。

「シフトの編成に当たっては、人員の適正配置の観点から、各勤務日・時間帯毎の業務量の軽重に加え、各従業員の能力・経験を考慮し、労働関係法令の規定を踏まえつつ、各従業員の希望を調整する必要があるのであって、一定の裁量が認められるべき行為であると解される。

そして、当時、Ｙ２は、亡Ａが販売やレジ業務で不適切な処理を繰り返していた…ため、亡Ａをこれらの業務に直接携わることのない部署に配置換えする方針で動いていた…ところ、亡Ａの処理が不適切であったことは明らかであるから、このような方針が不合理であったとはいえない。そうすると、そのような方針の下において、亡Ａのみならず本件店舗の従業員全体の担当業務を調整する必要が生じていたことから、本件シフト変更に当たっては、亡Ａのみでなく、本件店舗に勤務する他のパートナー従業員のシフトについても、必ずしもその意に沿わない変更が行われたこと…も踏まえれば、本件シフト変更は、亡Ａを販売やレジ業務に直接携わることのない部署に配置換えすることに伴う本件店舗の従業員全体の担当業務の調整という業務上の必要性から行われたものと考えるのが自然である。

そうすると、価格調査業務への配置換えがパワハラに該当するか否かについては後に検討するとして、そのこととは別個に、単にＹ１が亡Ａの希望に反する本件シフト変更を行ったことのみをもって、それ自体がＹ１による亡Ａに対するパワハラ（業務の適正な範囲を超えて、精神的・身体的苦痛を与える行為）の一環であったと評価することはできない」。

（３）叱責について

「Ｙ１が、亡Ａに対して、声を荒げて大声で叱責することがあったことが認められる。

そして、その態様としては、Ｙ１自身が、平成２７年９月２８日の亡Ａとの話合いにおいて、『だから僕この前、ばちんとキレたんです。あんなキレ方、僕はしませんよ、今まで。』と述べていること…からしてある程度強いものであったといえるが、あくまで、何度も不適切な処理を繰り返した亡Ａに十分な反省が見られず、『売ってるからいいやん』と反論されたため…一時的に感情を抑制できずにされた叱責にすぎないというべきである。

また、その内容としては、亡Ａがテレビのリサイクル料金について不適正な処理を行おうとしたこと…についてのものであり、亡Ａ自身も、同日午前の書記長との相談において不適切な行為であることを認めて反省しなければならないと考えていたこと…からすると、叱責の内容自体が根拠のない不合理なものであったというわけでもない。

そして、それ以外に、大声での叱責が反復継続して繰り返し行われていたとか、他の従業員の面前で見せしめとして行われていたなど、業務の適正な範囲を超えた叱責があったことを窺わせる事情を認めるに足りる証拠はない。

そうすると、亡ＡにもＹ１に叱責を受けてもやむを得ない部分があったことは否定できず、一時的に感情を抑制できずに声を荒げて大声で亡Ａを叱責したというだけで、それがＹ１による亡Ａに対するパワハラの一環であったと評価することはできない」。

（４）価格調査業務への配置換えについて

「亡Ａに社内ルールを逸脱する不適切な行動が続いたため、Ｙ１が、Ｙ２本部の部長から、亡Ａについて、一旦、販売やレジ業務から外すように指示を受けたこと、これに伴い、店長代理と亡Ａの担当業務について協議し、亡Ａの配置換え先として、荷受け担当や掃除担当も検討したものの、当該業務の性質や必要人員、他の従業員の業務との兼ね合いから、亡Ａにこれらを担当させるのは効率的ではなく、Ｙ２において、価格調査業務が重要であり強化する必要があるとの認識・取組みがあったことから、亡Ａに価格調査業務を担当させるとの結論に至ったのであり、このような経緯自体には、何ら不合理な点は見いだせない」。

しかし、「Ｙ１が亡Ａに意向打診した際に説明した価格調査業務の内容は、Ｙ２の親会社である訴外株式会社ケーズホールディングスが編成するマーケットリサーチプロジェクトチームの業務内容に匹敵する業務量であるにもかかわらず、これをＬＰ１人が地域で競合する１店舗のみに専従するという意味において、極めて特異な内容のものであった。そうすると、たとえ、Ｙ１に、亡Ａに対して積極的に嫌がらせをし、あるいは、本件店舗を辞めさせる意図まではなかった…としても、本件配置換えの結果、亡Ａに対して過重な内容の業務を強いることになり、この業務に強い忌避感を示す亡Ａに強い精神的苦痛を与えることになるとの認識に欠けるところはなかったというべきである。したがって、Ｙ１による本件配置換え指示は、亡Ａに対し、業務の適正な範囲を超えた過重なものであって、強い精神的苦痛を与える業務に従事することを求める行為であるという意味で、不法行為に該当すると評価するのが相当であるというべきである」。

（５）Ｙ２におけるパワハラ防止体制の存否について

「Ｘらは、Ｙ２が、パワハラ行為を防止するための措置を怠り、あるいは、従業員がパワハラについて相談することができるような苦情対応の体制をとっていなかったところ、これがＹ２の安全配慮義務違反を構成する旨主張する。

この点、労働契約法５条が、『使用者は、労働契約に伴い、労働者がその生命、身体等の安全を確保しつつ労働することができるよう、必要な配慮をするものとする。』と規定しているとおり、使用者は、労働者が職場において行われるパワハラ等によって不利益を受け、又は就業環境が害されることのないよう、労働者からの相談に応じ、適切に対応するために必要な体制の整備その他の雇用管理上必要な措置を講じる義務（職場環境配慮義務。雇用機会均等法１１条１項参照。）を負っており、同義務に違反して、パワハラを放置することは許されないというべきである。

そこで、本件につき、Ｙ２においてかかる職場環境配慮義務違反があるかを検討するに、Ｙ２においては、店長等の管理職従業員に対してパワハラの防止についての研修を行っていること、パワハラに関する相談窓口を人事部及び労働組合に設置した上でこれを周知するなど、パワハラ防止の啓蒙活動、注意喚起を行っていることが認められるし、本件においても、亡ＡはＹ１からの本件配置換え指示について、パワハラに関する相談窓口となっているＹ２労働組合の書記長に対して相談したところ、書記長は、これを受けて部長に対して本件配置換えを実行させないように指示されたいとの連絡をしているのであって、Ｙ２における相談窓口が実質的に機能していたことも認められる」。

「以上によれば、Ｙ２としては、パワハラを防止するための施策を講じるとともに、パワハラ被害を救済するための従業員からの相談対応の体制も整えていたと認めるのが相当であるから、Ｙ２の職場環境配慮義務違反を認めることはできない」。

（6）Ｙ１の行為と自死との因果関係について

「本件配置換え指示と亡Ａの自死との間には相当因果関係を認めることはできない」。

（7）Ｙ１の行為と亡Ａの精神的苦痛との因果関係について

「亡Ａは価格調査業務に対して強い忌避感を抱いており、結果的に自死するに至るほどに思い悩んでいたことからすれば、亡Ａが、Ｙ１による本件配置換え指示によって多大な精神的苦痛を受けていたことは明らかである。そして、Ｙ１において、亡Ａが価格調査業務に対して強い忌避感を抱いていたことを認識していた…以上、本件配置換え指示によって亡Ａに強い精神的苦痛を生じることを認識していたこともまた明らかである」。

（8）損害の有無及び額について

「本件配置換え指示による亡Ａの精神的苦痛を慰謝するための金額としては、かかる行為と亡Ａの自死との間に結果として条件関係があることを否定し難いことなど、本件に現れた一切の事情を考慮すれば、１００万円が相当である」。

「Ｘ１及びＸ２は、それぞれ２分の１の割合により亡Ａを相続した」。

「本件に現れた一切の事情を考慮すると、弁護士費用のうち」上記の「１００万円の１割に当たる１０万円」は、「本件配置換え指示と相当因果関係がある損害としてＹが負担すべきである」。

（9）「以上より、Ｘらは、Ｙらに対し、不法行為及び使用者責任に基づく請求として、それぞれ５５万円及びこれに対する不法行為の日の後である平成２７年9月２９日から支払済みまで民法所定の年５分の割合による遅延損害金の連帯支払を求めることができるが、その余の部分は理由がない。また、Ｙ２の安全配慮義務（職場環境配慮義務）違反を認めることはできないから、これを前提とするＸらの予備的請求はその全部について理由がない」。

JILPT　資料シリーズ　No.224
パワーハラスメントに関連する主な裁判例の分析

定価（本体 3,000 円＋税）

発行年月日　　２０２０年３月３１日
２０２０年６月３０日　第２刷
編集・発行　　独立行政法人　労働政策研究・研修機構
〒177-8502　東京都練馬区上石神井 4-8-23
（照会先）　研究調整部研究調整課　TEL:03-5991-5104
（販売）　研究調整部成果普及課　TEL:03-5903-6263
FAX:03-5903-6115
印刷・製本　　株式会社相模プリント

ISBN978-4-538-87224-7　Printed in Japan